IGMacdonald
July 1985

Ergebnisse der Mathematik und ihrer Grenzgebiete

3. Folge · Band 3

A Series of Modern Surveys in Mathematics

Jens C. Jantzen

Einhüllende Algebren halbeinfacher Lie-Algebren

Springer-Verlag
Berlin Heidelberg New York Tokyo 1983

Jens C. Jantzen
Mathematisches Institut der Universität Bonn
Wegelerstraße 10, D-5300 Bonn 1

AMS-MOS (1980) Classification numbers: 17-02, 17B35, 17B10, 17B20, 22E47, 16A05, 16A08, 16A20, 16A66

ISBN 3-540-12178-1 Springer-Verlag Berlin Heidelberg New York Tokyo
ISBN 0-387-12178-1 Springer-Verlag New York Heidelberg Berlin Tokyo

CIP-Kurztitelaufnahme der Deutschen Bibliothek
Jantzen, Jens Carsten:
Einhüllende Algebren halbeinfacher Lie-Algebren/J. C. Jantzen. –
Berlin; Heidelberg; New York; Tokyo: Springer, 1983.
(Ergebnisse der Mathematik und ihrer Grenzgebiete; Folge 3, Bd. 3)
ISBN 3-540-12178-1 (Berlin, Heidelberg, New York, Tokyo)
ISBN 0-387-12178-1 (New York, Heidelberg, Berlin, Tokyo)
NE: GT

Printed in Germany
Satz und Druck: Zechnersche Buchdruckerei, Speyer
Bindearbeiten: Konrad Triltsch, Würzburg
2141/3140-543210

Inhaltsverzeichnis

Einleitung

Es sei $\mathfrak{g}$ eine endlich dimensionale Lie-Algebra über dem Körper der komplexen Zahlen. In der Darstellungstheorie von $\mathfrak{g}$ ist eine der am einfachsten zu stellenden Fragen die nach einer Beschreibung aller irreduziblen Darstellungen von $\mathfrak{g}$ oder (äquivalent dazu) aller einfacher Moduln über der universellen einhüllenden Algebra $U(\mathfrak{g})$ von $\mathfrak{g}$.

Eine einfache Antwort auf diese Frage hat man nur, wenn $\mathfrak{g}$ kommutativ ist. Hier ist auch $U(\mathfrak{g})$ kommutativ, also entsprechen die Isomorphieklassen einfacher $U(\mathfrak{g})$-Moduln eindeutig den maximalen Idealen in $U(\mathfrak{g})$. Da hier $U(\mathfrak{g})$ zur Algebra der polynomialen Funktionen auf dem Dualraum $\mathfrak{g}^*$ von $\mathfrak{g}$ isomorph ist, werden diese maximalen Ideale nach dem schwachen Nullstellensatz durch die Punkte von $\mathfrak{g}^*$ klassifiziert. Jede irreduzible Darstellung von $\mathfrak{g}$ ist demnach eindimensional, jede Linearform auf $\mathfrak{g}$ legt solch eine Darstellung fest.

Für andere Lie-Algebren sind die Verhältnisse viel komplizierter. Ist $\mathfrak{g}$ zum Beispiel einfach, so ist bisher nur für $\mathfrak{g}=\mathfrak{sl}_2$ eine Klassifikation der irreduziblen Darstellungen bekannt (vorgelegt von R. Block), die jedoch weit davon entfernt ist, ähnlich explizit wie die im kommutativen Fall zu sein. Für noch größere Lie-Algebren scheint selbst eine solche Klassifikation nicht erreichbar zu sein. Es scheint daher sinnvoll, zunächst ein einfacheres Problem zu lösen, das im kommutativen Fall mit dem alten zusammenfällt. Dies ist die Untersuchung der primitiven Ideale von $U(\mathfrak{g})$, das heißt der Annullatoren in $U(\mathfrak{g})$ der einfachen $U(\mathfrak{g})$-Moduln. Man mag hoffen, daraus auch Informationen über die möglichen einfachen Moduln zu erhalten.

Den Hauptanstoß dafür, primitive Ideale von $U(\mathfrak{g})$ zu betrachten, gab jedoch die Darstellungstheorie der Lie-Gruppen. Es sei G eine zusammenhängende reelle Lie-Gruppe, sodaß $\mathfrak{g}$ aus der Lie-Algebra von G durch Komplexifizieren entsteht. Ist eine unitäre Darstellung von G auf einem Hilbertraum H gegeben, so operiert $\mathfrak{g}$ (und damit auch $U(\mathfrak{g})$) auf dem Raum H_∞ der beliebig oft differenzierbaren Vektoren in H. Ist die Darstellung von G auf H topologisch irreduzibel, so muß H_∞ durchaus nicht ein einfacher $U(\mathfrak{g})$-Modul sein, jedoch ist der Annullator von H_∞ in $U(\mathfrak{g})$ stets ein primitives Ideal von $U(\mathfrak{g})$. Dies wird ohne jede Einschränkung an $\mathfrak{g}$ erstmals in [Dixmier 8] bewiesen; für halbeinfache (Harish-Chandra) und auflösbare (Dixmier) Lie-Algebren war es schon länger bekannt. Man erhält also in jedem Fall eine Abbildung von der Menge der Äquivalenzklassen irreduzibler unitärer Darstellungen von G in die Menge der primitiven Ideale von $U(\mathfrak{g})$. Für nilpotentes G ist diese Abbildung injektiv und das Bild vernünftig beschreibbar. Im allgemeinen ist die Situation komplizierter, doch wird man auch hier hoffen, einen Vergleich durchführen zu können.

Es gibt einen weiteren Zusammenhang zwischen der Darstellungstheorie von Lie-Gruppen und der Untersuchung der primitiven Ideale in $U(\mathfrak{g})$. Die Lie-Algebra $\mathfrak{g}\times\mathfrak{g}$ operiert in natürlicher Weise auf $U(\mathfrak{g})$, ein Faktor durch Multiplikation von links, der andere von rechts. Die $U(\mathfrak{g}\times\mathfrak{g})$-Untermoduln sind dann gerade die (stets: zweiseitigen) Ideale von $U(\mathfrak{g})$. Es sei andererseits G_1 eine zusammenhängende Lie-Gruppe über den komplexen Zahlen mit (komplexer) Lie-Algebra $\mathfrak{g}$. Fassen wir nun G_1 als reelle Lie-Gruppe auf, so ist die Komplexifizierung der (reellen) Lie-Algebra zu $\mathfrak{g}\times\mathfrak{g}$ isomorph. Wir wollen nun annehmen, daß G_1 halbeinfach ist und ein endliches Zentrum hat. Dann wählen wir eine maximal kompakte Untergruppe K von G_1 und bezeichnen mit $\mathfrak{k}\subset\mathfrak{g}\times\mathfrak{g}$ die komplexifizierte Lie-Algebra von K. Ist nun eine unitäre (oder auch nur stetige) Darstellung von G_1 auf einem Hilbertraum H gegeben, so betrachtet man zweckmäßigerweise statt H_∞ wie oben den darin enthaltenen Raum H_K derjenigen Vektoren, deren Bilder unter K einen endlich dimensionalen Teilraum aufspannen. Dann ist H_K ein $U(\mathfrak{g}\times\mathfrak{g})$-Modul, der als $U(\mathfrak{k})$-Modul direkte Summe einfacher, endlich dimensionaler Moduln ist. Wir nennen $U(\mathfrak{g}\times\mathfrak{g})$-Moduln mit dieser Eigenschaft kurz Harish-Chandra-Moduln für $(\mathfrak{g}\times\mathfrak{g},\mathfrak{k})$. Für ein primitives Ideal I von $U(\mathfrak{g})$ ist $U(\mathfrak{g})/I$ mit der oben beschriebenen Operation nun ein solcher Harish-Chandra-Modul, der darüber hinaus noch endliche Länge hat. Auf diese Art kann man die Theorie der Harish-Chandra-Moduln und damit der Darstellungen halbeinfacher Lie-Gruppen auf das Studium der primitiven Ideale in $U(\mathfrak{g})$ anwenden; man erhält aber auch Ergebnisse in umgekehrter Richtung.

In der Theorie der primitiven Ideale von $U(\mathfrak{g})$ stellen sich nun drei Hauptaufgaben:

1) Man klassifiziere alle primitiven Ideale von $U(\mathfrak{g})$.
2) Für ein primitives Ideal I von $U(\mathfrak{g})$ untersuche man $U(\mathfrak{g})/I$ als Ring und als $U(\mathfrak{g}\times\mathfrak{g})$-Modul.
3) Man finde Zusammenhänge zwischen den Eigenschaften eines einfachen $U(\mathfrak{g})$-Moduls L und denen von $U(\mathfrak{g})/\operatorname{Ann} L$.

Diese drei Aufgaben lassen sich natürlich nicht unabhängig von einander lösen, sondern stehen in einer starken Wechselwirkung zu einander.

Primitive Ideale in Einhüllenden sind zunächst für nilpotente, dann für beliebige auflösbare Lie-Algebren untersucht worden. Für diesen Fall finden sich auch heute noch gültige Darstellungen in den Büchern „Primideale in Einhüllenden auflösbarer Lie-Algebren" von W. Borho, P. Gabriel und R. Rentschler (im folgenden kurz als [BGR] zitiert) und „Algèbres Enveloppantes" von J. Dixmier (kurz [DIX]). Im Fall der halbeinfachen Lie-Algebren hat es in den letzten zehn Jahren große Fortschritte gegeben, über die nun in diesem Buch berichtet werden soll. Für beliebige Lie-Algebren hat man in der letzten Zeit neue, wichtige Resultate bewiesen, doch scheint dort der Zeitpunkt für einen Ergebnisbericht der hier geplanten Art noch nicht gekommen zu sein.

Ich möchte nun einen Überblick über den Inhalt des Buchs geben, indem ich die wichtigsten Ergebnisse zitiere und angebe, wo sie hier zu finden sind. Zum Teil nenne ich bei einigen Sätzen denjenigen, der sie zuerst bewiesen hat; in den anderen Fällen sei auf den eigentlichen Text des Buches, insbesondere auf die Anhänge zu den einzelnen Kapiteln verwiesen.

Es sei $\mathfrak{g}$ von nun an also halbeinfach. Das erste wichtige Ergebnis über $U(\mathfrak{g})$ war die Beschreibung des Zentrums $Z(\mathfrak{g})$ von $U(\mathfrak{g})$ durch Harish-Chandra (1951); danach waren insbesondere alle Homomorphismen von Algebren $\chi: Z(\mathfrak{g}) \to \mathbf{C}$ bekannt (vgl. 3.4/5 hier). Da $Z(\mathfrak{g})$ auf jedem einfachen $U(\mathfrak{g})$-Modul durch solch einen Homomorphismus operiert (den zentralen Charakter dieses Moduls), schneidet jedes primitive Ideal I von $U(\mathfrak{g})$ die kommutative Algebra $Z(\mathfrak{g})$ in einem maximalen Ideal. Wir setzen $\mathscr{X}$ bzw. $\operatorname{Max} Z(\mathfrak{g})$ gleich der Menge aller primitiven bzw. maximalen Ideale von $U(\mathfrak{g})$ bzw. $Z(\mathfrak{g})$ und haben nun eine Abbildung $\pi: \mathscr{X} \to \operatorname{Max} Z(\mathfrak{g})$ mit $\pi(I) = I \cap Z(\mathfrak{g})$ für alle $I \in \mathscr{X}$. Das Problem, alle primitiven Ideale von $U(\mathfrak{g})$ zu finden, läßt sich als Frage nach den Fasern von π interpretieren. Für jedes $M \in \operatorname{Max} Z(\mathfrak{g})$ und $I \in \pi^{-1}(M)$ gilt $I \supset U(\mathfrak{g})M$. Daher erhält man eine gewisse Information über $U(\mathfrak{g})/I$ als $U(\mathfrak{g} \times \mathfrak{g})$-Modul, wenn man $U(\mathfrak{g})/U(\mathfrak{g})M$ unter der adjungierten Darstellung betrachtet. Man kann es nämlich in eine direkte Summe einfacher, endlich dimensionaler $U(\mathfrak{g})$-Moduln zerlegen, in der jeder einfache Modul nur endlich oft vorkommt; wie oft hat Kostant (1963) explizit angegeben (3.1).

Danach konnte man die Theorie der Harish-Chandra-Moduln (für $(\mathfrak{g} \times \mathfrak{g}, \mathfrak{k})$ wie oben) auf $U(\mathfrak{g})/U(\mathfrak{g})M$ anwenden; dies geschah zum Beispiel in [Dixmier 1], [Dixmier 2], [Conze/Dixmier]. Unter anderem erkannte man damit, daß die Fasern von π endlich sind und jeweils ein größtes und kleinstes Element enthalten. Duflo zeigte genauer (in [1]), daß $U(\mathfrak{g})M$ der Annullator in $U(\mathfrak{g})$ eines jeden Verma-Moduls $M(\lambda)$ mit $M = \operatorname{Ann}_{Z(\mathfrak{g})} M(\lambda)$ ist (5.1). Man kann hier $M(\lambda)$ einfach wählen, also ist $U(\mathfrak{g})M$ das kleinste Element von $\pi^{-1}(M)$.

Hier treten nun zum ersten Mal die Moduln mit einem höchstem Gewicht auf. Um sie zu definieren, müssen wir in $\mathfrak{g}$ eine Cartan-Unteralgebra $\mathfrak{h}$ und eine Borel-Unteralgebra $\mathfrak{b}^+ \supset \mathfrak{h}$ wählen. Für ein $\lambda \in \mathfrak{h}^*$ ist ein Modul mit höchstem Gewicht λ ein $U(\mathfrak{g})$-Modul, der von einem $\mathfrak{b}^+$-Eigenvektor erzeugt wird, auf dem $\mathfrak{h}$ durch λ operiert (4.1). Für jedes $\lambda \in \mathfrak{h}^*$ gibt es bis auf Isomorphie genau einen einfachen Modul $L(\lambda)$ und einen „universellen" Modul $M(\lambda)$, den Verma-Modul, mit höchstem Gewicht λ. Für alle $\lambda \in \mathfrak{h}^*$ haben wir mit $I(\lambda) = \operatorname{Ann}_{U(\mathfrak{g})} L(\lambda)$ nun ein Element von $\mathscr{X}$ konstruiert. Einen entscheidenden Durchbruch in der Theorie erzielte nun Duflo, als er in [3] zeigte, daß jedes primitive Ideal in $U(\mathfrak{g})$ ein $I(\lambda)$ ist: $\mathscr{X} = \{I(\lambda) \mid \lambda \in \mathfrak{h}^*\}$.

An einer vollständigen Beschreibung von $\mathscr{X}$ als Menge fehlt damit noch die Antwort auf die Frage, wann $I(\lambda) = I(\mu)$ für $\lambda, \mu \in \mathfrak{h}^*$ gilt. Eine notwendige, aber im allgemeinen nicht hinreichende Bedingung dafür ist $\pi(I(\lambda)) = \pi(I(\mu))$, und dies wiederum gilt nach Harish-Chandra (s. o.) genau dann, wenn es ein $w \in W$ mit $\mu = w \cdot \lambda$ gibt. Dabei ist W die Weylgruppe von $\mathfrak{g}$ relativ $\mathfrak{h}$, und $w \cdot \lambda$ ist eine Kurzschreibweise für $w(\lambda + \rho) - \rho$, wobei $\rho \in \mathfrak{h}^*$ die halbe Summe der Wurzeln von $\mathfrak{h}$ in $\mathfrak{b}^+$ ist. So sehen wir auch genauer, daß für $\mathscr{X}_\lambda = \pi^{-1}(\pi(I(\lambda))$ gilt: $\mathscr{X}_\lambda = \{I(w \cdot \lambda) \mid w \in W\}$.

Um genauere Aussagen machen zu können, braucht man Resultate über die Moduln $L(\lambda)$ und allgemeiner über die Kategorie $\mathscr{O}$ aller $U(\mathfrak{g})$-Moduln endlicher Länge, die als $U(\mathfrak{h})$-Moduln halbeinfach sind und deren Kompositionsfaktoren die Gestalt $L(\mu)$ mit $\mu \in \mathfrak{h}^*$ haben. Diese Ergebnisse sind hier im Kapitel 4 zusammengestellt. Wo möglich, verweisen wir für die Beweise auf das siebente Kapitel von [DIX] oder auf die beiden ersten Kapitel von J. C. Jantzen, „Moduln mit einem höchsten Gewicht" (kurz [MHG]); dort finden sich auch Hinweise auf die Entstehung der Theorie und auf Originalarbeiten.

Im Kapitel 5 finden sich dann Anwendungen auf die Frage, wann $I(\lambda)=I(\mu)$ oder allgemeiner $I(\lambda)\subset I(\mu)$ gilt. (Im Rahmen dieses Buches wird der Satz von Duflo, also $\mathscr{X}=\{I(\lambda)\,|\,\lambda\in h^*\}$, erst später bewiesen, sodaß die Resultate in Kapitel 5 zunächst als Aussagen über spezielle primitive Ideale erscheinen.) Eine dieser Anwendungen ist das Verschiebungsprinzip aus [Borho/Jantzen]; um es hier auszusprechen benötigen wir weitere Notationen. Es seien R das Wurzelsystem von $\mathfrak{g}$ relativ $\mathfrak{h}$ sowie R^+ die Menge der relativ $\mathfrak{b}^+$ positiven Wurzeln; ferner seien $\alpha^\vee$ für jedes $\alpha\in R$ die zu α duale Wurzel und $P(R)=\{\lambda\in\mathfrak{h}^*\,|\,\langle\lambda,\alpha^\vee\rangle\in Z$ für alle $\alpha\in R\}$ die Menge der ganzzahligen Gewichte. Für jede Nebenklasse $\Lambda\in\mathfrak{h}^*/P(R)$ setzen wir $\Lambda^+=\{\lambda\in\Lambda\,|\,\langle\lambda+\rho,\alpha^\vee\rangle\notin\{-1,-2,\ldots\}$ für alle $\alpha\in R^+\}$ und $\Lambda^{++}=\{\lambda\in\Lambda\,|\,\langle\lambda+\rho,\alpha^\vee\rangle\notin\{0,-1,-2,\ldots\}$ für alle $\alpha\in R^+\}$. Das Verschiebungsprinzip besagt nun, daß für alle $\lambda,\mu\in\Lambda^{++}$ und $w_1,w_2\in W$ genau dann $I(w_1\cdot\lambda)\subset I(w_2\cdot\lambda)$ gilt, wenn $I(w_1\cdot\mu)\subset I(w_2\cdot\mu)$ gilt. Nimmt man den Satz von Duflo hinzu, so bedeutet dies, daß $\mathscr{X}_\lambda$ und $\mathscr{X}_\mu$ als geordnete Mengen isomorph sind. Man kann auch $\mathscr{X}_\lambda$ und $\mathscr{X}_\mu$ für $\lambda\in\Lambda^{++}$ und $\mu\in\Lambda^+$ vergleichen und definiert in diesem Zusammenhang die τ-Invariante eines $I(\nu)$, die auch von Duflo (in [3]) mit Hilfe der Harish-Chandra-Moduln gefunden wurde. Hierher gehört auch die verallgemeinerte τ-Invariante von Vogan (aus [3]).

Mit Hilfe dieser Invarianten kann man für gewisse λ,μ zeigen, daß $I(\lambda)\not\subset I(\mu)$ gilt (5.7, 5.9). Andererseits gibt es ein Verfahren von Joseph (aus [8]), mit dessen Hilfe man in gewissen Fällen $I(\lambda)\subset I(\mu)$ beweisen kann. Dazu muß man entsprechende Inklusionen für primitive Ideale in den Einhüllenden $U(\mathfrak{g}_S)$ von Levi-Faktoren $\mathfrak{g}_S$ von parabolischen Unteralgebren von $\mathfrak{g}$ kennen (5.13). Ist $\mathfrak{g}$ zu $\mathfrak{sl}_n$ isomorph, so reichen diese Methoden aus, um für alle $\lambda,\mu\in\mathfrak{h}^*$ zu entscheiden, ob $I(\lambda)=I(\mu)$ gilt oder nicht (5.25/26). Insbesondere können wir die Kardinalität der Fasern von π (zunächst noch eingeschränkt auf die Menge der $I(\lambda)$) bestimmen. Für ein $\lambda\in P(R)^{++}$ zum Beispiel (und $\mathfrak{g}=\mathfrak{sl}_n$) ist die Anzahl der $I(w\cdot\lambda)$ mit $w\in W$ gerade die Summe der irreduziblen komplexen Darstellungen von W, also der symmetrischen Gruppe S_n.

In ihren oben erwähnten Arbeiten benutzen Dixmier und Duflo Resultate über Harish-Chandra-Moduln für $(\mathfrak{g}\times\mathfrak{g},\mathfrak{k})$, die auf analytischem Wege bewiesen wurden, insbesondere mit Hilfe analytisch definierter Verflechtungsoperatoren. Einen rein algebraischen Zugang zur Theorie dieser Harish-Chandra-Moduln gaben Bernštein und S. Gel'fand an, denen wir im Kapitel 6 weitgehend folgen. Sie konstruieren Äquivalenzen zwischen gewissen Unterkategorien von $\mathscr{O}$ einerseits und von der Kategorie aller Harish-Chandra-Moduln andererseits. Dabei erhält man eine Klassifikation der einfachen Harish-Chandra-Moduln und einen Vergleich zwischen den Vielfachheiten, mit denen einfache Moduln als Kompositionsfaktoren einerseits der Verma-Moduln und andererseits der Moduln der Hauptserie für $(\mathfrak{g}\times\mathfrak{g},\mathfrak{k})$ auftreten. Diese Ergebnisse hatten auch (unabhängig von Bernštein und S. Gel'fand und voneinander) Enright und Joseph (in [15], [16]) gefunden. Das wichtigste Hilfsmittel hier ist das Studium der Harish-Chandra-Moduln $\mathscr{L}(M,N)$ aller $\mathfrak{g}$-endlichen linearen Abbildungen $\phi: M \to N$ für zwei $U(\mathfrak{g})$-Moduln M und N. (Die Lie-Algebra $\mathfrak{g}$ operiert auf $\mathrm{Hom}(M, N)$ durch $(x\phi)(m) = x(\phi(m)) - \phi(xm)$ für alle $x \in \mathfrak{g}$, $\phi \in \mathrm{Hom}(M, N)$ und $m \in M$; ein ϕ heißt dann $\mathfrak{g}$-endlich, wenn $U(\mathfrak{g})\phi$ für diese Operation endlich dimensional ist.)

Im Kapitel 7 wird dann die Theorie der Harish-Chandra-Moduln auf die Untersuchung primitiver Ideale angewendet. Den Satz von Duflo erhält man nun aus dem folgenden, genaueren Resultat: Es seien $\lambda \in \mathfrak{h}^*/P(R)$ und $\lambda \in \Lambda^+$. Dann ist die Abbildung $I \mapsto IM(\lambda)$ von der Menge der zweiseitigen Ideale I von $U(\mathfrak{g})$ mit $I \supset \mathrm{Ann}_{U(\mathfrak{g})} M(\lambda)$ in die Menge der Untermoduln von $M(\lambda)$ injektiv (7.1) und es gilt stets $I = \mathrm{Ann}_{U(\mathfrak{g})} M(\lambda)/IM(\lambda)$. Für $\lambda \in \Lambda^{++}$ ist diese Abbildung sogar bijektiv. Wenn I primitiv ist, so muß es Annullator eines Kompositionsfaktors von $M(\lambda)/IM(\lambda)$ sein, also eines $L(\lambda)$. Weiter werden in diesem Kapitel die Annullatoren in $U(\mathfrak{g} \times \mathfrak{g})$ der einfachen Harish-Chandra-Moduln bestimmt (7.9), was zuerst Joseph (in [9]) gelang. Damit läßt sich ein Satz von Vogan (aus [4]) beweisen (7.13), wonach man entscheiden kann, ob $I(\lambda) \subset I(\mu)$ gilt, wenn man die Kompositionsfaktoren der Tensorprodukte $L(\nu) \otimes E$ für ein $\nu \in \mathfrak{h}^*$ und einen endlich dimensionalen $U(\mathfrak{g})$-Modul E kennt. Diese Kompositionsfaktoren kann man wiederum bestimmen, wenn man Charakterformeln für die $L(\nu)$ hat, also die formalen Charaktere der $L(\nu)$ durch formale Charaktere der $M(\nu')$ mit $\nu' \in \mathfrak{h}^*$ ausdrücken kann. Für diese Charakterformeln haben Kazhdan und Lusztig Vermutungen angegeben, die zumindest in den wichtigsten Fällen von Brylinski und Kashiwara sowie von Beilinson und Bernštein bewiesen wurden. Allerdings sind die Vermutungen nicht so explizit, daß die Anwendungen auf die primitiven Ideale leicht auszuführen wären. So sind die $\mathscr{X}_\lambda$ bisher im allgemeinen Fall nur als Mengen beschrieben worden (von Barbasch und Vogan), und die Beweise benutzen noch andere Hilfsmittel. Ein Überblick über diese zuletzt genannten Ergebnisse ist hier im Kapitel 16 enthalten.

Bisher sind wir hier auf Fragen der Klassifikation primitiver Ideale in $U(\mathfrak{g})$ eingegangen und wenden uns nun mehr der Struktur der entsprechenden Restklassenringe zu. Da betrachten wir zunächst die Gel'fand-Kirillov-Dimension; dies ist eine natürliche Zahl (oder ∞), die man jeder $\mathbf{C}$-Algebra oder allgemeiner jedem Modul über solch einer Algebra zuordnet (8A.1). Wir untersuchen hier nur endlich erzeugbare Moduln über der Einhüllenden $U(\mathfrak{s})$ einer endlich dimensionalen Lie-Algebra $\mathfrak{s}$, wo sich die allgemeine Theorie etwas vereinfacht. Man filtriert $U(\mathfrak{s})$ durch endlich dimensionale Teilräume $U_n(\mathfrak{s})$, die das lineare Erzeugnis aller Produkte $x_1 x_2 \dots x_r$ mit $x_i \in \mathfrak{s}$ und $r \leqslant n$ sind; die assoziierte graduierte Algebra $\mathrm{gr}\, U(\mathfrak{s}) = \oplus U_n(\mathfrak{s})/U_{n-1}(\mathfrak{s})$ ist dann zur symmetrischen Algebra $S(\mathfrak{s})$ isomorph. Für einen endlich erzeugbaren $U(\mathfrak{s})$-Modul M wählt man einen endlich dimensionalen Teilraum M_0 mit $M = U(\mathfrak{s}) M_0$, filtriert M durch die $M_n = U_n(\mathfrak{s}) M_0$ und bildet den assoziierten graduierten $S(\mathfrak{s})$-Modul $\mathrm{gr}\, M = \oplus M_n/M_{n-1}$. Nach Hilbert ist nun die Funktion $n \mapsto \dim M_n$ für große n durch ein Polynom in n gegeben, dessen höchsten Term wir in der Form $e(M) n^{d(M)}/d(M))!$ schreiben. Dabei sind $d(M)$ und $e(M)$ positive ganze Zahlen, die nicht von der Wahl von M_0 abhängen; sie heißen Gel'fand-Kirillov-Dimension und Multiplizität von M (8.3).

Im Kapitel 8 finden sich nun die elementaren Eigenschaften dieser

Begriffe, und zwar zum Teil in einer etwas allgemeineren Situation, so daß auch graduierte Moduln über geeignet graduierten Lie-Algebren mitbehandelt werden. Ein endlich erzeugbarer $U(\mathfrak{s})$-Modul M heißt homogen (bzw. kritisch), wenn $d(M)=d(M')$ (bzw. $d(M)=d(M')$ und $e(M)=e(M')$) für alle Untermoduln $M'\neq M$ von M gilt. Ein Ideal I von $U(\mathfrak{g})$ zum Beispiel ist genau dann kritisch als $U(\mathfrak{g}\times\mathfrak{g})$-Modul, wenn I ein Primideal ist (10.15). Diese Begriffe (homogen und kritisch) werden ab 8.15 etwas genauer untersucht; aus Symmetriegründen werden auch dazu duale Begriffe (kohomogen und kokritisch) betrachtet, die aber im wesentlichen nur für einfache Moduln benutzt werden. Für $\mathfrak{s}=\mathfrak{g}$ sehen wir uns insbesondere $\mathscr{L}(M, N)$ näher an, wenn N oder M homogen oder kohomogen sind.

Im Kapitel 9 werden dann $d(L(\lambda))$ und $e(L(\lambda))$ für $\lambda\in\mathfrak{h}^*$ näher untersucht. Es wird gezeigt, daß man $d(L(\lambda))$ aus der Charakterformel von $L(\lambda)$ berechnen kann (9.12) und daß für $\Lambda\in\mathfrak{h}^*/P(R)$ und $w\in W$ die Abbildung $\lambda\mapsto e(L(w\cdot(\lambda-\rho)))$ auf $\rho+\Lambda^{++}$ durch die Einschränkung einer polynomialen Funktion f_w^Λ auf $\mathfrak{h}^*$ gegeben ist. Man kann jedes $L(\mu)$ zu einem graduierten $U(\mathfrak{h})$-Modul $L(\mu)=\bigoplus_{m\geqslant 0} L(\mu)^m$ machen und dann die Funktion $n\mapsto \sum_{m=0}^{n} \dim L(\mu)^m$ betrachten. Sie wird für große n durch ein Polynom auf gewissen Restklassen gegeben, dessen höchster Term die Gestalt $\tilde{e}(L(\lambda))\,n^{d(L(\lambda))}/d(L(\lambda))!$ hat, wobei $\tilde{e}(L(\lambda))$ eine positive rationale Zahl ist. Für Λ und w wie oben ist auch $\lambda\mapsto\tilde{e}(L(w\cdot(\lambda-\rho)))$ auf $\rho+\Lambda^{++}$ durch die Einschränkung einer polynomialen Funktion $\tilde{f}_w^\Lambda$ auf $\mathfrak{h}^*$ gegeben, die darüber hinaus homogen vom Grad $\# R^+ - d(L(w\cdot(\lambda-\rho)))$ ist und sich mit Hilfe der Charakterformel für $L(w\cdot(\lambda-\rho))$ berechnen läßt (9.13). Später (14.7) zeigt sich, daß f_w^Λ und $\tilde{f}_w^\Lambda$ proportional sind.

Im Kapitel 10 kommen wir zu Anwendungen auf die primitiven Ideale. Vor allem wird der Satz von Joseph (aus [10]) bewiesen, daß $d(U(\mathfrak{g})/I(\lambda)) = 2\,d(L(\lambda))$ für alle $\lambda\in\mathfrak{h}^*$ gilt. Man kann also für jedes primitive Ideal I von $U(\mathfrak{g})$ die Gel'fand-Kirillov-Dimension von $U(\mathfrak{g})/I$ berechnen, wenn man Charakterformeln für die einfachen Moduln mit einem höchsten Gewicht hat. Im allgemeinen kommt man aber mit weniger Information aus, wie sich für $\mathfrak{g}=\mathfrak{sl}_n$ in 10.11 zeigt. Für andere klassische Lie-Algebren wird über die Resultate im Kapitel 16 berichtet. Im Kapitel 10 finden sich hinreichende Bedingungen dafür, daß $\mathscr{L}(M, N)$ für M und N in $\mathscr{O}$ homogen oder kritisch ist.

Ist A ein primer noetherscher Ring, so besitzt A nach den Sätzen von Goldie einen totalen Quotientenring $Q(A)$, der zu einem Matrixring $M_r(D)$ über einem Schiefkörper D isomorph ist. Dabei sind $r\in\mathbf{N}$ und D (bis auf Isomorphie) durch A eindeutig festgelegt; sie heißen der Goldie-Rang $\operatorname{rk} A$ und der Goldie-Körper von A. Dies läßt sich insbesondere auf $A=U(\mathfrak{g})/I$ für ein Primideal I von $U(\mathfrak{g})$ anwenden. Nach einer Vermutung von Gel'fand und Kirillov (die eigentlich nur $I=0$ betrachten), sollte der Goldie-Körper von $U(\mathfrak{g})/I$ stets ein Weyl-Körper sein, also der Quotientenschiefkörper einer Weyl-Algebra $\mathbf{A}_n$ (vgl. 3.10). Für primitives I und $\mathfrak{g}=\mathfrak{sl}_n$ ist diese Vermutung von Joseph (in [14]) bewiesen worden (15.25). Er benutzt Eigenschaften der Algebren $\mathscr{L}(M, M)$, wobei M die $U(\mathfrak{g})$-Moduln durchläuft, die von endlich dimensionalen, irreduziblen Darstellungen der parabolischen Unteralgebren von $\mathfrak{g}$ induziert werden. Für solche M ist $\mathscr{L}(M, M)$ ein primer noetherscher Ring (15.8), dessen Goldie-Körper ein Weyl-Körper ist (15.22) und dessen Goldie-Rang gleich der Dimension der Darstellung ist, von der M induziert wird (15.21). Unter gewissen Voraussetzungen ist $U(\mathfrak{g})/\operatorname{Ann} M$ zu $\mathscr{L}(M, M)$ isomorph und M einfach (15.23); so erhält man für sehr spezielle primitive Ideale I Goldie-Rang und Goldie-Körper von $U(\mathfrak{g})/I$. Im allgemeinen wendet man einen Satz (12.3) an, nach dem für besondere Moduln M in $\mathscr{O}$ (zu denen alle induzierten Moduln wie oben gehören) der Ring $\mathscr{L}(M, M)$ prim und noethersch ist, dann für jeden Kompositionsfaktor L von M mit $d(M)=d(L)$ die Goldie-Körper von $\mathscr{L}(L, L)$ und $\mathscr{L}(M, M)$ isomorph sind und der Goldie-Rang von $\mathscr{L}(M, M)$ die Summe der Goldie-Ränge der $\mathscr{L}(L, L)$ mit L wie oben ist, wobei jeder Summand $\operatorname{rk}\mathscr{L}(L, L)$ so oft wie L als Kompositionsfaktor in einer Jordan-Hölder-Reihe von M auftritt. Um den Satz von Joseph für $\mathfrak{sl}_n$ zu erhalten, muß man noch wissen, daß in diesem Fall stets $\mathscr{L}(L(\lambda), L(\lambda))$ und $U(\mathfrak{g})/I(\lambda)$ isomorphe totale Quotientenringe haben (12.13) und daß jedes $L(\lambda)$ Kompositionsfaktor eines induzierten Moduls M wie oben mit $d(M)=d(L(\lambda))$ ist.

Wendet man den oben zitierten Satz 12.3 in einer anderen Situation an, so sieht man, daß es für alle $\Lambda\in\mathfrak{h}^*/P(R)$ und $w\in W$ eine polynomiale Funktion p_w^Λ auf $\mathfrak{h}^*$ gibt (12.6), sodaß $p_w^\Lambda(\lambda)=\operatorname{rk} U(\mathfrak{g})/I(w\cdot(\lambda-\rho))$ für alle $\lambda\in\rho+\Lambda^{++}$ gilt. Zum Beweis dieser und verwandter Ergebnisse, die im wesentlichen von Joseph stammen, benötigen wir Tatsachen über die Lokalisierungen von Harish-Chandra-Moduln X nach Oreschen Teilmengen in homomorphen Bildern von $U(\mathfrak{g})$, die von links oder rechts auf dem $U(\mathfrak{g}\times\mathfrak{g})$-Modul X operieren, den wir auch als $(U(\mathfrak{g}), U(\mathfrak{g}))$-Bimodul interpretieren können. Diese Tatsachen werden wir hier im Kapitel 11 zusammenstellen.

Um die Goldie-Ränge der $U(\mathfrak{g})/I$ für die primitiven Ideale I von $U(\mathfrak{g})$ anzugeben, muß man die Goldie-Rang-Polynome p_w^Λ berechnen. Dazu hat Joseph (in [18]) gezeigt, daß p_w^Λ proportional zu f_w^Λ und $\tilde{f}_w^\Lambda$ ist (14.7), sich also aus den Charakterformeln der $L(\lambda)$ bis auf einen Proportionalitätsfaktor bestimmen läßt. Dazu betrachtet man Lokalisierungen der $L(\lambda)$ als Moduln über Lokalisierungen der $U(\mathfrak{g})/I(\lambda)$. Dabei wie auch bei dem Studium induzierter Moduln und Ideale im Kapitel 15 ist ein Vergleich zwischen Idealen in $U(\mathfrak{g})$ und $U(\mathfrak{g})^{\mathfrak{m}}$ wichtig, wobei $\mathfrak{m}$ das Nilradikal einer parabolischen Unteralgebra von $\mathfrak{g}$ ist. Nach Joseph ist für jedes Primideal I von $U(\mathfrak{g})$ mit $I\cap U(\mathfrak{m})=0$ auch $I^{\mathfrak{m}}$ ein Primideal in dem noetherschen Ring $U(\mathfrak{g})^{\mathfrak{m}}$, es hat dann $U(\mathfrak{g})^{\mathfrak{m}}/I^{\mathfrak{m}}\simeq(U(\mathfrak{g})/I)^{\mathfrak{m}}$ denselben Goldie-Rang wie $U(\mathfrak{g})/I$ und für die totalen Quotientenringe gilt $Q(U(\mathfrak{g})/I)^{\mathfrak{m}}=Q((U(\mathfrak{g})/I)^{\mathfrak{m}})$, vgl. 13.10/20. Zum Beweis dieses Satzes und verwandter Ergebnisse benutzt man die Theorie der verallgemeinerten Schiefpolynomringe (vgl. 13.1–13.8) und eine genaue Untersuchung der Lie-Algebra $\mathfrak{n}^+=[\mathfrak{b}^+, \mathfrak{b}^+]$, die hier zum Teil schon im Kapitel 3 durchgeführt wird (ab 3.11, später ab 13.9). In diesem Zusammenhang erhält man auch den (zuerst von Kostant bewiesenen) Satz, wonach das Zentrum von $U(\mathfrak{n}^+)$ zu einem Polynomring über $\mathbf{C}$ in endlich vielen Veränderlichen isomorph ist (3.15).

Wie oben erwähnt ist p_w^Λ nur bis auf einen konstanten Faktor bestimmt worden, doch hat schon diese Beschreibung wichtige theoretische Konsequenzen. Es sei $\Lambda\in\mathfrak{h}^*/P(R)$, und es werde $W_\Lambda=\{w\in W\,|\,w(\lambda)-\lambda\in\mathbf{Z}R$ für alle

$\lambda \in \Lambda\}$ gesetzt. Für $w, w' \in W_\Lambda$ ist $p_w^\Lambda = p_{w'}^\Lambda$ zu $I(w' \cdot \lambda) = I(w \cdot \lambda)$ für alle $\lambda \in \Lambda^{++}$ äquivalent. Die verschiedenen p_w^Λ sind, wie Joseph gezeigt hat, linear unabhängige polynomiale Funktionen auf $\mathfrak{h}^*$. Die Gruppe W operiert linear auf $\mathfrak{h}^*$, also auch auf den polynomialen Funktionen. Für jedes $w \in W_\Lambda$ ist nun $\mathbf{C}[W]p_w^\Lambda$ ein einfacher $\mathbf{C}[W]$-Modul und $\mathbf{C}[W_\Lambda]p_w^\Lambda$ ein einfacher $\mathbf{C}[W_\Lambda]$-Modul. Die verschiedenen $p_{w'}^\Lambda$ mit $w' \in W_\Lambda$, die in $\mathbf{C}[W_\Lambda]p_w^\Lambda$ liegen, bilden eine Basis dieses Teilraums. Für festes Λ kommt jeder einfache $\mathbf{C}[W]$-Modul bzw. jeder einfache $\mathbf{C}[W_\Lambda]$-Modul nur einmal als $\mathbf{C}[W]p_w^\Lambda$ bzw. $\mathbf{C}[W_\Lambda]p_w^\Lambda$ vor. Insbesondere ist $\# \mathscr{X}_\lambda$ für $\lambda \in P(R)^{++}$ die Summe der Dimensionen gewisser einfacher $\mathbf{C}[W]$-Moduln, womit das oben für $\mathfrak{sl}_n$ erwähnte Ergebnis verallgemeinert wird. Welche $\mathbf{C}[W_\Lambda]$-Moduln im allgemeinen als $\mathbf{C}[W_\Lambda]p_w^\Lambda$ auftreten, haben Barbasch und Vogan bestimmt; über ihr Ergebnis wird im Kapitel 16 berichtet. Die übrigen oben erwähnten Resultate werden hier im Kapitel 14 (ab 14.8) bewiesen.

Wir haben primitive Ideale in $U(\mathfrak{g})$ bisher im Zusammenhang mit der Darstellungstheorie von $\mathfrak{g}$ und $\mathfrak{g} \times \mathfrak{g}$ sowie mit der abstrakten Ringtheorie betrachtet. Daneben gibt es wichtige Verbindungen zur algebraischen Geometrie und zur Theorie der Ringe von Differentialoperatoren. In diesem Zusammenhang konzentrieren wir uns hier (im Kapitel 17) auf die Untersuchung assoziierter Varietäten. Für eine beliebige endlich dimensionale Lie-Algebra $\mathfrak{s}$ kann man (wie oben beschrieben) jedem endlich erzeugbaren $U(\mathfrak{s})$-Modul einen graduierten $S(\mathfrak{s})$-Modul $\operatorname{gr} M$ zuordnen. Zwar hängt $\operatorname{gr} M$ von der Wahl eines endlich dimensionalen Teilraums M_0 von M ab, doch ist $J(M) = \sqrt{\operatorname{Ann}_{S(\mathfrak{s})} \operatorname{gr} M}$ unabhängig von dieser Wahl, also auch dessen Nullstellengebilde $\mathscr{V} M$ in $\mathfrak{s}^*$. Dies ist die assoziierte Varietät von M; es gilt $\dim \mathscr{V} M = d(M)$. Für $\mathfrak{s} = \mathfrak{g}$ identifizieren wir in der Regel $\mathfrak{g}$ und $\mathfrak{g}^*$ mit Hilfe der Killing-Form und betrachten $\mathscr{V} M$ als Teilmenge von $\mathfrak{g}$.

Einem endlich erzeugbaren $U(\mathfrak{g})$-Modul kann man auch die Varietät $\mathscr{V\!A}(M) = \mathscr{V}(U(\mathfrak{g})/\operatorname{Ann}_{U(\mathfrak{g})} M)$ zuordnen, wobei wir $U(\mathfrak{g})/\operatorname{Ann}_{U(\mathfrak{g})} M$ als $U(\mathfrak{g})$-Modul unter der Multiplikation von links auffassen. Dann ist $\mathscr{V\!A}(M)$ unter der adjungierten Gruppe G von $\mathfrak{g}$ stabil; hat M endliche Länge, so ist $\mathscr{V\!A}(M)$ in der Menge $\mathscr{N}$ der nilpotenten Elemente von $\mathfrak{g}$ enthalten. Man vermutet nun, daß für einen einfachen $U(\mathfrak{g})$-Modul L die Varietät $\mathscr{V\!A}(L)$ irreduzibel ist; da $\mathscr{N}$ aus nur endlich vielen Bahnen unter G besteht, ist diese Vermutung dazu äquivalent, daß es ein nilpotentes Element $x \in \mathfrak{g}$ mit $\mathscr{V\!A}(L) = \overline{Gx}$ gibt. Nun hat Springer jeder solchen Bahn Gx einen einfachen $\mathbf{C}[W]$-Modul $\sigma(Gx)$ zugeordnet. Man vermutet nun weiter, daß für $\Lambda \in \mathfrak{h}^*/P(R)$ und $w \in W_\Lambda$ der einfache $\mathbf{C}[W]$-Modul $\mathbf{C}[W]p_w^\Lambda$ gerade zu $\sigma(Gx)$ isomorph ist, wenn $\mathscr{V\!A}(L(w \cdot \lambda)) = \overline{Gx}$ für alle $\lambda \in \Lambda^{++}$ gilt. Für $\mathfrak{g} = \mathfrak{sl}_n$ wurden diese Vermutungen von Joseph bewiesen (17.16), für $\Lambda = P(R)$ und klassisches $\mathfrak{g}$ von Borho und Brylinski (17.21). Ein entscheidender Schritt dahin ist der Beweis der Irreduzibilität von $\mathscr{V\!A}(M)$, wo M von einer irreduziblen, endlich dimensionalen Darstellung einer parabolischen Unteralgebra von $\mathfrak{g}$ induziert wird. Dazu benötigt man Informationen über gewisse Moduln über Ringen von Differentialoperatoren.

Damit sei der Überblick über die wichtigsten Gegenstände in diesem Buch abgeschlossen. Im Gegensatz zur Einleitung arbeiten wir im Buch mit einem beliebigen Grundkörper der Charakteristik 0. Wir setzen in der Regel nur Grundtatsachen aus der Algebra und der Theorie der Lie-Algebren voraus, wie man sie etwa bei Bourbaki findet. Gelegentlich gibt es auch explizite Verweise auf ihn.

Für uns wichtige Tatsachen aus der Theorie der einhüllenden Algebren, der Darstellungstheorie halbeinfacher Lie-Algebra oder der nicht-kommutativen Algebra, die in [DIX], im ersten Kapitel von [BGR] oder den beiden ersten Kapiteln von [MHG] bewiesen werden, referieren wir hier nur. Genaue Literaturhinweise finden sich teils an Ort und Stelle, teils in den Anhängen zu den Kapiteln. Sonst wird in den ersten fünfzehn Kapiteln alles bewiesen, was zum Thema dieses Buchs gehört. Hinweise auf die Quellen und auf Resultate, die wir hier nicht beweisen, finden sich in den Anhängen zu den Kapiteln.

Die beiden letzten Kapitel sind dann Ergebnisberichte im engeren Sinne, wenn auch im Kapitel 17 noch einige Beweise geführt werden. Einerseits ist im Rahmen dieses Buches eine angemessene Darstellung der Theorien der globalen Charaktere von Harish-Chandra-Moduln oder der Geometrie der nilpotenten Varietät oder der Moduln über Ringen von Differentialoperatoren nicht möglich, andererseits liegt eine solche Darstellung auch noch nicht von anderer Seite vor. Angesichts der lebhaften Fortentwicklung auf diesen Gebieten mag die hier gewählte Lösung auch der gegenwärtigen Lage angemessen sein.

Verschiedene Verbesserungsvorschläge zum Text hat Martin Lorenz gemacht, dem ich dafür auch an dieser Stelle herzlich danken möchte.

Kapitel 1. Einhüllende Algebren

Wir setzen voraus, daß der Leser mit den Grundbegriffen der Theorie der Lie-Algebren vertraut ist. Im ersten Kapitel wollen wir Konventionen festlegen, Notationen einführen, an wichtige Sätze über einhüllende Algebren und noethersche Ringe erinnern und einige weniger vertraute Sätze in diesem Zusammenhang beweisen.

1.1 Es sei k stets ein (kommutativer) Körper der Charakteristik 0. Wenn wir nichts anderes sagen, sollen sich Begriffe und Notationen der linearen Algebra (wie lineare Unabhängigkeit, Algebren oder $\otimes$, Hom) immer auf k beziehen. Ringe sollen stets eine 1 haben, die dann auch von Ringhomomorphismen respektiert werden soll.

Ferner sei $\mathfrak{g}$ eine endlich dimensionale Lie-Algebren über k. Für ein $x \in \mathfrak{g}$ sei $\operatorname{ad}(x)$ die Derivation $y \mapsto [x, y]$ von $\mathfrak{g}$. Ist $\mathfrak{a}$ eine $\operatorname{ad}(x)$-stabile Unteralgebra von $\mathfrak{g}$, so bezeichnen wir die Einschränkung von $\operatorname{ad}(x)$ auf $\mathfrak{a}$ mit $\operatorname{ad}_{\mathfrak{a}}(x)$.

1.2 Die einhüllende Algebra von $\mathfrak{g}$ wird mit $U(\mathfrak{g})$ bezeichnet. Wir identifizieren $\mathfrak{g}$ mit seinem Bild in $U(\mathfrak{g})$. Ist $(x_1, x_2, \ldots, x_r)$ eine Basis von $\mathfrak{g}$, so bilden die $x_1^{m_1} x_2^{m_2} \ldots x_r^{m_r}$ mit $(m_1, m_2, \ldots, m_r) \in \mathbf{N}^r$ eine Basis von $U(\mathfrak{g})$; dies ist der Satz von Poincaré, Birkhoff und Witt.

Ist $\mathfrak{a}$ eine Unteralgebra von $\mathfrak{g}$, so identifizieren wir $U(\mathfrak{a})$ mit einer Unteralgebra von $U(\mathfrak{g})$. Man kann nun $U(\mathfrak{g})$ sowohl als Links- als auch als Rechtsmodul über $U(\mathfrak{a})$ auffassen. Ist $(y_1, \ldots, y_s)$ eine Basis eines zu $\mathfrak{a}$ in $\mathfrak{g}$ komplementären Unterraums, so bilden die $y_1^{m_1} y_2^{m_2} \ldots y_s^{m_s}$ mit $(m_1, m_2, \ldots, m_s) \in \mathbf{N}^s$ in beiden Fällen eine Basis von $U(\mathfrak{g})$ als Modul über $U(\mathfrak{a})$.

Für zwei Unteralgebren $\mathfrak{a}$ und $\mathfrak{b}$ von $\mathfrak{g}$ gilt $U(\mathfrak{a} \cap \mathfrak{b}) = U(\mathfrak{a}) \cap U(\mathfrak{b})$. Ist $\mathfrak{a} + \mathfrak{b} = \mathfrak{g}$, so induziert die Multiplikation einen Isomorphismus von Vektorräumen $U(a) \underset{U(\mathfrak{a} \cap \mathfrak{b})}{\otimes} U(\mathfrak{b}) \xrightarrow{\sim} U(\mathfrak{g})$.

1.3 Die Abbildung $x \mapsto -x$ ist ein involutorischer Antiautomorphismus der Lie-Algebra $\mathfrak{g}$. Sie induziert einen (ebenfalls involutorischen) Antiautomorphismus von $U(\mathfrak{g})$, für den wir die Notation $u \mapsto \check{u}$ benutzen.

1.4 Für alle $n \in \mathbf{N}$ sei $U_n(\mathfrak{g})$ der von allen Produkten $y_1 y_2 \ldots y_s$ mit $y_1, y_2, \ldots, y_s \in \mathfrak{g}$ und $s \leqslant n$ erzeugte Teilraum von $U(\mathfrak{g})$. Ist $(x_1, \ldots, x_r)$ eine Basis von $\mathfrak{g}$, so bilden die $x_1^{m_1} x_2^{m_2} \ldots x_r^{m_r}$ mit $(m_1, \ldots, m_r) \in \mathbf{N}^r$ und $m_1 + \ldots + m_r \leqslant n$ eine Basis von $U_n(\mathfrak{g})$. Insbesondere gilt $U_0(\mathfrak{g}) = k1$ und $U_1(\mathfrak{g}) = k1 \oplus \mathfrak{g}$.

Für alle $n, m \in \mathbf{N}$ ist $U_n(\mathfrak{g})\, U_m(\mathfrak{g})$ in $U_{n+m}(\mathfrak{g})$ enthalten, und für $u \in U_n(\mathfrak{g})$, $u' \in U_m(\mathfrak{g})$ gehört $u u' - u' u$ zu $U_{n+m-1}(\mathfrak{g})$. Daher ist

$$\operatorname{gr} U(\mathfrak{g}) = \coprod_{n \in \mathbf{N}} U_n(\mathfrak{g}) / U_{n-1}(\mathfrak{g})$$

in natürlicher Weise eine kommutative Algebra; sie wird von $U_1(\mathfrak{g})/U_0(\mathfrak{g})$ erzeugt. Da man diesen Teilraum mit $\mathfrak{g}$ identifizieren kann, ist $\operatorname{gr} U(\mathfrak{g})$ ein homomorphes Bild der symmetrischen Algebra $S(\mathfrak{g})$. Aus dem Satz von Poincaré, Birkhoff und Witt folgt, daß wir hier sogar einen Isomorphismus von $S(\mathfrak{g})$ auf $\operatorname{gr} U(\mathfrak{g})$ erhalten. Unter ihm geht die n-te symmetrische Potenz $S^n(\mathfrak{g})$ von $\mathfrak{g}$ in $U_n(\mathfrak{g})/U_{n-1}(\mathfrak{g})$ über.

Für alle $n \in \mathbf{N}$ gibt es eine injektive lineare Abbildung ϕ_n von $S^n(\mathfrak{g})$ in $U_n(\mathfrak{g})$, die für jedes $x \in \mathfrak{g}$ dessen n-te Potenz x^n in $S(\mathfrak{g})$ auf die n-te Potenz x^n in $U(\mathfrak{g})$ abbildet. Das Bild von ϕ_n werde mit $U^n(\mathfrak{g})$ bezeichnet. Dann gilt

$$U_n(\mathfrak{g}) = U^n(\mathfrak{g}) \oplus U_{n-1}(\mathfrak{g}).$$

Die Abbildung ϕ_n ist ein Schnitt für die oben erhaltene exakte Sequenz

$$0 \to U_{n-1}(\mathfrak{g}) \to U_n(\mathfrak{g}) \to S^n(\mathfrak{g}) \to 0.$$

Die direkte Summe aller ϕ_n ergibt einen Isomorphismus $S(\mathfrak{g}) \xrightarrow{\sim} U(\mathfrak{g})$ von Vektorräumen, den wir die kanonische Bijektion von $S(\mathfrak{g})$ und $U(\mathfrak{g})$ nennen.

1.5 Ist D eine Derivation von $\mathfrak{g}$, so gibt es eindeutig bestimmte Derivationen D' von $U(\mathfrak{g})$ und D'' von $S(\mathfrak{g})$, die D fortsetzen. Für alle $n \in \mathbf{N}$ gilt dann $D' U_n(\mathfrak{g}) \subset U_n(\mathfrak{g})$ und $D' U^n(g) \subset U^n(\mathfrak{g})$ sowie $D'' S^n(\mathfrak{g}) \subset S^n(\mathfrak{g})$. Die in 1.4 angegebenen Abbildungen zwischen $U_n(\mathfrak{g})/U_{n-1}(\mathfrak{g})$ oder $U^n(\mathfrak{g})$ und $S^n(\mathfrak{g})$ sind mit D' und D'' verträglich.

Ist D von der Form $\operatorname{ad}(x)$ mit $x \in \mathfrak{g}$, so gilt $D'(u) = xu - ux$ für alle $u \in U(\mathfrak{g})$. Ordnet man jedem $x \in \mathfrak{g}$ das D' bzw. D'' zu, das oben $\operatorname{ad}(x)$ entspricht, so erhält man Darstellungen von $\mathfrak{g}$ auf $U(\mathfrak{g})$ und $S(\mathfrak{g})$, die adjungiert heißen. Aus den Aussagen oben folgt, daß jedes ϕ_n ein Isomorphismus von $\mathfrak{g}$-Moduln zwischen $S^n(\mathfrak{g})$ und $U^n(\mathfrak{g})$ ist und daß die kanonische Bijektion von $S(\mathfrak{g})$ auf $U(\mathfrak{g})$ überhaupt ein Isomorphismus von $\mathfrak{g}$-Moduln ist.

1.6 Für einen $\mathfrak{g}$-Modul V setzen wir

$$V^{\mathfrak{g}} = \{v \in V \mid xv = 0 \text{ für alle } x \in \mathfrak{g}\}.$$

Ist V eine Algebra und operiert $\mathfrak{g}$ durch Derivationen auf V, so ist $V^{\mathfrak{g}}$ eine Unteralgebra von V.

Dies können wir insbesondere auf die $\mathfrak{g}$-Moduln $U(\mathfrak{g})$ und $S(\mathfrak{g})$ anwenden. Dann ist $U(\mathfrak{g})^{\mathfrak{g}}$ das Zentrum von $U(\mathfrak{g})$, das wir stets mit $Z(\mathfrak{g})$ bezeichnen. Die kanonische Bijektion ϕ von $S(\mathfrak{g})$ auf $U(\mathfrak{g})$ induziert eine bijektive lineare Abbildung von $S(\mathfrak{g})^{\mathfrak{g}}$ auf $Z(\mathfrak{g})$, die aber im allgemeinen nicht mit der Multiplikation verträglich ist. Es gilt jedoch:

(1) *Ist $\mathfrak{g}$ nilpotent, so induziert ϕ einen Ringisomorphismus von $S(\mathfrak{g})^{\mathfrak{g}}$ auf $Z(\mathfrak{g})$.*

(2) *Ist k algebraisch abgeschlossen, so sind die Algebren $S(\mathfrak{g})^{\mathfrak{g}}$ und $Z(\mathfrak{g})$ für beliebiges $\mathfrak{g}$ isomorph.*

1.7 Eine lineare Abbildung ϕ eines Vektorraumes V in sich heißt *lokal nilpotent,* wenn es für alle $v \in V$ ein $n \in \mathbf{N}$ mit $\phi^n(v)=0$ gibt. Ist zum Beispiel $\mathrm{ad}(x)$ für ein $x \in \mathfrak{g}$ nilpotent, so sind die von $\mathrm{ad}(x)$ induzierten Derivationen von $U(\mathfrak{g})$ und $S(\mathfrak{g})$ lokal nilpotent.

Satz. *Ist $\mathfrak{a}$ ein Ideal von $\mathfrak{g}$ und ist $\mathrm{ad}_{\mathfrak{a}}(x)$ nilpotent für alle $x \in \mathfrak{g}$, so ist $U(\mathfrak{a})^{\mathfrak{g}}$ ein Integritätsbereich mit eindeutiger Primfaktorzerlegung.*

Beweis. Die kanonische Bijektion von $S(\mathfrak{a})$ auf $U(\mathfrak{a})$ wird von der von $S(\mathfrak{g})$ auf $U(\mathfrak{g})$ induziert, ist daher auch mit der Operation von $\mathfrak{g}$ auf beiden Ringen verträglich und führt deshalb $S(\mathfrak{a})^{\mathfrak{g}}$ bijektiv in $U(\mathfrak{a})^{\mathfrak{g}}$ über. Aus der Voraussetzung folgt insbesondere, daß $\mathfrak{a}$ eine nilpotente Lie-Algebra ist. Da $S(\mathfrak{a})^{\mathfrak{g}}$ in $S(\mathfrak{a})^{\mathfrak{a}}$ enthalten ist, sind $S(\mathfrak{a})^{\mathfrak{g}}$ und $U(\mathfrak{a})^{\mathfrak{g}}$ nach 1.6(1) isomorphe Algebren. Also muß nur gezeigt werden, daß es in $S(\mathfrak{a})^{\mathfrak{g}}$ eine eindeutige Primfaktorzerlegung gibt. Da $S(\mathfrak{a})$ zu dem Polynomring über k in $\dim(\mathfrak{a})$ Veränderlichen isomorph ist, erhalten wir die Behauptung aus dem folgenden Lemma:

1.8 Lemma. *Es sei R ein Integritätsbereich mit eindeutiger Primfaktorzerlegung und ohne $\mathbf{Z}$-Torsion. Ist Δ eine Menge lokal nilpotenter Derivationen von R, so ist*

$$R' = \{a \in R \mid Da = 0 \text{ für alle } D \in \Delta\}$$

ein Integritätsbereich mit eindeutiger Primfaktorzerlegung.

Beweis. Wir zeigen zunächst:

(1) Für alle $a, b \in R$ mit $ab \in R'$ gilt $a \in R'$ und $b \in R'$.

Für solche a, b und für jedes $D \in \Delta$ gibt es, weil D lokal nilpotent ist, natürliche Zahlen i, j, die minimal für $D^i a = D^j b = 0$ sind. Wir müssen $i=j=1$ zeigen; wäre dies nicht der Fall, so folgte $i+j>2$ und

$$0 = D^{i+j-2}(ab) = \sum_{h=0}^{i+j-2} \binom{i+j-2}{h} (D^h a)(D^{i+j-2-h} b)$$
$$= \binom{i+j-2}{i} (D^{i-1} a)(D^{j-1} b).$$

Damit hätten wir einen Widerspruch dazu, daß R nullteilerfrei und ohne $\mathbf{Z}$-Torsion ist. Also gilt (1).

Aus (1) folgt, daß R' alle Einheiten von R enthält und daß mit einem Element auch alle seine Primfaktoren zu R' gehören. Dann ist die Behauptung klar.

1.9 Ist k algebraisch abgeschlossen, so ist jeder einfache $\mathfrak{g}$-Modul absolut einfach. Allgemein ist ein einfacher $\mathfrak{g}$-Modul M genau dann absolut einfach, wenn $\mathrm{End}_{\mathfrak{g}} M = k$ gilt. Ist dies der Fall, so gibt es einen Homomorphismus $\chi: Z(\mathfrak{g}) \to k$ von Algebren mit $zm = \chi(z)m$ für alle $z \in Z(\mathfrak{g})$ und $m \in M$. Wir nennen χ dann den zentralen Charakter von M.

Für einen beliebigen $\mathfrak{g}$-Modul M heißt

$$\mathrm{Ann}_{U(\mathfrak{g})} M = \{u \in U(\mathfrak{g}) \mid um = 0 \text{ für alle } m \in M\}$$

der Annullator von M. (Wenn keine Verwechslungen zu befürchten sind, schreiben wir kurz $\operatorname{Ann} M$.) Dies ist ein zweiseitiges Ideal in $U(\mathfrak{g})$. Die Ideale der Gestalt $\operatorname{Ann} M$ mit einem einfachen $\mathfrak{g}$-Modul M heißen die *primitiven* Ideale von $U(\mathfrak{g})$. Operiert $Z(\mathfrak{g})$ auf M durch einen zentralen Charakter χ, so ist $\operatorname{Ann} M \cap Z(\mathfrak{g}) = \operatorname{Kern} \chi$. Für algebraisch abgeschlossenes k erhält man also durch $I \mapsto I \cap Z(\mathfrak{g})$ eine Abbildung von der Menge aller primitiven Ideale von $U(\mathfrak{g})$ in die Menge aller maximalen Ideale von $Z(\mathfrak{g})$.

1.10 Der Ring $S(\mathfrak{g}) \simeq \operatorname{gr} U(\mathfrak{g})$ ist noethersch und nullteilerfrei. Daraus folgt einfach, daß auch $U(\mathfrak{g})$ noethersch und nullteilerfrei ist. Dabei nennen wir hier einen Ring noethersch, wenn er die aufsteigende Kettenbedingung sowohl für Links- als auch für Rechtsideale erfüllt.

1.11 Es sei R ein Ring. In der Regel nennen wir zweiseitige Ideale von R kurz Ideale und R-Linksmoduln kurz R-Moduln.

Ein *Primideal* von R ist ein Ideal $I \neq R$ von R, so daß für alle Ideale J_1, J_2 von R gilt: Aus $J_1 J_2 \subset I$ folgt $J_1 \subset I$ oder $J_2 \subset I$. Eine äquivalente Bedingung ist: Für alle $a, b \in R$ mit $a \notin I$ und $b \notin I$ gilt $a R b \not\subset I$. Man nennt R prim, wenn (0) ein Primideal von R ist.

Ein Ideal I von R heißt *vollprim*, wenn $I \neq R$ gilt und wenn R/I nullteilerfrei ist. Jedes vollprime Ideal ist prim; die Umkehrung davon gilt im allgemeinen nicht.

Ein Ideal von R heißt *primitiv*, wenn es Annullator eines einfachen R-Moduls ist. Jedes primitive Ideal von R ist prim, und jedes maximale Ideal von R ist primitiv; die Umkehrungen gelten im allgemeinen nicht. Für kommutative Ringe ist allerdings jedes primitive Ideal maximal und jedes Primideal vollprim.

Ein Ideal I von R heißt *halbprim*, wenn $I \neq R$ ist und wenn es in R/I keine nilpotenten Ideale ungleich (0) gibt. Jedes Primideal ist halbprim.

1.12 Es sei R ein noetherscher Ring. Nun ist ein Ideal $I \neq R$ von R genau dann halbprim, wenn es sich als endlicher Durchschnitt $I = P_1 \cap P_2 \cap \ldots \cap P_r$ von Primidealen $P_1, P_2, \ldots, P_r$ schreiben läßt. Ist diese Darstellung als Durchschnitt unverkürzbar, so sind die P_i eindeutig bestimmt, und zwar sind sie die minimalen Elemente der Menge aller Primideale, die I umfassen.

Für ein beliebiges Ideal $I \neq R$ von R ist der Durchschnitt aller Primideale, die I umfassen, ein Ideal $\sqrt{I}$ von R. Dieses Ideal $\sqrt{I}$ ist halbprim, und I ist genau dann halbprim, wenn $\sqrt{I} = I$ gilt. Es gibt ein $n \in \mathbf{N}$ mit $(\sqrt{I})^n \subset I$, und $\sqrt{I}$ ist das größte Ideal (und das größte Linksideal) von R, von dem eine Potenz in I enthalten ist.

Es seien M ein R-Modul und $M = M_1 \supset M_2 \supset \ldots \supset M_r \supset M_{r+1} = 0$ eine Kette von Untermoduln von M. Dann gilt

$$\operatorname{Ann}(M_r/M_{r+1}) \ldots \operatorname{Ann}(M_2/M_3) \operatorname{Ann}(M_1/M_2) \subset \operatorname{Ann}(M) \subset \bigcap_{i=1}^{r} \operatorname{Ann}(M_i/M_{i+1}),$$

also

$$(1) \qquad \sqrt{\operatorname{Ann} M} = \bigcap_{i=1}^{r} \sqrt{\operatorname{Ann}(M_i/M_{i+1})}.$$

1.13 Lemma. *Es sei R ein Ring, der die absteigende Kettenbedingung für Ideale erfüllt. Für jedes Primideal P von R gibt es genau ein minimales Ideal $\hat{P}$ unter den Idealen, die P echt umfassen. Für $\hat{P}$ gilt $P=\{a\in R\,|\,a\hat{P}\subset P\}=\{a\in R\,|\,\hat{P}a\subset P\}$.*

Beweis. Aus der absteigenden Kettenbedingung für Ideale folgt, daß es mindestens ein Ideal $\hat{P}$ gibt, das minimal für $\hat{P}\supsetneqq P$ ist. Ist $\hat{P}'$ ein weiteres solches Ideal mit $\hat{P}'\neq\hat{P}$, so folgt $P=\hat{P}\cap\hat{P}'$ aus der Minimalität von $\hat{P}$ und $\hat{P}'$, also $\hat{P}\hat{P}'\subset\hat{P}\cap\hat{P}'=P$ im Widerspruch dazu, daß P ein Primideal ist. Also ist $\hat{P}$ eindeutig festgelegt.

Offensichtlich ist $I=\{a\in R\,|\,a\hat{P}\subset P\}$ ein (zweiseitiges) Ideal von R mit $P\subset I$ und $I\hat{P}\subset P$. Weil P ein Primideal ist, folgt $I\subset P$, also $I=P$. Ebenso zeigt man $P=\{a\in R\,|\,\hat{P}a\subset P\}$.

Anhang

1A.1 Die meisten hier zitierten Resultate kann man bei [DIX] in den Abschnitten 2.1 bis 2.4 sowie 2.6 und 3.1 nachlesen. Dagegen finden sich 1.6(1) in [DIX] 4.8.12 und 1.6(2) in [DIX] 10.4.5.

1A.2 In 1.7 und 1.8 folgen wir [Joseph 4], 3.5, in 1.13 [Duflo 3], Lemme 6.

Kapitel 2. Halbeinfache Lie-Algebren

Wir setzen voraus, daß der Leser mit der Strukturtheorie und der Klassifikation der zerfallenden halbeinfachen Lie-Algebren vertraut ist. Dieses Kapitel dient vor allem der Festlegung von Notationen.

Von nun an sei $\mathfrak{g}$ stets eine über k zerfallende halbeinfache Lie-Algebra über k. Auch die übrigen im folgenden eingeführten Notationen wie $\mathfrak{h}$, $\mathfrak{n}^+$, usw. behalten ihre Bedeutung.

2.1 Wir wählen eine zerfällende Cartan-Unteralgebra $\mathfrak{h}$ von $\mathfrak{g}$. Für jeden $\mathfrak{h}$-Modul M und jedes $\lambda \in \mathfrak{h}^*$ bezeichnen wir mit

$$M^\lambda = \{m \in M \mid hm = \lambda(h)m \text{ für alle } h \in \mathfrak{h}\}$$

den Gewichtsraum von M zum Gewicht λ. Die λ mit $M^\lambda \neq 0$ heißen die Gewichte von M. Für eine Unteralgebra $\mathfrak{m}$ von $\mathfrak{g}$ mit $[\mathfrak{h}, \mathfrak{m}] \subset \mathfrak{m}$ bezeichnen wir mit $R(\mathfrak{m}, \mathfrak{h})$ oder kurz $R(\mathfrak{m})$ die Menge der Gewichte $\neq 0$ von $\mathfrak{m}$ relativ der adjungierten Darstellung von $\mathfrak{h}$ auf $\mathfrak{m}$. Statt $R(\mathfrak{g}, \mathfrak{h})$ schreiben wir kurz R; dies ist das Wurzelsystem von $\mathfrak{g}$.

Für alle $\alpha \in R$ gibt es genau ein $h_\alpha \in [\mathfrak{g}^\alpha, \mathfrak{g}^{-\alpha}]$ mit $\alpha(h_\alpha) = 2$. Wir wählen nun ein Chevalley-System $(x_\alpha)_{\alpha \in R}$, das heißt Elemente $x_\alpha \in \mathfrak{g}^\alpha$ mit $[x_\alpha, x_{-\alpha}] = h_\alpha$ für alle $\alpha \in R$, so daß es einen (involutorischen) Antiautomorphismus $y \mapsto {}^t y$ von $\mathfrak{g}$ mit ${}^t x_\alpha = x_{-\alpha}$ für alle $\alpha \in R$ und ${}^t h = h$ für alle $h \in \mathfrak{h}$ gibt. Für $\alpha, \beta \in R$ mit $\alpha + \beta \neq 0$ gilt dann $[x_\alpha, x_\beta] = 0$ für $\alpha + \beta \notin R$ und $[x_\alpha, x_\beta] = N_{\alpha,\beta} x_{\alpha+\beta}$ für $\alpha + \beta \in R$ mit einem $N_{\alpha,\beta} \in \mathbf{Z}$, $N_{\alpha,\beta} \neq 0$. Wir setzen t zu einem (involutorischen) Antiautomorphismus $u \mapsto {}^t u$ von $U(\mathfrak{g})$ fort.

Für jeden $\mathfrak{g}$-Modul M ist der Dualraum M^* in natürlicher Weise wieder ein $\mathfrak{g}$-Modul. (Für alle $\phi \in M^*$, $m \in M$ und $u \in U(\mathfrak{g})$ gilt $(u\phi)(m) = \phi(\check{u} m)$.) Wir können auf M^* eine andere Struktur als $\mathfrak{g}$-Modul einführen, indem wir $(u \cdot \phi)(m) = \phi({}^t u m)$ für alle $\phi \in M^*$, $m \in M$ und $u \in U(\mathfrak{g})$ setzen. Den so konstruierten $\mathfrak{g}$-Modul bezeichnen wir mit $M^{(t)}$.

2.2 Wir wählen eine Basis B des Wurzelsystems R; es sei R^+ die Menge der relativ B positiven Wurzeln. Wir setzen

$$\mathfrak{n}^+ = \bigoplus_{\alpha \in R^+} \mathfrak{g}^\alpha, \qquad \mathfrak{n}^- = {}^t\mathfrak{n}^+, \qquad \mathfrak{b}^+ = \mathfrak{h} \oplus \mathfrak{n}^+, \qquad \mathfrak{b}^- = {}^t\mathfrak{b}^+.$$

Es gilt dann $\mathfrak{g} = \mathfrak{n}^- \oplus \mathfrak{h} \oplus \mathfrak{n}^+$. Alle oben genannten Teilräume sind Unteralgebren von $\mathfrak{g}$. Genauer sind $\mathfrak{b}^+$ und $\mathfrak{b}^-$ Borel-Unteralgebren von $\mathfrak{g}$, und $\mathfrak{n}^+$ bzw. $\mathfrak{n}^-$ ist das Nilradikal von $\mathfrak{b}^+$ bzw. $\mathfrak{b}^-$.

Für eine Teilmenge $S \subset B$ setzen wir $R_S = R \cap \mathbf{Z}S$ sowie $\mathfrak{g}_S = \mathfrak{h}_S \oplus \mathfrak{n}_S \oplus {}'\mathfrak{n}_S$ mit $\mathfrak{h}_S = \sum_{\alpha \in S} k h_\alpha$ und $\mathfrak{n}_S = \bigoplus_{\alpha \in R_S \cap R^+} \mathfrak{g}^\alpha$. Dann ist $\mathfrak{g}_S$ eine zerfallende halbeinfache Lie-Algebra mit zerfällender Cartan-Unteralgebra $\mathfrak{h}_S$ und Wurzelsystem R_S. Setzen wir weiter $\mathfrak{m}_S = \bigoplus_{\alpha \in R^+ \setminus R_S} \mathfrak{g}^\alpha$ und $\mathfrak{p}_S = (\mathfrak{g}_S + \mathfrak{h}) + \mathfrak{m}_S$, so erhalten wir eine parabolische Unteralgebra $\mathfrak{p}_S$ von $\mathfrak{g}$ mit Nilradikal $\mathfrak{m}_S$. Setzt man $\mathfrak{h}'_S = \bigcap_{\alpha \in S} \mathrm{Kern}(\alpha)$, so gilt $\mathfrak{g}_S + \mathfrak{h} = \mathfrak{g}_S \oplus h'_S$, und $\mathfrak{h}'_S$ ist das Zentrum der reduktiven Lie-Algebra $\mathfrak{g}_S + \mathfrak{h}$.

2.3 Auf $\mathfrak{h}^*$ führen wir eine Ordnungsrelation $\leqslant$ ein: Für $\lambda, \mu \in \mathfrak{h}$ gilt $\lambda \leqslant \mu$ genau dann, wenn $\mu - \lambda = \sum_{\alpha \in B} n_\alpha \alpha$ mit $n_\alpha \in \mathbf{N}$ für alle $\alpha \in B$ ist. Es gilt dann $R^+ = \{\alpha \in R \mid \alpha > 0\}$.

Für $\lambda \in \mathfrak{h}^*$ und $\alpha \in R$ schreiben wir $\langle \lambda, \alpha^\vee \rangle$ statt $\lambda(h_\alpha)$. Dann hat für alle $\alpha \in R$ die Spiegelung s_α an α die Gestalt $s_\alpha(\lambda) = \lambda - \langle \lambda, \alpha^\vee \rangle \alpha$ für alle $\lambda \in \mathfrak{h}^*$. Die s_α mit $\alpha \in R$ erzeugen die Weylgruppe $W(\mathfrak{g}, \mathfrak{h})$ oder kurz W von $\mathfrak{g}$; genauer wird W bereits von den s_α mit $\alpha \in B$ erzeugt.

Wir setzen $\rho = \frac{1}{2} \sum_{\alpha \in R^+} \alpha$ und schreiben für alle $w \in W$ und $\lambda \in \mathfrak{h}^*$:

$$w \cdot \lambda = w(\lambda + \rho) - \rho .$$

2.4 Es sei $P(R) = \{\lambda \in \mathfrak{h}^* \mid \langle \lambda, \alpha^\vee \rangle \in \mathbf{Z}$ für alle $\alpha \in R\}$ die Gruppe der ganzzahligen Gewichte. Wir bezeichnen die Fundamentalgewichte mit $\omega_\alpha\ (\alpha \in B)$; es gilt also $\langle \omega_\alpha, \beta^\vee \rangle = \delta_{\alpha\beta}$ für alle $\alpha, \beta \in B$, wobei δ das Kronecker-Symbol ist. Die Fundamentalgewichte bilden eine Basis der freien abelschen Gruppe $P(R)$.

Die von R erzeugte Untergruppe von $\mathfrak{h}^*$ werde mit $Q(R)$ bezeichnet. Sie ist in $P(R)$ enthalten.

2.5 Für alle $\lambda \in \mathfrak{h}^*$ setzen wir

$$R_\lambda = \{\alpha \in R \mid \langle \lambda, \alpha^\vee \rangle \in \mathbf{Z}\}$$

und

$$W_\lambda = \{w \in W \mid w(\lambda) - \lambda \in Q(R)\} = \{w \in W \mid w \cdot \lambda - \lambda \in Q(R)\}.$$

Dann ist R_λ ein Wurzelsystem (in dem Vektorraum, den es erzeugt) und W_λ ist die Weylgruppe von R_λ. Insbesondere wird W_λ von den s_α mit $\alpha \in R_\lambda$ erzeugt. Offensichtlich gilt $R_\lambda = R$ genau dann, wenn $\lambda \in P(R)$ ist.

Für jedes $\lambda \in \mathfrak{h}^*$ gibt es genau eine Basis B_λ des Wurzelsystems R_λ, die in R^+ enthalten ist. Die Mengen R_λ, W_λ, B_λ hängen nur von der Nebenklasse $\Lambda = \lambda + P(R) \in \mathfrak{h}^*/P(R)$ ab; wir bezeichnen sie auch mit R_Λ, W_Λ, B_Λ. Wir nennen für ein $\lambda \in \mathfrak{h}^*$

$$F_\lambda = \{\mu \in \lambda + P(R) \mid \text{Für alle } \alpha \in R_\lambda \text{ gilt}$$
$$\langle \lambda+\rho, \alpha^\vee\rangle = 0 \Leftrightarrow \langle \mu+\rho, \alpha^\vee\rangle = 0,$$
$$\langle \lambda+\rho, \alpha^\vee\rangle > 0 \Leftrightarrow \langle \mu+\rho, \alpha^\vee\rangle > 0,$$
$$\langle \lambda+\rho, \alpha^\vee\rangle < 0 \Leftrightarrow \langle \mu+\rho, \alpha^\vee\rangle < 0\}$$

die Facette von λ relativ W_λ und

$$\hat{F}_\lambda = \{\mu \in \lambda + P(R) \mid \text{Für alle } \alpha \in R_\lambda \text{ gilt}$$
$$\langle \lambda+\rho, \alpha^\vee\rangle = 0 \Rightarrow \langle \mu+\rho, \alpha^\vee\rangle = 0,$$
$$\langle \lambda+\rho, \alpha^\vee\rangle > 0 \Leftrightarrow \langle \mu+\rho, \alpha^\vee\rangle > 0,$$
$$\langle \lambda+\rho, \alpha^\vee\rangle < 0 \Rightarrow \langle \mu+\rho, \alpha^\vee\rangle \leqslant 0\}$$

den oberen Abschluß von F_λ. Für alle $w \in W_\lambda$ gilt nun $F_{w\cdot\lambda} = w \cdot F_\lambda$.

Für ein $\Lambda \in \mathfrak{h}^*/P(R)$ setzen wir

$$\Lambda^+ = \{\lambda \in \Lambda \mid \langle \lambda+\rho, \alpha^\vee\rangle \geqslant 0 \text{ für alle } \alpha \in B_\Lambda\}$$

und

$$\Lambda^{++} = \{\lambda \in \Lambda \mid \langle \lambda+\rho, \alpha^\vee\rangle > 0 \text{ für alle } \alpha \in B_\Lambda\}.$$

Dann ist Λ^{++} eine Facette relativ W_λ und Λ^+ eine Vereinigung von solchen Facetten. Für jedes $\lambda \in \Lambda$ gibt es genau ein $\mu \in \Lambda^+$ mit $\mu \in W_\Lambda \cdot \lambda$.

Für jedes $\lambda \in \Lambda^+$ wird

$$W_\lambda^0 = \{w \in W_\lambda \mid w \cdot \lambda = \lambda\}$$

von den s_α mit $\alpha \in B_\lambda^0 = \{\alpha \in B_\lambda \mid \langle \lambda+\rho, \alpha^\vee\rangle = 0\}$ erzeugt.

2.6 Es sei $\Lambda \in \mathfrak{h}^*/P(R)$ bis zum Ende des Kapitels fest gewählt. Für jedes $w \in W_\Lambda$ sei $l_\Lambda(w)$ die kleinste Zahl r, für die es $\alpha_1, \alpha_2, \ldots, \alpha_r \in B_\Lambda$ mit $w = s_{\alpha_1} s_{\alpha_2} \ldots s_{\alpha_r}$ gibt. Für ein solches minimales r nennt man $w = s_{\alpha_1} s_{\alpha_2} \ldots s_{\alpha_r}$ auch eine reduzierte Zerlegung von w. Offensichtlich gilt $l_\Lambda(w) = l_\Lambda(w^{-1})$ für alle $w \in W_\Lambda$.

Wir setzen für alle $w \in W_\Lambda$:

$$N_\Lambda(w) = \{\alpha \in R_\Lambda \mid \alpha > 0,\ w(\alpha) < 0\}$$

und

$$\tau_\Lambda(w) = \{\alpha \in B_\Lambda \mid w(\alpha) < 0\} = N_\Lambda(w) \cap B_\Lambda.$$

Aus der Definition der Basis eines Wurzelsystems folgt leicht

(1) $\quad N_\Lambda(s_\alpha) = \tau_\Lambda(s_\alpha) = \{\alpha\}$ für alle $\alpha \in B_\Lambda$.

Für beliebige $w \in W_\Lambda$ und $\alpha \in B_\Lambda$ erhält man daraus einfach

$$\begin{aligned}
&(2) \qquad \alpha \in \tau_\Lambda(w) &&\Rightarrow N_\Lambda(w s_\alpha) = s_\alpha(N_\Lambda(w) \setminus \{\alpha\}),\\
&(2') \qquad \alpha \notin \tau_\Lambda(w) &&\Rightarrow N_\Lambda(w s_\alpha) = s_\alpha(N_\Lambda(w)) \cup \{\alpha\},\\
&(3) \qquad \alpha \in \tau_\Lambda(w^{-1}) &&\Rightarrow N_\Lambda(s_\alpha w) = N_\Lambda(w) \setminus \{-w^{-1}(\alpha)\},\\
&(3') \qquad \alpha \notin \tau_\Lambda(w^{-1}) &&\Rightarrow N_\Lambda(s_\alpha w) = N_\Lambda(w) \cup \{w^{-1}(\alpha)\}.
\end{aligned}$$

Durch Induktion sieht man nun leicht

$$(4) \qquad l_\Lambda(w) = \# N_\Lambda(w) \quad \text{für alle } w \in W_\Lambda,$$

außerdem

$$\begin{aligned}
&(5) \qquad \tau_\Lambda(w) &&= \{\alpha \in B_\Lambda \mid l_\Lambda(w s_\alpha) = l_\Lambda(w) - 1\},\\
&(5') \qquad \tau_\Lambda(w^{-1}) &&= \{\alpha \in B_\Lambda \mid l_\Lambda(s_\alpha w) = l_\Lambda(w) - 1\}.
\end{aligned}$$

Mit etwas mehr Aufwand beweist man

$$\begin{aligned}
&(6) \qquad N_\Lambda(w) &&= \{\alpha \in R_\Lambda \cap R^+ \mid l_\Lambda(w s_\alpha) < l_\Lambda(w)\},\\
&(6') \qquad N_\Lambda(w^{-1}) &&= \{\alpha \in R_\Lambda \cap R^+ \mid l_\Lambda(s_\alpha w) < l_\Lambda(w)\}.
\end{aligned}$$

Weiter behaupten wir für alle $w, w' \in W_\Lambda$:

$$(7) \qquad N_\Lambda(w) \subset N_\Lambda(w') \Leftrightarrow l_\Lambda(w' w^{-1}) + l_\Lambda(w) = l_\Lambda(w')$$

Dies wollen wir hier beweisen; nehmen wir zunächst an, es gelte $l_\Lambda(w' w^{-1}) + l_\Lambda(w) = l_\Lambda(w')$. Wir können dann $s_i = s_{\alpha_i}$ mit $\alpha_i \in B_\Lambda$ für $1 \leqslant i \leqslant r = l_\Lambda(w') - l_\Lambda(w)$ mit $w' = s_r s_{r-1} \ldots s_1 w$ finden. Offensichtlich muß $l_\Lambda(s_i \ldots s_1 w) = l_\Lambda(w) + i$ für $1 \leqslant i \leqslant r$ gelten; insbesondere folgt $\alpha_i \notin \tau_\Lambda((s_{i-1} \ldots s_1 w)^{-1})$ für $1 \leqslant i \leqslant r$ und nach (3′) also induktiv $N_\Lambda(w) \subset N_\Lambda(w')$.

Es gelte umgekehrt $N_\Lambda(w) \subset N_\Lambda(w')$. Für $w = 1$ gilt (7) trivialerweise. Sonst benutzen wir Induktion über $l_\Lambda(w)$; für $w \neq 1$ wählen wir zunächst ein $\alpha \in \tau_\Lambda(w)$. Dann gilt $\alpha \in \tau_\Lambda(w')$ und $l_\Lambda(w' s_\alpha) = l_\Lambda(w') - 1$ sowie $l_\Lambda(w s_\alpha) = l_\Lambda(w) - 1$. Aus (2) folgt $N_\Lambda(w s_\alpha) \subset N_\Lambda(w' s_\alpha)$, aus der Induktionsannahme also $l_\Lambda((w' s_\alpha)(w s_\alpha)^{-1}) = l_\Lambda(w' s_\alpha) - l_\Lambda(w s_\alpha)$, mithin $l_\Lambda(w' w^{-1}) = l_\Lambda(w') - l_\Lambda(w)$, was zu zeigen war.

Da $l_\Lambda(w) = 0$ nur für $w = 1$ gilt, zeigt (7) insbesondere

$$(7') \qquad N_\Lambda(w) = N_\Lambda(w') \Leftrightarrow w = w'.$$

Es gibt genau ein Element $w_\Lambda \in W_\Lambda$ mit $N_\Lambda(w_\Lambda) = R^+ \cap R_\Lambda$; dies ist auch das einzige Element mit $\tau_\Lambda(w_\Lambda) = B_\Lambda$, und es erfüllt $w_\Lambda(B_\Lambda) = -B_\Lambda$. Für alle $w \in W_\Lambda$ gilt

$$(8) \qquad N_\Lambda(w_\Lambda w) = (R_\Lambda \cap R_+) \setminus N_\Lambda(w),$$

insbesondere

$$(8') \qquad \tau_\Lambda(w_\Lambda w) = B_\Lambda \setminus \tau_\Lambda(w).$$

2.7 Für jede Teilmenge $S \subset B_\Lambda$ sei W_S die von den s_α mit $\alpha \in S$ erzeugte Untergruppe von W_Λ. Dann ist W_S die Weylgruppe des Wurzelsystems $R_\Lambda \cap \mathbf{Z}S$; es gibt genau ein $w_S \in W_S$ mit $w_S(S) = -S$.

Die Menge

$$W_\Lambda^S = \{w \in W_\Lambda \mid S \subset \tau_\Lambda(w)\}$$

ist ein Repräsentantensystem für die Menge W_Λ / W_S der Linksnebenklassen modulo W_S in W_Λ. Ein anderes Repräsentantensystem ist

$$W_\Lambda^S w_S = \{w \in W_\Lambda \mid S \cap \tau_\Lambda(w) = \emptyset\};$$

dies besteht aus den Elementen minimaler Länge in jeder Nebenklasse, das erste aus denen maximaler Länge.

Ein Repräsentantensystem für die Menge $W_S \setminus W_\Lambda$ der Rechtsnebenklassen modulo W_S ist

$${}^S W_\Lambda = \{w \in W_\Lambda \mid S \subset \tau_\Lambda(w^{-1})\}.$$

Sind S, S' Teilmengen von B_Λ, so ist

$${}^{S'}W_\Lambda^S = \{w \in W_\Lambda \mid S \subset \tau_\Lambda(w),\, S' \subset \tau_\Lambda(w^{-1})\}$$

ein Repräsentantensystem für die Menge $W_{S'} \setminus W_\Lambda / W_S$ von Doppelnebenklassen.

Es seien $\lambda \in \Lambda^{++}$ und $\mu \in \Lambda^+$; wir setzen $S = B_\mu^0$. Dann ist $W_\Lambda \cdot \mu = W_\Lambda^S \cdot \mu$, und für alle $w \in W_\Lambda$ gilt

$$(1) \qquad w \cdot \mu \in \hat{F}_{w \cdot \lambda} \Leftrightarrow B_\mu^0 = S \subset \tau_\Lambda(w) \Leftrightarrow w \in W_\Lambda^S.$$

Für ein $w \in W_\Lambda^S$ und ein $S' \subset B_\Lambda$ gilt

$$(2) \qquad w \cdot \mu \leqslant (w'w) \cdot \mu \quad \text{für alle } w' \in W_{S'} \Leftrightarrow w \in {}^{S'}W_\Lambda^S.$$

Will man dies zeigen, so muß man sich zuerst überlegen, daß die Bedingung links in (2) nur für alle $w' = s_\alpha$ mit $\alpha \in S'$ nachzuprüfen ist und daß sie daher zu

$$0 \geqslant \langle w(\mu+\rho), \alpha^\vee \rangle = \langle \mu+\rho, w^{-1}(\alpha)^\vee \rangle \quad \text{für alle } \alpha \in S'$$

äquivalent ist. Wegen $\mu \in \Lambda^+$ ist klar, daß jedes $w \in {}^{S'}W_\Lambda^S$ diese Bedingung erfüllt. Gilt sie umgekehrt für ein $w \in W_\Lambda^S$, so folgt aus $w^{-1}(\alpha) > 0$ für ein $\alpha \in S'$, daß $\langle \mu+\rho, w^{-1}(\alpha)^\vee \rangle = 0$ ist, also $w^{-1}(\alpha) \in \mathbf{N}S$ und daher $\alpha = w(w^{-1}(\alpha)) < 0$ im Widerspruch zu $\alpha \in S'$. Daraus folgt $w \in {}^{S'}W_\Lambda^S$.

2.8 Wir setzen

$$W^\Lambda = \{ w \in W \mid w(B_\Lambda) \subset R^+ \}.$$

Dann ist W^Λ ein Repräsentantensystem für die Menge W/W_Λ von Linksnebenklassen modulo W_Λ. Für jedes $w \in W$ ist nämlich $w^{-1}(-R^+) \cap R_\Lambda$ ein System positiver Wurzeln in R_Λ, also gibt es ein $w_1 \in W_\Lambda$ mit $w_1(w^{-1}(-R^+) \cap R_\Lambda) = (-R^+) \cap R_\Lambda$. Daraus folgt $(w_1 w^{-1})(-R^+) \cap R_\Lambda \subset -R^+$, mithin $w w_1^{-1}(R_\Lambda \cap R^+) \subset R^+$ und $w w_1^{-1} \in W^\Lambda$, also $w \in W^\Lambda W_\Lambda$. Für alle $w \in W^\Lambda$ und $w_1 \in W_\Lambda$ mit $w_1 \neq 1$ gibt es ein $\alpha \in B_\Lambda$ mit $w_1(\alpha) < 0$, also $w_1(\alpha) \in R_\Lambda \cap (-R^+)$ und daher $w w_1(\alpha) \in -R^+$. Deshalb ist $w w_1 \notin W^\Lambda$, und die Elemente von W^Λ gehören zu verschiedenen Nebenklassen.

Für alle $w \in W$ gilt trivialerweise $w(R_\Lambda) = R_{w \cdot \Lambda}$ und $w W_\Lambda w^{-1} = W_{w \cdot \Lambda}$; für ein $w \in W^\Lambda$ gilt sogar $w(B_\Lambda) = B_{w \cdot \Lambda}$.

2.9 Man führt auf W_Λ eine Ordnungsrelation, die Bruhat-Ordnung, ein, und zwar setzt man $w \leqslant w'$ für $w, w' \in W_\Lambda$, wenn $w = w'$ ist oder wenn es $w_1 = w, w_2, \ldots, w_{r+1} = w' \in W_\Lambda$ und $\alpha_1, \ldots, \alpha_r \in R_\Lambda \cap R^+$ mit $w_i = s_{\alpha_i} w_{i+1}$ und $l_\Lambda(w_i) > l_\Lambda(w_{i+1})$ für $1 \leqslant i \leqslant r$ gibt. Man kann zeigen, daß man dann eine solche Folge so verfeinern kann, daß $l_\Lambda(w_i) = l_\Lambda(w_{i+1}) + 1$ ist.

Für alle $w \in W_\Lambda$ gilt nun $w_\Lambda \leqslant w \leqslant 1$. Die Multiplikation mit w_Λ von links oder rechts ist ein Ordnungsantiautomorphismus von W_Λ, die Abbildung $w \mapsto w^{-1}$ ein Ordnungsautomorphismus. Nun gilt

$$N_\Lambda(w) = \{ \alpha \in R_\Lambda \cap R^+ \mid w < w s_\alpha \}$$

und

$$N_\Lambda(w^{-1}) = \{ \alpha \in R_\Lambda \cap R^+ \mid w < s_\alpha w \}.$$

Für jedes $\lambda \in \Lambda^+$ folgt $w \cdot \lambda \leqslant w' \cdot \lambda$ aus $w \leqslant w'$; die Umkehrung ist im allgemeinen auch für $\lambda \in \Lambda^{++}$ falsch.

Für ein $S \subset B_\Lambda$ ergibt die Einschränkung der Bruhat-Ordnung von W_Λ auf W_S die Bruhat-Ordnung von W_S, die analog mit $\mathbf{Z}S \cap R_\Lambda$ anstatt von R_Λ definiert ist. Jede Nebenklasse $w W_S$ bzw. $W_S w$ ist zu W_S ordnungsisomorph, und zwar wird solch ein Isomorphismus für $w \in W_\Lambda^S$ bzw. $w \in {}^S W_\Lambda$ durch $w' \mapsto w w_S w'$ bzw. $w' \mapsto w' w_S w$ gegeben. Insbesondere ist ein $w \in W_\Lambda^S$ bzw. $w \in {}^S W_\Lambda$ das kleinste Element seiner Nebenklasse.

Für jedes $w \in W^\Lambda$ ist die Abbildung $w' \mapsto w w' w^{-1}$ ein Isomorphismus geordneter Mengen von W_Λ auf $w W_\Lambda w^{-1} = W_{w \cdot \Lambda}$.

Anhang

2A.1 Für die benötigten Kenntnisse über halbeinfache Lie-Algebren und Wurzelsysteme sei außer auf das erste Kapitel sowie den Anhang von [DIX] auf die Bücher [Bourbaki 3], [Humphreys], [Jacobson], [Varadarajan] hingewiesen. Dort findet man auch den Inhalt von 2.1 bis 2.4.

2A.2 In 2.5 bis 2.9 werden häufig für (R, W) wohlbekannte Tatsachen für (R_Λ, W_Λ) formuliert. Daß R_λ in 2.5 ein Wurzelsystem mit Weylgruppe W_λ ist, wird in [Bourbaki 3], ch. VI, § 2, exerc. 1 ausgesprochen (vgl. den Beweis in [MHG], 1.3). Die Form der Einführung der Facetten in 2.5 ist die hier einfachste. Will man die Beweise von [Bourbaki 3], ch. V auf diese Situation übertragen, ist ein Vorgehen wie in [MHG], 2.6–2.8 zweckmäßiger.

2A.3 Zu 2.6(6), (6′) vergleiche man [DIX], 7.7.2 wie überhaupt [DIX], 7.7 zu 2.9 hier. Bei 2.6(7) und in 2.8 folgen wir [Joseph 8], 3.1. Die speziellen Repräsentanten für die Nebenklassen in 2.7 finden sich in [Bourbaki 3], ch. IV, § 1, exerc. 3.

Kapitel 3. Zentralisatoren in Einhüllenden halbeinfacher Lie-Algebren

Wie in Kapitel 2 vereinbart, ist $\mathfrak{g}$ eine über k zerfallende halbeinfache Lie-Algebra. Auch die übrigen Konventionen von Kapitel 2 bleiben in Kraft.

In diesem Kapitel erinnern wir zunächst an Sätze über die Struktur von $Z(\mathfrak{g})$. Dann beschäftigen wir uns ausführlich mit der Algebra $Z(\mathfrak{n}^+)$ und allgemeiner mit einigen Algebren von der Form $U(\mathfrak{m})^{\mathfrak{n}^+}$, wobei $\mathfrak{m}$ eine Unteralgebra von $\mathfrak{g}$ mit $[\mathfrak{n}^+, \mathfrak{m}] \subset \mathfrak{m}$ ist. Dieser Teil (ab 3.6) wird erst in Kapitel 13 wieder benötigt.

3.1 Die einhüllende Algebra $U(\mathfrak{g})$ ist als $\mathfrak{g}$-Modul bei der adjungierten Darstellung direkte Summe der endlich dimensionalen Untermoduln $U^n(\mathfrak{g})$. Wegen der Halbeinfachheit von $\mathfrak{g}$ ist $U(\mathfrak{g})$ deshalb ein halbeinfacher $\mathfrak{g}$-Modul. Wählt man für einen endlich dimensionalen, einfachen $\mathfrak{g}$-Modul E eine Basis $(\phi_i)_{i \in I}$ des Vektorraums $\mathrm{Hom}_{\mathfrak{g}}(E, U(\mathfrak{g}))$, so ist die E-isotypische Komponente von $U(\mathfrak{g})$ gleich der direkten Summe der $\phi_i(E)$ mit $i \in I$. Das Zentrum $Z(\mathfrak{g})$ von $U(\mathfrak{g})$ operiert auf $\mathrm{Hom}_{\mathfrak{g}}(E, U(\mathfrak{g}))$ durch Multiplikation auf dem Bild. Es gilt (vgl. [DIX], 8.3.11): Für einen einfachen, endlich dimensionalen $\mathfrak{g}$-Modul E ist $\mathrm{Hom}_{\mathfrak{g}}(E, U(\mathfrak{g}))$ ein freier $Z(\mathfrak{g})$-Modul vom Rang $\dim E^0$.

Ist $\chi: Z(\mathfrak{g}) \to k$ ein Homomorphismus von Algebren, so folgt nun für alle endlich dimensionalen, einfachen $\mathfrak{g}$-Moduln E:

(1) *Die Multiplizität von E in $U(\mathfrak{g})/U(\mathfrak{g}) \operatorname{Kern}\chi$ ist gleich $\dim E^0$.*

Allgemein haben für ein Ideal I von $U(\mathfrak{g})$ alle einfachen $\mathfrak{g}$-Moduln genau dann endliche Multiplizitäten in $U(\mathfrak{g})/I$ wenn $\dim Z(\mathfrak{g})/(Z(\mathfrak{g}) \cap I) < \infty$ ist.

3.2 Ein Ideal I von $U(\mathfrak{g})$ ist insbesondere ein Untermodul bei der adjungierten Darstellung; nach 3.1 gibt es daher einen $\operatorname{ad}(\mathfrak{g})$-stabilen Teilraum V von $U(\mathfrak{g})$ mit $U(\mathfrak{g}) = I \oplus V$. Die Inklusion induziert einen Isomorphismus $V \simeq U(\mathfrak{g})/I$ von $\mathfrak{g}$-Moduln. Für eine Unteralgebra $\mathfrak{s}$ von $\mathfrak{g}$ geht dabei $V^{\mathfrak{s}}$ in $(U(\mathfrak{g})/I)^{\mathfrak{s}}$ über. Daher ist die natürliche Inklusion von $U(\mathfrak{g})^{\mathfrak{s}}/I^{\mathfrak{s}}$ in $(U(\mathfrak{g})/I)^{\mathfrak{s}}$ ein Isomorphismus:

(1) $U(\mathfrak{g})^{\mathfrak{s}}/I^{\mathfrak{s}} \xrightarrow{\sim} (U(\mathfrak{g})/I)^{\mathfrak{s}}$.

Für $\mathfrak{s} = \mathfrak{g}$ sieht man insbesondere (vgl. [DIX], 4.2.5):
Das Zentrum von $U(\mathfrak{g})/I$ ist das Bild von $Z(\mathfrak{g})$.

3.3 Satz. *Ist $\mathfrak{m}$ das Nilradikal einer parabolischen Unteralgebra von $\mathfrak{g}$, so ist $U(\mathfrak{g})^{\mathfrak{m}}$ noethersch.*

Beweis. Nach dem Theorem in [Hochschild/Mostow] ist $S(\mathfrak{g})^{\mathfrak{m}}$ eine endlich erzeugbare Algebra, also insbesondere noethersch. Die kanonische Filtrierung auf $U(\mathfrak{g})$ induziert eine Filtrierung auf $U(\mathfrak{g})^{\mathfrak{m}}$; die assoziierte graduierte Algebra $\operatorname{gr} U(\mathfrak{g})^{\mathfrak{m}}$ ist dann zu $S(\mathfrak{g})^{\mathfrak{m}}$ isomorph. Nun folgt die Behauptung aus [Bourbaki 2], chap. III, § 2, n° 9, cor. 2 de la prop. 12.

3.4 Aus dem Satz von Poincaré, Birkhoff und Witt folgt, daß $U(\mathfrak{g})=(\mathfrak{n}^- U(\mathfrak{g})+U(\mathfrak{g})\mathfrak{n}^+)\oplus U(\mathfrak{h})$ ist. Es sei $\phi\colon U(\mathfrak{g})\to U(\mathfrak{h})$ die Projektion längs dieser Zerlegung. Dann ist die Einschränkung von ϕ auf $U(\mathfrak{g})^{\mathfrak{h}}$ (also erst recht auf $Z(\mathfrak{g})$) ein Homomorphismus von Algebren (vgl. [DIX], 7.4.3). Für alle $u\in U(\mathfrak{g})$ gilt $\phi({}^t u)=\phi(u)$.

Man kann jedes $\lambda\in\mathfrak{h}^*$ zu einem Homomorphismus $U(\mathfrak{h})=S(\mathfrak{h})\to k$ von Algebren fortsetzen. Durch Verknüpfen erhält man Homomorphismen

$$\chi_\lambda=\lambda\circ\phi|_{Z(\mathfrak{g})}\colon Z(\mathfrak{g})\to k.$$

Nun weiß man (vgl. [DIX], 7.4.7, 7.4.8):

(a) *Für $\lambda,\lambda'\in\mathfrak{h}^*$ gilt $\chi_\lambda=\chi_{\lambda'}$ genau dann, wenn es ein $w\in W$ mit $\lambda=w\cdot\lambda'$ gibt.*

(b) *Ist k algebraisch abgeschlossen, so hat jeder Homomorphismus $Z(\mathfrak{g})\to k$ von Algebren die Gestalt χ_λ mit einem $\lambda\in\mathfrak{h}^*$.*

(c) *Für alle $\lambda\in\mathfrak{h}^*$ und $u\in Z(\mathfrak{g})$ ist $\chi_\lambda({}^t u)=\chi_\lambda(u)$.*

3.5 Es gibt einen Automorphismus γ der Algebra $S(\mathfrak{h})=U(\mathfrak{h})$ mit $\lambda(\gamma(h))=(\lambda+\rho)(h)$ für alle $h\in U(\mathfrak{h})$. Nun erhält man die Aussagen in 3.4 aus dem folgenden genaueren Resultat (vgl. [DIX], 7.4.5, 11.1.14)

(a) *Die Abbildung $\gamma\circ\phi|_{Z(\mathfrak{g})}$ ist ein Isomorphismus von $Z(\mathfrak{g})$ auf die Algebra $S(\mathfrak{h})^W$ der W-invarianten Elemente in $S(\mathfrak{h})$.*

(b) *Die Algebra $Z(\mathfrak{g})$ ist zu einem Polynomring über k in* $\dim\mathfrak{h}$ *Veränderlichen isomorph.*

Da $\phi|_{Z(\mathfrak{g})}$ danach insbesondere injektiv ist, kann man 3.4(c) so präzisieren:

(c) *Für alle $u\in Z(\mathfrak{g})$ gilt ${}^t u=u$.*

3.6 Wir werden in späteren Kapiteln auf Lokalisierungen nichtkommutativer Ringe eingehen. Hier benötigen wir nur den folgenden Spezialfall: Es seien A eine Algebra und Z eine Unteralgebra des Zentrums von A, die bis auf 0 aus Nichtnullteilern von A besteht. Insbesondere ist Z ein Integritätsbereich und besitzt als solcher einen Quotientenkörper, den wir mit $Q(Z)$ bezeichnen. Dann können wir $A\otimes_Z Q(Z)$ bilden und darauf durch $(a\otimes z)(a'\otimes z')=(a\,a')\otimes(z\,z')$ für alle $a,a'\in A$ und $z,z'\in Q(Z)$ eine Struktur als Algebra einführen, weil Z zentral in A ist. Die Abbildung $a\mapsto a\otimes 1$ von A in $A\otimes_Z Q(Z)$ ist ein Homomorphismus von Algebren, und zwar ist sie injektiv, weil Z bis auf 0 aus Nichtnullteilern von A besteht. Wir identifizieren A stets mit seinem Bild in $A\otimes_Z Q(Z)$; dann ist in dieser Algebra jedes Element ungleich 0 von Z invertierbar und alle Elemente von $A\otimes_Z Q(Z)$ lassen sich in der Form $z^{-1}a=a\,z^{-1}$ mit $a\in A, z\in Z, z\neq 0$ schreiben.

Ist Z von der Form $Z=k[z]$ für ein $z\in Z$, $z\neq 0$, so bezeichnen wir die Algebra $A\otimes_Z Q(Z)$ mit A_z; alle Elemente in A_z haben die Gestalt az^{-n} mit $a\in A$ und $n\in\mathbf{N}$.

3.7 Für jedes $m\in\mathbf{N}$ gibt es eine Lie-Algebra $\mathfrak{a}_m$ der Dimension $2m+1$ mit einer Basis $(z_i)_{0\leqslant i\leqslant 2m}$, so daß $[z_i, z_{m+i}]=-[z_{m+i}, z_i]=z_0$ für $1\leqslant i\leqslant m$ gilt und so daß alle andere $[z_i, z_j]$ gleich 0 sind. Dann ist kz_0 das Zentrum von $\mathfrak{a}_m$. Für $1\leqslant i\leqslant m$ setzen wir $z_i^*=z_{m+i}$ und $z_{m+i}^*=-z_i$; dann gilt $[z_i, z_j^*]=\delta_{ij}z_0$ für $1\leqslant i,j\leqslant 2m$.

Eine Lie-Algebra, die zu einem $\mathfrak{a}_m$ mit $m\in\mathbf{N}$ isomorph ist, nennen wir eine *Heisenberg-Algebra*.

3.8 Wir betrachten nun die folgende Situation: Wir haben eine Lie-Algebra $\mathfrak{q}$ mit einer Unteralgebra $\mathfrak{r}$ und einem Ideal $\mathfrak{a}$, so daß als Vektorraum $\mathfrak{q}=\mathfrak{r}\oplus\mathfrak{a}$ gilt. Weiter soll $\mathfrak{a}$ eine Heisenberg-Algebra der Dimension $2m+1$ für ein $m\in\mathbf{N}$ sein; wir wollen $\mathfrak{a}$ mit $\mathfrak{a}_m$ identifizieren und übernehmen insbesondere die Notationen z_i, z_j^* von 3.7.

Aus $[\mathfrak{q},\mathfrak{a}]\subset\mathfrak{a}$ folgt nun $[\mathfrak{q}, z_0]\subset kz_0$, weil kz_0 das Zentrum von $\mathfrak{a}$ ist. Wir setzen $\mathfrak{q}_0=\{x\in\mathfrak{q}\mid [x, z_0]=0\}$ und $\mathfrak{r}_0=\mathfrak{q}_0\cap\mathfrak{r}$. Dann ist $\mathfrak{q}_0=\mathfrak{r}_0\oplus\mathfrak{a}$ ein Ideal von $\mathfrak{q}$, das z_0 im Zentrum enthält und dessen Kodimension in $\mathfrak{q}$ höchstens 1 beträgt.

Es gilt jetzt

(1) $$U(\mathfrak{q})^{z_0}=U(\mathfrak{q}_0).$$

Für $\mathfrak{q}=\mathfrak{q}_0$ ist dies klar; sonst wähle man ein $x\in\mathfrak{q}$ mit $[z_0, x_0]=z_0$. Dann gilt $\mathfrak{q}=kx\oplus\mathfrak{q}_0$ und $U(\mathfrak{q})=k[x]\otimes U(\mathfrak{q}_0)$ jeweils als Vektorraum; die Behauptung folgt nun leicht aus $[z_0, x^n]=\sum_{i=0}^{n-1}\binom{n}{i}x^i z_0$ und $\mathrm{char}(k)=0$.

Weil einhüllende Algebren nullteilerfrei sind, können wir nach den Bemerkungen in 3.6 die Lokalisierungen $U(\mathfrak{a})_{z_0}\subset U(\mathfrak{q}_0)_{z_0}$ bilden und $U(\mathfrak{a})\subset U(\mathfrak{q}_0)$ mit Unteralgebren darin identifizieren.

Wir bezeichnen den von $z_1, z_2, \ldots, z_{2m}$ aufgespannten Teilraum von $\mathfrak{a}$ mit $\mathfrak{a}'$ und wollen die folgende zusätzliche Annahme machen:

(2) *Es gilt* $[\mathfrak{r},\mathfrak{a}']\subset\mathfrak{a}'$.

Dann definieren wir eine lineare Abbildung $\theta\colon \mathfrak{r}_0\to U(\mathfrak{a})_{z_0}$ durch

$$\theta(x)=\tfrac{1}{2}\sum_{i=1}^{2m} z_0^{-1}[z_i, x]z_i^* \quad \text{für alle } x\in\mathfrak{r}_0.$$

Lemma. *Unter der Voraussetzung von* (2) *gilt:*

a) $[x, u]=[\theta(x), u]$ *für alle* $x\in\mathfrak{r}_0$, $u\in U(\mathfrak{a})_{z_0}$,

b) $[x, \theta(y)]=\theta[x, y]$ *für alle* $x\in\mathfrak{r}$, $y\in\mathfrak{r}_0$,

c) $[\theta(x), \theta(y)]=\theta[x, y]$ *für alle* $x, y\in\mathfrak{r}_0$.

Beweis. a) Es reicht natürlich, für u Erzeugende der Algebra $U(\mathfrak{a})_{z_0}$ zu nehmen. Da z_0 und z_0^{-1} mit $x \in \mathfrak{r}_0$ und mit $\theta(x) \in U(\mathfrak{a})_{z_0}$ kommutieren, können wir uns auf die z_j mit $1 \leqslant j \leqslant 2m$ beschränken.

Für alle $z \in \mathfrak{a}'$ gilt

$$z = \sum_{j=1}^{2m} z_0^{-1}[z_j, z] z_j^*.$$

Daraus folgt für alle $x \in \mathfrak{r}_0$ und $1 \leqslant j \leqslant 2m$

$$\begin{aligned}[\theta(x), z_j] &= \tfrac{1}{2} \sum_{i=1}^{2m} z_0^{-1}[[z_i, x], z_j] z_i^* + \tfrac{1}{2} \sum_{i=1}^{2m} z_0^{-1}[z_i, x][z_i^*, z_j] \\ &= \tfrac{1}{2} \sum_{i=1}^{2m} z_0^{-1}([[z_i, z_j], x] + [z_i, [x, z_j]]) z_i^* - \tfrac{1}{2} z_0^{-1}[z_j, x] z_0 \\ &= \tfrac{1}{2} \sum_{i=1}^{2m} z_0^{-1}[z_i, [x, z_j]] z_i^* - \tfrac{1}{2}[z_j, x] = [x, z_j].\end{aligned}$$

(Man beachte, daß $[z_i, z_j] \in k z_0$ mit $x \in \mathfrak{r}_0 \subset \mathfrak{q}_0$ kommutiert und daß $[x, z_j] \in \mathfrak{a}'$ ist.)

b) Es gibt ein $b \in k$ mit $[x, z_0] = b z_0$, also $[x, z_0^{-1}] = -b z_0^{-1}$. Nun erhält man

$$\begin{aligned}[x, \theta(y)] - \theta[x, y] &= \tfrac{1}{2} \sum_{i=1}^{2m} z_0^{-1}[z_i, y][x, z_i^*] \\ &\quad + \tfrac{1}{2} \sum_{i=1}^{2m} z_0^{-1}(-b[z_i, y] + [x, [z_i, y]] - [z_i, [x, y]]) z_i^* \\ &= \tfrac{1}{2} \sum_{i=1}^{2m} z_0^{-1}[z_i, y]([x, z_i^*] - b z_i^*) + \tfrac{1}{2} \sum_{i=1}^{2m} z_0^{-1}[[x, z_i], y] z_i^*.\end{aligned}$$

Es gibt nun $c_{ij} \in k$ mit $[x, z_i] = \sum_{j=1}^{2m} c_{ij} z_j$ für $1 \leqslant i \leqslant 2m$. Aus

$$\delta_{ij} b z_0 = \delta_{ij}[x, z_0] = [x, [z_i, z_j^*]] = [[x, z_i], z_j^*] + [z_i, [x, z_j^*]]$$

folgt dann $[x, z_i^*] = b z_i^* - \sum_{j=1}^{2m} c_{ji} z_j^*$. Setzt man dies oben ein, so erhält man

$$-\tfrac{1}{2} \sum_{i=1}^{2m} \sum_{j=1}^{2m} z_0^{-1}[z_i, y] c_{ji} z_j^* + \tfrac{1}{2} \sum_{i=1}^{2m} \sum_{j=1}^{2m} z_0^{-1} c_{ij}[z_i, y] z_i^* = 0,$$

was zu beweisen war.

c) folgt aus b) und a), wenn man dort $u = \theta(y)$ einsetzt.

Bemerkung. Sind $(v_i)_{1\leqslant i\leqslant 2m}$ und $(v_i^*)_{1\leqslant i\leqslant 2m}$ Basen von $\mathfrak{a}'$ mit $[v_i, v_j^*]=\delta_{ij}z_0$ für $1\leqslant i,j\leqslant 2m$, so zeigt eine einfache Rechnung für alle $x\in\mathfrak{r}_0$:

$$\theta(x)=\tfrac{1}{2}\sum_{i=1}^{2m} z_0^{-1}[v_i, x]v_i^*.$$

Insbesondere ist θ unabhängig von der speziellen Wahl der Basis von $\mathfrak{a}'$.

3.9 Wir übernehmen die Voraussetzungen und Notationen von 3.8, insbesondere 3.8(2). Für alle $x\in\mathfrak{r}_0$ setzen wir $\hat\theta(x)=x-\theta(x)$. Dann ist $\hat\theta$ eine lineare Abbildung von $\mathfrak{r}_0$ in $U(\mathfrak{q}_0)_{z_0}$, die nach dem Lemma 3.8 die folgenden Eigenschaften hat:

(1) $[\hat\theta(x), u]=0$ *für alle* $x\in\mathfrak{r}_0, u\in U(\mathfrak{a})_{z_0}$,

(2) $[x, \hat\theta(y)]=\hat\theta[x,y]$ *für alle* $x\in\mathfrak{r}, y\in\mathfrak{r}_0$,

(3) $[\hat\theta(x), \hat\theta(y)]=\hat\theta[x,y]$ *für alle* $x,y\in\mathfrak{r}_0$.

Wegen (3) läßt sich $\hat\theta$ zu einem Homomorphismus $\hat\theta\colon U(\mathfrak{r}_0)\to U(\mathfrak{q}_0)_{z_0}$ von Algebren fortsetzen. Das Bild ist nach (1) in $U(\mathfrak{q}_0)^{\mathfrak{a}}_{z_0}$ enthalten.

Nach 1.2 ist $U(\mathfrak{q}_0)$ zu $U(\mathfrak{r}_0)\otimes U(\mathfrak{a})$ als Vektorraum isomorph; daraus erhält man leicht einen Isomorphismus $U(\mathfrak{r}_0)\otimes U(\mathfrak{a})_{z_0}\simeq U(\mathfrak{q}_0)_{z_0}$ von Vektorräumen, der wieder durch die Multiplikation gegeben ist. An der Gestalt von $\hat\theta$ liest man für alle $u\in U_n(\mathfrak{r}_0)$ leicht ab, daß $\hat\theta(u)-u\in U_{n-1}(\mathfrak{r}_0)\otimes U(\mathfrak{a})_{z_0}$ ist. Daraus folgt:

(4) $\hat\theta\colon U(\mathfrak{r}_0)\to U(\mathfrak{a})_{z_0}$

ist injektiv, und

(5) $U(\mathfrak{q}_0)_{z_0}\xleftarrow{\sim}\hat\theta\, U(\mathfrak{r}_0)\otimes U(\mathfrak{a})_{z_0}$

ist ein Isomorphismus nicht nur von Vektorräumen, sondern nach (1) auch einer von Algebren.

Wir wollen stets $A=A_1\otimes A_2$ schreiben, wenn A_1 und A_2 Unteralgebren einer Algebra A sind und wenn die Multiplikation einen Isomorphismus von Algebren zwischen $A_1\otimes A_2$ und A induziert. Mit dieser Konvention hätten wir in (5) auch ein Gleichheitszeichen schreiben können.

Lemma. *Für ein Ideal* $\mathfrak{m}$ *von* $\mathfrak{q}_0$ *mit* $z_0\in\mathfrak{m}$ *und* $\mathfrak{m}=(\mathfrak{m}\cap\mathfrak{r}_0)\oplus(\mathfrak{m}\cap\mathfrak{a})$ *gilt*

$$U(\mathfrak{m})_{z_0}=\hat\theta\, U(\mathfrak{m}\cap\mathfrak{r}_0)\otimes U(\mathfrak{m}\cap\mathfrak{a})_{z_0}.$$

Beweis. Wir müssen nur zeigen, daß $\theta(\mathfrak{m}\cap\mathfrak{r}_0)$ in $U(\mathfrak{m}\cap\mathfrak{a})_{z_0}$, enthalten ist; dann können wir wie bei der Ableitung von (5) argumentieren. Wegen $z_0\in\mathfrak{m}$ gilt daher $\mathfrak{a}\cap\mathfrak{m}=(\mathfrak{a}'\cap\mathfrak{m})\oplus kz_0$. Nach der Bemerkung zu 3.8 können wir annehmen, daß die Basis $(z_i)_{1\leqslant i\leqslant 2m}$ von $\mathfrak{a}'$ so gewählt ist, daß $\mathfrak{a}'\cap\mathfrak{m}$ von $(z_1,\ldots,z_r, z_1^*,\ldots,z_r^*, z_{r+1},\ldots,z_s)$ für geeignete r,s mit $1\leqslant r\leqslant s\leqslant m$ aufgespannt wird. Nun müssen wir für ein $x \in \mathfrak{m} \cap \mathfrak{r}_0$ zeigen, daß $[z_i, x] = 0$ für $r < i \leqslant m$ und für $m + s < i \leqslant 2m$ ist. Dies sind genau die i mit $[z_i, \mathfrak{a}' \cap \mathfrak{m}] = 0$. Da $\mathfrak{m}$ ein Ideal ist, gilt nach 3.8(2) aber $[z_j, x] \in \mathfrak{a}' \cap \mathfrak{m}$ für alle j, also für die i oben $0 = [z_i, [z_j, x]] = [z_j, [z_i, x]]$ wegen $[x, z_0] = 0$. Da die letzte Gleichung für alle j gilt, muß $[z_i, x] = 0$ für die genannten i sein, was noch zu zeigen war.

3.10 Die Algebra, die über k von $2m$ Elementen $x_1, x_2, \ldots, x_m, y_1, y_2, \ldots, y_m$ mit den Relationen $[x_i, y_i] = 1$ und $[x_i, y_j] = [x_i, x_j] = [y_i, y_j] = 0$ für $i \neq j$ erzeugt wird, heißt n-te *Weyl-Algebra* und wird mit $\mathbf{A}_m$ bezeichnet (vgl., auch zum folgenden, [DIX], 4.6 oder [BGR], 4.10). Mit Hilfe einer Realisierung als Algebra von Differentialoperatoren auf dem Polynomring in m Veränderlichen zeigt man leicht, daß die Monome $x_1^{r1} y_1^{s1} x_2^{r2} y_2^{s2} \ldots x_m^{rm} y_m^{sm}$ mit $r_i, s_j \in \mathbf{N}$ eine Basis von $\mathbf{A}_m$ bilden. Offensichtlich ist $\mathbf{A}_m$ zum m-fachen Tensorprodukt von $\mathbf{A}_1$ mit sich selbst isomorph. Aus einfachen Rechnungen in $\mathbf{A}_1$ erhält man:

(1) *Das Zentrum von $\mathbf{A}_m$ ist gleich k.*

(2) *Die einzigen Ideale von $\mathbf{A}_m$ sind* (0) *und $\mathbf{A}_m$.*

Für eine beliebige Algebra Q setzt man $\mathbf{A}_m(Q) = Q \otimes \mathbf{A}_m$ und identifiziert Q mit $Q \otimes k \subset \mathbf{A}_m(Q)$. Es folgt leicht:

(1') *Das Zentrum von $\mathbf{A}_m(Q)$ ist gleich dem Zentrum von Q.*

(2') *Die Abbildung $I \mapsto I \otimes \mathbf{A}_m$ induziert eine Bijektion von der Menge der Ideale von Q auf die derjenigen von $\mathbf{A}_m(Q)$.*

Es sei $\mathfrak{a}_m$ die Heisenberg-Algebra der Dimension $2m+1$ wie in 3.7 mit der Basis $(z_i)_{0 \leqslant i \leqslant 2m}$ wie dort. In $U(\mathfrak{a}_m)_{z_0}$ erfüllen dann die Elemente $x_i = z_i$ und $y_i = z_0^{-1} z_{m+1}$ für $1 \leqslant i \leqslant m$ die definierenden Relationen der Weyl-Algebra $\mathbf{A}_m$ und induzieren somit einen Homomorphismus $\mathbf{A}_m \to U(\mathfrak{a}_m)_{z_0}$ von Algebren. Aus dem Satz von Poincaré, Birkhoff und Witt folgt dann:

(3) *Es ist $U(\mathfrak{a}_m)_{z_0}$ zu $\mathbf{A}_m(k[z_0, z_0^{-1}])$ isomorph.*

(4) *Das Zentrum von $U(\mathfrak{a}_m)_{z_0}$ ist $k[z_0, z_0^{-1}]$.*

3.11 Wir wollen die in 3.8 bis 3.10 entwickelte Theorie auf unsere zerfallende, halbeinfache Lie-Algebra $\mathfrak{g}$ anwenden. In diesem Abschnitt wollen wir zusätzlich annehmen, daß $\mathfrak{g}$ sogar einfach ist. Dann gibt es im Wurzelsystem R eine größte Wurzel, die wir mit $\tilde{\alpha}$ bezeichnen wollen. Für alle $\alpha \in R^+$ mit $\alpha \neq \tilde{\alpha}$ gilt dann $\langle \alpha, \tilde{\alpha}^\vee \rangle \in \{0, 1\}$ nach [Bourbaki 3], ch. VI, § 1, n° 8. Setzen wir $S = \{\beta \in B \mid \langle \beta, \tilde{\alpha}^\vee \rangle = 0\}$, so folgt

$$R_S = \{\alpha \in R \mid \langle \alpha, \tilde{\alpha}^\vee \rangle = 0\}$$

und

$$R^+ \setminus R_S = \{\alpha \in R \mid \langle \alpha, \tilde{\alpha}^\vee \rangle = 1\} \cup \{\tilde{\alpha}\}.$$

Für $\alpha, \alpha' \in R^+ \setminus R_S$ mit $\alpha, \alpha' \neq \tilde{\alpha}$ gilt $\langle \alpha + \alpha', \tilde{\alpha}^\vee \rangle = 2$, also ist entweder $\alpha + \alpha' = \tilde{\alpha}$ (und $[x_\alpha, x_{\alpha'}]$ ein Vielfaches ungleich 0 von $x_{\tilde{\alpha}}$) oder $\alpha + \alpha' \notin R$ (und $[x_\alpha, x_{\alpha'}] = 0$). Für alle $\alpha \in R^+ \setminus R_S$ mit $\alpha \neq \tilde{\alpha}$ ist $\tilde{\alpha} - \alpha \in R^+ \setminus R_S$ (vgl. [Bourbaki 3], ch. VI, § 1, n° 3). Dies zeigt:

Die Unteralgebra $\mathfrak{m}_S = \bigoplus_{\alpha \in R^+ \setminus R_S} \mathfrak{g}^\alpha$ *ist eine Heisenberg-Algebra.*

Die Voraussetzungen von 3.8 sind offensichtlich erfüllt, wenn man $\mathfrak{a} = \mathfrak{m}_S$ und $\mathfrak{r} = \mathfrak{h} \oplus \mathfrak{n}_S$ (also $\mathfrak{q} = \mathfrak{b}^+$) sowie $\mathfrak{a}' = \bigoplus_{\substack{\alpha \neq \tilde{\alpha}, \\ \alpha \in R^+ \setminus R_S}} \mathfrak{g}^\alpha$ setzt. Dann ist dort $\mathfrak{r}_0 = (\operatorname{Kern} \tilde{\alpha}) \oplus \mathfrak{n}_S$.

Es sei nun $\mathfrak{m} \subset \mathfrak{n}^+$ ein Ideal ungleich 0 von $\mathfrak{b}^+$. Weil $\mathfrak{m}$ insbesondere $\operatorname{ad}(\mathfrak{h})$-stabil ist, gilt $\mathfrak{m} = \bigoplus_{\alpha \in R_+} (\mathfrak{m} \cap \mathfrak{g}^\alpha)$, also $\mathfrak{m} = (\mathfrak{m} \cap \mathfrak{n}_S) \oplus (\mathfrak{m} \cap \mathfrak{m}_S) = (\mathfrak{m} \cap \mathfrak{r}) \oplus (\mathfrak{m} \cap \mathfrak{a})$. Zu jedem $\alpha \in R^+$ mit $\alpha \neq \tilde{\alpha}$ gibt es ein $\beta \in B$ mit $\alpha + \beta \in R^+$; daraus folgt induktiv $\mathfrak{g}^{\tilde{\alpha}} \subset \mathfrak{m}$. Deshalb können wir das Lemma 3.9 anwenden: Es gilt demnach

$$(1) \qquad U(\mathfrak{m})_{x_{\tilde{\alpha}}} = \hat{\theta}\, U(\mathfrak{m} \cap \mathfrak{n}_S) \otimes U(\mathfrak{m} \cap \mathfrak{m}_S)_{x_{\tilde{\alpha}}}.$$

Dabei ist $\hat{\theta}\colon U(\mathfrak{m} \cap \mathfrak{n}_S) \to U(\mathfrak{m})_{x_{\tilde{\alpha}}}$ ein injektiver Homomorphismus von Algebren, der mit der adjungierten Operation von $\mathfrak{h} \oplus \mathfrak{n}_S$ verträglich ist.

(Die Wahl von $\mathfrak{r}$ oben geschah im Hinblick auf die Anwendung in (1). Man kann natürlich auch $\mathfrak{r} = \mathfrak{h} + \mathfrak{g}_S$ nehmen.)

3.12 Von nun an sei $\mathfrak{g}$ wieder beliebig halbeinfach und zerfallend. Die Unteralgebra $\mathfrak{n}^+$ wird von $\mathfrak{h}$ normalisiert, daher operiert $\mathfrak{h}$ auch auf $U(\mathfrak{n}^+)$ und $Z(\mathfrak{n}^+)$. Als $\mathfrak{h}$-Modul sind $\mathfrak{n}^+$ und damit auch $U(\mathfrak{n}^+)$ sowie $Z(\mathfrak{n}^+)$ direkte Summen ihrer Gewichtsräume. Die Gewichte gehören alle zu $Q(R)$.

Lemma. *Alle Gewichtsräume in* $Z(\mathfrak{n}^+)$ *sind eindimensional.*

Beweis. Wir benutzen Induktion über $\dim \mathfrak{g}$. Ist $\mathfrak{g}$ nicht einfach, so läßt sich $\mathfrak{g}$ in ein Produkt von zwei Lie-Algebren zerlegen, die beide wieder zerfallend und halbeinfach sind sowie echt kleinere Dimension als $\mathfrak{g}$ haben. Man kann auf beide Faktoren die Induktionsannahme anwenden und erhält daraus mit einer einfachen Überlegung die Behauptung für $\mathfrak{g}$.

Nehmen wir nun an, daß $\mathfrak{g}$ einfach ist. Wir können die Resultate von 3.11 anwenden und übernehmen dazu die Notationen von dort. Nach 3.11(1) gilt

$$U(\mathfrak{n}^+)_{x_{\tilde{\alpha}}} = \hat{\theta}\, U(\mathfrak{n}_S) \otimes U(\mathfrak{m}_S)_{x_{\tilde{\alpha}}},$$

mithin

$$Z(\mathfrak{n}^+)_{x_{\tilde{\alpha}}} = \hat{\theta}\, Z(\mathfrak{n}_S) \otimes Z(\mathfrak{m}_S)_{x_{\tilde{\alpha}}}.$$

Nach 3.11 ist $\mathfrak{m}_S$ eine Heisenberg-Algebra, aus 3.10(4) folgt daher

$$Z(\mathfrak{m}_S)_{x_{\tilde{\alpha}}} = k[x_{\tilde{\alpha}}, x_{\tilde{\alpha}}^{-1}],$$

also

$$Z(\mathfrak{n}^+)_{x_{\tilde{\alpha}}} = \hat{\theta}\, Z(\mathfrak{n}_S) \otimes k[x_{\tilde{\alpha}}, x_{\tilde{\alpha}}^{-1}].$$

Wir können die Induktionsannahme auf $\mathfrak{g}_S$ anwenden. Danach ist $Z(\mathfrak{n}_S)$ direkte Summe eindimensionaler Gewichtsräume $Z(\mathfrak{n}_S)^\lambda$ zunächst relativ der Lie-Algebra $\mathfrak{h}_S$, aber dann auch relativ $\mathfrak{h}=\mathfrak{h}_S\oplus\left(\bigcap_{\alpha\in S}\operatorname{Kern}\alpha\right)$, da der zweite Summand hier trivial auf $\mathfrak{n}_S$ operiert. Die Gewichte gehören zu $\mathbf{Z}S$. Nun operiert $\mathfrak{h}$ auf dem Teilraum $\hat{\theta}Z(\mathfrak{n}_S)^\lambda\otimes x_{\tilde{\alpha}}^r$ für ein $r\in\mathbf{Z}$ durch $\lambda+r\tilde{\alpha}$; da alle Wurzeln aus B in $\tilde{\alpha}$ mit einem echt positiven Koeffizienten auftreten, sind λ und r durch $\lambda+r\tilde{\alpha}$ eindeutig festgelegt. Daher sind die $\hat{\theta}Z(\mathfrak{n}_S)^\lambda\otimes x_{\tilde{\alpha}}^r$ genau die Gewichtsräume ungleich 0 von $Z(\mathfrak{n}^+)_{x\tilde{\alpha}}$, die demnach alle eindimensional sind. Da $Z(\mathfrak{n}^+)$ ein $\mathfrak{h}$-Untermodul von $Z(\mathfrak{n}^+)_{x\tilde{\alpha}}$ ist, folgt die Behauptung.

3.13 Lemma. *Es sei A eine Algebra, auf der $\mathfrak{h}$ durch Derivationen operiert. Es gelte:*

(1) *A ist ein Integritätsbereich mit eindeutiger Primfaktorzerlegung.*

(2) *Die einzigen Einheiten von A sind die Skalare ungleich* 0.

(3) *A ist als $\mathfrak{h}$-Modul direkte Summe von Gewichtsräumen.*

(4) *Alle Gewichtsräume von A sind eindimensional.*

(5) *Die Gewichte von A erzeugen über* $\mathbf{Q}$ *einen endlich dimensionalen Vektorraum V.*

Dann ist A ein Polynomring über k in $\dim_{\mathbf{Q}} V$ *Veränderlichen.*

Beweis. Wir setzen $P=\{\lambda\in\mathfrak{h}^*\mid A^\lambda\neq 0\}$ und wählen für alle $\lambda\in P$ ein $a_\lambda\in A^\lambda$ mit $a_\lambda\neq 0$. Es sei $P_0=\{\lambda\in P\mid a_\lambda$ irreduzibel$\}$; diese Menge ist wegen (4) unabhängig von der Wahl von a_λ in A^λ.

Für ein beliebiges $\mu\in P, \mu\neq 0$ ist a_μ nach (2) keine Einheit, also Produkt $a_\mu=q_1q_2\ldots q_r$ von Primelementen $q_i\in A$. Wegen (3) ist jedes q_i Summe von Gewichtsvektoren. Wir verfeinern $\leqslant$ zu einer Totalordnung von $\mathfrak{h}^*$ und bezeichnen das größte bzw. kleinste Gewicht eine Komponente von q_i mit v_i bzw. v'_i. Weil A nullteilerfrei ist, hat $a_\mu=q_1q_2\ldots q_r$ eine Gewichtskomponente zum Gewicht $\sum_{i=1}^r v_i$ und eine zum Gewicht $\sum_{i=1}^r v'_i$. Daher muß $\sum_{i=1}^r v_i=\mu=\sum_{i=1}^r v'_i$, also $v_i=v'_i$ für alle i gelten. Dies bedeutet, daß jedes q_i ein Gewichtsvektor, also bis auf eine Einheit ein a_λ mit $\lambda\in P_0$ ist. Insbesondere folgt nun aus (3), daß A von den a_λ mit $\lambda\in P_0$ als Algebra erzeugt wird.

Zwei verschiedene Monome in den a_λ mit $\lambda\in P_0$ können wegen der Eindeutigkeit der Primfaktorzerlegung nicht proportional sein. Wegen (4) gehören sie deshalb zu verschiedenen Gewichtsräumen. Daraus folgt, daß P_0 linear unabhängig über $\mathbf{Z}$, also auch über $\mathbf{Q}$ ist, und daß die verschiedenen Monome in den a_λ mit $\lambda\in P_0$ linear unabhängig über k sind, also nach der Überlegung oben eine Basis von A bilden. Daher ist A ein Polynomring über k in $\# P_0$ Veränderlichen. Jedes Gewicht von A gehört zu $\mathbf{N}P_0$, also wird V von P_0 über $\mathbf{Q}$ erzeugt; da P_0 linear unabhängig über $\mathbf{Q}$ ist, erhalten wir $\# P_0=\dim_{\mathbf{Q}} V$ und damit die Behauptung des Lemmas.

3.14 Satz. *Es sei* $\mathfrak{m} \subset \mathfrak{n}^+$ *ein Ideal ungleich* 0 *von* $\mathfrak{b}^+$. *Dann ist* $U(\mathfrak{m})^{\mathfrak{n}^+}$ *ein Polynomring über k in endlich vielen Veränderlichen.*

Beweis. Wir prüfen nach, daß $U(\mathfrak{m})^{\mathfrak{n}^+}$ die Voraussetzungen von Lemma 3.13 erfüllt. Wegen $[\mathfrak{h}, \mathfrak{m}] \subset \mathfrak{m}$ und $[\mathfrak{h}, \mathfrak{n}^+] \subset \mathfrak{n}^+$ operiert $\mathfrak{h}$ auf $U(\mathfrak{m})^{\mathfrak{n}^+}$ durch Derivationen, und zwar ist $U(\mathfrak{m})^{\mathfrak{n}^+}$ ein Untermodul von $Z(\mathfrak{n}^+)$. Daher gelten (3), (4) und (5) von 3.13, weil sie nach 3.12 schon in $Z(\mathfrak{n}^+)$ erfüllt sind. Weiter folgen 3.13 (1) aus Satz 1.7 und 3.13 (2) aus der Tatsache, daß schon in $U(\mathfrak{m})$ die Skalare ungleich 0 die einzigen Einheiten sind, wie man an den Eigenschaften der Filtrierung durch die $U_n(\mathfrak{g})$ abliest.

3.15 Corollar. *Es ist* $Z(\mathfrak{n}^+)$ *ein Polynomring über k in endlich vielen Veränderlichen.*

Dies ist nun klar. Man kann auch die Gewichte der Erzeugenden von $Z(\mathfrak{n}^+)$ explizit angeben (siehe 3 A.5). Wir wollen dies hier nur für Erzeugende nach geeigneter Lokalisierung tun (in 3.20 für $\mathfrak{L} = \mathfrak{K}(B)$ dort).

3.16 Für jedes $S \subset B$ definieren wir eine Teilmenge $\mathfrak{K}(S)$ der Potenzmenge von S induktiv durch:

(1) $\mathfrak{K}(\emptyset) = \emptyset$

(2) *Ist* $S = S_1 \cup S_2 \cup \ldots \cup S_r$ *die Zerlegung von S in Zusammenhangskomponenten, so sei* $\mathfrak{K}(S) = \mathfrak{K}(S_1) \cup \mathfrak{K}(S_2) \cup \ldots \cup \mathfrak{K}(S_r)$.

(3) *Ist S unzerlegbar und* $\tilde{\alpha}_S$ *die größte Wurzel in* $R^+ \cap \mathbf{Z}S$, *so sei* $\mathfrak{K}(S) = \{S\} \cup \mathfrak{K}(\{\alpha \in S \mid \langle \alpha, \tilde{\alpha}_S^\vee \rangle = 0\})$.

Wir geben nun einige offensichtliche Eigenschaften dieser Mengen $\mathfrak{K}(S)$ an:

(4) *Für alle* $K_1, K_2 \in \mathfrak{K}(S)$ *gilt* $K_1 \subset K_2$ *oder* $K_2 \subset K_1$, *oder* K_1 *und* K_2 *sind disjunkte, orthogonale Teilmengen von S.*

(5) *Für jedes* $K \in \mathfrak{K}(S)$ *gibt es genau eine Kette* $K = K_0 \subsetneqq K_1 \subsetneqq \ldots \subsetneqq K_r$ *von Elementen aus* $\mathfrak{K}(S)$, *so daß* K_r *eine Zusammenhangskomponente von S ist und so daß sich die Kette nicht weiter verfeinern läßt.*

(6) *Jedes* $K \in \mathfrak{K}(S)$ *ist zusammenhängend.*

Nach (6) gibt es für jedes $K \in \mathfrak{K}(S)$ im Wurzelsystem $R_K = R \cap \mathbf{Z}K$ eine größte Wurzel, die wir mit $\tilde{\alpha}_K$ bezeichnen. Nach Konstruktion ist klar, daß die $\tilde{\alpha}_K$ mit $K \in \mathfrak{K}(S)$ paarweise orthogonal sind. Wir setzen $\mathfrak{a}_K$ gleich der direkten Summe der $\mathfrak{g}^\alpha$ mit $\alpha \in R^+ \cap R_K$ und $\langle \alpha, \tilde{\alpha}_K^\vee \rangle \neq 0$; dann gilt offensichtlich:

(7) *Für alle* $K \in \mathfrak{K}(S)$ *ist* $R^+ \cap R_K$ *die disjunkte Vereinigung der* $R(\mathfrak{a}_{K'})$ *und* $\mathfrak{n}_K$ *die direkte Summe der* $\mathfrak{a}_{K'}$ *mit* $K' \in \mathfrak{K}(S)$ *und* $K' \subset K$.

Wir nennen eine Teilmenge $\mathfrak{L} \subset \mathfrak{K}(S)$ *abgeschlossen* in $\mathfrak{K}(S)$ wenn für alle $K_1, K_2 \in \mathfrak{K}(S)$ mit $K_1 \subset K_2$ gilt: Aus $K_1 \in \mathfrak{L}$ folgt $K_2 \in \mathfrak{L}$. Für ein Ideal $\mathfrak{m} \subset \mathfrak{n}^+$ von $\mathfrak{b}^+$ setzen wir

$$\mathfrak{L}(\mathfrak{m}) = \{K \in \mathfrak{K}(B) \mid \mathfrak{m} \cap \mathfrak{n}_K \neq 0\}.$$

Dann gilt:

(8) $\mathfrak{L}(\mathfrak{m})$ *ist abgeschlossen in* $\mathfrak{K}(B)$

und

(9) $\mathfrak{L}(\mathfrak{m})=\{K\in\mathfrak{K}(B)\,|\,x_{\tilde{\alpha}_K}\in\mathfrak{m}\}.$

Hier ist (8) klar, weil $\mathfrak{n}_K\subset\mathfrak{n}_{K'}$ für $K\subset K'$ gilt. Bei (9) ist nur eine Inklusion zu zeigen. Es sei $\mathfrak{m}\cap\mathfrak{n}_K\neq 0$ für ein $K\in\mathfrak{K}(B)$; da $\mathfrak{m}$ insbesondere ad($\mathfrak{h}$)-stabil ist, gibt es ein $\alpha\in R_K\cap R^+$ mit $\mathfrak{g}^\alpha\subset\mathfrak{m}$, also $x_\alpha\in\mathfrak{m}$. Nun gehört $x_{\tilde{\alpha}_K}$ zu dem von x_α erzeugten $\mathfrak{n}_K$-Modul, also erst recht zu $\mathfrak{m}$.

Für eine in $\mathfrak{K}(B)$ abgeschlossene Teilmenge $\mathfrak{L}\subset\mathfrak{K}(B)$ ist $\mathfrak{m}_\mathfrak{L}=\bigoplus_{L\in\mathfrak{L}}\mathfrak{a}_L\subset\mathfrak{n}^+$ ein Ideal von $\mathfrak{b}^+$, und zwar gilt $\mathfrak{m}_\mathfrak{L}=\mathfrak{m}_S$ mit $S=\{\alpha\in B\,|\,\langle\alpha,\tilde{\alpha}_L^\vee\rangle=0$ für alle $L\in\mathfrak{L}\}$. Wir nennen Ideale dieser Gestalt *optimale* Ideale von $\mathfrak{b}^+$. Für ein beliebiges Ideal $\mathfrak{m}\subset\mathfrak{n}^+$ von $\mathfrak{b}^+$ ist $\mathfrak{m}_{\mathfrak{L}(\mathfrak{m})}$ das kleinste optimale Ideal, das $\mathfrak{m}$ umfaßt; wir nennen es die *optimale Hülle* von $\mathfrak{m}$.

3.17 Satz. *Es seien* $\mathfrak{m}\subset\mathfrak{n}^+$ *ein Ideal von* $\mathfrak{b}^+$ *und* $\hat{\mathfrak{m}}$ *die optimale Hülle von* $\mathfrak{m}$.

a) *Es gilt* $U(\mathfrak{m})^{\mathfrak{n}^+}=Z(\hat{\mathfrak{m}})$.
b) *Ist* $\mathfrak{m}$ *das Nilradikal einer parabolischen Unteralgebra* $\mathfrak{p}\supset\mathfrak{b}^+$ *von* $\mathfrak{g}$, *so gilt* $U(\mathfrak{m})^{\mathfrak{n}^+}=Z(\mathfrak{m})$ *genau dann, wenn* $\mathfrak{m}$ *optimal ist.*

Beweis. Wir benutzen Induktion über $\dim\mathfrak{g}$. Ist $\mathfrak{g}$ nicht einfach, so kann man die Behauptung für $\mathfrak{g}$ leicht aus derjenigen für die einfachen Faktoren von $\mathfrak{g}$ ableiten. Wir wollen daher annehmen, daß $\mathfrak{g}$ einfach ist.

Es sei nun $\tilde{\alpha}=\tilde{\alpha}_B$ die größte Wurzel in R; wir setzen $S=\{\alpha\in B\,|\,\langle\alpha,\tilde{\alpha}^\vee\rangle=0\}$. Nach Definition von $\hat{\mathfrak{m}}$ ist klar, daß $\hat{\mathfrak{m}}\cap\mathfrak{n}_S$ die optimale Hülle von $\mathfrak{m}\cap\mathfrak{n}_S$ in $\mathfrak{g}_S$ ist. Wir können $\mathfrak{m}\neq 0$ annehmen und wissen dann $x_{\tilde{\alpha}}\in\mathfrak{m}$. Nach 3.11 (1) gilt

$$U(\mathfrak{m})_{x_{\tilde{\alpha}}}=\hat{\theta}\,U(\mathfrak{m}\cap\mathfrak{n}_S)\otimes U(\mathfrak{m}\cap\mathfrak{m}_S)_{x_{\tilde{\alpha}}}$$

und

$$U(\hat{\mathfrak{m}})_{x_{\tilde{\alpha}}}=\hat{\theta}\,U(\hat{\mathfrak{m}}\cap\mathfrak{n}_S)\otimes U(\mathfrak{m}_S)_{x_{\tilde{\alpha}}}.$$

Da $\hat{\theta}\,U(\mathfrak{n}_S)$ mit $\mathfrak{m}_S$ kommutiert und $U(\mathfrak{m}_S)_{x_{\tilde{\alpha}}}$ zu einem $\mathbf{A}_m(k[x_{\tilde{\alpha}},x_{\tilde{\alpha}}^{-1}])$ mit $m\in\mathbf{N}$ isomorph ist, folgt

(1) $$U(\mathfrak{m})^{\mathfrak{m}_S}_{x_{\tilde{\alpha}}}=\hat{\theta}\,U(\mathfrak{m}\cap\mathfrak{n}_S)\otimes k[x_{\tilde{\alpha}},x_{\tilde{\alpha}}^{-1}]$$

und

$$U(\hat{\mathfrak{m}})^{\mathfrak{m}_S}_{x_{\tilde{\alpha}}}=\hat{\theta}\,U(\hat{\mathfrak{m}}\cap\mathfrak{n}_S)\otimes k[x_{\tilde{\alpha}},x_{\tilde{\alpha}}^{-1}].$$

Nun gilt

$$U(\mathfrak{m})_{x_{\tilde\alpha}}^{\mathfrak{n}^+} = (U(\mathfrak{m})_{x_{\tilde\alpha}}^{\mathfrak{m}_S})^{\mathfrak{n}_S}$$

und

$$Z(\hat{\mathfrak{m}})_{x_{\tilde\alpha}} = (U(\hat{\mathfrak{m}})_{x_{\tilde\alpha}}^{\mathfrak{m}_S})^{\hat{\mathfrak{m}} \cap \mathfrak{n}_S}.$$

Da $x_{\tilde\alpha}$ zentral in $\mathfrak{n}^+$ ist und $\hat\theta$ mit der adjungierten Operation von $\mathfrak{n}_S$ kommutiert, erhalten wir

$$U(\mathfrak{m})_{x_{\tilde\alpha}}^{\mathfrak{n}^+} = \hat\theta\, U(\mathfrak{m} \cap \mathfrak{n}_S)^{\mathfrak{n}_S} \otimes k[x_{\tilde\alpha}, x_{\tilde\alpha}^{-1}]$$

und

$$Z(\hat{\mathfrak{m}})_{x_{\tilde\alpha}} = \hat\theta\, Z(\hat{\mathfrak{m}} \cap \mathfrak{n}_S) \otimes k[x_{\tilde\alpha}, x_{\tilde\alpha}^{-1}].$$

Aus der Induktionsvoraussetzung folgt nun $U(\mathfrak{m})_{x_{\tilde\alpha}}^{\mathfrak{n}^+} = Z(\hat{\mathfrak{m}})_{x_{\tilde\alpha}}$, also

$$U(\mathfrak{m})^{\mathfrak{n}^+} = U(\mathfrak{g}) \cap U(\mathfrak{m})_{x_{\tilde\alpha}}^{\mathfrak{n}^+} = U(\mathfrak{g}) \cap Z(\mathfrak{m})_{x_{\tilde\alpha}} = Z(\hat{\mathfrak{m}}).$$

Damit ist a) bewiesen. Um b) zu erhalten, müssen wir nun für $\mathfrak{m}$ das Nilradikal einer parabolischen Unteralgebra $\mathfrak{p} \supset \mathfrak{b}^+$ nehmen, so daß $\mathfrak{m}$ nicht optimal ist, und $U(\mathfrak{m})^{\mathfrak{n}^+} \neq Z(\mathfrak{m})$ zeigen. Ist $\mathfrak{m}_S \not\subset \mathfrak{m} \neq 0$, so gibt es ein $\alpha \in R^+$ mit $\langle \alpha, \tilde\alpha^\vee \rangle = 1$ und $\mathfrak{g}^\alpha \not\subset \mathfrak{m}$. Dann muß $x_{\tilde\alpha - \alpha}$ zu $\mathfrak{m}$ gehören, denn sonst wären x_α und $x_{\tilde\alpha-\alpha}$, also auch $x_{\tilde\alpha} = N_{\alpha, \tilde\alpha-\alpha}^{-1} [x_\alpha, x_{\tilde\alpha-\alpha}]$ in einem Levi-Faktor von $\mathfrak{p}$ enthalten und somit $\mathfrak{m} = 0$. Dann ist $x_{\tilde\alpha-\alpha}$ zentral in $U(\mathfrak{m} \cap \mathfrak{m}_S)_{x_{\tilde\alpha}}$, kommutiert mit $\hat\theta\, U(\mathfrak{m} \cap \mathfrak{n}_S)$, ist also zentral in $U(\mathfrak{m})_{x_{\tilde\alpha}}^{\mathfrak{n}^+}$ und damit aus $Z(\mathfrak{m})$. Andererseits ist $x_{\tilde\alpha-\alpha} \in U(\mathfrak{m})^{\mathfrak{n}^+}$, also erhalten wir $Z(\mathfrak{m}) \neq U(\mathfrak{m})^{\mathfrak{n}^+}$.

Gilt dagegen $\mathfrak{m}_S \subset \mathfrak{m}$, so folgt aus (1)

$$Z(\mathfrak{m})_{x_{\tilde\alpha}} = \hat\theta\, Z(\mathfrak{m} \cap \mathfrak{n}_S) \otimes k[x_{\tilde\alpha}, x_{\tilde\alpha}^{-1}].$$

Nun ist $\mathfrak{m} \cap \mathfrak{n}_S$ das Nilradikal einer geeigneten parabolischen Unteralgebra von $\mathfrak{g}_S$ und nach Voraussetzung nicht optimal. Aus der Induktion erhalten wir $Z(\mathfrak{m} \cap \mathfrak{n}_S) \neq U(\mathfrak{m} \cap \mathfrak{n}_S)^{\mathfrak{n}_S}$ und daraus die Behauptung, daß $Z(\mathfrak{m}) \neq U(\mathfrak{m})^{\mathfrak{n}^+}$ ist.

3.18 Für alle $K \in \mathfrak{K}(B)$ schreiben wir kurz $h_K = h_{\tilde\alpha_K}$. Nach Konstruktion von $\mathfrak{K}(B)$ sind die h_K linear unabhängig.

Für eine abgeschlossene Teilmenge $\mathfrak{L}$ von $\mathfrak{K}(B)$ setzen wir $\mathfrak{l}_{\mathfrak{L}} = \sum_{L \in \mathfrak{L}} k h_L \subset \mathfrak{h}$ und $\mathfrak{c}_{\mathfrak{L}} = \mathfrak{l}_{\mathfrak{L}} \oplus \mathfrak{m}_{\mathfrak{L}}$. Dann ist $\mathfrak{c}_{\mathfrak{L}}$ ein Ideal von $\mathfrak{b}^+$. Um dies einzusehen, muß man nur $[\mathfrak{l}_{\mathfrak{L}}, \mathfrak{n}^+] \subset \mathfrak{m}_{\mathfrak{L}}$, also $\alpha(\mathfrak{l}_{\mathfrak{L}}) = 0$ für alle $\alpha \in R^+$ mit $\mathfrak{g}^\alpha \not\subset \mathfrak{m}_{\mathfrak{L}}$ zeigen. Nach 3.16 ist aber $\mathfrak{g}^\alpha \not\subset \mathfrak{m}_{\mathfrak{L}}$ zu $\langle \alpha, \tilde\alpha_L^\vee \rangle = 0$ für alle $L \in \mathfrak{L}$ äquivalent, also zu $\alpha(h_L) = 0$ für alle $L \in \mathfrak{L}$.

Für ein Ideal $\mathfrak{m} \subset \mathfrak{n}^+$ von $\mathfrak{b}^+$ nennen wir $\mathfrak{c}_{\mathfrak{L}(\mathfrak{m})}$ mit $\mathfrak{L}(\mathfrak{m})$ wie in 3.16 die *ergänzte optimale Hülle* von $\mathfrak{m}$.

Satz. *Es sei $\mathfrak{p} \supset \mathfrak{b}^+$ eine parabolische Unteralgebra von $\mathfrak{g}$. Für das Nilradikal $\mathfrak{m}$ von $\mathfrak{p}$ und dessen ergänzte optimale Hülle $\mathfrak{c}$ gilt $U(\mathfrak{c})^{\mathfrak{m}} = Z(\mathfrak{m})$.*

Beweis. Wir benutzen Induktion über $\dim\mathfrak{g}$ und können uns wieder leicht auf den Fall beschränken, daß $\mathfrak{g}$ einfach ist. Außerdem können wir $\mathfrak{m}\neq 0$ annehmen. Es sei wieder $\tilde{\alpha}$ die größte Wurzel in R und $S=\{\alpha\in B\,|\,\langle\alpha,\tilde{\alpha}^\vee\rangle=0\}$ sowie $\mathfrak{L}=\mathfrak{L}(\mathfrak{m})$ und $\mathfrak{L}'=\mathfrak{L}\setminus\{B\}$.

Wie schon früher gesehen, gilt

(1) $$U(\mathfrak{m})_{x_{\tilde{\alpha}}}=\hat{\theta}\,U(\mathfrak{m}\cap\mathfrak{n}_S)\otimes U(\mathfrak{m}\cap\mathfrak{m}_S)_{x_{\tilde{\alpha}}}.$$

Nun ist $\mathfrak{c}\cap\mathfrak{g}_S=\mathfrak{m}_{\mathfrak{L}'}\oplus\mathfrak{l}_{\mathfrak{L}'}$ die ergänzte optimale Hülle von $\mathfrak{m}\cap\mathfrak{n}_S$ in $\mathfrak{g}_S$, und $\mathfrak{m}\cap\mathfrak{n}_S$ ist das Nilradikal einer geeigneten parabolischen Unteralgebra von $\mathfrak{g}_S$. Nach Induktion gilt daher

(2) $$U(\mathfrak{c}\cap\mathfrak{g}_S)^{\mathfrak{m}\cap\mathfrak{n}_S}=Z(\mathfrak{m}\cap\mathfrak{n}_S).$$

Nun kommutiert $x_{\tilde{\alpha}}$ mit $\mathfrak{m}_{\mathfrak{L}}\oplus\mathfrak{l}_{\mathfrak{L}'}$, während $[h_B,x_{\tilde{\alpha}}]=2x_{\tilde{\alpha}}$ gilt; daraus folgt

(3) $$U(\mathfrak{c})^{x_{\tilde{\alpha}}}=U(\mathfrak{m}_{\mathfrak{L}}\oplus\mathfrak{l}_{\mathfrak{L}'}).$$

Wenden wir hierauf 3.9 an, so erhalten wir

(4) $$(U(\mathfrak{c})^{x_{\tilde{\alpha}}})_{x_{\tilde{\alpha}}}=\hat{\theta}\,U(\mathfrak{c}\cap\mathfrak{g}_S)\otimes U(\mathfrak{m}_S)_{x_{\tilde{\alpha}}},$$

und daraus, weil $x_{\tilde{\alpha}}$ in $\mathfrak{m}\cap\mathfrak{m}_S$ liegt:

(5) $$(U(\mathfrak{c})^{\mathfrak{m}\cap\mathfrak{m}_S})_{x_{\tilde{\alpha}}}=\hat{\theta}\,U(\mathfrak{c}\cap\mathfrak{g}_S)\otimes U(\mathfrak{m}_S)^{\mathfrak{m}\cap\mathfrak{m}_S}.$$

Ordnen wir $R^+\setminus R_S=\{\alpha_1,\alpha_2,\dots,\alpha_q\}$ mit $\alpha_1=\tilde{\alpha}$ an, so bilden die Monome $\prod_{i=1}^{q}x_{\alpha_i}^{r(i)}$ mit $r(i)\in\mathbf{N}$ für $i>1$ und $r(1)\in\mathbf{Z}$ eine Basis von $U(\mathfrak{m}_S)_{x_{\tilde{\alpha}}}$. Ein x_{α_i} mit $i>1$ kommutiert mit allen x_{α_j} außer mit dem für $\alpha_j=\tilde{\alpha}-\alpha_i$. Der Zentralisator von x_{α_i} hat dann die Monome oben mit $r(j)=0$ als Basis. Daher wird $U(\mathfrak{m}_S)_{x_{\tilde{\alpha}}}^{\mathfrak{m}\cap\mathfrak{m}_S}$ von den Monomen oben mit $r(j)=0$ für alle $j>1$ mit $x_{\tilde{\alpha}-\alpha_j}\in\mathfrak{m}$ aufgespannt, also von $x_{\tilde{\alpha}}$, $x_{\tilde{\alpha}}^{-1}$ und den x_{α_j} mit $j>1$ und $x_{\tilde{\alpha}-\alpha_j}\notin\mathfrak{m}$ erzeugt. Für solche j gehört aber x_{α_j} zu $\mathfrak{m}$, denn sonst wären x_{α_j} und $x_{\tilde{\alpha}-\alpha_j}$ beide in einem Levi-Faktor von $\mathfrak{p}$ enthalten, also auch $x_{\tilde{\alpha}}$, was unmöglich ist. Insbesondere gilt daher

$$Z(\mathfrak{m}\cap\mathfrak{m}_S)_{x_{\tilde{\alpha}}}=U(\mathfrak{m}_S)_{x_{\tilde{\alpha}}}^{\mathfrak{m}\cap\mathfrak{m}_S}$$

und

(6) $$(U(\mathfrak{c})^{\mathfrak{m}\cap\mathfrak{m}_S})_{x_{\tilde{\alpha}}}=\hat{\theta}\,U(\mathfrak{c}\cap\mathfrak{g}_S)\otimes Z(\mathfrak{m}\cap\mathfrak{m}_S)_{x_{\tilde{\alpha}}}.$$

Wir behaupten, daß $Z(\mathfrak{m}\cap\mathfrak{m}_S)$ mit ganz $\mathfrak{m}$ kommutiert. Angesichts der expliziten Beschreibung von $Z(\mathfrak{m}\cap\mathfrak{m}_S)_{x_{\tilde{\alpha}}}$ müssen wir dazu nur noch zeigen: Für $\alpha\in R(\mathfrak{m}\cap\mathfrak{m}_S)$ mit $\alpha\neq\tilde{\alpha}$ und $\tilde{\alpha}-\alpha\notin R(\mathfrak{m}\cap\mathfrak{m}_S)$ und $\beta\in R(\mathfrak{m}\cap\mathfrak{n}_S)$ gilt $\alpha+\beta\notin R$.

Wäre aber $\alpha+\beta\in R$, so folgte $\tilde{\alpha}-(\alpha+\beta)\in R^+$ wegen $\langle\alpha+\beta,\tilde{\alpha}^\vee\rangle=1$. Da $\mathfrak{m}$ ein Ideal von $\mathfrak{b}^+$ ist, erhielten wir nun $\mathfrak{g}^{\tilde{\alpha}-\alpha}=[\mathfrak{g}^{\tilde{\alpha}-(\alpha+\beta)},\mathfrak{g}^\beta]\subset\mathfrak{m}$ im Widerspruch zur Annahme $\tilde{\alpha}-\alpha\notin R(\mathfrak{m}\cap\mathfrak{m}_S)$.

Nun folgt

$$(7)\qquad (U(\mathfrak{c})^{\mathfrak{m}})_{x_{\tilde{\alpha}}}=\hat{\theta}\,U(\mathfrak{c}\cap\mathfrak{g}_S)^{\mathfrak{m}\cap\mathfrak{n}_S}\otimes Z(\mathfrak{m}\cap\mathfrak{m}_S)_{x_{\tilde{\alpha}}}$$

und

$$(8)\qquad Z(\mathfrak{m})_{x_{\tilde{\alpha}}}=\hat{\theta}\,Z(\mathfrak{m}\cap\mathfrak{n}_S)\otimes Z(\mathfrak{m}\cap\mathfrak{m}_S)_{x_{\tilde{\alpha}}}.$$

Wegen (2) erhalten wir nun $(U(\mathfrak{c})^{\mathfrak{m}})_{x_{\tilde{\alpha}}}=Z(\mathfrak{m})_{x_{\tilde{\alpha}}}$ und damit die Behauptung.

3.19 Satz. *Es seien $\mathfrak{p}\supset\mathfrak{b}^+$ eine parabolische Unteralgebra von $\mathfrak{g}$ und $\mathfrak{m}$ ihr Nilradikal sowie $\mathfrak{c}$ dessen ergänzte optimale Hülle. Dann kann man eine Basis $x_1,x_2,\ldots,x_r$ von $\mathfrak{m}$ mit den folgenden Eigenschaften wählen: Setzt man $\mathfrak{m}_0=0$, so gilt für die $\mathfrak{m}_i=kx_1+\ldots+kx_i$ mit $1\leqslant i\leqslant r$:*

a) $[\mathfrak{n}^+,\mathfrak{m}_i]\subset\mathfrak{m}_{i-1}$.

b) *Es gibt ein $a_i\in U(\mathfrak{c})^{\mathfrak{m}_{i-1}}$, so daß $[x_i,a_i]$ ein Gewichtsvektor ungleich 0 relativ $\mathfrak{h}$ in $U(\mathfrak{m})^{\mathfrak{n}^+}$ ist.*

Beweis. Wir benutzen Induktion über $\dim\mathfrak{g}$ und können uns leicht auf den Fall beschränken, daß $\mathfrak{g}$ einfach und $\mathfrak{m}\neq 0$ ist. Mit $S=\{\alpha\in B\,|\,\langle\alpha,\tilde{\alpha}^\vee\rangle=0\}$ gilt nun $\mathfrak{m}=(\mathfrak{m}\cap\mathfrak{n}_S)\oplus(\mathfrak{m}\cap\mathfrak{m}_S)$ und $x_{\tilde{\alpha}}\in\mathfrak{m}$. Wir wählen zunächst eine Basis $x_1,x_2,\ldots,x_s$ von $\mathfrak{m}\cap\mathfrak{m}_S$, die aus den x_α mit $\alpha\in R(\mathfrak{m}\cap\mathfrak{m}_S)$ besteht. Sie mögen so angeordnet sein, daß x_α einem x_β vorangeht, wenn $\alpha>\beta$ gilt. Insbesondere ist $x_1=x_{\tilde{\alpha}}$. Nun ist $[\mathfrak{n}^+,\mathfrak{m}_i]\subset\mathfrak{m}_{i-1}$ für $1\leqslant i\leqslant s$ offensichtlich.

Es gilt $h_B\in U(\mathfrak{c})=U(\mathfrak{c})^{\mathfrak{m}_0}$, und $[x_1,h_B]=-2x_{\tilde{\alpha}}$ ist ein Gewichtsvektor ungleich 0 relativ $\mathfrak{h}$, der zu $U(\mathfrak{m})^{\mathfrak{n}^+}$ gehört. Für $2\leqslant i\leqslant s$ ist x_i ein x_α mit $\alpha\in R^+$ und $\langle\alpha,\tilde{\alpha}^\vee\rangle=1$; dann gilt $x_{\tilde{\alpha}-\alpha}\in U(\mathfrak{c})^{\mathfrak{m}_{i-1}}$ und $[x_i,x_{\tilde{\alpha}-\alpha}]=rx_{\tilde{\alpha}}$ für ein $r\in\mathbf{Q}\setminus 0$. Daher hat $a_i=x_{\tilde{\alpha}-\alpha}$ die in b) geforderte Eigenschaft.

Da $\mathfrak{c}\cap\mathfrak{g}_S$ die ergänzte optimale Hülle des Nilradikals $\mathfrak{m}\cap\mathfrak{n}_S$ der parabolischen Unteralgebra $\mathfrak{p}\cap\mathfrak{g}_S$ von $\mathfrak{g}_S$ ist, können wir nach Induktion eine Basis $x_{s+1},\ldots,x_r$ von $\mathfrak{m}\cap\mathfrak{n}_S$ mit

$$[\mathfrak{n}_S,kx_{s+1}+\ldots+kx_{s+i}]\subset kx_{s+1}+\ldots+kx_{s+i-1}$$

für $1\leqslant i\leqslant r-s$ finden, so daß es $a'_{s+i}\in U(\mathfrak{c}\cap\mathfrak{g}_S)$ gibt, die mit $x_{s+1},\ldots,x_{s+i-1}$ kommutieren, während $[x_i,a'_{s+i}]$ ein Gewichtsvektor ungleich 0 relativ $\mathfrak{h}$ aus $U(\mathfrak{m}\cap\mathfrak{n}_S)^{\mathfrak{n}_S}$ ist. (Eigentlich ist es zunächst nur ein Gewichtsvektor relativ $\mathfrak{h}_S$, doch gilt $\mathfrak{h}=\mathfrak{h}_S\oplus\mathfrak{h}'_S$, und $\mathfrak{h}'_S$ operiert trivial auf $\mathfrak{g}_S$). Da $\mathfrak{m}\cap\mathfrak{m}_S$ ein Ideal von $\mathfrak{n}^+$ ist, sind die Formeln $[\mathfrak{n}^+,\mathfrak{m}_{s+i}]\subset\mathfrak{m}_{s+i-1}$ für $1\leqslant i\leqslant r-s$ nun klar. Da das Bild von $\hat{\theta}\colon U(\mathfrak{c}\cap\mathfrak{n}_S)\to U(\mathfrak{c})_{x_{\tilde{\alpha}}}$ mit $\mathfrak{m}_S$ kommutiert und $\hat{\theta}$ mit der adjungierten Operation von $\mathfrak{n}_S+\mathfrak{h}$ vertauscht, wird $\hat{\theta}[x_{s+i},a'_{s+i}]=[x_{s+i},\hat{\theta}a'_{s+i}]$ von $\mathfrak{m}_{s+i-1}$ zentralisiert und ist ein Gewichtsvektor ungleich 0 relativ $\mathfrak{h}$ in $U(\mathfrak{m})^{\mathfrak{n}^+}_{x_{\tilde{\alpha}}}$. Da $\hat{\theta}(a'_{s+i})$ zu $U(\mathfrak{c})_{x_{\tilde{\alpha}}}$ gehört, gibt es ein $n\in\mathbf{N}$ mit $x^n_{\tilde{\alpha}}\hat{\theta}(a'_{s+i})\in U(\mathfrak{c})$. Da $x_{\tilde{\alpha}}$ mit $\mathfrak{n}^+$ kommutiert und ein Gewichtsvektor relativ $\mathfrak{h}$ ist, hat $a_{s+i}=x^n_{\tilde{\alpha}}\hat{\theta}(a'_{s+i})$ die behaupteten Eigenschaften.

3.20 Satz. *Es sei* $\mathfrak{L} \subset \mathfrak{K}(B)$ *abgeschlossen.*

a) *Alle Gewichte von* $Z(\mathfrak{m}_{\mathfrak{L}})$ *gehören zu* $\sum_{L \in \mathfrak{L}} \mathbf{Z}\tilde{\alpha}_L$. *Es gibt in* $Z(\mathfrak{m})_{\mathfrak{L}}$ *einen Gewichtsvektor* $f \neq 0$ *zu einem Gewicht der Gestalt* $\sum_{L \in \mathfrak{L}} r(L)\tilde{\alpha}_L$ *mit* $r(L) \in \mathbf{N} \setminus 0$ *für alle L.*

b) *Es sei f wie in* a). *Die Menge der Gewichte von* $Z(\mathfrak{m}_{\mathfrak{L}})_f$ *ist* $\sum_{L \in \mathfrak{L}} \mathbf{Z}\tilde{\alpha}_L$. *In* $Z(\mathfrak{m}_{\mathfrak{L}})_f$ *sind alle Gewichtsräume eindimensional. Jeder Gewichtsvektor ungleich* 0 *ist in* $Z(\mathfrak{m}_{\mathfrak{L}})_f$ *invertierbar.*

c) *Gibt es ein* $K \in \mathfrak{K}(B)$ *mit* $\mathfrak{L} = \{L \in \mathfrak{K}(B) \mid L \supset K\}$, *so kann man in* a) *ein f mit* $r(K) = 1$ *wählen.*

Beweis. Wir benutzen Induktion über $\dim \mathfrak{g}$ und können uns auf den Fall beschränken, daß $\mathfrak{g}$ einfach und $\mathfrak{L} \neq \emptyset$ ist. Wir setzen $S = \{\alpha \in B \mid \langle \alpha, \tilde{\alpha}^\vee \rangle = 0\}$ und $\mathfrak{L}' = \mathfrak{L} \setminus \{B\}$. Dann ist $\mathfrak{L}'$ abgeschlossen in $\mathfrak{K}(S)$, und es gilt $\mathfrak{m}_{\mathfrak{L}} \cap \mathfrak{n}_S = \mathfrak{m}_{\mathfrak{L}'}$ in $\mathfrak{g}_S$. Wie beim Beweis von 3.17 gilt nun

(1) $$Z(\mathfrak{m}_{\mathfrak{L}})_{x_{\tilde{\alpha}}} = \hat{\theta} Z(\mathfrak{m}_{\mathfrak{L}'}) \otimes k[x_{\tilde{\alpha}}, x_{\tilde{\alpha}}^{-1}].$$

Nach Induktion gehören alle Gewichte von $Z(\mathfrak{m}_{\mathfrak{L}'})$ zu $\sum_{L \in \mathfrak{L}'} \mathbf{Z}\tilde{\alpha}_L$; da $\hat{\theta}$ mit der adjungierten Operation von $\mathfrak{h}$ vertauscht, gilt dies auch für $\hat{\theta} Z(\mathfrak{m}_{\mathfrak{L}'})$. Weil $\tilde{\alpha} = \tilde{\alpha}_B$ und die $\tilde{\alpha}_L$ mit $L \in \mathfrak{L}'$ linear unabhängig sind, müssen die Gewichtsräume von $Z(\mathfrak{m}_{\mathfrak{L}})_{x_{\tilde{\alpha}}}$ gerade die $\hat{\theta} Z(\mathfrak{m}_{\mathfrak{L}'})^{\lambda} \otimes x_{\tilde{\alpha}}^r$ mit $r \in \mathbf{Z}$ und $\lambda \in \sum_{L \in \mathfrak{L}'} \mathbf{Z}\tilde{\alpha}_L$ sein. Ist $f' \in Z(\mathfrak{m}_{\mathfrak{L}'})$ ein Vektor wie in a) für $\mathfrak{L}'$, so gibt es ein $r(B) \in \mathbf{N} \setminus 0$ mit $\theta(f') x_{\tilde{\alpha}}^{r(B)} \in Z(\mathfrak{m}_{\mathfrak{L}})$, und man kann dieses Produkt als f nehmen. Damit ist a) bewiesen. Man erhält aber auch c): Für $K = B$ nimmt man $f = x_{\tilde{\alpha}}$, sonst gilt $K \in \mathfrak{L}'$ und man kann oben schon f' passend wählen.

Es sei nun $f \neq 0$ ein beliebiger Gewichtsvektor wie in a). Die Gewichtsräume in $Z(\mathfrak{m}_{\mathfrak{L}})_{x_{\tilde{\alpha}}} \supset Z(\mathfrak{m}_{\mathfrak{L}})$ haben die Gestalt $\hat{\theta} Z(\mathfrak{m}_{\mathfrak{L}'})^{\lambda} \otimes x_{\tilde{\alpha}}^r$, also gibt es einen Gewichtsvektor $f' \in Z(\mathfrak{m}_{\mathfrak{L}'})$ zum Gewicht $\sum_{L \in \mathfrak{L}'} r(L)\tilde{\alpha}_L$ mit $f = \hat{\theta}(f') x_{\tilde{\alpha}}^{r(B)}$. Aus (1) folgt nun

(2) $$Z(\mathfrak{m}_{\mathfrak{L}})_f = \hat{\theta} Z(\mathfrak{m}_{\mathfrak{L}'})_{f'} \otimes k[x_{\tilde{\alpha}}, x_{\tilde{\alpha}}^{-1}].$$

Die Gewichtsräume von $Z(\mathfrak{m}_{\mathfrak{L}})_f$ sind nun gerade die $\hat{\theta} Z(\mathfrak{m}_{\mathfrak{L}'})_{f'}^{\lambda} \otimes x_{\tilde{\alpha}}^r$ mit $r \in \mathbf{Z}$ und $\lambda \in \sum_{L \in \mathfrak{L}'} \mathbf{Z}\tilde{\alpha}_L$. Die Behauptungen in b) folgen nun, weil sie wegen der Induktionsannahme für $Z(\mathfrak{m}_{\mathfrak{L}'})_{f'}$ gelten.

Bemerkung. Für alle $K \in \mathfrak{K}(B)$ sei $f_K \in Z(\mathfrak{m}_{\mathfrak{L}})$ für $\mathfrak{L} = \{L \in \mathfrak{K}(B) \mid L \supset K\}$ wie im Satz gewählt. (Für $K = B$ wollen wir immer $f_B = x_{\tilde{\alpha}}$ nehmen.) Für ein beliebiges $\mathfrak{L}$ können wir dann $f = \prod_{K \in \mathfrak{L}} f_K$ nehmen: Dieses Element ist sicher ungleich 0, hat ein Gewicht der gewünschten Form und gehört zu $U(\mathfrak{m}_{\mathfrak{L}})^{\mathfrak{n}^+} = Z(\mathfrak{m}_{\mathfrak{L}})$.

3.21 Für eine abgeschlossene Teilmenge $\mathfrak{L} \subset \mathfrak{K}(B)$ gibt es ein $S \subset B$ mit $\mathfrak{m}_{\mathfrak{L}} = \mathfrak{m}_S$ (vgl. 3.16). Wir setzen dann $\mathfrak{p}_{\mathfrak{L}} = \mathfrak{p}_S$ und $\mathfrak{g}_{\mathfrak{L}} = \mathfrak{g}_S$ sowie $\mathfrak{q}_{\mathfrak{L}} = \mathfrak{g}_{\mathfrak{L}} \oplus \mathfrak{m}_{\mathfrak{L}} = [\mathfrak{p}_{\mathfrak{L}}, \mathfrak{p}_{\mathfrak{L}}]$.

Satz. *Es sei* $\mathfrak{L} \subset \mathfrak{K}(B)$ *abgeschlossen und es sei f wie in Satz 3.20. Dann ist f zentral in* $U(\mathfrak{q}_\mathfrak{L})$, *und es gibt einen Homomorphismus* $\hat\theta_\mathfrak{L}\colon \mathfrak{g}_\mathfrak{L} \to U(\mathfrak{q}_\mathfrak{L})_f$ *von Lie-Algebren, der mit der adjungierten Operation von* $\mathfrak{g}_\mathfrak{L} + \mathfrak{h}$ *vertauscht und so daß* $[\hat\theta_\mathfrak{L}(x), \mathfrak{m}_\mathfrak{L}] = 0$ *sowie* $x - \hat\theta_\mathfrak{L}(x) \in U(\mathfrak{m}_\mathfrak{L})_f$ *für alle* $x \in \mathfrak{g}_\mathfrak{L}$ *gilt.*

Beweis. Wir benutzen Induktion über $\dim \mathfrak{g}$ und können annehmen, daß $\mathfrak{g}$ einfach ist und daß $\mathfrak{L} \neq \emptyset$, also $B \in \mathfrak{L}$ gilt. Wir setzen $S = \{\alpha \in B \mid \langle \alpha, \tilde\alpha^\vee \rangle = 0\}$ und wenden 3.8/9 auf $\mathfrak{r} = \mathfrak{g}_S + \mathfrak{h}$ und $\mathfrak{a} = \mathfrak{m}_S$ an. So erhalten wir einen Homomorphismus von Lie-Algebren $\hat\theta\colon \mathfrak{g}_S \to U(\mathfrak{g}_S + \mathfrak{m}_S)_{x_{\tilde\alpha}}$, der mit der adjungierten Operation von $\mathfrak{g}_S + \mathfrak{h}$ vertauscht, so daß $[\hat\theta(x), \mathfrak{m}_S] = 0$ und $x - \hat\theta(x) \in U(\mathfrak{m}_S)_{x_{\tilde\alpha}}$ für alle $x \in \mathfrak{g}_S$ gilt. (Das $\hat\theta$ von 3.11 ist die Einschränkung desjenigen hier.)

Es sei $\mathfrak{L}' = \mathfrak{L} \setminus \{B\}$. Dann gilt $\mathfrak{m}_{\mathfrak{L}'} = \mathfrak{m}_\mathfrak{L} \cap \mathfrak{g}_S$ und $\mathfrak{g}_{\mathfrak{L}'} = \mathfrak{g}_\mathfrak{L}$ sowie $\mathfrak{q}_\mathfrak{L} = \mathfrak{q}_{\mathfrak{L}'} \oplus \mathfrak{m}_S$. Wie beim Beweis von 3.20 hat f die Form $\hat\theta(f') x_{\tilde\alpha}^r$ mit einem geeigneten $r \in \mathbf{N}$, wobei $f' \in Z(\mathfrak{m}_{\mathfrak{L}'})$ analoge Eigenschaften wie f hat. Nach Induktionsannahme gilt $[f', \mathfrak{q}_{\mathfrak{L}'}] = 0$, also auch $[\hat\theta(f'), \mathfrak{q}_{\mathfrak{L}'} + \mathfrak{m}_S] = 0$ und somit $[f, \mathfrak{q}_\mathfrak{L}] = 0$.

Mit Hilfe der Induktion erhalten wir eine Abbildung $\hat\theta_{\mathfrak{L}'}\colon \mathfrak{g}_\mathfrak{L} \to U(\mathfrak{q}_{\mathfrak{L}'})_{f'}$ mit entsprechenden Eigenschaften und setzen nun $\hat\theta_\mathfrak{L} = \hat\theta \circ \hat\theta_{\mathfrak{L}'}$. Dann ist $\hat\theta_\mathfrak{L}$ sicher ein Homomorphismus $\hat\theta_\mathfrak{L}\colon \mathfrak{g}_\mathfrak{L} \to U(\mathfrak{g}_\mathfrak{L})_f$ von Lie-Algebren und vertauscht mit der adjungierten Operation von $\mathfrak{g}_\mathfrak{L} + \mathfrak{h}$, weil $\hat\theta$ und $\hat\theta_{\mathfrak{L}'}$ es tun. Für alle $x \in \mathfrak{g}_\mathfrak{L}$ gilt

$$\begin{aligned}[\hat\theta_\mathfrak{L}(x), \mathfrak{m}_\mathfrak{L}] &= [\hat\theta(\hat\theta_{\mathfrak{L}'}(x)), \mathfrak{m}_S] + [\hat\theta(\hat\theta_{\mathfrak{L}'}(x)), \mathfrak{m}_{\mathfrak{L}'}] \\ &= 0 + \hat\theta[\hat\theta_{\mathfrak{L}'}(x), \mathfrak{m}_{\mathfrak{L}'}] = \hat\theta(0) = 0\end{aligned}$$

und

$$x - \hat\theta_\mathfrak{L}(x) = x - \hat\theta(x - x + \hat\theta_{\mathfrak{L}'}(x)) = x - \hat\theta(x) + \hat\theta(x - \hat\theta_{\mathfrak{L}'}(x)).$$

Nun gehört $x - \hat\theta_{\mathfrak{L}'}(x)$ zu $U(\mathfrak{m}_{\mathfrak{L}'})_{f'}$, und nach Lemma 3.9 gilt $\hat\theta\, U(\mathfrak{m}_{\mathfrak{L}'}) \subset U(\mathfrak{m}_\mathfrak{L})$, so daß wir $x - \hat\theta_\mathfrak{L}(x) \in U(\mathfrak{m}_\mathfrak{L})_f$ erhalten.

Bemerkung. Es seien $\mathfrak{L}$, f und $\hat\theta_\mathfrak{L}$ wie im Satz. Durch $\theta_\mathfrak{L}(x) = x - \hat\theta_\mathfrak{L}(x)$ für $x \in \mathfrak{g}$, und $\theta_\mathfrak{L}(x) = x$ für $x \in \mathfrak{m}_\mathfrak{L}$ wird eine lineare Abbildung $\theta_\mathfrak{L}\colon \mathfrak{q}_\mathfrak{L} \to U(\mathfrak{m}_\mathfrak{L})_f$ definiert. Es gilt:

(1) $\theta_\mathfrak{L}$ *ist ein Homomorphismus von Lie-Algebren.*

(2) $\theta_\mathfrak{L}$ *kommutiert mit der adjungierten Operation von* $\mathfrak{g}_\mathfrak{L} + \mathfrak{h}$.

(3) $\theta_{\mathfrak{L}|\mathfrak{m}} = \mathrm{id}_\mathfrak{m}$.

Anhang

3A.1 Zu den in 3.1 bis 3.5 zitierten Resultaten werden schon dort präzise Verweise auf [DIX] gegeben. In der Umgebung der zitierten Stellen finden sich dort weitergehende Informationen.

3A.2 Für andere Charakterisierungen der Heisenberg-Algebren (3.7) sei auf [DIX], 4.6.1/2 hingewiesen. Im Fall der Weyl-Algebren findet man weitere Informationen an den in 3.10 genannten Stellen von [DIX] und [BGR] sowie in der dort zitierten Literatur.

3A.3 Die Abbildung θ in 3.8 wird in [Joseph 4], 4.1 als Folgerung aus [DIX], 10.1.4 gewonnen. In der speziellen Situation von 3.11 wird θ schon in [Joseph 2], 4.2 explizit angegeben. In 3.9 und ab 3.11 geben wir vor allem die Resultate in [Joseph 4], 2.2/3, 2.6(ii), 4.1/2, 4.4, 4.6(i), 4.8–4.11 und von [Joseph 2], Abschnitt 2 wieder; zu 3.19 vergleiche man auch den Beweis von Theorem 3.3 in [Joseph 4].

3A.4 Daß $\mathfrak{m}_S$ in 3.11 eine Heisenberg-Algebra ist, haben zuerst Kostant und Tits unabhängig voneinander bemerkt (vgl. [Joseph 2], p. 2).

3A.5 Für ein $K \in \mathfrak{K}(B)$ sei eine Kette $K = K_0 \subset K_1 \subset \ldots \subset K_r$ wie in 3.16(5) gegeben. Wir definieren ein $\beta_K = \sum_{i=0}^{r} m_i \tilde{\alpha}_{K_i}$ mit $m_i \in \mathbb{N}$ dadurch, daß $m_0 = 1$ sein soll und m_j induktiv durch die Gleichung $\langle \beta_K, \alpha^\vee \rangle = 0$ für alle $\alpha \in K_j$ mit $\langle \tilde{\alpha}_{K_j}, \alpha^\vee \rangle \neq 0$ festgelegt wird. Dies ist nach [Joseph 4], 2.7/8 möglich, und alle β_K gehören danach zu $P(R)^+$.

Man kann 3.15 nun so präzisieren (vgl. [Joseph 4], 4.12): Für alle $K \in \mathfrak{K}(B)$ gibt es ein $a_K \in Z(\mathfrak{n}^+)$ zum Gewicht β'_K, so daß die a_K algebraisch unabhängig sind und $Z(\mathfrak{n}^+)$ als Algebra erzeugen. Dieses wie auch Corollar 3.15 wurde zuerst von Kostant gezeigt (vgl. [DIX], 8.5.6.a und [Joseph 4], 4.12).

3A.6 Die Algebra $U(\mathfrak{b}^+)^{\mathfrak{n}^+}$ ist kommutativ, und zwar ist sie zu einer Polynomalgebra über k in $\dim \mathfrak{h}$ Veränderlichen isomorph (vgl. [Joseph 4], 4.16).

3A.7 Es seien $\mathfrak{m}$ das Nilradikal und $\mathfrak{r}$ ein Levi-Faktor einer parabolischen Unteralgebra von $\mathfrak{g}$. In dem kommutativen Ring $Z(\mathfrak{m})$ gilt dann eindeutige Primfaktorzerlegung, und er ist als Algebra über k endlich erzeugbar ([Joseph 4], 3.6, 4.6(ii)). Bei der adjungierten Operation von $\mathfrak{r}$ auf $Z(\mathfrak{m})$ tritt jede irreduzible Darstellung von $\mathfrak{r}$ höchstens einmal auf ([Joseph 4], 4.5); dies ist ein Resultat von Kostant. Im allgemeinen ist $Z(\mathfrak{m})$ keine Polynomalgebra über k, wie ein Beispiel von A. Hersant zeigt (vgl. [Joseph 4], 8.5).

Kapitel 4. Moduln mit einem höchsten Gewicht

In diesem Kapitel werden die wichtigsten Eigenschaften der Moduln mit einem höchsten Gewicht für unsere halbeinfache, zerfallende Lie-Algebra $\mathfrak{g}$ referiert und allgemein die Kategorie $\mathcal{O}$ betrachtet. Bei Aussagen, für die in [DIX] oder den beiden ersten Kapiteln von [MHG] Beweise zu finden sind, haben wir hier darauf verzichtet, sie erneut zu beweisen. An einer Stelle (4.16) greifen wir auf Resultate vor, die innerhalb dieses Buches erst später bewiesen werden, die jedoch inhaltlich hierher gehören und aus denen wir mit den Methoden dieses Kapitels einige Folgerungen ableiten werden.

4.1 Für ein $\lambda \in \mathfrak{h}^*$ nennen wir einen $\mathfrak{g}$-Modul M einen *Modul mit höchstem Gewicht* λ, wenn M über $U(\mathfrak{g})$ von einem Vektor $v \in M^\lambda$ mit $v \neq 0$ und $\mathfrak{n}^+ v = 0$ erzeugt wird. Ein solcher Modul M hat dann folgende Eigenschaften:

(1) $$M = \bigoplus_{\mu \in \mathfrak{h}^*} M^\mu$$

(2) *Aus* $M^\mu \neq 0$ *folgt* $\mu \leqslant \lambda$ *und* $\dim M^\mu < \infty$.

(3) $\dim M^\lambda = 1$

(4) $\operatorname{End}_\mathfrak{g} M = k$

(5) $Z(\mathfrak{g})$ *operiert auf* M *durch* χ_λ.

(6) *Jedes homomorphe Bild ungleich* 0 *von* M *ist ein Modul mit höchstem Gewicht* λ.

Jeder Untermodul von M ist direkte Summe seiner Gewichtsräume, jeder echte Untermodul in $\bigoplus_{\mu < \lambda} M^\mu$ enthalten. Also ist das Radikal $\operatorname{rad} M$ von M der einzige maximale Untermodul von M, und $M/\operatorname{rad} M$ ist das einzige einfache Bild von M.

Man kann jedes $\lambda \in \mathfrak{h}^*$ zu einem Homomorphismus $\lambda: \mathfrak{b}^+ \to k$ von Lie-Algebren fortsetzen, indem man $\lambda(\mathfrak{n}^+) = \lambda([\mathfrak{b}^+, \mathfrak{b}^+]) = 0$ setzt. So wird k zu einem eindimensionalen $\mathfrak{b}^+$-Modul, den wir mit k_λ bezeichnen. Dann ist $M(\lambda) = U(\mathfrak{g}) \bigotimes_{U(\mathfrak{b}^+)} k_\lambda$ ein Modul mit höchstem Gewicht λ, der *Verma-Modul* zu λ heißt. Er ist universell in dem Sinn, daß jeder Modul mit höchstem Gewicht λ ein homomorphes Bild von $M(\lambda)$ ist. Insbesondere ist $L(\lambda) = M(\lambda)/\operatorname{rad} M(\lambda)$ der (bis auf Isomorphie) einzige einfache Modul mit höchstem Gewicht λ.

Ein $L(\lambda)$ ist genau dann endlich dimensional, wenn $\lambda \in P(R)^{++}$ gilt. Die $L(\lambda)$ mit $\lambda \in P(R)^{++}$ bilden ein Repräsentantensystem für die Isomorphieklassen einfacher, endlich dimensionaler $\mathfrak{g}$-Moduln.

Wir bezeichnen das erzeugende Element $1 \otimes 1$ von $M(\lambda)$ mit v_λ und sein Bild in $L(\lambda)$ mit $\bar{v}_\lambda$. Die Zuordnung $u \mapsto u v_\lambda$ induziert einen Isomorphismus $U(\mathfrak{n}^-) \to M(\lambda)$ von Vektorräumen. Er ist mit der Struktur als $\mathfrak{n}^-$-Modul verträglich, wenn man $\mathfrak{n}^-$ auf $U(\mathfrak{n}^-)$ durch Multiplikation von links operieren läßt, und auch verträglich mit der als $\mathfrak{h}$-Modul, wenn man $U(\mathfrak{n}^-)$ mit dem Tensorprodukt von k_λ und der adjungierten Darstellung von $\mathfrak{h}$ auf $U(\mathfrak{n}^-)$ identifiziert. Man sieht so insbesondere, daß $\dim M(\lambda)^\mu$ durch den Wert der Kostantschen Partitionsfunktion an der Stelle $\lambda - \mu$ gegeben ist.

4.2 Es seien M ein Modul mit einem höchsten Gewicht $\lambda \in \mathfrak{h}^*$ und $N_1 \subsetneqq N_2$ zwei Untermoduln von M. Weil alle Gewichte von M kleiner oder gleich λ sind, gibt es ein maximales Gewicht μ von N_2/N_1, und daher hat N_2/N_1 einen Untermodul mit höchstem Gewicht μ. Da $Z(\mathfrak{g})$ auf M durch χ_λ, auf diesem Untermodul durch χ_μ operiert, gilt $\chi_\lambda = \chi_\mu$, also $\mu \in W \cdot \lambda$ nach 3.4. Da auch $\mu \leqslant \lambda$ ist, gilt sogar $\mu \in W_\lambda \cdot \lambda$. Weil die Gewichtsräume endlich dimensional sind und W_λ endlich ist, folgt daraus einfach:

(1) *Der $\mathfrak{g}$-Modul M hat endliche Länge. Alle Kompositionsfaktoren von M haben die Gestalt $L(w \cdot \lambda)$ mit $w \in W_\lambda$ und $w \cdot \lambda \leqslant \lambda$.*

Wir bezeichnen die Multiplizität eines $L(\mu)$ als Kompositionsfaktor eines $\mathfrak{g}$-Moduls V endlicher Länge mit $[V : L(\mu)]$. An 4.1(3) liest man für einen $\mathfrak{g}$-Modul M mit höchstem Gewicht λ ab:

(2) $[M : L(\lambda)] = 1.$

Wenn $\langle \lambda + \rho, \alpha^\vee \rangle \leqslant 0$ für alle $\alpha \in R^+ \cap R_\lambda$ gilt, so folgt $\lambda \leqslant w \cdot \lambda$ für alle $w \in W_\lambda$. Nach (1) und (2) ist daher jeder $\mathfrak{g}$-Modul mit höchstem Gewicht λ einfach, insbesondere gilt also:

(3) *Für ein $\lambda \in \mathfrak{h}^*$ mit $\langle \lambda + \rho, \alpha^\vee \rangle \leqslant 0$ für alle $\alpha \in R_\lambda \cap R^+$ gilt $M(\lambda) = L(\lambda)$.*

4.3 Für alle Kategorien von Moduln über Lie-Algebren, die in diesem Band betrachtet werden, sollen die Morphismen zwischen zwei Objekten stets alle Homomorphismen als Moduln über der Lie-Algebra sein.

Es sei nun $\mathcal{O}$ die Kategorie der $\mathfrak{g}$-Moduln M mit den folgenden Eigenschaften:

(a) $M = \bigoplus_{\mu \in \mathfrak{h}^*} M^\mu$

(b) *Für alle $v \in M$ gilt* $\dim U(\mathfrak{n}^+) v < \infty$.

(c) *M ist endlich erzeugbar über $U(\mathfrak{g})$.*

Man überlegt sich leicht, daß ein $\mathfrak{g}$-Modul genau dann zu $\mathcal{O}$ gehört, wenn er (a) erfüllt und wenn es eine endliche Kette $M = M_1 \supset M_2 \supset \ldots \supset M_r \supset M_{r+1} = 0$

von Untermoduln gibt, so daß jedes M_i/M_{i+1} mit $1 \leqslant i \leqslant r$ ein Modul mit einem höchsten Gewicht ist. Aus dieser Beschreibung und 4.2 folgt, daß jedes M in $\mathcal{O}$ endliche Länge hat und daß seine Kompositionsfaktoren die Gestalt $L(\mu)$ mit $\mu \in \mathfrak{h}^*$ haben. Offensichtlich gehören mit einem M auch alle seine Untermoduln und homomorphen Bilder zu $\mathcal{O}$.

Es ist klar, daß für ein M in $\mathcal{O}$ alle Gewichtsräume endlich dimensional sind. Aus (c) folgt daher

(1) $\dim \operatorname{Hom}_{\mathfrak{g}}(M, N) < \infty$ *für alle* M, N *in* $\mathcal{O}$.

4.4 Für ein $\Lambda \in \mathfrak{h}^*/P(R)$ und einen Modul M in $\mathcal{O}$ sei

(1) $$M_\Lambda = \bigoplus_{\mu \in \Lambda} M^\mu .$$

Wegen $\mathfrak{g}^\alpha M^\mu \subset M^{\mu+\alpha}$ und $R \subset P(R)$ ist M_Λ ein Untermodul von M. Aus 4.3 (a) und (c) folgt

(2) $$M = \bigoplus_{\Lambda \in \mathfrak{h}^*/P(R)} M_\Lambda ,$$

wobei nur endlich viele Summanden ungleich 0 sind.

Es sei $\mathcal{O}_\Lambda$ die Kategorie der $\mathfrak{g}$-Moduln M in $\mathcal{O}$ mit $M = M_\Lambda$. Da Homomorphismen von $\mathfrak{g}$-Moduln die Gewichtsräume respektieren, ist nach (2) klar, daß die Kategorie $\mathcal{O}$ die direkte Summe der Kategorien $\mathcal{O}_\Lambda$ ist. (Wir hätten offenbar auch mit Restklassen modulo $Q(R)$ statt modulo $P(R)$ arbeiten können. Daß wir $P(R)$ wählen, liegt daran, daß dann $\mathcal{O}_\Lambda$ unter Tensorprodukten mit endlich dimensionalen $\mathfrak{g}$-Moduln abgeschlossen ist; vgl. 4.6).

Für alle $\lambda \in \mathfrak{h}^*$ und jeden $\mathfrak{g}$-Modul M setzen wir

(3) $$\operatorname{pr}_\lambda M = \{v \in M \mid \textit{Für alle } z \in Z(\mathfrak{g}) \textit{ gibt es } n \in \mathbf{N} \textit{ mit } (z - \chi_\lambda(z)\,1)^n v = 0\}.$$

Dann ist $\operatorname{pr}_\lambda M$ ein Untermodul von M; ist $\operatorname{pr}_\lambda M \neq 0$, so gilt $\operatorname{pr}_\lambda M = \operatorname{pr}_{\lambda'} M$ für ein $\lambda' \in \mathfrak{h}^*$ genau dann, wenn $\lambda' \in W \cdot \lambda$ ist. Da ein M in $\mathcal{O}$ endliche Länge hat und $Z(\mathfrak{g})$ auf den Kompositionsfaktoren durch geeignete χ_μ operiert, gilt

(4) $M = \bigoplus_\lambda \operatorname{pr}_\lambda M$ *für alle* M *in* $\mathcal{O}$,

wobei λ ein Repräsentantensystem der Bahnen bei der um ρ verschobenen Operation von W auf $\mathfrak{h}^*$ durchläuft. Wieder sind nur endlich viele Summanden ungleich 0.

Schließlich setzen wir für ein M in $\mathcal{O}$

(5) $$M_\lambda = \bigoplus_{\mu \in \lambda + Q(R)} (\operatorname{pr}_\lambda M)^\mu .$$

Dies ist wieder ein Untermodul; für $M_\lambda \neq 0$ gilt $M_\lambda = M_{\lambda'}$, genau dann, wenn es ein $w \in W_\lambda$ mit $\lambda' = w \cdot \lambda$ gibt. Es sei $\mathcal{O}_\lambda$ die Kategorie aller $\mathfrak{g}$-Moduln M in $\mathcal{O}$ mit $M = M_\lambda$. Für alle $\Lambda \in \mathfrak{h}^*/P(R)$ gilt

(6) $$M_\Lambda = \bigoplus_{\lambda \in \Lambda^+} M_\lambda .$$

Die Kategorie $\mathcal{O}_\Lambda$ (bzw. $\mathcal{O}$) ist direkte Summe der Kategorien $\mathcal{O}_\lambda$ mit $\lambda \in \Lambda^+$ (bzw. $\lambda \in \bigcup_{\Lambda \in \mathfrak{h}^*/P(R)} \Lambda^+$).

Für alle $\lambda, \mu \in \mathfrak{h}^*$ und M in $\mathcal{O}$ gilt offensichtlich

(7) $$[M_\lambda : L(\mu)] = \begin{cases} [M : L(\mu)] & \textit{für } \mu \in W_\lambda \cdot \lambda , \\ 0 & \textit{sonst}. \end{cases}$$

Die Funktoren $M \mapsto M_\Lambda$, $M \mapsto \mathrm{pr}_\lambda M$ und $M \mapsto M_\lambda$ sind alle offensichtlich exakt.

4.5 Für jeden $\mathfrak{g}$-Modul M in $\mathcal{O}$ definiert man einen (formalen) Charakter $\mathrm{ch}\, M$ durch

(1) $$\mathrm{ch}\, M = \sum_{\lambda \in \mathfrak{h}^*} \dim(M^\lambda)\, e(\lambda) \in \mathbf{Z}[[\mathfrak{h}^*]],$$

wobei die $e(\lambda)$ mit $\lambda \in \mathfrak{h}^*$ die kanonische Basis des Gruppenrings $\mathbf{Z}[\mathfrak{h}^*] \subset \mathbf{Z}[[\mathfrak{h}^*]]$ von $\mathfrak{h}^*$ bilden.

Für eine exakte Sequenz $0 \to M_1 \to M \to M_2 \to 0$ in $\mathcal{O}$ gilt dann $\mathrm{ch}\, M = \mathrm{ch}\, M_1 + \mathrm{ch}\, M_2$. Daraus folgt

(2) $$\mathrm{ch}\, M = \sum_{\lambda \in \mathfrak{h}^*} [M : L(\lambda)]\, \mathrm{ch}\, L(\lambda)$$

für alle M in $\mathcal{O}$. Wir setzen

(3) $$\mathcal{C}(\mathcal{O}) = \sum_M \mathbf{Z}\, \mathrm{ch}\, M \subset \mathbf{Z}[[\mathfrak{h}^*]],$$

wobei wir über alle $\mathfrak{g}$-Moduln M in $\mathcal{O}$ summieren. Die $\mathrm{ch}\, L(\lambda)$ mit $\lambda \in \mathfrak{h}^*$ sind offensichtlich linear unabhängig über $\mathbf{Z}$ und erzeugen $\mathcal{C}(\mathcal{O})$ nach (2); also ist $\mathcal{C}(\mathcal{O})$ eine freie abelsche Gruppe mit Basis $(\mathrm{ch}\, L(\lambda))_{\lambda \in \mathfrak{h}^*}$. Für jedes $\chi \in \mathcal{C}(\mathcal{O})$ und jedes $\lambda \in \mathfrak{h}^*$ definieren wir $[\chi : L(\lambda)] \in \mathbf{Z}$ durch

(4) $$\chi = \sum_{\lambda \in \mathfrak{h}^*} [\chi : L(\lambda)]\, \mathrm{ch}\, L(\lambda).$$

Natürlich sind fast alle $[\chi : L(\lambda)]$ gleich 0; für einen $\mathfrak{g}$-Modul M in $\mathcal{O}$ gilt nach (2) stets $[M : L(\lambda)] = [\mathrm{ch}\, M : L(\lambda)]$.

Eine andere Basis von $\mathscr{C}(\mathscr{O})$ bilden die $\operatorname{ch} M(\lambda)$ mit $\lambda \in \mathfrak{h}^*$. Wir bezeichnen die Koeffizienten hier mit $(\chi: M(\lambda))$; es gilt also

(5) $$\chi = \sum_{\lambda \in \mathfrak{h}^*} (\chi: M(\lambda)) \operatorname{ch} M(\lambda).$$

Für einen $\mathfrak{g}$-Modul M in $\mathscr{O}$ schreiben wir auch $(M: M(\lambda))$ statt $(\operatorname{ch} M: M(\lambda))$.

Für jedes $\mu \in \mathfrak{h}^*$ und jedes M in $\mathscr{O}$ gilt

(6) $$\operatorname{ch} M_\mu = \sum_{\lambda \in W_\mu \cdot \mu} (M: M(\lambda)) \operatorname{ch} M(\lambda) = \sum_{\lambda \in W_\mu \cdot \mu} [M: L(\lambda)] \operatorname{ch} L(\lambda).$$

4.6 Ist E ein endlich dimensionaler $\mathfrak{g}$-Modul, so kann man für jedes $\lambda \in \mathfrak{h}^*$ in $M(\lambda) \otimes E$ eine Kette von Untermoduln

$$M(\lambda) \otimes E = M_1 \supset M_2 \supset \ldots \supset M_r \supset M_{r+1} = 0$$

finden, so daß jedes M_i/M_{i+1} mit $1 \leqslant i \leqslant r$ zu einem $M(\lambda_i)$ mit $\lambda_i \in \lambda + P(R)$ isomorph ist. Genauer ist für jedes $\mu \in P(R)$ die Anzahl der Faktoren M_i/M_{i+1}, die zu $M(\lambda + \mu)$ isomorph sind, gleich $\dim E^\mu$. Ist E einfach und ist $\mu \in P(R)^{++}$ das höchste Gewicht von E, so kann man die M_i so wählen, daß M_r zu $M(\lambda + \mu)$ isomorph ist. Aus diesen Überlegungen folgt, daß $M(\lambda) \otimes E$ stets zu $\mathscr{O}$ gehört und

(1) $$\operatorname{ch} M(\lambda) \otimes E = \sum_{\mu \in P(R)} (\dim E^\mu) \operatorname{ch} M(\lambda + \mu).$$

Die Zuordnung $M \mapsto M \otimes E$ ist ein exakter Funktor auf der Kategorie aller $\mathfrak{g}$-Moduln. Man sieht leicht, daß er die Kategorie $\mathscr{O}$ in sich überführt. Gehört M zu einem $\mathscr{O}_\Lambda$ mit $\Lambda \in \mathfrak{h}^*/P(R)$, so auch $M \otimes E$. Aus (1) und der Exaktheit folgt für alle M in $\mathscr{O}$:

(2) $$\operatorname{ch} M \otimes E = \sum_{\lambda \in \mathfrak{h}^*} \sum_{\mu \in P(R)} (M: M(\lambda)) \dim E^\mu \operatorname{ch} M(\lambda + \mu).$$

Man erhält aus (2) den Charakter eines $(M \otimes E)_{\lambda'}$ mit $\lambda' \in \mathfrak{h}^*$, indem man dort nur über die Paare (λ, μ) mit $\lambda + \mu \in W_{\lambda'} \cdot \lambda'$ summiert.

4.7 Ein Modul M in $\mathscr{O}$ soll *p-filtrierbar* heißen, wenn es eine Kette $M = M_1 \supset M_2 \supset \ldots \supset M_r \supset M_{r+1} = 0$ von Untermoduln gibt, so daß jedes M_i/M_{i+1} mit $1 \leqslant i \leqslant r$ zu einem $M(\lambda_i)$ mit $\lambda_i \in \mathfrak{h}^*$ isomorph ist.

Lemma. *Es sei M ein p-filtrierbarer Modul in $\mathscr{O}$.*

a) *Für jeden endlich dimensionalen $\mathfrak{g}$-Modul E ist $M \otimes E$ auch p-filtrierbar.*

b) *Ist λ maximal unter den Gewichten von M, so ist für ein $v \in M^\lambda$, $v \neq 0$ der Untermodul $U(\mathfrak{g})v$ zu $M(\lambda)$ isomorph, und $M/U(\mathfrak{g})v$ ist p-filtrierbar.*

c) *Jeder direkte Summand von M ist p-filtrierbar.*

Beweis. a) Wegen der Exaktheit des Tensorprodukts reicht es, die Behauptung für Verma-Moduln zu zeigen. In dem Fall folgt sie aber aus 4.6.

b) Wir wählen eine Kette $M = M_1 \supset M_2 \supset \ldots \supset M_r \supset M_{r+1} = 0$ von Untermoduln mit $M_i/M_{i+1} \simeq M(\lambda_i)$ für ein $\lambda_i \in \mathfrak{h}^*$ $(1 \leqslant i \leqslant r)$. Es gibt ein j mit $1 \leqslant j \leqslant r$ und $v \in M_j$, aber $v \notin M_{j+1}$. Dann ist λ ein Gewicht von $M_j/M_{j+1} \simeq M(\lambda_j)$; da λ maximal unter den Gewichten von M, also auch von M_j/M_{j+1} ist, folgt $M_j/M_{j+1} \simeq M(\lambda)$. Nun gilt $v + M_{j+1} \in (M_j/M_{j+1})^\lambda$ und $\dim (M_j/M_{j+1})^\lambda = 1$; daher muß M_j/M_{j+1} von $v + M_{j+1}$ erzeugt werden. Das Bild von $U(\mathfrak{g})v$ in M_j/M_{j+1} ist mithin zu $M(\lambda)$ isomorph. Wegen der Maximalität von λ gilt $\mathfrak{n}^+ v = 0$, also ist $U(\mathfrak{g})v$ ein homomorphes Bild von $M(\lambda)$. Zusammen mit dem früheren Ergebnis zeigt dies, daß $U(\mathfrak{g})v$ zu $M(\lambda)$ isomorph ist. Außerdem muß $U(\mathfrak{g})v \cap M_{j+1} = 0$ gelten. Daher hat die Filtrierung von $M/U(\mathfrak{g})v$ durch die Bilder der M_i mit $i \neq j$ die Eigenschaften, die bei der Definition der p-Filtrierbarkeit gefordert wurden.

c) Hier benutzen wir Induktion über die Länge von M. Es sei $M = M_1 \oplus M_2$ eine Zerlegung von M in eine direkte Summe von zwei Untermoduln. Wir wählen ein maximales Gewicht λ von M. Aus $M^\lambda \neq 0$ folgt $M_1^\lambda \neq 0$ oder $M_2^\lambda \neq 0$; nehmen wir an, es sei $M_1^\lambda \neq 0$. Wir wählen nun ein $v \in M_1^\lambda$ mit $v \neq 0$; nach b) gilt $U(\mathfrak{g})v \simeq M(\lambda)$ und $M/U(\mathfrak{g})v$ ist p-filtrierbar. Da $M/U(\mathfrak{g})v = (M_1/U(\mathfrak{g})v) \oplus M_2$ gilt und dieser Modul kleinere Länge als M hat, folgt, daß M_2 und $M_1/U(\mathfrak{g})v$ beide p-filtrierbar sind, also auch M_1.

4.8 Lemma. *Es seien $\Lambda \in \mathfrak{h}^*/P(R)$ und $\lambda \in \Lambda^+$. Dann ist $M(\lambda)$ ein projektives Objekt in den Kategorien $\mathcal{O}$, $\mathcal{O}_\Lambda$ und $\mathcal{O}_\lambda$.*

Beweis. Für alle M in $\mathcal{O}$ gilt $\mathrm{Hom}_\mathfrak{g}(M(\lambda), M_\lambda) = \mathrm{Hom}_\mathfrak{g}(M(\lambda), M)$. Daher reicht es, die Behauptung für $\mathcal{O}_\lambda$ zu beweisen. Da die Zuordnung $M \mapsto M^\lambda$ ein exakter Funktor auf $\mathcal{O}$ ist, erhalten wir die Behauptung, wenn wir für alle M in $\mathcal{O}_\lambda$ zeigen, daß die Abbildung $\phi \mapsto \phi(v_\lambda)$ eine Bijektion $\mathrm{Hom}_\mathfrak{g}(M(\lambda), M) \to M^\lambda$ ist.

Da $M(\lambda)$ von v_λ erzeugt wird, ist ein $\mathfrak{g}$-Homomorphismus $\phi: M(\lambda) \to M$ durch $\phi(v_\lambda)$ festgelegt, also die Abbildung oben injektiv. Ihr Bild ist wegen der universellen Eigenschaft von $M(\lambda)$ gleich $\{v \in M^\lambda \mid \mathfrak{n}^+ v = 0\}$. Wir müssen also $\mathfrak{n}^+ M^\lambda = 0$ zeigen. Nun haben alle Kompositionsfaktoren von M die Form $L(\mu)$ mit $\mu \in W_\lambda \cdot \lambda$, also $\mu \leqslant \lambda$ wegen $\lambda \in \Lambda^+$. Daher ist kein Gewicht von M echt größer als λ, und daraus folgt $\mathfrak{n}^+ M^\lambda = 0$, was zu zeigen war.

Bemerkung. Es sei λ wie im Lemma; für alle $\mu \in \mathfrak{h}^*$ mit $\mu \neq \lambda$ gilt dann $\mathrm{Hom}_\mathfrak{g}(M(\lambda), M(\mu)) = 0$, während dieser Raum für $\mu = \lambda$ eindimensional ist. Aus 4.6 folgt nun wegen der Projektivität von $M(\lambda)$ für alle $\lambda \in \mathfrak{h}^*$ und alle endlich dimensionalen $\mathfrak{g}$-Moduln E:

(1) $$\dim \mathrm{Hom}_\mathfrak{g}(M(\lambda), E \otimes M(\mu)) = \dim E^{\lambda - \mu}.$$

4.9 Für zwei beliebige $\mathfrak{g}$-Moduln M und N und einen endlich dimensionalen $\mathfrak{g}$-Modul E hat man einen natürlichen Isomorphismus

(1) $$\mathrm{Hom}_\mathfrak{g}(M \otimes E, N) \simeq \mathrm{Hom}_\mathfrak{g}(M, N \otimes E^*).$$

Nun ist das Tensorprodukt mit E^* ein exakter Funktor auf der Kategorie aller $\mathfrak{g}$-Moduln. In einer Kategorie von $\mathfrak{g}$-Moduln, die abgeschlossen unter Tensorprodukten mit endlich dimensionalen $\mathfrak{g}$-Moduln ist, muß daher mit M auch $M \otimes E$ ein projektives Objekt in dieser Kategorie sein.

Wir nennen einen $\mathfrak{g}$-Modul in $\mathcal{O}$, der ein projektives Objekt in $\mathcal{O}$ ist, im folgenden kurz einen projektiven Modul in $\mathcal{O}$, auch wenn er kein projektiver $U(\mathfrak{g})$-Modul ist.

Satz. a) *Zu jedem $\lambda \in \mathfrak{h}^*$ gibt es (bis auf Isomorphie) genau einen projektiven Modul $Q(\lambda)$ in $\mathcal{O}$ mit $Q(\lambda)/\operatorname{rad} Q(\lambda) \simeq L(\lambda)$.*

b) *Die $Q(\lambda)$ mit $\lambda \in \mathfrak{h}^*$ bilden ein Repräsentantensystem für die Isomorphieklassen unzerlegbarer projektiver Moduln in $\mathcal{O}$.*

c) *Jedes $Q(\lambda)$ ist p-filtrierbar. Für alle $\nu \in \mathfrak{h}^*$ gilt*

$$(Q(\lambda) : M(\nu)) = [M(\nu) : L(\lambda)].$$

Beweis. Zu jedem $\lambda \in \mathfrak{h}^*$ gibt es ein $\mu \in (\lambda + P(R))^{++}$ mit $\mu - \lambda \in P(R)^{++}$. Dann ist $E = L(\mu - \lambda)$ ein endlich dimensionaler $\mathfrak{g}$-Modul und μ ist das größte Gewicht von $L(\lambda) \otimes E$. Ein Vektor in $L(\lambda) \otimes E$ zu diesem Gewicht erzeugt als Untermodul ein homomorphes Bild von $M(\mu)$. Aus (1) folgt nun

$$\operatorname{Hom}_{\mathfrak{g}}(M(\mu) \otimes E^*, L(\lambda)) \simeq \operatorname{Hom}_{\mathfrak{g}}(M(\mu), L(\lambda) \otimes E) \neq 0.$$

Nach 4.8 ist $M(\mu)$, nach dem Anfang von 4.9 ist auch $M(\mu) \otimes E^*$ ein projektiver Modul in $\mathcal{O}$. Daher haben wir gezeigt, daß jeder einfache Modul in $\mathcal{O}$ homomorphes Bild eines projektiven Moduls in $\mathcal{O}$ ist. Da alle Objekte in $\mathcal{O}$ endliche Länge haben, folgt nun, daß die projektiven Moduln in $\mathcal{O}$ direkte Summen unzerlegbarer projektiver Moduln sind, daß a) und b) gelten und daß

$$\text{(2)} \qquad \dim \operatorname{Hom}_{\mathfrak{g}}(Q(\nu), M) = [M : L(\nu)]$$

für alle $\nu \in \mathfrak{h}^*$ und alle M in $\mathcal{O}$ ist. (Dies sind Standardaussagen über eine Kategorie von Moduln, in der alle Objekte endliche Länge haben und in der es genügend Projektive gibt). Bei der Konstruktion oben muß $Q(\lambda)$ ein direkter Summand von $M(\mu) \otimes E^*$ sein, weil sonst $\operatorname{Hom}_{\mathfrak{g}}(M(\mu) \otimes E^*, L(\lambda)) = 0$ wäre. Aus Lemma 4.7.a/c folgt nun, daß $Q(\lambda)$ p-filtrierbar ist.

Um die Formel über $(Q(\lambda) : M(\nu))$ zu beweisen, benutzen wir Induktion über λ von oben innerhalb $W_\lambda \cdot \lambda$. Zu μ und E wie oben gibt es $n(\nu) \in \mathbb{N}$ mit

$$M(\mu) \otimes E^* = \bigoplus_{\nu' \in \lambda + Q(R)} Q(\nu')^{n(\nu')},$$

also

$$(M(\mu) \otimes E^* : M(\nu)) = \sum_{\nu' \in \lambda + Q(R)} n(\nu')(Q(\nu') : M(\nu))$$

für alle $\nu \in \mathfrak{h}^*$. Aus 4.6 folgt

$$(M(\mu) \otimes E^* : M(\nu)) = \dim (E^*)^{\nu - \mu} = \dim E^{\mu - \nu}.$$

Da ein $Q(\nu')$ unzerlegbar ist und $L(\nu')$ als Kompositionsfaktor hat, gehört $Q(\nu')$ nach 4.4 zu $\mathcal{O}_{\nu'}$. Für alle ν, ν' folgt aus $(Q(\nu'): M(\nu)) \neq 0$ deshalb $\nu' \in W_\nu \cdot \nu$. Daraus erhalten wir nun

(3) $$\dim E^{\mu-\nu} = \sum_{\nu' \in W_\lambda \cdot \lambda} n(\nu')(Q(\nu'): M(\nu)) \quad \text{für alle } \nu \in W_\lambda \cdot \lambda .$$

Nach (2) gilt

$$n(\nu') = \dim \operatorname{Hom}_{\mathfrak{g}}(M(\mu) \otimes E^*, L(\nu')) = \dim \operatorname{Hom}_{\mathfrak{g}}(M(\mu), L(\nu') \otimes E).$$

Insbesondere kann $n(\nu') \neq 0$ nur für $\mu \leqslant \nu' + \mu - \lambda$, also für $\lambda \leqslant \nu'$ sein. Weil $M(\mu)$ projektiv ist, gilt

$$\dim \operatorname{Hom}_{\mathfrak{g}}(M(\mu), M(\nu) \otimes E) = \sum_{\nu' \in W_\nu \cdot \nu} \dim \operatorname{Hom}_{\mathfrak{g}}(M(\mu), L(\nu') \otimes E)[M(\nu): L(\nu')].$$

Für $\nu \in W_\lambda \cdot \lambda$ folgt daraus

(4) $$\dim \operatorname{Hom}_{\mathfrak{g}}(M(\mu), M(\nu) \otimes E) = \sum_{\nu' \in W_\lambda \cdot \lambda} n(\nu')[M(\nu): L(\nu')].$$

Benutzt man die Filtrierung von $M(\nu) \otimes E$ wie in 4.6, die Projektivität von $M(\mu)$ und die Formel $\operatorname{Hom}_{\mathfrak{g}}(M(\mu), M(\mu')) = 0$ für $\mu' \neq \mu$ aus der Bemerkung zu 4.8, so erhält man aus dem Vergleich von (3) und (4):

$$\sum_{\nu' \in W_\lambda \cdot \lambda} n(\nu')((Q(\nu'): M(\nu)) - [M(\nu): L(\nu')]) = 0 .$$

Wie oben bemerkt, treten hier nur ν' mit $\nu' \geqslant \lambda$ auf; für $\nu' > \lambda$ können wir die Behauptung nach Induktion voraussetzen. Dann erhalten wir sie für $\nu' = \lambda$ wegen $n(\lambda) \neq 0$.

4.10 Für einen $\mathfrak{g}$-Modul in $\mathcal{O}$ gilt im Dualraum

$$(M^*)^\lambda = \{\phi \in M^* \mid \phi(M^\mu) = 0 \ \text{ für } \ \mu \neq -\lambda\}$$

für alle $\lambda \in \mathfrak{h}^*$; man kann also die Vektorräume $(M^*)^\lambda$ und $(M^{-\lambda})^*$ identifizieren. In 2.1 haben wir auf M^* eine andere Struktur als $\mathfrak{g}$-Modul eingeführt und diesen neuen $\mathfrak{g}$-Modul dann $M^{(t)}$ genannt. Dann ist $(M^{(t)})^\lambda$ als Vektorraum gleich $(M^*)^{-\lambda}$ und wird daher mit $(M^\lambda)^*$, identifiziert. Insbesondere gilt $\dim (M^{(t)})^\lambda = \dim M^\lambda$. Wir setzen nun

$$'M = \bigoplus_{\lambda \in \mathfrak{h}^*} (M^{(t)})^\lambda .$$

Dies ist nun wieder ein $\mathfrak{g}$-Modul, und zwar ein Untermodul von $M^{(t)}$. Es ist leicht zu sehen, daß $'M$ zur Kategorie $\mathcal{O}$ gehört. Aus der Dimensionsbetrachtung oben folgt

(1) $$\operatorname{ch} M = \operatorname{ch} {'M} .$$

Weiter sieht man leicht, daß die Zuordnung $M \mapsto {}'M$ ein exakter Funktor auf der Kategorie $\mathcal{O}$ ist, daß man für alle M in $\mathcal{O}$ einen kanonischen Isomorphismus

$$(2) \qquad {}'({}'M) \xrightarrow{\sim} M$$

hat und daß bei $M \mapsto {}'M$ projektive Objekte in injektive übergehen und umgekehrt. Aus (1) folgt, daß ${}'M$ und M dieselbe Länge, ja sogar dieselben Kompositionsfaktoren mit denselben Multiplizitäten haben. Insbesondere gilt

$$(3) \qquad {}'L(\lambda) \xrightarrow{\sim} L(\lambda) \quad \text{für alle } \lambda \in \mathfrak{h}^*.$$

Weiter sieht man leicht $({}'M)_\lambda = {}'(M_\lambda)$ für alle M in $\mathcal{O}$ und $\lambda \in \mathfrak{h}^*$.

4.11 Die Kategorie $\mathcal{O}$ enthält genügend projektive Objekte. Wir können daher wie üblich mit projektiven Auflösungen die Erweiterungsgruppen $\mathrm{Ext}^i_{\mathcal{O}}(M, M')$ von Moduln M, M' in $\mathcal{O}$ definieren. Da $M \mapsto {}'M$ projektive in injektive Objekte überführt, können wir die $\mathrm{Ext}^i_{\mathcal{O}}(M, M')$ auch mit injektiven Auflösungen definieren. Für die $\mathrm{Ext}^i_{\mathcal{O}}(M, M')$ gibt es die üblichen langen Sequenzen.

Man kann insbesondere $\mathrm{Ext}^1_{\mathcal{O}}(M, M')$ als Menge von Äquivalenzklassen von kurzen exakten Sequenzen $0 \to M' \to N \to M \to 0$ mit N in $\mathcal{O}$ interpretieren.

Für alle M, M' in $\mathcal{O}$ gilt

$$(1) \qquad \mathrm{Ext}^i_{\mathcal{O}}({}'M, {}'M') \simeq \mathrm{Ext}^i_{\mathcal{O}}(M', M).$$

(Man benutzt dazu, daß der Funktor $N \to {}'N$ eine projektive Auflösung von ${}'M$ in eine injektive Auflösung von M überführt.)

Lemma. *Für alle $\lambda, \mu \in \mathfrak{h}^*$ und alle endlich dimensionalen $\mathfrak{g}$-Moduln E gilt* $\mathrm{Ext}^1_{\mathcal{O}}(E \otimes M(\lambda), {}'M(\mu)) = 0$.

Beweis. Wir betrachten zunächst den Fall, daß E die triviale eindimensionale Darstellung ist. Wenn nun eine exakte Sequenz $0 \to {}'M(\mu) \to N \to M(\lambda) \to 0$ mit N in $\mathcal{O}$ gegeben ist, so wählen wir ein Urbild $\tilde{v}_\lambda$ von v_λ in N^λ. Ist λ maximal unter den Gewichten von N, so ist $U(\mathfrak{g})\tilde{v}_\lambda$ ein homomorphes Bild von $M(\lambda)$, das zu $M(\lambda)$ isomorph sein muß, da es surjektiv auf $U(\mathfrak{g})v_\lambda = M(\lambda)$ abgebildet wird. Damit spaltet die Sequenz. Ist λ nicht maximal, so folgt $\lambda < \mu$. In diesem Fall benutzen wir, daß

$$\mathrm{Ext}^1_{\mathcal{O}}(M(\lambda), {}'M(\mu)) \xrightarrow{\sim} \mathrm{Ext}^1_{\mathcal{O}}(M(\mu), {}'M(\lambda))$$

nach (1) gilt, und argumentieren dann wie oben.

Für beliebiges E folgt die Behauptung nun aus der Filtrierung von $E \otimes M(\lambda)$ in 4.6 und der langen exakten Sequenz für $\mathrm{Ext}^i_{\mathcal{O}}$.

Bemerkung. Das Lemma ist nicht optimal. Man kann $\mathrm{Ext}^1_{\mathcal{O}}$ durch $\mathrm{Ext}^i_{\mathcal{O}}$ für alle $i > 0$ ersetzen. Dazu zeigt man für alle M in $\mathcal{O}$, daß

$$\mathrm{Ext}^i_{\mathcal{O}}(M(\lambda), M) \simeq H_i(\mathfrak{n}^+, M)^\lambda = H^i(\mathfrak{n}^-, {}'M)^\lambda$$

gilt, und benutzt, daß $M(\mu)$ ein freier $U(\mathfrak{n}^-)$-Modul ist (vgl. [Gabber/Joseph 1], 1.14).

4.12 Es sei $\Lambda \in \mathfrak{h}^*/P(R)$. Für $\lambda, \mu \in \Lambda^+$ definieren wir einen exakten Funktor $T_\lambda^\mu : \mathcal{O}_\lambda \to \mathcal{O}_\mu$ durch $T_\lambda^\mu M = (M \otimes E)_\mu$ für alle M in $\mathcal{O}_\lambda$, wobei E der einfache endlich dimensionale $\mathfrak{g}$-Modul mit höchstem Gewicht in $W(\mu - \lambda)$ ist. Da dann alle Gewichte von $M \otimes E$ in einer festen Nebenklasse modulo $Q(R)$ liegen, gilt

(1) $$T_\lambda^\mu M = (M \otimes E)_\mu = \mathrm{pr}_\mu (M \otimes E).$$

Es sei nun $\lambda \in \Lambda^{++}$ und $\mu \in \Lambda^+$. Dann zeigt man für alle $w \in W_\lambda$:

(2) $$T_\lambda^\mu M(w \cdot \lambda) \simeq M(w \cdot \mu)$$

und

(3) $$T_\lambda^\mu L(w \cdot \lambda) \simeq \begin{cases} L(w \cdot \mu) & \textit{für } w \cdot \mu \in \hat{F}_{w \cdot \lambda}, \\ 0 & \textit{sonst}. \end{cases}$$

Es sei daran erinnert, daß $w \cdot \mu \in \hat{F}_{w \cdot \lambda}$ nach 2.7 (1) zu $B_\mu^0 \subset \tau_\Lambda(w)$ äquivalent ist. Aus (2) und (3) folgt wegen der Exaktheit von T_λ^μ für alle $w, w' \in W_\lambda$ mit $B_\mu^0 \subset \tau_\Lambda(w')$:

(4) $$[M(w \cdot \lambda) : L(w' \cdot \lambda)] = [M(w \cdot \mu) : L(w' \cdot \mu)]$$

und

(5) $$(L(w' \cdot \mu) : M(w \cdot \mu)) = \sum_{w_1 \in W_\mu^0} (L(w' \cdot \lambda) : M(w w_1 \cdot \lambda)).$$

Für $w, w' \in W_\lambda$ mit $B_\mu^0 \not\subset \tau_\Lambda(w')$ erhält man dagegen

(6) $$\sum_{w_1 \in W_\mu^0} (L(w' \cdot \lambda) : M(w w_1 \cdot \lambda)) = 0.$$

Da man für alle $\alpha \in B_\lambda$ ein $\mu_\alpha \in \Lambda^+$ mit $B_{\mu_\alpha}^0 = \{\alpha\}$ finden kann, folgt für alle $w, w' \in W_\lambda$ und alle $\alpha \in B_\lambda$

(7) $$[M(w \cdot \lambda) : L(w' \cdot \lambda)] = [M(w s_\alpha \cdot \lambda) : L(w' \cdot \lambda)] \quad \textit{für } \alpha \in \tau_\Lambda(w')$$

und

(8) $$(L(w' \cdot \lambda) : M(w \cdot \lambda)) = -(L(w' \cdot \lambda) : M(w s_\alpha \cdot \lambda)) \quad \textit{für } \alpha \notin \tau_\Lambda(w').$$

Aus 4.10 folgt

(9) $$T_\lambda^\mu({}^\prime M) \simeq {}^\prime(T_\lambda^\mu M) \quad \textit{für alle } M \textit{ in } \mathcal{O}_\lambda.$$

4.13 Es seien weiterhin $\Lambda \in \mathfrak{h}^*/P(R)$ und $\lambda \in \Lambda^{++}$. Für jedes $\mu \in \Lambda^+$ und $w \in w_\Lambda$ gilt dann

(1) $$\operatorname{ch} T_\mu^\lambda M(w \cdot \mu) = \sum_{w_1 \in W_\mu^0} \operatorname{ch} M(w w_1 \cdot \lambda).$$

Aus (1) und 4.12 (2) folgt zunächst für die $M(w \cdot \mu)$, aber wegen der Exaktheit von T_μ^λ und T_λ^μ für alle M in $\mathcal{O}_\mu$ nun

(2) $$\operatorname{ch} T_\lambda^\mu T_\mu^\lambda M = (\# W_\mu^0) \operatorname{ch} M.$$

Wenden wir dies auf $M = L(w \cdot \mu)$ an, so erhalten wir aus 4.12 (3) für alle $w \in W_\lambda$ mit $B_\mu^0 \subset \tau_\Lambda(w)$:

(3) $$[T_\mu^\lambda L(w \cdot \mu) : L(w \cdot \lambda)] = \# W_\mu^0.$$

(4) *Aus* $[T_\mu^\lambda L(w \cdot \mu) : L(w' \cdot \lambda)] \neq 0$ *und* $w' \neq w$ *folgt* $B_\mu^0 \not\subset \tau_\Lambda(w')$.

Es sei $\alpha \in B_\Lambda$. Wir können ein $\mu \in \Lambda^+$ mit $B_\mu^0 = \{\alpha\}$ finden, und dann (3) und (4) noch präzisieren (für alle $w \in W_\Lambda$ mit $\alpha \in \tau_\Lambda(w)$):

(5) $$[T_\mu^\lambda L(w \cdot \mu) : L(w s_\alpha \cdot \lambda)] = 1$$

(3′) $$[T_\mu^\lambda L(w \cdot \mu) : L(w \cdot \lambda)] = 2$$

(6) *Aus* $[T_\mu^\lambda L(w \cdot \lambda) : L(w' \cdot \lambda)] \neq 0$ *und* $w' \neq w, w s_\alpha$ *folgt* $\alpha \notin \tau_\Lambda(w')$ *sowie* $[M(w \cdot \lambda) : L(w' \cdot \lambda)] \neq 0$.

Mit Hilfe von (5) und (6) zeigt man durch Induktion für alle $w, w' \in W_\lambda$ mit $B_\mu^0 \subset \tau_\Lambda(w) \cap \tau_\Lambda(w')$:

(7) *Aus* $(L(w \cdot \mu) : M(w' \cdot \mu)) \neq 0$ *folgt* $w' \leqslant w$.

(8) *Aus* $[M(w \cdot \mu) : L(w' \cdot \mu)] \neq 0$ *folgt* $w' \leqslant w$.

In (8) gilt auch die Umkehrung; weil jeder Homomorphismus ungleich 0 von einem $M(v_1)$ in ein $M(v_2)$ injektiv ist, folgt dies aus dem Satz von Verma:

(9) *Für alle* $\mu \in \Lambda^+$ *und* $w, w' \in W_\Lambda$ *mit* $B_\mu^0 \subset \tau_\Lambda(w) \cap \tau_\Lambda(w')$ *und* $w' \leqslant w$ *gilt* $\operatorname{Hom}_{\mathfrak{g}}(M(w' \cdot \mu), M(w \cdot \mu)) \simeq k$.

Unter der Voraussetzung von (9) können und werden wir stets $M(w' \cdot \mu)$ als Untermodul von $M(w \cdot \mu)$ auffassen. Man sieht nun leicht, daß der Sockel eines jeden $M(w \cdot \mu)$ gleich $M(w_\Lambda \cdot \mu)$ ist. Weiter kann man für alle $w, w' \in W_\Lambda$ mit $w' \leqslant w$ und $l_\Lambda(w') = l_\Lambda(w) + 1$ zeigen:

(10) $(L(w \cdot \lambda) : M(w' \cdot \lambda)) = -1$ *und* $[M(w \cdot \lambda) : L(w' \cdot \lambda)] = 1.$

(Einfacher als in [MHG] kann man so argumentieren: Offensichtlich muß $w \neq w_\Lambda$ sein, also gibt es ein $\alpha \in B_\Lambda$ mit $w s_\alpha < w$. Für $w' = w s_\alpha$ folgt (10) aus 4.12 (7), (8). Sonst ist $w' s_\alpha < w s_\alpha$ nach [DIX], 7.7.4 und $w' \not< w s_\alpha$. Dann gilt $[M(w s_\alpha \cdot \lambda) : L(w' \cdot \lambda)] = 0$, und induktiv können wir $(L(w s_\alpha \cdot \lambda) : M(w' s_\alpha \cdot \lambda)) = -1$ annehmen. Man wählt nun ein $\mu \in \Lambda^+$ mit $B_\mu^0 = \{\alpha\}$. Die Formeln oben zeigen $(T_\mu^\lambda L(w s_\alpha \cdot \mu) : M(w' \cdot \lambda)) = -1$ und $(L(w_1 \cdot \lambda) : M(w' \cdot \lambda)) = 0$ für jeden Kompositionsfaktor $L(w_1 \cdot \lambda)$ von $T_\mu^\lambda L(w s_\alpha \cdot \mu)$ mit $w_1 \neq w$. Nun folgt (10) sofort.)

Aus (7) und 4.12 (8) erhält man für alle $S \subset B_\Lambda$:

$$(11) \qquad \operatorname{ch} L(w_\Lambda w_S \cdot \lambda) = \sum_{w \in W_S} \det(w w_S) \operatorname{ch} M(w_\Lambda w \cdot \lambda)$$

sowie

$$(12) \qquad [M(w \cdot \lambda) : L(w_S \cdot \lambda)] = 1 \quad \text{für alle } w \in W_S.$$

4.14 Es sei weiterhin $\Lambda \in \mathfrak{h}^*/P(R)$. Für alle $w, w' \in W_\Lambda$ ist $(L(w \cdot \lambda) : M(w' \cdot \lambda))$ nach 4.12 (5) unabhängig von der Wahl von λ innerhalb Λ^{++}; wir bezeichnen diese Zahl mit $a_\Lambda(w, w')$. Für alle $\mu \in \Lambda$ setzen wir nun

$$(1) \qquad \chi_w(\mu) = \sum_{w' \in W_\Lambda} a_\Lambda(w, w') \operatorname{ch} M(w' \cdot \mu) \in \mathscr{C}(\mathscr{O}).$$

Nach 4.12 (5), (6) gilt für $\mu \in \Lambda^+$

$$(2) \qquad \chi_w(\mu) = \begin{cases} \operatorname{ch} L(w \cdot \mu) & \text{für } B_\mu^0 \subset \tau_\Lambda(w), \\ 0 & \text{sonst.} \end{cases}$$

Für endlich dimensionale $\mathfrak{g}$-Moduln E folgt aus 4.6 (1) und der Invarianz von $\operatorname{ch} E$ unter W für alle $\mu \in \Lambda$:

$$(3) \qquad \chi_w(\mu) \cdot \operatorname{ch} E = \sum_{\nu \in P(R)} (\dim E^\nu) \chi_w(\mu + \nu)$$

Für alle $\mu, \mu' \in \Lambda^+$ mit $B_\mu^0 \subset \tau_\Lambda(w)$ zeigt dies

$$(4) \qquad \operatorname{ch}(L(w \cdot \mu') \otimes E)_\mu = \sum_{\substack{\nu \in P(R), \\ \mu' + \nu \in W_\Lambda \cdot \mu}} (\dim E^\nu) \chi_w(\mu' + \nu),$$

also

$$(5) \qquad \operatorname{ch}(L(w \cdot \mu') \otimes E)_\mu \in \sum_{w' \in W_\Lambda} \mathbf{Z} \chi_w(w' \cdot \mu).$$

Wir wollen umgekehrt zeigen, daß es zu jedem $\mu \in \Lambda^+$ ein $\lambda \in \Lambda^{++}$ gibt, so daß für alle $w' \in W_\Lambda$

$$(6) \qquad \chi_w(w' \cdot \mu) \in \sum_E \mathbf{Z} \operatorname{ch}(L(w \cdot \lambda) \otimes E)_\mu$$

gilt, wobei über alle endlich dimensionalen $\mathfrak{g}$-Moduln E summiert wird. Dazu wählen wir $\lambda \in \Lambda^{++}$ so, daß $\lambda - w' \cdot \mu \in P(R)^{++}$ für alle $w' \in W_\Lambda$ ist. Wir benutzen Induktion über $w' \cdot \mu$ von oben; für ein gegebenes w' nimmt man $E = L(\lambda - w' \cdot \mu)^*$. Dann hat $\operatorname{ch}(L(w \cdot \lambda) \otimes E)_\mu$ die Gestalt $\chi_w(w' \cdot \mu) + \sum_{w'' \cdot \mu > w' \cdot \mu} c_{w''} \chi_w(w'' \cdot \mu)$ mit geeigneten $c_{w''} \in \mathbf{N}$. Nun erhält man (6) induktiv.

Nach 4.12 (8) gilt

(7) $$a_\Lambda(w, w') = -a_\Lambda(w, w' s_\alpha) \quad \text{für } \alpha \in B_\Lambda \setminus \tau_\Lambda(w),$$

also

(8) $$\chi_w(s_\alpha \cdot \mu) = -\chi_w(\mu) \quad \text{für alle } \mu \in \Lambda \text{ und } \alpha \in B_\Lambda \setminus \tau_\Lambda(w).$$

Ist $\alpha \in \tau_\Lambda(w)$, so wählen wir ein $\mu \in \Lambda^+$ mit $B_\mu^0 = \{\alpha\}$. Für alle $\lambda \in \Lambda^{++}$ gilt nun

(9) $$\operatorname{ch} T_\mu^\lambda L(w \cdot \mu) = \chi_w(\lambda) + \chi_w(s_\alpha \cdot \lambda).$$

Aus 4.13 (5), (3′) und (6) folgt, daß es $b_{w'} \in \mathbf{N}$ mit $b_{w'} = 0$ für $\alpha \in \tau_\Lambda(w')$ gibt, so daß

(10) $$\chi_w(s_\alpha \cdot \lambda) = \operatorname{ch} L(w \cdot \lambda) + \operatorname{ch} L(w s_\alpha \cdot \lambda) + \sum_{w' < w} b_{w'} \operatorname{ch} L(w' \cdot \lambda)$$

gilt. Aus dieser Gleichung folgt für alle $\mu \in \Lambda$

(11) $$\chi_w(s_\alpha \cdot \mu) = \chi_w(\mu) + \chi_{w s_\alpha}(\mu) + \sum_{w' < w} b_{w'} \chi_{w'}(\mu).$$

Insbesondere gilt stets

(12) $$\chi_w(s_\alpha \cdot \mu) - \chi_w(\mu) \in \sum_{\alpha \notin \tau_\Lambda(w')} \mathbf{Z} \chi_{w'}(\mu)$$

für alle $\mu \in \Lambda$ und $w \in W_\Lambda$. Sind $c_w \in \mathbf{Z}$ für alle $w \in W_\Lambda$ gegeben, so ist für ein $\lambda \in \Lambda^{++}$ die Gleichung

$$\sum_{w \in W_\Lambda} c_w \chi_w(s_\alpha \cdot \lambda) = -\sum_{w \in W_\Lambda} c_w \chi_w(\lambda)$$

zu $c_w = 0$ für alle w mit $\alpha \in \tau_\Lambda(w)$ äquivalent.

4.15 Es sei weiterhin $\Lambda \in \mathfrak{h}^*/P(R)$. Wir wählen nun $\alpha, \beta \in B_\Lambda$, so daß diese in R_Λ ein Teilsystem vom Typ A_2 erzeugen. (Mit anderen Worten: es gelte $\langle \alpha, \beta^\vee \rangle = \langle \beta, \alpha^\vee \rangle = -1$.) Weiter sei $w \in W_\Lambda$ mit $\{\alpha, \beta\} \cap \tau_\Lambda(w) = \emptyset$. Das Diagramm auf Seite 51 beschreibt dann die Bruhat-Ordnung für ein vollständiges Intervall von W_Λ. Dabei gilt jeweils $l_\Lambda(w_2) = l_\Lambda(w_1) + 1$, wenn w_2 und w_1 durch

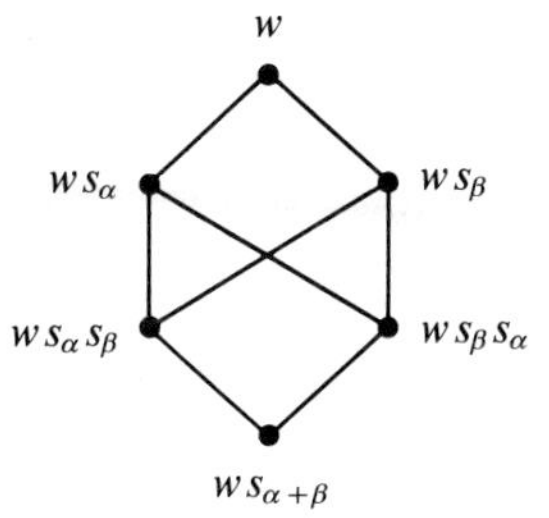

einen Strich verbunden sind und w_1 höher als w_2 steht. Wir können nun die $a_\Lambda(w_1, w_2)$ für alle w_1, w_2 in diesem Intervall angeben. Da $a_\Lambda(w', w')=1$ für alle $w' \in W_\Lambda$ ist, beschränken wir uns auf den Fall $w_1 \neq w_2$. Nach 4.13 (10) gilt

$$a_\Lambda(w_1, w_2) = -1 \quad \text{für } l_\Lambda(w_2) = l_\Lambda(w_1)+1$$

und w_1, w_2 im Intervall. Aus 4.12 (8) folgt nun

$$a_\Lambda(w_1, w_2) = 1 \quad \text{für } l_\Lambda(w_2) = l_\Lambda(w_1)+2$$

und

$$a_\Lambda(w_1, w_2) = -1 \quad \text{für } l_\Lambda(w_2) = l_\Lambda(w_1)+3.$$

Für alle anderen Paare w_1, w_2 im Intervall gilt $w_2 \not\leq w_1$, also $a_\Lambda(w_1, w_2)=0$ nach 4.13 (7).

Es gibt nun natürliche Zahlen $b_{w'}, b'_{w'} \in \mathbf{N}$, so daß für alle $\lambda \in \Lambda$ gilt:

(1) $$\chi_{ws_\alpha s_\beta}(s_\beta \cdot \lambda) = \chi_{ws_\alpha}(\lambda) + \chi_{ws_\alpha s_\beta}(\lambda) + \sum_{w'} b_{w'} \chi_{w'}(\lambda)$$

und

(2) $$\chi_{ws_\alpha}(s_\alpha \cdot \lambda) = \chi_w(\lambda) + \chi_{ws_\alpha}(\lambda) + \chi_{ws_\alpha s_\beta}(\lambda) + \sum_{w'} b'_{w'} \chi_{w'}(\lambda),$$

wobei über alle $w' \in W_\Lambda$ mit $w' \notin w\,W_{\{\alpha,\beta\}}$ summiert wird. Es gilt hier $b_{w'}=0$ für $\beta \in \tau_\Lambda(w')$ und $b'_{w'}=0$ für $\alpha \in \tau_\Lambda(w')$. (Dies folgt alles aus 4.14 (11) und aus der expliziten Kenntnis der $a_\Lambda(w_1, w_2)$ für w_1, w_2 im Intervall $w\,W_{\{\alpha,\beta\}}$.) Wir behaupten, daß wir die letzte Aussage noch verschärfen können, daß nämlich gilt:

(3) *Aus* $b_{w'} \neq 0$ *oder* $b'_{w'} \neq 0$ *folgt* $\{\alpha, \beta\} \cap \tau_\Lambda(w') = \emptyset$.

Für den etwas längeren Beweis von (3) führen wir einige Notationen ein: Wir setzen $D(\alpha) = \{w' \in W_\Lambda \mid \alpha \in \tau_\Lambda(w')\}$ und definieren analog $D(\beta)$; weiter sei

$$D(\alpha, \beta) = D(\alpha) \setminus D(\beta) = \{w' \in W_\Lambda \mid \alpha \in \tau_\Lambda(w'), \beta \notin \tau_\Lambda(w')\}$$

und

$$D(\beta, \alpha) = D(\beta) \setminus D(\alpha) = \{w' \in W_\Lambda \mid \alpha \notin \tau_\Lambda(w'), \beta \in \tau_\Lambda(w')\}.$$

Zunächst wissen wir, daß es eindeutig bestimmte ganze Zahlen $c_{w'} \in \mathbf{Z}$ für alle $w' \in W_\Lambda$ mit

$$(4) \qquad \chi_{w s_\alpha s_\beta}(s_\beta s_\alpha \cdot \lambda) = \sum_{w' \in W_\Lambda} c_{w'} \chi_{w'}(\lambda)$$

für zunächst alle $\lambda \in \Lambda^{++}$, aber dann auch für alle $\lambda \in \Lambda$ gibt. Nach 4.14(8) gilt für alle $\lambda \in \Lambda$

$$(5) \qquad \chi_{w s_\alpha s_\beta}(s_\beta s_\alpha s_\beta \cdot \lambda) = \chi_{w s_\alpha s_\beta}(s_\alpha s_\beta s_\alpha \cdot \lambda) = -\chi_{w s_\alpha s_\beta}(s_\beta s_\alpha \cdot \lambda).$$

Wendet man nun (4) auf $s_\beta \cdot \lambda$ an, so folgt

$$\sum_{w' \in W_\Lambda} c_{w'} \chi_{w'}(s_\beta \cdot \lambda) = -\sum_{w' \in W_\Lambda} c_{w'} \chi_{w'}(\lambda)$$

für alle $\lambda \in \Lambda$. Die Bemerkung am Schluß von 4.14 impliziert nun $c_{w'} = 0$ für $w' \in D(\alpha)$.

Nach (1) gilt

$$\chi_{w s_\alpha s_\beta}(s_\beta s_\alpha \cdot \lambda) = \chi_{w s_\alpha}(s_\alpha \cdot \lambda) + \chi_{w s_\alpha s_\beta}(s_\alpha \cdot \lambda) + \sum_{\substack{w' \notin D(\beta), \\ w' \neq w s_\alpha}} b_{w'} \chi_{w'}(s_\alpha \cdot \lambda)$$

Aus (2) und 4.14(8) folgt

$$\chi_{w s_\alpha s_\beta}(s_\beta s_\alpha \cdot \lambda) = \chi_{w s_\alpha}(\lambda) + \chi_{w s_\alpha s_\beta}(\lambda) + \sum_{\substack{w' \notin D(\alpha), \\ w' \neq w s_\alpha s_\beta}} b'_{w'} \chi_{w'}(\lambda)$$

$$-\chi_{w s_\alpha s_\beta}(\lambda) + \sum_{\substack{w' \in D(\alpha, \beta) \\ w' \neq w s_\alpha}} b_{w'}\Big(\chi_{w'}(\lambda) + \sum_{w'' \notin D(\alpha)} c_{w', w''} \chi_{w''}(\lambda)\Big)$$

$$-\sum_{w' \notin D(\alpha) \cup D(\beta)} b_{w'} \chi_{w'}(\lambda)$$

mit geeigneten $c_{w', w''} \in \mathbf{N}$. Aus dieser Gleichung können wir Formeln für die $c_{w'}$ in (4) erhalten; wie wir oben sahen, sind diese gleich 0 für $w' \in D(\alpha)$. Daher folgt für alle $w' \in D(\beta, \alpha)$:

$$(6) \qquad b'_{w'} + \sum_{w'' \in D(\alpha, \beta)} b_{w''} c_{w'', w'} = 0.$$

Dies zeigt zunächst $b'_{w'} = 0$ für alle $w' \in D(\beta, \alpha)$. Gibt es ein $w'' \in D(\alpha, \beta)$ mit $b_{w''} \neq 0$, so gibt es zu diesem w'' ein $w' \in D(\beta, \alpha)$ mit $c_{w'', w'} \neq 0$. (Jedes solche w'' ist von der Form $w_1 s_\alpha$ oder $w_1 s_\beta s_\alpha$ für ein $w_1 \notin D(\alpha) \cup D(\beta)$. Für $w'' = w_1 s_\alpha$ folgt die Existenz eines solchen w' aus (2), das wir auf w_1 statt w anwenden, und für $w'' = w s_\beta s_\alpha$ aus (2), das wir auf w_1 statt w anwenden und wo wir α und β vertauschen.) Aus $b_{w''} \neq 0$ und $c_{w'', w'} \neq 0$ erhalten wir aber einen Widerspruch zu (6). Daher gilt $b_{w''} = 0$ für alle $w'' \in D(\alpha, \beta)$. Damit ist (3) bewiesen.

Wählt man nun $\lambda \in \Lambda^{++}$ und $\mu, \mu' \in \Lambda^+$ mit $B_\mu^0 = \{\alpha\}$ sowie $B_{\mu'}^0 = \{\beta\}$, so folgt aus (1) bis (3) und 4.14(9):

(7) $[T_{\mu'}^{\lambda} L(w s_\alpha s_\beta \cdot \mu') : L(w s_\alpha \cdot \lambda)] = 1$.

(8) $[T_{\mu}^{\lambda} L(w s_\alpha \cdot \mu) : L(w s_\alpha s_\beta \cdot \lambda)] = 1$.

(9) *Aus* $[T_{\mu'}^{\lambda} L(w s_\alpha s_\beta \cdot \mu') : L(w' \cdot \lambda)] \neq 0$ *und* $w' \in D(\alpha)$ *folgt* $w' = w s_\alpha$.

(10) *Aus* $[T_{\mu}^{\lambda} L(w s_\alpha \cdot \mu) : L(w' \cdot \lambda)] \neq 0$ *und* $w' \in D(\beta)$ *folgt* $w' = w s_\alpha s_\beta$.

4.16 Es seien $\Lambda \in \mathfrak{h}^*/P(R)$ und $\alpha \in B_\Lambda$. Symmetrisch zu 4.12 (7), (8) gilt für alle $\lambda \in \Lambda^{++}$ und $w, w' \in W_\Lambda$:

(1) $[M(w \cdot \lambda) : L(w' \cdot \lambda)] = [M(s_\alpha w \cdot \lambda) : L(w' \cdot \lambda)]$ für $\alpha \in \tau_\Lambda(w'^{-1})$,

(2) $(L(w' \cdot \lambda) : M(w \cdot \lambda)) = -(L(w' \cdot \lambda) : M(s_\alpha w \cdot \lambda))$ für $\alpha \notin \tau_\Lambda(w'^{-1})$.

Bemerkung. Für $\alpha \in B$ lassen sich diese Formeln leicht beweisen, vgl. [MHG], 1.19. Im allgemeinen Fall finden sich (1) und (2) in [MHG], 5.19 als Folgerungen aus einem allgemeinen Satz, zu dessen Beweis eine Kenntnis aller Multiplizitäten in $M(\mu)$ für R_μ vom Rang 2 benötigt wird. Diese Multiplizitäten erhält man für R_μ vom Typ $A_1 \times A_1$ aus 4.13 (12), für R_μ vom Typ A_2 aus 4.15. Für R_μ vom Typ B_2 dagegen werden in [MHG] Eigenschaften primitiver Ideale und der Gel'fand-Kirillov-Dimension benutzt, die hier erst in späteren Kapiteln entwickelt werden.

Einen anderen Beweis von (1) und (2) findet man in [Bernštein/Gel'fand], 4.5 (5). Leicht verändert geben wir diesen Beweis hier in 6.28. Man überzeugt sich leicht, daß die Kapitel 5 und 6 unabhängig von diesen Formeln sowie von den Folgerungen daraus in 4.17 und 4.18 sind.

4.17 Es seien weiterhin $\Lambda \in \mathfrak{h}^*/P(R)$ und $\alpha \in B_\Lambda$. Ein Modul M in $\mathcal{O}_\Lambda$ soll *α-endlich* (bzw. *α-frei*) heißen, wenn alle Kompositionsfaktoren von M die Gestalt $L(\mu)$ mit $\langle \mu + \rho, \alpha^\vee \rangle > 0$ (bzw. mit $\langle \mu + \rho, \alpha^\vee \rangle \leqslant 0$) haben. Für $\lambda \in \Lambda^{++}$ ist ein $L(w \cdot \lambda)$ mit $w \in W_\Lambda$ genau dann α-endlich (bzw. α-frei), wenn $\alpha \notin \tau_\Lambda(w^{-1})$ (bzw. $\alpha \in \tau_\Lambda(w^{-1})$) gilt.

Offensichtlich ist mit M auch jeder Untermodul und jedes homomorphe Bild von M wieder α-endlich (bzw. α-frei). Da $\phi(M) \cap \operatorname{soc} M' \neq 0$ und $\phi(\operatorname{rad} M) \subsetneqq \phi(M)$ für jeden Homomorphismus $\phi: M \to M'$ ungleich 0 von $\mathfrak{g}$-Moduln endlicher Länge gilt, folgt $\operatorname{Hom}_{\mathfrak{g}}(M, M') = 0$ für alle Moduln M, M' in $\mathcal{O}_\Lambda$, die eine der folgenden Bedingungen erfüllen:

(1) *M ist α-endlich, und* $\operatorname{soc} M'$ *ist α-frei,*

(2) *M ist α-frei, und* $\operatorname{soc} M'$ *ist α-endlich,*

(3) $M/\operatorname{rad} M$ *ist α-endlich, und M' ist α-frei,*

(4) $M/\operatorname{rad} M$ *ist α-frei, und M' ist α-endlich.*

Es sei $\mu \in \Lambda$ mit $\langle \mu + \rho, \alpha^\vee \rangle > 0$. Dann gibt es genau ein $w \in W_\Lambda$, so daß $\mu \in \hat{F}_{w \cdot \lambda}$ für alle $\lambda \in \Lambda^{++}$ gilt. Wir wählen ein $\lambda \in \Lambda^{++}$ fest; nach Definition von $\hat{F}_{w \cdot \lambda}$ muß $\langle w(\lambda + \rho), \alpha^\vee \rangle > 0$, also $\alpha \notin \tau_\Lambda(w^{-1})$ sein. Nach 4.16 (2) ist $\operatorname{ch} L(w \cdot \lambda)$ eine Linearkombination der $\operatorname{ch} M(w' \cdot \lambda) - \operatorname{ch} M(s_\alpha w' \cdot \lambda)$ mit $w' \in W_\Lambda$.

Aus 4.12 (5) folgt nun, daß $\operatorname{ch} L(\mu)$ eine Linearkombination der $\operatorname{ch} M(w' \cdot \mu) - \operatorname{ch} M(s_\alpha w' \cdot \mu)$ mit $w' \in W_\Lambda$ ist. Damit haben wir eine Richtung gezeigt von: Für einen Modul M in $\mathcal{O}_\Lambda$ gilt

(5) $\quad M$ *α-endlich* $\Leftrightarrow \operatorname{ch} M \in \sum_{\mu \in \Lambda} \mathbf{Z}(\operatorname{ch} M(\mu) - \operatorname{ch} M(s_\alpha \cdot \mu))$

Um auch die Umkehrung zu erhalten, muß man für alle $\mu, \mu' \in \Lambda$ mit $\langle \mu' + \rho, \alpha^\vee \rangle \leqslant 0$ die Gleichung $[M(\mu) : L(\mu')] = [M(s_\alpha \cdot \mu) : L(\mu')]$ beweisen. Für $\mu' \in W_\Lambda \cdot (\Lambda^{++})$ folgt dies aus 4.16 (1), für beliebige μ' dann aus 4.12 (4).

Aus 4.6 (1) und der W-Invarianz von $\operatorname{ch}(E)$ folgt für alle endlich dimensionalen $\mathfrak{g}$-Moduln E, daß $\sum_{\mu \in \Lambda} \mathbf{Z}(\operatorname{ch} M(\mu) - \operatorname{ch} M(s_\alpha \cdot \mu))$ bei der Multiplikation mit $\operatorname{ch}(E)$ in sich abgebildet wird. Angesichts von (5) bedeutet dies für alle M in $\mathcal{O}_\Lambda$:

(6) $\quad M$ *α-endlich* $\Rightarrow M \otimes E$ *α-endlich.*

4.18 Es seien $\Lambda \in \mathfrak{h}^*/P(R)$ und $S \subset B_\Lambda$. Aus 2.9 folgt

(1) $\quad \{w \in W_\Lambda \mid w \leqslant w_S w_\Lambda\} = \{w_1 w_\Lambda \mid w_1 \in W_S\}.$

Für alle $w_1 \in W_S$ gilt

$$\begin{aligned}\tau_\Lambda((w_1 w_\Lambda)^{-1}) &= \{\alpha \in B_\Lambda \mid w_\Lambda w_1^{-1}(\alpha) < 0\} = \{\alpha \in B_\Lambda \mid w_1^{-1}(\alpha) > 0\} \\ &= (B_\Lambda \setminus S) \cup \{\alpha \in S \mid w_1^{-1}(\alpha) > 0\}.\end{aligned}$$

Insbesondere sehen wir

(2) $\quad S \cap \tau_\Lambda((w_1 w_\Lambda)^{-1}) \neq \emptyset$ *für alle* $w_1 \in W_S$ *mit* $w_1 \neq w_S$.

Aus 4.13 (9) folgt $M(s_\alpha w_S w_\Lambda \cdot \lambda) \subset M(w_S w_\Lambda \cdot \lambda)$ für alle $\lambda \in \Lambda^{++}$ und $\alpha \in S$.

Satz. *Für alle* $\lambda \in \Lambda^{++}$ *gilt*

$$\operatorname{rad} M(w_S w_\Lambda \cdot \lambda) = \sum_{\alpha \in S} M(s_\alpha w_S w_\Lambda \cdot \lambda).$$

Beweis. Wir kürzen die rechte Seite mit M ab. Für alle $\alpha \in S$ ist $M(w_S w_\Lambda \cdot \lambda)/M$ ein homomorphes Bild von $M(w_S w_\Lambda \cdot \lambda)/M(s_\alpha w_S w_\Lambda \cdot \lambda)$, also α-endlich nach 4.17 (5). Für alle Kompositionsfaktoren $L(w \cdot \lambda)$ mit $w \in W_\Lambda$ von $M(w_S w_\Lambda \cdot \lambda)/M$ gilt daher $S \cap \tau_\Lambda(w^{-1}) = \emptyset$; nach 4.13 (8) muß außerdem $w \leqslant w_S w_\Lambda$ sein. Wegen (1) muß w die Form $w = w_1 w_\Lambda$ mit $w_1 \in W_S$ haben, und wegen (2) muß $w_1 = w_S$ sein. Daraus folgt nun $M(w_S w_\Lambda \cdot \lambda)/M \simeq L(w_S w_\Lambda \cdot \lambda)$, also die Behauptung.

Bemerkung. Der Satz liefert eine exakte Sequenz

$$\bigoplus_{\alpha \in S} M(s_\alpha w_S w_\Lambda \cdot \lambda) \to M(w_S w_\Lambda \cdot \lambda) \to L(w_S w_\Lambda \cdot \lambda) \to 0.$$

Wie in [Gabber/Joseph 1], 2.6 gezeigt wird, kann man diese Sequenz zu einer endlichen Auflösung von $L(w_S w_\Lambda \cdot \lambda)$ durch direkte Summen von Verma-Moduln fortsetzen.

Anhang

4A.1 Die Resultate in 4.1–4.6 und 4.12/13 werden auch schon in [DIX] oder [MHG] dargestellt. Dort finden sich vollständige Beweise, und die wichtigsten Originalarbeiten werden angegeben. Im einzelnen kann man wie folgt verweisen:

zu 4.1 auf [DIX], 7.1/2 (auch [MHG], 1.4/5),
zu 4.2 auf [DIX], 7.6.1 und [MHG], 1.7/8,
zu 4.3 auf [MHG], 1.10,
zu 4.4 auf [MHG], 1.13,
zu 4.5 auf [DIX], 7.5 oder [MHG], 1.11/12,
zu 4.6 auf [DIX], 7.6.14 oder [MHG], 2.2/3,
zu 4.12 auf [MHG], 2.10–2.16,
zu 4.13 auf [DIX], 7.6 und [MHG], 2.17, 2.10, 2.23.

Die Formel 4.13(10) wird in [MHG], 5.4 bewiesen; hier haben wir einen schneller zugänglichen Beweis gegeben. In 4.14 werden vorangegangene Resultate in die Sprache der „kohärenten Fortsetzung" (für die Kategorie $\mathcal{O}$) übersetzt. (Vgl. [Speh/Vogan], 5.5 für den ursprünglichen Fall der Harish-Chandra-Moduln.)

4A.2 Die Definition der Kategorie $\mathcal{O}$ in 4.3 und alle Aussagen über $\mathcal{O}$ in 4.7–4.10 (insbesondere die Beschreibung der projektiven Moduln in $\mathcal{O}$) gehen auf [Bernštein/Gel'fand/Gel'fand 3] zurück.

4A.3 Das Lemma 4.11 ist ein Spezialfall von [Gabber/Joseph 1], Lemma 4.2. Es besagt, daß $\mathrm{Ext}^i_{\mathcal{O}}(M, {}'M(\mu)) = 0$ für alle $i > 0$ und $\mu \in \mathfrak{h}^*$ sowie alle p-filtrierbaren M in $\mathcal{O}$ gilt. Der Beweis benutzt die in der Bemerkung zu 4.11 genannten Gleichungen, von denen die erste aus [Delorme] stammt.

In [Delorme] wird die Kategorie aller $(\mathfrak{g}, \mathfrak{h})$-Moduln betrachtet; sie besteht aus den $\mathfrak{g}$-Moduln M, die 4.3(a) erfüllen. Als erstes zeigt Delorme (a.a.O., Thm. 1), daß für alle M, M' in $\mathcal{O}$ gilt:

(1) $$\mathrm{Ext}^i_{\mathcal{O}}(M, M') \simeq \mathrm{Ext}^i_{(\mathfrak{g}, \mathfrak{h})}(M, M') \quad \text{für alle } i \in \mathbf{N},$$

wobei rechts die Erweiterungsgruppen in der Kategorie aller $(\mathfrak{g}, \mathfrak{h})$-Moduln gemeint sind. Dann beweist er (a.a.O., Thm. 2).

(2) $\operatorname{Ext}^i_{\mathcal{O}}(M(\lambda), M) \simeq H^i(\mathfrak{n}^+, M)^\lambda$

für alle $\lambda \in \mathfrak{h}^*$ und M in $\mathcal{O}$ sowie $i \in \mathbb{N}$, wobei wir rechts $\mathfrak{h}$ in natürlicher Weise auf $H^i(\mathfrak{n}^+, M)$ operieren lassen. Neben einigen Verschwindungssätzen (a.a.O., Thm. 4/5) erhält er noch die Formel

(3) $(M: M(\lambda)) = \sum_{i \geq 0} (-1)^i \dim \operatorname{Ext}^i_{\mathcal{O}}(M(\lambda), M)$

für alle M in $\mathcal{O}$ und $\lambda \in \mathfrak{h}^*$. Die Vermutung in 16.3(2) von Kazhdan und Lusztig läßt sich so verfeinern, daß dort $\dim \operatorname{Ext}^i_{\mathcal{O}}(M(w \cdot \lambda), L(x \cdot \lambda))$ bis aufs Vorzeichen ein geeigneter Koeffizient von $P_{w_\Lambda w, w_\Lambda x}$ ist (vgl. [Vogan 5], 3.4).

4A.4 Die ersten Ergebnisse in 4.15 finden sich auch in [MHG], Bemerkung 2 zu 2.23 und 3.7. Die Formel 4.15(3) stammt aus [Vogan 3], Thm. 3.2.a und ist von einem ähnlichen Resultat für Harish-Chandra-Moduln in [Vogan 2], 4.14 inspiriert.

Man kann ähnliche Ergebnisse wie in 4.15 auch für andere $\alpha, \beta \in B_\Lambda$ beweisen. Wir wollen hier den Fall betrachten, daß α, β ein Teilsystem von Typ B_2 in R_Λ erzeugen. Es sei wieder $w \in W_\Lambda$ mit $\{\alpha, \beta\} \cap \tau_\Lambda(w) = \emptyset$. Für alle $w_1, w_2 \in W_{\{\alpha, \beta\}}$ gilt nun

$$w w_1 < w w_2 \Leftrightarrow l_\Lambda(w_1) > l_\Lambda(w_2)$$

und, ist dies erfüllt, $a_\Lambda(w w_2, w w_1) = \det(w_1 w_2)$, vgl. [MHG], 3.16.

Es seien $D(\alpha)$, $D(\beta)$, $D(\alpha, \beta)$ und $D(\beta, \alpha)$ analog wie in 4.15 definiert, und es seien $\lambda \in \Lambda^{++}$ sowie $\mu, \mu' \in \Lambda^+$ mit $B^0_\mu = \{\alpha\}$ und $B^0_{\mu'} = \{\beta\}$ gewählt. Dann gilt (vgl. [MHG], 3.7):

$$[T^\lambda_\mu L(w s_\alpha s_\beta s_\alpha \cdot \mu): L(w s_\alpha s_\beta \cdot \lambda)] = 1,$$

$$[T^\lambda_{\mu'} L(w s_\alpha s_\beta \cdot \mu'): L(w s_\alpha \cdot \lambda)] = [T^\lambda_{\mu'} L(w s_\alpha s_\beta \cdot \mu'): L(w s_\alpha s_\beta s_\alpha \cdot \lambda)] = 1,$$

$$[T^\lambda_\mu L(w s_\alpha \cdot \mu): L(w s_\alpha s_\beta \cdot \lambda)] = 1.$$

Ferner ist $L(w s_\alpha s_\beta \cdot \lambda)$ der einzige Kompositionsfaktor $L(w' \cdot \lambda)$ von $T^\lambda_\mu L(w s_\alpha s_\beta s_\alpha \cdot \mu)$ oder $T^\lambda_\mu L(w s_\alpha \cdot \mu)$ mit $w' \in D(\beta)$, und $L(w s_\alpha \cdot \lambda)$ sowie $L(w s_\alpha s_\beta s_\alpha \cdot \lambda)$ sind die einzigen Kompositionsfaktoren $L(w' \cdot \lambda)$ von $T^\lambda_{\mu'} L(w s_\alpha w_\beta \cdot \mu')$ mit $w' \in D(\alpha)$, vgl. [Vogan 3], Thm. 3.2.b.

4A.5 In 4.17 folgen wir Ideen von [Joseph 23]; allerdings heißt dort ein M schon α-frei, wenn in unseren Konventionen sein Sockel α-frei ist.

4A.6 Satz 4.18 ist in [Gabber/Joseph 1], 2.6 enthalten. Für $S = B = B_\Lambda$ ist die entsprechende Aussage wohlbekannt und einfach zu beweisen, vgl. [DIX], 7.2.5. Daraus erhält man leicht die entsprechende Aussage für $S \subset B$, wie man in [Conze-Berline/Duflo], 3.4 und 4.8 sieht.

Die genauere Aussage in [Gabber/Joseph 1], 2.6 ist: Es gibt eine exakte Sequenz

(1) $0 \to C_0 \to C_1 \to \ldots \to C_r \to L(w_S w_\Lambda \cdot \lambda) \to 0$

von $\mathfrak{g}$-Moduln, wobei stets C_j die direkte Summe der $M(ww_\Lambda\cdot\lambda)$ mit $w\in W_S$ und $l_\Lambda(w)=j$ ist sowie $r=l_\Lambda(w_S)$ gilt. Im Fall $S=B$ war eine solche exakte Sequenz zuerst in [Bernštein/Gel'fand/Gel'fand 2] konstruiert worden; dieses wurde in [Lepowsky] auf den Fall $S\subset B$ ausgedehnt. Man vergleiche auch [Rocha-Caridi].

Entscheidend für die Konstruktion von (1) bei Gabber und Joseph ist die Formel (a.a.O., 2.2)

(2) $$\mathrm{Ext}^j_{\mathcal{O}}(M(w\cdot\lambda), L(w'\cdot\lambda))\simeq \mathrm{Ext}^{j+1}_{\mathcal{O}}(M(ws_\alpha\cdot\lambda), L(w'\cdot\lambda))$$

für alle $j\in\mathbf{N}$ und $\alpha\in B_\Lambda$ sowie $w, w'\in W_\Lambda$ mit $w's_\alpha<w'$ und $ws_\alpha<w$. Sie wird ähnlich wie 4.12(8) bewiesen und enthält diese Formel nach 4A.3(3) als Spezialfall. Ähnlich wie 4.13(11) aus 4.12(8) folgt, erhält man aus (2)

(3) $$\dim H_j(\mathfrak{n}^-, L(w_S w_\Lambda\cdot\lambda))^{ww_\Lambda\cdot\lambda}=\begin{cases}1 & \text{für } w\in W_S \text{ und } j=l_\Lambda(w_S)-l_\Lambda(w),\\ 0 & \text{sonst}.\end{cases}$$

Für $S=B$ ist dies der Satz von Bott, der zum Beispiel in [Bernštein/Gel'fand/Gel'fand 2] eine Folgerung aus (1) ist, während Gabber und Joseph den umgekehrten Weg gehen.

Kapitel 5. Annullatoren einfacher Moduln mit einem höchsten Gewicht

Nachdem wir im letzten Kapitel die einfachen $\mathfrak{g}$-Moduln $L(\lambda)$ eingeführt haben, betrachten wir nun deren Annullatoren in $U(\mathfrak{g})$. Dies sind primitive Ideale von $U(\mathfrak{g})$, und für algebraisch abgeschlossenes k werden wir später (7.4) sehen, daß wir so alle primitiven Ideale von $U(\mathfrak{g})$ erhalten. Wir suchen hier nach Bedingungen für die Gleichheit von und die Inklusion zwischen den Annullatoren zweier solcher $L(\lambda)$. Dazu betrachten wir einerseits Tensorprodukte mit endlich dimensionalen Darstellungen, andererseits beschreiben wir eine Methode von Joseph, mit der man von halbeinfachen Unteralgebren von $\mathfrak{g}$ zu $\mathfrak{g}$ selber aufsteigen kann.

Für jeden $\mathfrak{g}$-Modul M schreiben wir von nun an kurz $\operatorname{Ann} M$ für $\operatorname{Ann}_{U(\mathfrak{g})} M$.

5.1 Für alle $\lambda \in \mathfrak{h}^*$ setzen wir

(1) $\quad I(\lambda) = \operatorname{Ann} L(\lambda)$

und

(2) $\quad \mathscr{X}_\lambda = \{I(w \cdot \lambda) \mid w \in W_\lambda\}.$

Jedes $I(\lambda)$ ist ein primitives Ideal von $U(\mathfrak{g})$; für alle $I \in \mathscr{X}_\lambda$ gilt $I \cap Z(\mathfrak{g}) = \operatorname{Kern} \chi_\lambda$. (In 7.4 werden wir sehen, daß $\mathscr{X}_\lambda$ die Menge aller primitiver Ideale von $U(\mathfrak{g})$ mit $I \cap Z(\mathfrak{g}) = \operatorname{Kern} \chi_\lambda$ ist.) Offensichtlich gilt $\mathscr{X}_\lambda = \mathscr{X}_{w \cdot \lambda}$ für alle $w \in W_\lambda$. (Daß dies auch für alle $w \in W$ richtig ist, folgt aus der oben genannten Beschreibung von $\mathscr{X}_\lambda$, wird aber schon in 5.16 gezeigt.)

Für alle $\lambda \in \mathfrak{h}^*$ gilt nach Duflo (vgl. [DIX], 8.4.3)

(3) $\quad \operatorname{Ann} M(\lambda) = U(\mathfrak{g}) \operatorname{Kern} \chi_\lambda .$

Nun kann man ein $w \in W_\lambda$ finden, für das $M(w \cdot \lambda)$ einfach ist. Dann folgt

$$I(w \cdot \lambda) = \operatorname{Ann} M(w \cdot \lambda) = U(\mathfrak{g}) \operatorname{Kern} \chi_{w \cdot \lambda} = U(\mathfrak{g}) \operatorname{Kern} \chi_\lambda = \operatorname{Ann} M(\lambda).$$

Daher ist $U(\mathfrak{g}) \operatorname{Kern} \chi_\lambda$ für alle $\lambda \in \mathfrak{h}^*$ ein Element von $\mathscr{X}_\lambda$. Wegen $I \cap Z(\mathfrak{g}) = \operatorname{Kern} \chi_\lambda$ für alle $I \in \mathscr{X}_\lambda$ gilt $I \supset U(\mathfrak{g}) \operatorname{Kern} \chi_\lambda$ für alle solchen I, also ist $U(\mathfrak{g}) \operatorname{Kern} \chi_\lambda$ das kleinste Element von $\mathscr{X}_\lambda$. Wir bezeichnen es auch mit $I_\lambda^{\min}$:

(4) $\quad I_\lambda^{\min} = U(\mathfrak{g}) \operatorname{Kern} \chi_\lambda \in \mathscr{X}_\lambda .$

5.2 Für jeden Modul M in $\mathcal{O}$ haben wir in 4.10 den Modul ${}^t M$ definiert. Nach Konstruktion gilt offensichtlich $\operatorname{Ann}({}^t M) \supset {}^t(\operatorname{Ann} M)$, also auch

$$\operatorname{Ann}{}^t({}^t M) \supset {}^t(\operatorname{Ann}({}^t M)) \supset {}^t({}^t(\operatorname{Ann} M)) = \operatorname{Ann} M.$$

Da ${}^t({}^t M)$ nach 4.10 (2) zu M isomorph ist, folgt

(1) $\operatorname{Ann}({}^t M) = {}^t(\operatorname{Ann} M)$ *für alle* M *in* $\mathcal{O}$.

Aus (1) und 4.10 (3) erhalten wir noch für alle $\lambda \in \mathfrak{h}^*$

(2) *Für alle* $I \in \mathscr{X}_\lambda$ *gilt* ${}^t I = I$.

5.3 In 4.4 (3) haben wir für jeden $\mathfrak{g}$-Modul M und jedes $\lambda \in \mathfrak{h}^*$ den Untermodul $\operatorname{pr}_\lambda M$ von M definiert. Es sei nun M ein $\mathfrak{g}$-Modul endlicher Länge und es gebe $\lambda = \lambda_0, \lambda_1, \ldots, \lambda_r \in \mathfrak{h}^*$ mit $W \cdot \lambda_i \neq W \cdot \lambda_j$ für $i \neq j$, so daß $Z(\mathfrak{g})$ auf jedem Kompositionsfaktor von M durch eines der χ_{λ_i} mit $0 \leqslant i \leqslant r$ operiert. Wie in 4.4 (4) folgt nun

$$M = \bigoplus_{i=0}^{r} \operatorname{pr}_{\lambda_i} M.$$

Lemma. *Es sei* $l \in \mathbf{N}$ *größer oder gleich der Länge von* M. *Dann gilt*

$$\operatorname{Ann} \operatorname{pr}_\lambda M = \{u \in U(\mathfrak{g}) \mid \textit{Für alle } z \in Z(g) \textit{ ist } u \prod_{i=1}^{r} (z - \chi_{\lambda_i}(z)\,1)^l \in \operatorname{Ann} M\}.$$

Beweis. Wir bezeichnen die Menge rechts mit A. Für alle $z \in Z(\mathfrak{g})$ annulliert $z - \chi_{\lambda_i}(z)\,1$ jeden Kompositionsfaktor von $\operatorname{pr}_{\lambda_i} M$, also $(z - \chi_{\lambda_i}(z)\,1)^l$ ganz $\operatorname{pr}_{\lambda_i} M$, weil l größer oder gleich der Länge von $\operatorname{pr}_{\lambda_i} M$ ist (vgl. 1.12). Da für jedes $u \in U(\mathfrak{g})$ und $z \in Z(\mathfrak{g})$ alle Faktoren im Produkt $u \prod_{i=1}^{r} (z - \chi_{\lambda_i}(z)\,1)^l$ kommutieren, ist nun klar, daß für $u \in \operatorname{Ann} \operatorname{pr}_\lambda M$ dieses Produkt ganz M annulliert, also $u \in A$ gilt.

Um die Umkehrung zu erhalten, wollen wir ein $z \in Z(\mathfrak{g})$ finden, für das $\prod_{i=1}^{r} (z - \chi_{\lambda_i}(z)\,1)^l$ bijektiv auf $\operatorname{pr}_\lambda M$ operiert. Da k unendlich ist, gibt es ein $z \in Z(\mathfrak{g})$ mit $\chi_\lambda(z) \neq \chi_{\lambda_i}(z)$ für $1 \leqslant i \leqslant r$. Da $z - \chi_\lambda(z)\,1$ nilpotent auf $\operatorname{pr}_\lambda M$ operiert, läßt sich nun

$$z - \chi_{\lambda_i}(z)\,1 = (\chi_\lambda(z) - \chi_{\lambda_i}(z))\,1 + (z - \chi_\lambda(z)\,1)$$

für $1 \leqslant i \leqslant r$ auf $\operatorname{pr}_\lambda M$ invertieren. Daraus folgt die Behauptung.

5.4 Für alle $\lambda \in \mathfrak{h}^*$ setzen wir

$$\hat{\mathscr{X}}_\lambda = \{\operatorname{Ann} M \mid M \text{ ein } \mathfrak{g}\text{-Modul in } \mathcal{O}_\lambda\}.$$

Lemma. *Es seien* $\Lambda \in \mathfrak{h}^*/P(R)$ *und* $\lambda, \mu \in \Lambda^+$. *Dann gibt es eine Abbildung* $T_\lambda^\mu: \hat{\mathscr{X}}_\lambda \to \hat{\mathscr{X}}_\mu$ *mit*

(1) $$T_\lambda^\mu(\operatorname{Ann} M) = \operatorname{Ann}(T_\lambda^\mu M)$$

für alle M *in* $\mathscr{O}_\lambda$. *Für alle* $I_1, I_2 \in \hat{\mathscr{X}}_\lambda$ *mit* $I_1 \subset I_2$ *gilt* $T_\lambda^\mu I_1 \subset T_\lambda^\mu I_2$.

Beweis. In 4.12 wurde $T_\lambda^\mu: \mathscr{O}_\lambda \to \mathscr{O}_\mu$ durch $T_\lambda^\mu M = (M \otimes E)_\mu = \operatorname{pr}_\mu(M \otimes E)$ für alle M in $\mathscr{O}_\lambda$ definiert. Dabei ist E der einfache, endlich dimensionale $\mathfrak{g}$-Modul mit höchstem Gewicht in $W(\mu - \lambda)$. Wir möchten nun eine Abbildung $T_\lambda^\mu: \hat{\mathscr{X}}_\lambda \to \hat{\mathscr{X}}_\mu$ durch (1) definieren und müssen dazu zeigen, daß $\operatorname{Ann}(T_\lambda^\mu M)$ nur von $\operatorname{Ann} M$ abhängt. Dies und auch die letzte Behauptung des Lemmas erhalten wir, wenn wir für alle M_1, M_2 in $\mathscr{O}_\lambda$ zeigen:

(2) $$\operatorname{Ann} M_1 \subset \operatorname{Ann} M_2 \Rightarrow \operatorname{Ann} \operatorname{pr}_\mu(M_1 \otimes E) \subset \operatorname{Ann} \operatorname{pr}_\mu(M_2 \otimes E).$$

Nun wird $M_i \otimes E$ dadurch zu einem $U(\mathfrak{g})$-Modul, daß man zunächst $U(\mathfrak{g}) \otimes U(\mathfrak{g})$ wie üblich auf dem Tensorprodukt $M_i \otimes E$ operieren läßt und dann die Einbettung $c: U(\mathfrak{g}) \to U(\mathfrak{g}) \otimes U(\mathfrak{g})$ mit $c(x) = x \otimes 1 + 1 \otimes x$ für alle $x \in \mathfrak{g}$ benutzt. So sieht man

$$\operatorname{Ann}(M_i \otimes E) = c^{-1}(\operatorname{Ann} M_i \otimes U(\mathfrak{g}) + U(\mathfrak{g}) \otimes \operatorname{Ann} E);$$

daraus folgt aber sofort:

(3) $$\operatorname{Ann} M_1 \subset \operatorname{Ann} M_2 \Rightarrow \operatorname{Ann}(M_1 \otimes E) \subset \operatorname{Ann}(M_2 \otimes E).$$

Nun erhalten wir (2) und damit das Lemma, wenn wir (3) und Lemma 5.3 kombinieren.

Bemerkung. Offensichtlich läßt sich dieses Lemma auf andere Kategorien von $\mathfrak{g}$-Moduln erweitern, die unter Tensorprodukten mit endlich dimensionalen $\mathfrak{g}$-Moduln abgeschlossen sind, in denen alle Moduln endliche Länge haben und wo $Z(\mathfrak{g})$ auf jedem einfachen Modul durch ein χ_λ operiert.

5.5 Es seien weiter $\Lambda \in \mathfrak{h}^*/P(R)$ und $\lambda, \mu \in \Lambda^+$. Für alle $I, I' \in \hat{\mathscr{X}}_\lambda$ gilt

(1) $$T_\lambda^\mu(I \cap I') = (T_\lambda^\mu I) \cap (T_\lambda^\mu I').$$

Ist nämlich $I = \operatorname{Ann} M$ und $I' = \operatorname{Ann} M'$ für geeignete M, M' in $\mathscr{O}_\lambda$, so folgt $I \cap I' = \operatorname{Ann}(M \oplus M')$ und $T_\lambda^\mu(M \oplus M') = (T_\lambda^\mu M) \oplus (T_\lambda^\mu M')$, also (1).

Es sei M ein Modul in $\mathscr{O}_\lambda$. Sind $L(w_1 \cdot \mu), \ldots, L(w_r \cdot \mu)$ mit $w_i \in w_\Lambda$ die Kompositionsfaktoren von $T_\lambda^\mu M$, so gilt nach 1.12

(2) $$\sqrt{T_\lambda^\mu(\operatorname{Ann} M)} = \bigcap_{i=1}^{r} I(w_i \cdot \mu).$$

Sind $L(w'_1 \cdot \lambda), \ldots, L(w'_s \cdot \lambda)$ die Kompositionsfaktoren von M, so hat $T^\mu_\lambda M$ wegen der Exaktheit von T^μ_λ eine Filtrierung, deren Faktoren zu den $T^\mu_\lambda L(w'_i \cdot \lambda)$ isomorph ist. Wieder mit 1.12 erhält man

(3) $$\sqrt{T^\mu_\lambda(\operatorname{Ann} M)} = \sqrt{T^\mu_\lambda(\sqrt{\operatorname{Ann} M})}.$$

5.6 Lemma. *Es seien $\Lambda \in \mathfrak{h}^*/P(R)$, $\lambda \in \Lambda^{++}$ und $\mu \in \Lambda^+$.*

a) *Für alle $w \in W_\Lambda$ gilt* $T^\mu_\lambda I(w \cdot \lambda) = \begin{cases} I(w \cdot \mu) & \text{für } B^0_\mu \subset \tau_\Lambda(w), \\ U(\mathfrak{g}) & \text{sonst.} \end{cases}$

b) *Für alle $w \in W_\Lambda$ mit $B^0_\mu \subset \tau_\Lambda(w)$ gibt es $I_1, I_2, \ldots, I_r \in \mathscr{X}_\lambda$ mit $T^\mu_\lambda I_j = U(\mathfrak{g})$ für $1 \leqslant j \leqslant r$ und mit*

$$\sqrt{T^\lambda_\mu I(w \cdot \mu)} = I(w \cdot \lambda) \cap I_1 \cap I_2 \cap \ldots \cap I_r.$$

Beweis. Wegen 5.4 (1) und 5.5 (2) folgen die Behauptungen aus 4.12 (3) und 4.13 (3), (4).

5.7 Satz. *Es seien $\Lambda \in \mathfrak{h}^*/P(R)$ und $\lambda \in \Lambda^{++}$. Dann gibt es eine surjektive Abbildung τ_Λ von $\mathscr{X}_\lambda$ auf die Potenzmenge von B_Λ mit $\tau_\Lambda(I(w \cdot \lambda)) = \tau_\Lambda(w)$ für alle $w \in W_\Lambda$. Für $I, I' \in \mathscr{X}_\lambda$ mit $I \subset I'$ gilt $\tau_\Lambda(I) \supset \tau_\Lambda(I')$. Es ist $\# \mathscr{X}_\lambda \geqslant 2^{\# B_\Lambda}$.*

Beweis. Wir wählen für alle $\alpha \in B_\Lambda$ ein $\mu_\alpha \in \Lambda^+$ mit $B^0_{\mu_\alpha} = \{\alpha\}$. Aus Lemma 5.6.a folgt für alle $w \in W_\Lambda$:

(1) $$\tau_\Lambda(w) = \{\alpha \in B_\Lambda \mid T^{\mu_\alpha}_\lambda I(w \cdot \lambda) \neq U(\mathfrak{g})\}.$$

Da die rechte Seite hier nur vom Ideal $I(w \cdot \lambda)$ abhängt, ist durch $\tau_\Lambda(I(w \cdot \lambda)) = \tau_\Lambda(w)$ eine Abbildung auf $\mathscr{X}_\lambda$ wohldefiniert. Wegen $\tau_\Lambda(w_S) = S$ für alle $S \subset B_\Lambda$ ist sie offensichtlich surjektiv. Die Abschätzung $\# \mathscr{X}_\lambda \geqslant 2^{\# B_\Lambda}$ ist dann klar.

Für $I, I' \in \mathscr{X}_\lambda$ mit $I \subset I'$ gilt $T^{\mu_\alpha}_\lambda I \subset T^{\mu_\alpha}_\lambda I'$ nach Lemma 5.4 für alle $\alpha \in B_\Lambda$. Aus $T^{\mu_\alpha}_\lambda I = U(\mathfrak{g})$ folgt also $T^{\mu_\alpha}_\lambda I' = U(\mathfrak{g})$. Nach (1) bedeutet dies $\tau_\Lambda(I) \supset \tau_\Lambda(I')$.

Bemerkung. Das einzige Element $w \in W_\Lambda$ mit $\tau_\Lambda(w) = B_\Lambda$ ist $w = w_\Lambda$. Wegen $L(w_\Lambda \cdot \lambda) = M(w_\Lambda \cdot \lambda)$, also $I(w_\Lambda \cdot \lambda) = I^{\min}_\lambda$ ist deshalb $I^{\min}_\lambda$ das einzige Element von $\mathscr{X}_\lambda$ mit $\tau_\Lambda(I^{\min}_\lambda) = B_\Lambda$. Für alle $w \in W_\Lambda$ mit $w \neq w_\Lambda$ gilt $I^{\min}_\lambda \subsetneqq I(w \cdot \lambda)$.

5.8 Satz. *Es seien $\Lambda \in h^*/P(R)$, $\lambda \in \Lambda^{++}$ und $\mu \in \Lambda^+$. Dann induziert die Abbildung $I \mapsto T^\mu_\lambda I$ einen Isomorphismus geordneter Mengen:*

$$\{I \in \mathscr{X}_\lambda \mid B^0_\mu \subset \tau_\Lambda(I)\} \xrightarrow{\sim} \mathscr{X}_\mu.$$

Beweis. Wegen

$$\mathscr{X}_\mu = \{I(w \cdot \mu) \mid w \in W_\Lambda, B^0_\mu \subset \tau_\Lambda(w)\}$$

(vgl. 2.7) induziert T_λ^μ nach Lemma 5.6 und nach der Definition von τ_Λ in Satz 5.7 eine surjektive Abbildung zwischen den beiden genannten Mengen. Nach 5.4 ist diese Abbildung mit der Inklusion verträglich.

Um den Satz zu beweisen, müssen wir nun $w, w' \in W_\Lambda$ mit $B_\mu^0 \subset \tau_\Lambda(w) \cap \tau_\Lambda(w')$ und

$$I(w\cdot\mu) = T_\lambda^\mu \mathrm{I}(w\cdot\lambda) \subset T_\lambda^\mu I(w'\cdot\lambda) = I(w'\cdot\mu)$$

hernehmen und die Inklusion $I(w\cdot\lambda) \subset I(w'\cdot\lambda)$ beweisen. Zunächst können wir mit 5.4 schließen, daß $T_\mu^\lambda I(w\cdot\mu) \subset T_\mu^\lambda I(w'\cdot\mu)$ gilt, also auch

$$\text{(1)} \qquad \sqrt{T_\mu^\lambda I(w\cdot\mu)} \subset \sqrt{T_\mu^\lambda I(w'\cdot\mu)}\,.$$

Nach Lemma 5.6.b gibt es $I_1, \ldots, I_r \in \mathscr{X}_\lambda$ mit

$$\text{(2)} \qquad \sqrt{T_\mu^\lambda I(w\cdot\mu)} = I(w\cdot\lambda) \cap I_1 \cap \ldots \cap I_r$$

und $T_\lambda^\mu I_j = U(\mathfrak{g})$ für $1 \leqslant j \leqslant r$. Außerdem gilt danach

$$\sqrt{T_\mu^\lambda I(w'\cdot\mu)} \subset I(w'\cdot\lambda),$$

nach (1) und (2) also auch

$$\text{(3)} \qquad I(w'\cdot\lambda) \supset I(w\cdot\lambda) \cap I_1 \cap \ldots \cap I_r\,.$$

Wegen $I(w'\cdot\mu) = T_\lambda^\mu I(w'\cdot\lambda) \subsetneqq U(\mathfrak{g}) = T_\lambda^\mu I_j$ gilt $I(w'\cdot\lambda) \not\supset I_j$ für $1 \leqslant j \leqslant r$. Da $I(w'\cdot\lambda)$ primitiv, also insbesondere prim ist, folgt nun $I(w'\cdot\lambda) \supset I(w\cdot\lambda)$ aus (3).

Bemerkung. Man kann offensichtlich eine Abbildung τ_Λ von $\mathscr{X}_\mu$ in die Potenzmenge von B_Λ durch $\tau_\Lambda(T_\lambda^\mu I) = \tau_\Lambda(I)$ für alle $I \in \mathscr{X}_\lambda$ mit $T_\lambda^\mu \neq U(\mathfrak{g})$ definieren. Das Bild besteht aus allen Teilmengen von B_Λ, die B_μ^0 umfassen.

5.9 Es sei weiterhin $\Lambda \in \mathfrak{h}^*/P(R)$. Wir betrachten $\alpha, \beta \in B_\Lambda$ mit $\langle \alpha, \beta^\vee \rangle = \langle \beta, \alpha^\vee \rangle = -1$. Wie in 4.15 setzen wir

$$D(\alpha, \beta) = \{ w \in W_\Lambda \mid \alpha \in \tau_\Lambda(w), \beta \notin \tau_\Lambda(w) \}$$

und

$$D(\beta, \alpha) = \{ w \in W_\Lambda \mid \alpha \notin \tau_\Lambda(w), \beta \in \tau_\Lambda(w) \}.$$

Wir wählen nun $\lambda \in \Lambda^{++}$ und $\mu, \mu' \in \Lambda^+$ mit $B_\mu^0 = \{\alpha\}$ und $B_{\mu'}^0 = \{\beta\}$. Nach 4.15 (7)–(10) gibt es zu jedem $w_1 \in D(\alpha, \beta)$ (bzw. jedem $w_2 \in D(\beta, \alpha)$) genau ein $w_1' \in D(\beta, \alpha)$ (bzw. genau ein $w_2' \in D(\alpha, \beta)$) mit $[T_\mu^\lambda T_\lambda^\mu L(w_1\cdot\lambda) : L(w_1'\cdot\lambda)] \neq 0$ (bzw. $[T_{\mu'}^\lambda T_\lambda^{\mu'} L(w_2\cdot\lambda) : L(w_2'\cdot\lambda)] \neq 0$). Wir schreiben dann $D_{\alpha\beta} w_1 = w_1'$ und $D_{\alpha\beta} w_2 = w_2'$; damit haben wir also Abbildungen $D_{\alpha\beta}\colon D(\beta, \alpha) \to D(\beta, \alpha)$ und $D_{\beta\alpha}\colon D(\beta, \alpha) \to D(\alpha, \beta)$ definiert. Aus 4.15 kann man explizite Formeln für $D_{\alpha\beta}$ erhalten: Ist $w \in W_\Lambda$ mit $\{\alpha, \beta\} \cap \tau_\Lambda(w) = \emptyset$, so gilt

(1) $D_{\alpha\beta}(w s_\alpha) = w s_\alpha s_\beta, \quad D_{\alpha\beta}(w s_\beta s_\alpha) = w s_\beta,$

(1′) $D_{\beta\alpha}(w s_\beta) = w s_\beta s_\alpha, \quad D_{\beta\alpha}(w s_\alpha s_\alpha) = w s_\alpha.$

Insbesondere sind $D_{\alpha\beta}$ und $D_{\beta\alpha}$ unabhängig von der speziellen Wahl von λ, μ, μ'. Außerdem folgt

(2) $D_{\alpha\beta} \circ D_{\beta\alpha} = \mathrm{id}_{D(\beta,\alpha)}, \; D_{\beta\alpha} \circ D_{\alpha\beta} = \mathrm{id}_{D(\alpha,\beta)}.$

Aus der Definition von $D_{\alpha\beta}$ folgt für alle $w_1 \in D(\alpha,\beta)$ und $w_2 \in D(\beta,\alpha)$:

(3) $T_\lambda^{\mu'} T_\mu^\lambda T_\lambda^\mu L(w_1 \cdot \lambda) \simeq L((D_{\alpha\beta} w_1) \cdot \mu'),$

(3′) $T_\lambda^\mu T_{\mu'}^\lambda T_\lambda^{\mu'} L(w_2 \cdot \lambda) \simeq L((D_{\beta\alpha} w_2) \cdot \mu).$

Satz. *Für alle $\lambda \in \Lambda^{++}$ gibt es einen Isomorphismus geordneter Mengen*

$$D_{\alpha\beta}: \{I \in \mathscr{X}_\lambda \mid \alpha \in \tau_\Lambda(I), \beta \notin \tau_\Lambda(I)\} \to \{I \in \mathscr{X}_\lambda \mid \alpha \notin \tau_\Lambda(I), \beta \in \tau_\Lambda(I)\}$$

mit $D_{\alpha\beta} I(w \cdot \lambda) = I((D_{\alpha\beta} w) \cdot \lambda)$ für alle $w \in D(\alpha,\beta)$.

Beweis. Wir wählen μ und μ' wie oben. Es seien $w, w' \in D(\alpha,\beta)$ mit $I(w \cdot \lambda) \subset I(w' \cdot \lambda)$. Weil die Abbildungen T_λ^μ, $T_\lambda^{\mu'}$ und T_μ^λ die Inklusionen erhalten, folgt nach (3)

$$I((D_{\alpha\beta} w) \cdot \mu') = T_\lambda^{\mu'} T_\mu^\lambda T_\lambda^\mu I(w \cdot \lambda) \subset T_\lambda^{\mu'} T_\mu^\lambda T_\lambda^\mu I(w' \cdot \lambda) = I((D_{\alpha\beta} w') \cdot \mu').$$

Wegen $\{\beta\} = B_{\mu'}^0 \subset \tau_\Lambda(D_{\alpha\beta} w) \cap \tau_\Lambda(D_{\alpha\beta} w')$ können wir nach Satz 5.8 schließen, daß

$$I((D_{\alpha\beta} w) \cdot \lambda) \subset I((D_{\alpha\beta} w') \cdot \lambda)$$

gilt. Dies zeigt, daß eine Abbildung durch $D_{\alpha\beta} I(w \cdot \lambda) = I((D_{\alpha\beta} w) \cdot \lambda)$ wohldefiniert ist und daß sie dann Inklusionen respektiert. Ebenso gibt es eine Abbildung $D_{\beta\alpha}$ in der umgekehrten Richtung mit $D_{\beta\alpha} I(w'' \cdot \lambda) = I((D_{\beta\alpha} w'') \cdot \lambda)$ für alle $w'' \in D(\beta,\alpha)$, die ebenfalls die Inklusion respektiert. Wegen (2) sind beide Abbildungen zueinander invers, also Isomorphismen geordneter Mengen.

5.10 Weil $L(\lambda)$ einfach ist, gilt für alle $\lambda \in \mathfrak{h}^*$:

$$\begin{aligned} I(\lambda) &= \{u \in U(\mathfrak{g}) \mid U(\mathfrak{g}) u m \subset \bigoplus_{\mu < \lambda} L(\lambda)^\mu \quad \text{für alle } m \in L(\lambda)\} \\ &= \{u \in U(\mathfrak{g}) \mid u_1 u u_2 \bar{v}_\lambda \in \bigoplus_{\mu < \lambda} L(\lambda)^\mu \quad \text{für alle } u_1, u_2 \in U(\mathfrak{g})\}. \end{aligned}$$

Ist $\phi: U(\mathfrak{g}) \to U(\mathfrak{h})$ wie in 3.4 die Projektion mit Kern $\mathfrak{n}^- U(\mathfrak{g}) + U(\mathfrak{g}) \mathfrak{n}^+$, so gilt

$$u \bar{v}_\lambda - \lambda(\phi(u)) \bar{v}_\lambda \in \bigoplus_{\mu < \lambda} L(\lambda)^\mu \quad \text{für alle } u \in U(\mathfrak{g}).$$

Daraus folgt

(1) $I(\lambda)=\{u\in U(\mathfrak{g})\,|\,\lambda(\phi(u_1 u u_2))=0 \quad \text{für alle } u_1, u_2\in U(\mathfrak{g})\}.$

Für jedes Ideal I von $U(\mathfrak{g})$ setzen wir

(2) $\mathscr{V}_0(I)=\{\lambda\in\mathfrak{h}^*\,|\,\lambda(\phi(I))=0\}.$

Nach (1) ist klar

(3) $\mathscr{V}_0(I)=\{\lambda\in\mathfrak{h}^*\,|\,I\subset I(\lambda)\}=\{\lambda\in\mathfrak{h}^*\,|\,I\,L(\lambda)=0\}.$

Offensichtlich ist für alle $\lambda\in\mathfrak{h}^*$ nun

(4) $\lambda\in\mathscr{V}_0(I(\lambda))\subset W\cdot\lambda\,;$

weiter zeigt man leicht

(5) $\mathscr{V}_0(I(\lambda))=W\cdot\lambda \Leftrightarrow \langle\lambda+\rho,\alpha^\vee\rangle\leqslant 0 \quad \text{für alle } \alpha\in R_\lambda\cap R^+.$

Gilt nämlich $\langle\lambda+\rho,\alpha^\vee\rangle\leqslant 0$ für alle $\alpha\in R_\lambda\cap R^+$, so ist $L(\lambda)=M(\lambda)$, also $I(\lambda)=I_\lambda^{\min}=U(\mathfrak{g})\,\mathrm{Kern}\,\chi_\lambda\subset I(w\cdot\lambda)$ für alle $w\in W$, mithin $W\cdot\lambda\subset\mathscr{V}_0(I(\lambda))$. Gilt umgekehrt $\mathscr{V}_0(I(\lambda))=W\cdot\lambda$, so muß $I(\lambda)\subset I_\lambda^{\min}$, also $I(\lambda)=I_\lambda^{\min}$ sein. Für $\lambda\in W_\lambda\cdot((\lambda+P(R))^{++})$ folgt $\langle\lambda+\rho,\alpha^\vee\rangle<0$ für alle $\alpha\in R_\lambda\cap R^+$ nun aus der Bemerkung zu 5.7; im allgemeinen Fall benutzt man Satz 5.8.

Da jedes $I(\lambda)$ ein Primideal von $U(\mathfrak{g})$ ist, gilt für Ideale $I_1, I_2,\ldots, I_r$ von $U(\mathfrak{g})$ eine Inklusion $I(\lambda)\supset I_1\cap I_2\cap\ldots\cap I_r$ genau dann, wenn es ein j mit $I(\lambda)\supset I_j$ gibt. Aus (3) folgt also

(6) $\mathscr{V}_0(I_1\cap I_2\cap\ldots\cap I_r)=\mathscr{V}_0(I_1)\cup\mathscr{V}_0(I_2)\cup\ldots\cup\mathscr{V}_0(I_r).$

Ebenso ist $I(\lambda)\supset I$ für ein Ideal I von $U(\mathfrak{g})$ zu $I(\lambda)\supset\sqrt{I}$ äquivalent; daher gilt

(7) $\mathscr{V}_0(\sqrt{I})=\mathscr{V}_0(I).$

Schließlich ist die Gleichung

(8) $\mathscr{V}_0(I_1+I_2+\ldots+I_r)=\mathscr{V}_0(I_1)\cap\mathscr{V}_0(I_2)\cap\ldots\cap\mathscr{V}_0(I_r)$

für Ideale $I_1,\ldots, I_r$ von $U(\mathfrak{g})$ trivial.

5.11 Es sei $S\subset B$. Die Konstruktion der Moduln mit einem höchsten Gewicht läßt sich auch für die Lie-Algebra $\mathfrak{g}_S$ relativ ihrer Borel-Unteralgebra $\mathfrak{h}_S\oplus\mathfrak{n}_S$ durchführen. Insbesondere gibt es zu jedem $\lambda'\in\mathfrak{h}_S^*$ einen einfachen $\mathfrak{g}_S$-Modul $L^S(\lambda')$ mit höchstem Gewicht λ'. Dessen Annullator in $U(\mathfrak{g}_S)$ bezeichnen wir mit $I^S(\lambda')$.

Außerdem kann man zu jedem $\lambda \in \mathfrak{h}^*$ einen einfachen Modul $\hat{L}^S(\lambda)$ für die Lie-Algebra $\mathfrak{g}_S + \mathfrak{h} = \mathfrak{g}_S \oplus \mathfrak{h}'_S$ konstruieren (zu den Notationen vgl. 2.2): Man nimmt den $\mathfrak{g}_S$-Modul $L^S(\lambda|_{\mathfrak{h}_S})$ und läßt darauf noch jedes $h \in \mathfrak{h}'_S$ als Skalarmultiplikation mit $\lambda(h)$ operieren. Für den Annullator $\hat{I}^S(\lambda)$ von $\hat{L}^S(\lambda)$ in $U(\mathfrak{g}_S \oplus \mathfrak{h}'_S)$ gilt nun

(1) $$\hat{I}^S(\lambda) = I^S(\lambda|_{\mathfrak{h}_S}) \otimes U(\mathfrak{h}'_S) + U(\mathfrak{g}_S) \otimes \operatorname{Kern} \lambda|_{U(\mathfrak{h}'_S)}.$$

Für alle $\lambda, \mu \in \mathfrak{h}^*$ mit $\lambda|_{\mathfrak{h}'_S} = \mu|_{\mathfrak{h}'_S}$ folgt daraus

(2) $$\hat{I}^S(\lambda) \subset \hat{I}^S(\mu) \Leftrightarrow I^S(\lambda|_{\mathfrak{h}_S}) \subset I^S(\mu|_{\mathfrak{h}_S}).$$

5.12 Es sei weiter $S \subset B$. Aus dem Satz von Poincaré, Birkhoff und Witt folgt

$$U(\mathfrak{g}) = U(\mathfrak{g}_S + \mathfrak{h}) \oplus ({}'\mathfrak{m}_S\, U(\mathfrak{g}) + U(\mathfrak{g})\, \mathfrak{m}_S)$$

und

$$U(\mathfrak{g}_S + \mathfrak{h}) = U(\mathfrak{h}) \oplus ({}'\mathfrak{n}_S\, U(\mathfrak{g}_S + \mathfrak{h}) + U(\mathfrak{g}_S + \mathfrak{h})\, \mathfrak{n}_S).$$

Nun seien

$$\phi_S : U(\mathfrak{g}) \to U(\mathfrak{g}_S + \mathfrak{h}) \quad \text{und} \quad \phi^S : U(\mathfrak{g}_S + \mathfrak{h}) \to U(\mathfrak{h})$$

die Projektionen längs dieser Zerlegungen. Der Satz von Poincaré, Birkhoff und Witt zeigt auch $\phi^S \circ \phi_S = \phi$ mit ϕ wie in 3.4 und 5.10.

Ähnlich wie in 5.10 definieren wir für jedes Ideal I von $U(\mathfrak{g}_S + \mathfrak{h})$:

(1) $$\hat{\mathscr{V}}_0^S(I) = \{\lambda \in \mathfrak{h}^* \mid \lambda(\phi^S(I)) = 0\}.$$

Wie früher zeigt man

(2) $$\hat{\mathscr{V}}_0^S(I) = \{\lambda \in \mathfrak{h}^* \mid I \subset \hat{I}^S(\lambda)\}.$$

Für jedes Ideal J von $U(\mathfrak{g})$ ist $\phi_S(J)$ ein Ideal von $U(\mathfrak{g}_S + \mathfrak{h})$, weil $[\mathfrak{g}_S + \mathfrak{h}, {}'\mathfrak{m}_S] \subset {}'m_S$ und $[\mathfrak{g}_S + \mathfrak{h}, \mathfrak{m}_S] \subset \mathfrak{m}_S$ gilt. Wir können also $\hat{\mathscr{V}}_0^S(\phi_S(J))$ bilden; aus $\phi^S \circ \phi_S = \phi$ folgt:

(3) $$\hat{\mathscr{V}}_0^S(\phi_S(J)) = \mathscr{V}_0(J).$$

5.13 Satz. *Es sei* $S \subset B$. *Für alle* $\lambda, \mu \in \mathfrak{h}^*$ *mit* $\lambda|_{\mathfrak{h}'_S} = \mu|_{\mathfrak{h}'_S}$ *gilt:*

$$I^S(\lambda|_{\mathfrak{h}_S}) \subset I^S(\mu|_{\mathfrak{h}_S}) \Rightarrow I(\lambda) \subset I(\mu).$$

Beweis. Es gelte $I^S(\lambda|_{\mathfrak{h}_S}) \subset I^S(\mu|_{\mathfrak{h}_S})$. Aus 5.11 (2) folgt nun $\hat{I}^S(\lambda) \subset \hat{I}^S(\mu)$. Andererseits ist $\lambda \in \mathscr{V}_0(I(\lambda))$ trivial; wegen 5.12 (3) muß nun $\lambda \in \hat{\mathscr{V}}_0^S(\phi_S(I(\lambda))$ sein. Also erhalten wir

$$\phi_S(I(\lambda)) \subset \hat{I}^S(\lambda) \subset \hat{I}^S(\mu)$$

und daher $\mu \in \hat{\mathscr{V}}_0^S(\phi_S(I(\lambda)) = \mathscr{V}_0(I(\lambda))$, mithin $I(\lambda) \subset I(\mu)$.

5.14 Corollar. *Es seien $\alpha \in B$ und $\lambda \in \mathfrak{h}^*$.*
a) *Aus $\alpha \notin R_\lambda$ folgt $I(s_\alpha \cdot \lambda) = I(\lambda)$.*
b) *Aus $\alpha \in R_\lambda$ und $\langle \lambda + \rho, \alpha^\vee \rangle > 0$ folgt $I(s_\alpha \cdot \lambda) \subset I(\lambda)$.*

Beweis. Wir wollen Satz 5.13 auf $S = \{\alpha\}$ anwenden. Nun spielt ω_α für $\mathfrak{g}_S$ dieselbe Rolle wie ρ für $\mathfrak{g}$. Wegen $\langle \lambda + \rho, \alpha^\vee \rangle = \langle \lambda + \omega_\alpha, \alpha^\vee \rangle$ gilt $(s_\alpha \cdot \lambda)|_{\mathfrak{h}_S} = s_\alpha \cdot (\lambda|_{\mathfrak{h}_S})$, wobei rechts die um ω_α verschobene Operation von W_S auf $\mathfrak{h}_S^*$ gemeint ist. Mit Hilfe von Satz 5.13 können wir uns nun auf den Fall $B = \{\alpha\}$ beschränken. Unter den Voraussetzungen von a) gilt dann $R_\lambda = \emptyset = R_{s_\alpha \cdot \lambda}$, also

$$I(\lambda) = I_\lambda^{\min} = U(\mathfrak{g}) \operatorname{Kern} \chi_\lambda = U(\mathfrak{g}) \operatorname{Kern} \chi_{s_\alpha \cdot \lambda} = I_{s_\alpha \cdot \lambda}^{\min} = I(s_\alpha \cdot \lambda).$$

Bei b) dagegen sehen wir

$$I(s_\alpha \cdot \lambda) = I_\lambda^{\min} \subset I(\lambda).$$

5.15 Wir wollen die bisher bewiesenen Sätze anwenden, um $\mathscr{X}_\lambda$ für $\lambda \in P(R)$ in dem Fall zu beschreiben, daß R vom Typ A_2 ist. Wir setzen dann $B = \{\alpha, \beta\}$ und wollen zunächst $\lambda \in P(R)^{++}$ annehmen. Aus 5.14.b folgt

$$I(\lambda) \supset I(s_\alpha \cdot \lambda) \supset I(s_\beta s_\alpha \cdot \lambda) \supset I(s_{\alpha+\beta} \cdot \lambda)$$

und

$$I(\lambda) \supset I(s_\beta \cdot \lambda) \supset I(s_\alpha s_\beta \cdot \lambda) \supset I(s_{\alpha+\beta} \cdot \lambda).$$

Nun ist $D(\alpha, \beta) = \{s_\alpha, s_\beta s_\alpha\}$, und zwar gilt $D_{\alpha\beta} s_\alpha = s_\alpha s_\beta$ und $D_{\alpha\beta}(s_\beta s_\alpha) = s_\beta$. Aus Satz 5.9 folgt nun

$$I(s_\beta \cdot \lambda) = D_{\alpha\beta} I(s_\beta s_\alpha \cdot \lambda) \subset D_{\alpha\beta} I(s_\alpha \cdot \lambda) = I(s_\alpha s_\beta \cdot \lambda),$$

also

(1) $\qquad I(s_\beta \cdot \lambda) = I(s_\alpha s_\beta \cdot \lambda)$

und

(2) $\qquad I(s_\alpha \cdot \lambda) = I(s_\beta s_\alpha \cdot \lambda).$

Schreiben wir kurz $\tau = \tau_{P(R)}$, so gilt

$$\tau(I(\lambda)) = \emptyset, \quad \tau(I(s_\alpha \cdot \lambda)) = \{\alpha\}, \quad \tau(I(s_\beta \cdot \lambda)) = \{\beta\}, \quad \tau(I(s_{\alpha+\beta} \cdot \lambda)) = \{\alpha, \beta\}.$$

Daher sind alle diese Ideale verschieden, und nach Satz 5.7 kann es keine weiteren Inklusionen zwischen diesen Idealen geben, die wir nicht schon angegeben haben. Das Ordnungsdiagramm von $\mathscr{X}_\lambda$ hat also folgende Gestalt:

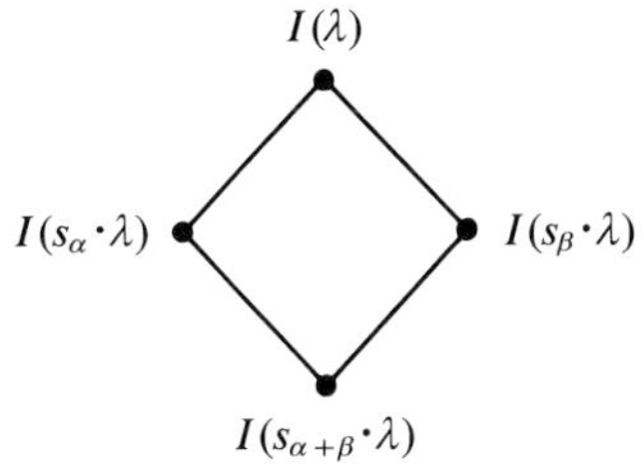

Für alle $\mu \in P(R)^{++}$ kann man $\mathscr{X}_\mu$ nun mit Hilfe von Satz 5.8 erhalten. Für $\# B_\mu^0 = 1$ bzw. $\# B_\mu^0 = 2$ bleibt als Ordnungsdiagramm:

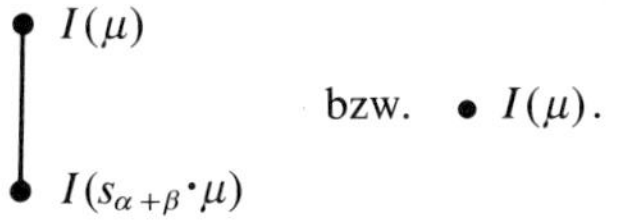

5.16 Es seien $w \in W$ und $w = s_{\alpha_1} s_{\alpha_2} \dots s_{\alpha_r}$ mit $\alpha_i \in B$ für $1 \leqslant i \leqslant r$ eine reduzierte Zerlegung von w. Setzt man nun $w_i = s_{\alpha_{i+1}} s_{\alpha_{i+2}} \dots s_{\alpha_r}$ für $0 \leqslant i \leqslant r$ (insbesondere $w_0 = w$ und $w_r = 1$) und $\beta_i = w_i^{-1}(\alpha_i)$ für $1 \leqslant i \leqslant r$, so sind $\beta_1, \beta_2, \dots, \beta_r$ paarweise verschieden und es gilt

$$\{\beta_1, \beta_2, \dots, \beta_r\} = \{\alpha \in R^+ \mid w(\alpha) < 0\} = N_{P(R)}(w).$$

(Dies folgt leicht aus 2.6 (2), vgl. [Bourbaki 3], ch. VI, § 1, cor. 2 de la prop. 17.)

Satz. *Es sei $\Lambda \in \mathfrak{h}^*/P(R)$. Für alle $\lambda \in \Lambda$ und $w \in W^\Lambda$ gilt $I(\lambda) = I(w \cdot \lambda)$.*

Beweis. Wir wählen eine reduzierte Zerlegung von w wie oben und übernehmen auch die übrigen Notationen von dort. Nach Definition von W^Λ (in 2.8) gilt $w(R^+ \cap R_\Lambda) \subset R^+$, also folgt $\beta_i \notin R_\Lambda$ für $1 \leqslant i \leqslant r$. Daher ist

$$\langle w_i(\lambda + \rho), \alpha_i^\vee \rangle = \langle \lambda + \rho, \beta_i^\vee \rangle$$

für $1 \leqslant i \leqslant r$ keine ganze Zahl. Nach Corollar 5.14.a muß nun

$$I(w_i \cdot \lambda) = I(s_{\alpha_i} \cdot (w_i \cdot \lambda)) = I(w_{i-1} \cdot \lambda)$$

gelten, also insgesamt

$$I(\lambda) = I(w_r \cdot \lambda) = I(w_0 \cdot \lambda) = I(w \cdot \lambda),$$

was zu beweisen war.

Bemerkung. Aus diesem Satz folgt $\mathscr{X}_\lambda = \{I(w \cdot \lambda) \mid w \in W\}$ und $\mathscr{X}_\lambda = \mathscr{X}_{w \cdot \lambda}$ für alle $w \in W$.

5.17 Lemma. *Es sei* $\Lambda \in \mathfrak{h}^*/P(R)$.

a) *Für alle* $\alpha \in B_\Lambda$ *gibt es ein* $w \in W^\Lambda$ *mit* $w(\alpha) \in B$.

b) *Für alle* $\alpha, \beta \in B_\Lambda$ *mit* $\langle \alpha, \beta^\vee \rangle < 0$, *die nicht zu einer Komponente von R vom Typ* G_2 *gehören, gibt es ein* $w \in W^\Lambda$ *mit* $w\{\alpha, \beta\} \subset B$.

Beweis. Man ergänze B_Λ zu einer Basis $(\alpha_1, \alpha_2, \ldots, \alpha_l)$ des Vektorraums $\mathbf{Q}B$, so daß $\alpha_1 = \alpha$ bzw. $\alpha_1 = \alpha, \alpha_2 = \beta$ gilt. Man betrachte nun die lexikographische Ordnung relativ der Basis $(\alpha_1, \alpha_2, \ldots, \alpha_l)$ auf $\mathbf{Q}B$; die dafür positiven Wurzeln bilden ein System R_1^+ positiver Wurzeln in R. Dieses ist unter W zu R^+ konjugiert, es gibt also ein $w \in W$ mit $w(R_1^+) = R^+$.

Nach Konstruktion gehört B_Λ zu R_1^+, also folgt $w(B_\Lambda) \subset R^+$ und $w \in W^\Lambda$. Weil außer α und $-\alpha$ kein Vielfaches von α zu R gehört, kann $\alpha = \alpha_1$ nicht zu $R_1^+ + R_1^+$ gehören, also $w(\alpha)$ nicht zu $R^+ + R^+$. Dies bedeutet $w(\alpha) \in B$. Gilt $\beta \in R_1^+ + R_1^+$ im Fall b), so muß schon $\beta \in (R_1^+ \cap (\mathbf{Q}\alpha + \mathbf{Q}\beta)) + (R_1^+ \cap (\mathbf{Q}\alpha + \mathbf{Q}\beta))$ sein. Nun ist $R \cap (\mathbf{Q}\alpha + \mathbf{Q}\beta)$ ein Wurzelsystem vom Rang 2; die Klassifikation solcher Wurzelsysteme zeigt, daß sie keine echten, unzerlegbaren Unterwurzelsysteme haben, außer wenn sie vom Typ G_2 sind. Da wir aber diesen Fall gerade ausgeschlossen haben und da $R_\Lambda \cap (\mathbf{Q}\alpha + \mathbf{Q}\beta)$ ein (wegen $\langle \alpha, \beta^\vee \rangle < 0$) unzerlegbares Unterwurzelsystem ist, folgt

$$R_\Lambda \cap (\mathbf{Q}\alpha + \mathbf{Q}\beta) = R \cap (\mathbf{Q}\alpha + \mathbf{Q}\beta).$$

Wegen $R_1^+ \cap R_\Lambda = R^+ \cap R_\Lambda$ gilt $R_1^+ \cap (\mathbf{Q}\alpha + \mathbf{Q}\beta) = (R_\Lambda \cap R^+) \cap (\mathbf{Q}\alpha + \mathbf{Q}\beta)$. Weil β einfach in R_Λ ist, kann β nun keine Summe von zwei Wurzeln aus $R_1^+ \cap (\mathbf{Q}\alpha + \mathbf{Q}\beta)$ sein. Wie oben gesehen folgt $\beta \notin R_1^+ + R_1^+$, also $w(\beta) \in B$.

5.18 Satz. *Es seien* $\Lambda \in \mathfrak{h}^*/P(R)$ *und* $\lambda \in \Lambda^{++}$.

a) *Für alle* $\alpha \in B_\Lambda$ *und* $w \in W_\Lambda$ *mit* $\alpha \notin \tau_\Lambda(w^{-1})$ *gilt* $I(s_\alpha w \cdot \lambda) \subset I(w \cdot \lambda)$.

b) *Für alle* $\alpha, \beta \in B_\Lambda$ *und* $w \in W_\Lambda$ *mit* $\langle \alpha, \beta^\vee \rangle = \langle \beta, \alpha^\vee \rangle = -1$ *und* $\{\alpha, \beta\} \cap \tau_\Lambda(w^{-1}) = \emptyset$ *gilt* $I(s_\alpha w \cdot \lambda) = I(s_\beta s_\alpha w \cdot \lambda)$ *und* $I(s_\beta w \cdot \lambda) = I(s_\alpha s_\beta w \cdot \lambda)$.

Beweis. a) Wir wählen ein $w_1 \in W^\Lambda$ mit $w_1(\alpha) \in B$; nach Lemma 5.17 ist dies möglich. Die Behauptung ist nach Satz 5.16 zu $I(w_1 s_\alpha w \cdot \lambda) \subset I(w_1 w \cdot \lambda)$, also zu

$$(1) \qquad I(s_{w_1(\alpha)}(w_1 w w_1^{-1}) \cdot (w_1 \cdot \lambda)) \subset I((w_1 w w_1^{-1}) \cdot (w_1 \cdot \lambda))$$

äquivalent. Nun ist $w_1 \cdot \lambda \in (w_1 \cdot \Lambda)^{++}$ wegen $w_1 \in W^\Lambda$; weiter gilt $w_1 w w_1^{-1} \in W_{w_1 \cdot \Lambda}$ und $w_1(\alpha) \notin \tau_{w_1 \cdot \Lambda}((w_1 w w_1^{-1})^{-1})$. Daher erfüllen $w_1(\alpha)$ und $w_1 w w_1^{-1}$ die Voraussetzungen in a) für $w_1 \cdot \Lambda$ und $w_1 \cdot \lambda$ statt Λ und λ. Außerdem gilt zusätzlich $w_1(\alpha) \in B$. Wir können uns daher auf den Fall $\alpha \in B$ beschränken. Dann folgt die Behauptung aber aus Corollar 5.14.b.

b) Wenn es ein $w_1 \in W^\Lambda$ mit $w_1\{\alpha, \beta\} \subset B$ gibt, können wir uns wie eben auf den Fall $\alpha, \beta \in B$ beschränken. Dann erhält man die Behauptung, indem man Satz 5.13 auf $S = \{\alpha, \beta\}$ anwendet und die Formeln 5.15 (1), (2) benutzt.

Gibt es kein solches w_1, so gehören α und β nach Lemma 5.16.b zu einer Komponente von R vom Typ G_2. Wendet man Satz 5.13 auf das $S \subset B$ mit $\mathbf{Q}S = \mathbf{Q}\alpha + \mathbf{Q}\beta$ an, so kann man sich auf den Fall beschränken, daß R vom

Typ G_2 ist. Dann ist R_Λ vom Typ A_2. Jetzt kann man wie in 5.15 argumentieren, wenn man den Hinweis auf 5.14.b durch einen auf den schon bewiesenen Teil a) dieses Satzes ersetzt.

Bemerkung. Wie schon im Beweis angedeutet, läßt sich die Beschreibung von $\mathscr{X}_\lambda$ in 5.15 nun auf den Fall ausdehnen, daß R_λ vom Typ A_2 ist.

5.19 Satz. *Es sei $\Lambda \in \mathfrak{h}^*/P(R)$. Für alle $\lambda \in \Lambda^{++}$ und $w, w' \in W_\Lambda$ gilt:*

$$\textit{Aus } N_\Lambda(w) \subset N_\Lambda(w') \textit{ folgt } I(w' \cdot \lambda) \subset I(w \cdot \lambda).$$

Beweis. Nach 2.6 (7) ist $N_\Lambda(w) \subset N_\Lambda(w')$ zu $l_\Lambda(w'w^{-1}) = l_\Lambda(w') - l_\Lambda(w)$ äquivalent. Wählt man nun eine reduzierte Zerlegung $w'w^{-1} = s_{\alpha_r} \dots s_{\alpha_2} s_{\alpha_1}$ mit $\alpha_1, \dots, \alpha_r \in B_\Lambda$, so folgt

$$l_\Lambda(s_{\alpha_i} \dots s_{\alpha_1} w) = l_\Lambda(s_{\alpha_{i-1}} \dots s_{\alpha_1} w) + 1$$

für $1 \leqslant i \leqslant r$, nach 2.6 (5) also $\alpha_i \notin \tau_\Lambda((s_{\alpha_{i-1}} \dots s_{\alpha_1} w)^{-1})$. Nach Satz 5.18.a gilt nun

$$I(s_{\alpha_i} \dots s_{\alpha_1} w \cdot \lambda) \subset I(s_{\alpha_{i-1}} \dots s_{\alpha_1} w \cdot \lambda)$$

für $1 \leqslant i \leqslant r$; daraus erhält man die Behauptung durch Induktion.

5.20 Es sei $\Lambda \in \mathfrak{h}^*/P(R)$. Für alle $S \subset B_\Lambda$ gilt:

(1) $$N_\Lambda(w_S) = (R_\Lambda \cap R^+) \cap \mathbf{N}S, \qquad \tau_\Lambda(w_S) = S$$

und

(2) $$N_\Lambda(w_\Lambda w_S) = (R_\Lambda \cap R^+) \setminus \mathbf{N}S, \qquad \tau_\Lambda(w_\Lambda w_S) = B_\Lambda \setminus S.$$

Corollar. *Für alle $\lambda \in \Lambda^{++}$ und $S \subset B_\Lambda$ gilt:*

(3) $$\{I \in \mathscr{X}_\lambda \mid I \subset I(w_S \cdot \lambda)\} = \{I \in \mathscr{X}_\lambda \mid \tau_\Lambda(I) \supset S\}$$

und

(4) $$\{I \in \mathscr{X}_\lambda \mid I \supset I(w_\Lambda w_S \cdot \lambda)\} = \{I \in \mathscr{X}_\lambda \mid \tau_\Lambda(I) \cap S = \emptyset\}.$$

Beweis. Für alle $w \in W_\Lambda$ hat man Äquivalenzen:

$$\begin{aligned} S \subset \tau_\Lambda(w) \Leftrightarrow S \subset N_\Lambda(w) &\Leftrightarrow \mathbf{N}S \cap (R_\Lambda \cap R^+) \subset N_\Lambda(w) \\ &\Leftrightarrow N_\Lambda(w_S) \subset N_\Lambda(w) \end{aligned}$$

und

$$\begin{aligned} S \cap \tau_\Lambda(w) = \emptyset \Leftrightarrow S \cap N_\Lambda(w) = \emptyset &\Leftrightarrow (\mathbf{N}S \cap (R_\Lambda \cap R^+)) \cap N_\Lambda(w) = \emptyset \\ &\Leftrightarrow N_\Lambda(w) \subset N_\Lambda(w_\Lambda w_S). \end{aligned}$$

Daraus und aus Satz 5.19 folgt nun, daß in (3) und (4) jeweils die Mengen rechts in denjenigen links enthalten sind. Die Umkehrung folgt aus Satz 5.7.

Bemerkung. Wendet man das Corollar auf $S=\emptyset$ an, so erhält man $I(w_\Lambda\cdot\lambda)\subset I\subset I(\lambda)$ für alle $I\in\mathscr{X}_\lambda$. Insbesondere sind $I(\lambda)$ das größte und $I(w_\Lambda\cdot\lambda)$ das kleinste Element von $\mathscr{X}_\lambda$. Die zweite Aussage ist schon nach 5.1 (5) klar.)

Es sei nun $\alpha\in B_\Lambda$. Für ein $I\in\mathscr{X}_\lambda$ mit $I(s_\alpha\cdot\lambda)\subset I$ (bzw. $I\subset I(w_\Lambda s_\alpha\cdot\lambda)$) folgt aus Satz 5.7, daß $\tau(I)\subset\{\alpha\}$ (bzw. $\tau(I)\supset B_\Lambda\setminus\{\alpha\}$) gilt. Für $\tau(I)=\{\alpha\}$ (bzw. $\tau(I)=B_\Lambda\setminus\{\alpha\}$) zeigt das Corollar nun $I=I(s_\alpha\cdot\lambda)$ (bzw. $I=I(w_\Lambda s_\alpha\cdot\lambda)$). Für $\tau(I)=\emptyset$ (bzw. $\tau(I)=B_\Lambda$) muß $I=I(\lambda)$ (bzw. $I=I(w_\Lambda\cdot\lambda)$) sein, weil $w=1$ (bzw. $w=w_\Lambda$) das einzige Element $w\in W_\Lambda$ mit $\tau_\Lambda(w)=\emptyset$ (bzw. $\tau_\Lambda(w)=B_\Lambda$) ist. Daher sind die $I(s_\alpha\cdot\lambda)$ (bzw. die $I(w_\Lambda s_\alpha\cdot\lambda)$) mit $\alpha\in B_\Lambda$ offensichtlich paarweise verschiedene maximale (bzw. minimale) Elemente von $\mathscr{X}_\lambda\setminus I(\lambda)$ (bzw. von $\mathscr{X}_\lambda\setminus I(w_\Lambda\cdot\lambda)$).

Ist umgekehrt $I\in\mathscr{X}_\lambda$ mit $I\neq I(\lambda)$ (bzw. $I\neq I(w_\Lambda\cdot\lambda)$), so gilt $\tau(I)\neq\emptyset$ (bzw. $\tau(I)\neq B_\Lambda$), es gibt also ein $\alpha\in B_\Lambda$ mit $\{\alpha\}\subset\tau(I)$ (bzw. $\tau(I)\subset B_\Lambda\setminus\{\alpha\}$), nach dem Corollar also mit $I\subset I(s_\alpha\cdot\lambda)$ (bzw. $I\supset I(w_\Lambda s_\alpha\cdot\lambda)$). Das zeigt:

(5) *Die maximalen Elemente von* $\mathscr{X}_\lambda\setminus I(\lambda)$ *sind die* $I(s_\alpha\cdot\lambda)$ *mit* $\alpha\in B_\Lambda$.

(6) *Die minimalen Elemente von* $\mathscr{X}_\lambda\setminus I(w_\Lambda\cdot\lambda)$ *sind die* $I(w_\Lambda s_\alpha\cdot\lambda)$ *mit* $\alpha\in B_\Lambda$.

Eine weitere unmittelbare Folgerung aus dem Corollar für alle $I\in\mathscr{X}_\lambda$ ist

(7) $\tau_\Lambda(I)=\{\alpha\in B_\Lambda\mid I\not\supset I(w_\Lambda s_\alpha\cdot\lambda)\}$.

5.21 Corollar. *Für alle* $\Lambda\in\mathfrak{h}^*/P(R)$ *und* $\mu\in\Lambda^+$ *ist* $I(\mu)$ *das größte Element von* $\mathscr{X}_\mu$.

Beweis. Wir wählen ein $\lambda\in\Lambda^{++}$. Mit $S=B_\mu^0$ gilt

$$I(\mu)=I(w_S\cdot\mu)=T_\lambda^\mu\, I(w_S\cdot\lambda)$$

nach 5.6.a. Die Behauptung folgt nun aus 5.20 (3) und 5.8.

5.22 Es sei $\Lambda\in\mathfrak{h}^*/P(R)$ mit R_Λ vom Typ A_{n-1}. Wir führen auf W_Λ zwei Äquivalenzrelationen $\underset{L}{\sim}$ und $\underset{R}{\sim}$ ein. Sind $\alpha,\beta\in B_\Lambda$ mit $\langle\alpha,\beta^\vee\rangle<0$ und ist $w\in W_\Lambda$ mit $\{\alpha,\beta\}\cap\tau_\Lambda(w^{-1})=\emptyset$ bzw. mit $\{\alpha,\beta\}\cap\tau_\Lambda(w)=\emptyset$, so soll $s_\alpha w\underset{L}{\sim}s_\beta s_\alpha w$ bzw. $ws_\alpha\underset{R}{\sim}ws_\alpha s_\beta$ gelten. Im allgemeinen sei $\underset{L}{\sim}$ bzw. $\underset{R}{\sim}$ die davon erzeugte Äquivalenzrelation. Dann gilt offensichtlich

(1) $w_1\underset{L}{\sim}w_2 \Leftrightarrow w_1^{-1}\underset{R}{\sim}w_2^{-1}$

für alle $w_1, w_2\in W_\Lambda$; außerdem ist $w_1\underset{R}{\sim}w_2$ dazu äquivalent, daß man w_1 in w_2 durch eine Folge von Operatoren $D_{\alpha\beta}$ wie in 5.9 überführen kann. Aus Satz 5.18.b folgt für $w, w'\in W_\Lambda$ und $\lambda\in\Lambda^{++}$

(2) $w\underset{L}{\sim}w' \Rightarrow I(w\cdot\lambda)=I(w'\cdot\lambda)$.

Wir wollen zeigen, daß in (2) die Umkehrung gilt. Dazu werden wir etwas Kombinatorik anwenden und müssen zunächst W_Λ mit der symmetrischen Gruppe S_n identifizieren.

Man kann das Wurzelsystem vom Typ A_{n-1} wie folgt beschreiben: Im $\mathbf{R}^n$ mit der kanonischen Basis $\varepsilon_1, \ldots, \varepsilon_n$ und dem kanonischen Skalarprodukt bilden die $\varepsilon_i - \varepsilon_j$ mit $1 \leqslant i, j \leqslant n$ und $i \neq j$ ein Wurzelsystem (vom Typ A_{n-1}) in einem Teilraum des $\mathbf{R}^n$ der Dimension $n-1$. Eine Basis des Wurzelsystems bilden dann $\alpha_1 = \varepsilon_1 - \varepsilon_2, \alpha_2 = \varepsilon_2 - \varepsilon_3, \ldots, \alpha_{n-1} = \varepsilon_{n-1} - \varepsilon_n$; die positiven Wurzeln sind die $\varepsilon_i - \varepsilon_j$ mit $1 \leqslant i < j \leqslant n$. Die symmetrische Gruppe S_n operiert durch $\sigma(\varepsilon_i) = \varepsilon_{\sigma(i)}$ für $1 \leqslant i \leqslant n$ und $\sigma \in S_n$ auf dem $\mathbf{R}^n$ und führt das Wurzelsystem in sich über. Auf diese Weise wird S_n mit der Weylgruppe des Wurzelsystems identifiziert, in unserem Fall oben also mit W_Λ. Für jede positive Wurzel $\varepsilon_i - \varepsilon_j$ mit $1 \leqslant i < j \leqslant n$ und jedes $\sigma \in S_n$ ist $\sigma(\varepsilon_i - \varepsilon_j) < 0$ zu $\sigma(i) > \sigma(j)$ äquivalent; bei der Identifikation von S_n mit W_Λ entspricht $\tau_\Lambda(\sigma)$ daher der Menge $\{1 \leqslant i < n \mid \sigma(i) > \sigma(i+1)\}$. Wir können nun auch die Äquivalenzrelationen $\underset{L}{\sim}$ und $\underset{R}{\sim}$ auf S_n übertragen.

5.23 Es sei n eine natürliche Zahl. Eine Partition von n ist eine Folge $\pi = (\pi_1 \geqslant \pi_2 \geqslant \ldots \geqslant \pi_r > 0)$ natürlicher Zahlen π_i mit $n = \pi_1 + \pi_2 + \ldots + \pi_r$; in der Regel setzen wir dann $\pi_i = 0$ für $i > r$.

Jeder solchen Partition π ordnet man ein Young-Diagramm vom Typ π zu: Es besteht aus n Kästen in r Zeilen, wobei die i-te Zeile gerade π_i Kästen enthält. Außerdem sollen die j-ten Kästen jeder Zeile jeweils übereinander in einer j-ten Spalte stehen (für $1 \leqslant j \leqslant \pi_1$). Im Fall $\pi = (3, 3, 2, 1)$ für $n = 9$ hat das Diagramm folgende Gestalt:

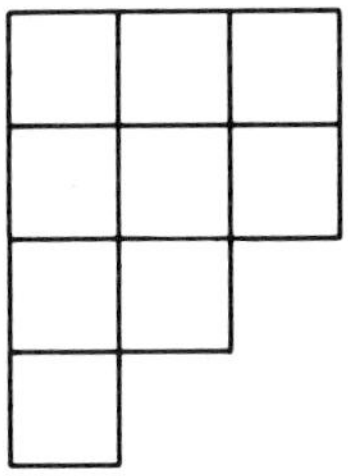

Füllen wir das Young-Diagramm vom Typ π mit ganzen Zahlen, in jeden Kasten eine, so nennen wir das Resultat ein Tableau von Typ π. Geschieht dies so, daß in jeder Zeile von links nach rechts und in jeder Spalte von oben nach unten die Zahlen streng monoton wachsen, so sagen wir, daß das Tableau fast ein Standardtableau ist. Sind darüber hinaus die eingetragenen Zahlen gerade $\{1, 2, \ldots, n\}$, so heißt das Tableau ein Standardtableau. Wir wollen die Menge aller Standardtableaus vom Typ π mit $\operatorname{St}(\pi)$ bezeichnen. Sind $l_1, l_2, \ldots, l_{\pi_1}$ die Längen der Spalten im Young-Diagramm vom Typ π, so gibt es genau ein $A_\pi \in \operatorname{St}(\pi)$, für das $1, 2, \ldots, l_1$ in der ersten Spalte, $l_1 + 1, l_1 + 2, \ldots, l_1 + l_2$ in der zweiten Spalte usw. enthalten sind.

Nach Robinson und Schensted ordnet man nun jeder Folge $\mathbf{a} = (a_1, a_2, \ldots, a_n)$ von n paarweise verschiedenen ganzen Zahlen eine Partition

$\pi(\mathbf{a})$ von n und zwei Tableaus $A(\mathbf{a})$ und $B(\mathbf{a})$ zu, so daß $B(\mathbf{a})$ ein Standardtableau und $A(\mathbf{a})$ fast ein solches ist. Die Konstruktion geschieht induktiv über n. Für $n=1$ ist

$$A(\mathbf{a}) = \boxed{a_1} \quad \text{und} \quad B(\mathbf{a}) = \boxed{1}\,.$$

Für $n>1$ setzen wir $\mathbf{a}'=(a_1, a_2, \ldots, a_{n-1})$ und können annehmen, daß $\pi(\mathbf{a}'), A(\mathbf{a}')$ und $B(\mathbf{a}')$ schon konstruiert worden sind. Wir erhalten $A(\mathbf{a})$ und damit auch $\pi(\mathbf{a})$ nun so: Sind alle Zahlen in der ersten Zeile von $A(\mathbf{a}')$ kleiner als $b_1=a_n$, so verlängern wir diese erste Zeile um einen Kasten, füllen ihn mit $b_1=a_n$ und sind fertig. Andernfalls sei b_2 die kleinste Zahl in der ersten Zeile von $A(\mathbf{a}')$, die größer als $b_1=a_n$ ist. Nun ersetzen wir b_2 durch $b_1=a_n$ und wiederholen die ganze Prozedur mit b_2 und der zweiten Zeile. Das heißt: Sind alle Zahlen in der zweiten Zeile von $A(\mathbf{a}')$ kleiner als b_2, so verlängern wir diese zweite Zeile um einen mit b_2 gefüllten Kasten und sind fertig; wenn nicht, so werde die kleinste Zahl b_3 in der zweiten Zeile, die größer als b_2 ist, durch b_2 ersetzt. Dann gehen wir mit b_3 in die dritte Zeile und wiederholen das Verfahren so lange, bis entweder eine Zeile verlängert worden ist, oder bis wir eine Zahl, etwa b, der letzten Zeile von $A(\mathbf{a}')$ entnommen haben. Im letzten Fall fügen wir $A(\mathbf{a}')$ eine neue Zeile aus nur einem, mit b gefüllten Kasten hinzu. So haben wir ein neues Tableau $A(\mathbf{a})$ konstruiert, das mit den Zahlen $\{a_1, a_2, \ldots, a_n\}$ gefüllt ist, wie man induktiv zeigt. Es ist nicht schwer zu sehen, daß $A(\mathbf{a})$ fast ein Standardtableau ist. Gleichzeitig haben wir eine Partition $\pi(\mathbf{a})$ erhalten, so daß $A(\mathbf{a})$ vom Typ $\pi(\mathbf{a})$ ist. Das Diagramm vom Typ $\pi(\mathbf{a})$ entsteht aus demjenigen vom Typ $\pi(\mathbf{a}')$, indem man an einer Stelle einen Kasten hinzufügt. Wir bilden nun $B(\mathbf{a})$, indem wir alle $n-1$ Kästen, die schon zum Diagramm vom Typ $\pi(\mathbf{a}')$ gehören, wie in $B(\mathbf{a}')$ füllen und in den einzigen neuen Kasten die n setzen. Offensichtlich ist nun auch $B(\mathbf{a})$ ein Standardtableau.

Man überlegt sich leicht, daß $A(\mathbf{a}')$, $B(\mathbf{a}')$ und a_n durch das Paar $(A(\mathbf{a}), B(\mathbf{a}))$ eindeutig festgelegt sind. Induktiv folgt, daß die Abbildung $\mathbf{a} \mapsto (A(\mathbf{a}), B(\mathbf{a}))$ injektiv ist. Umgekehrt ist es nicht schwer, zu jedem Tripel (A, B, π) aus einer Partition π von n, einem $B \in \mathrm{St}(\pi)$ und einem Tableau A vom Typ π, das fast ein Standardtableau ist, eine Folge $\mathbf{a}=(a_1, \ldots, a_n)$ aus n verschiedenen Zahlen mit $A=A(\mathbf{a})$ und $B=B(\mathbf{a})$ zu finden.

Als Beispiel geben wir unten $A(\mathbf{a})$, $B(\mathbf{a})$ für $\mathbf{a}=(3, 2, 5, 9, 1, 8, 7, 4, 6)$ an:

$$A(\mathbf{a}) = \begin{array}{|c|c|c|} \hline 1 & 4 & 6 \\ \hline 2 & 5 & 7 \\ \hline 3 & 8 \\ \cline{1-2} 9 \\ \cline{1-1} \end{array} \qquad\qquad B(\mathbf{a}) = \begin{array}{|c|c|c|} \hline 1 & 3 & 4 \\ \hline 2 & 6 & 9 \\ \hline 5 & 7 \\ \cline{1-2} 8 \\ \cline{1-1} \end{array}$$

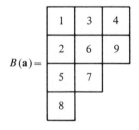

5.24 Es sei weiterhin $n \in \mathbb{N}$. Für alle $\sigma \in S_n$, der symmetrischen Gruppe, setzen wir

$$A(\sigma) = A(\sigma^{-1}(1), \sigma^{-1}(2), \ldots, \sigma^{-1}(n))$$

und

$$B(\sigma) = B(\sigma^{-1}(1), \sigma^{-1}(2), \ldots, \sigma^{-1}(n)).$$

Nach 5.23 ist klar, daß die Abbildung $\sigma \mapsto (A(\sigma), B(\sigma))$ eine Bijektion

(1) $$S_n \to \bigcup_{\pi} \mathrm{St}(\pi) \times \mathrm{St}(\pi)$$

ist, wobei π alle Partitionen von n durchläuft. Nach [Schützenberger] gilt für alle $\sigma \in S_n$:

(2) $$B(\sigma) = A(\sigma^{-1}).$$

In 5.22 haben wir die Äquivalenzrelationen $\underset{L}{\sim}$ auch auf S_n definiert; aus [Greene] folgt nun für alle $\sigma, \sigma' \in S_n$

(3) $$A(\sigma) = A(\sigma') \Leftrightarrow \sigma \underset{L}{\sim} \sigma'.$$

Lemma. *Es seien $\sigma \in S_n$ und $1 \leqslant i < n$.*

a) *In $B(\sigma)$ steht $i+1$ genau dann in einer echt tiefer gelegenen Zeile als i, wenn $\sigma^{-1}(i) > \sigma^{-1}(i+1)$ ist.*

b) *In $A(\sigma)$ steht $i+1$ genau dann in einer echt tiefer gelegenen Zeile als i, wenn $\sigma(i) > \sigma(i+1)$ ist.*

Beweis. Wir können uns darauf beschränken, a) zu beweisen, weil dann b) mit (2) folgt.

Zur Abkürzung setzen wir $\mathbf{a} = (\sigma^{-1}(1), \sigma^{-1}(2), \ldots, \sigma^{-1}(i-1))$, $\mathbf{a}' = (\sigma^{-1}(1), \ldots, \sigma^{-1}(i-1), \sigma^{-1}(i))$ und $\mathbf{a}'' = (\sigma^{-1}(1), \ldots, \sigma^{-1}(i), \sigma^{-1}(i+1))$.

Es möge $A(\mathbf{a}')$ aus $A(\mathbf{a})$ dadurch entstehen, daß $b_1 = \sigma^{-1}(i)$ in der ersten Zeile b_2 ersetzt, daß b_2 in der zweiten Zeile b_3 ersetzt, und so weiter bis b_{j-1} in der $(j-1)$-ten Zeile b_j ersetzt und b_j der j-ten Zeile hinzugefügt wird. In $B(\sigma)$ steht i also in der j-ten Zeile. Analog werde der Übergang von $A(\mathbf{a}')$ zu $A(\mathbf{a}'')$ durch $c_1 = \sigma^{-1}(i+1), c_2, \ldots, c_{j'}$ beschrieben, wobei j' wieder angibt, in welcher Zeile von $B(\sigma)$ nun $i+1$ steht. Die Behauptung unter a) läßt sich also so umformulieren:

$$b_1 > c_1 \Leftrightarrow j < j'.$$

Es gelte zunächst $b_1 > c_1$. Dann ist b_1 eine Zahl in der ersten Zeile von $A(\mathbf{a}')$, die größer als c_1 ist. Daraus folgt $j' > 1$. Für $j=1$ sind wir fertig; für $j > 1$ folgt $c_2 \leqslant b_1$ also $c_2 < b_2$. Dann ist b_2 eine Zahl der zweiten Zeile von $A(\mathbf{a}')$ mit $c_2 < b_2$, also sehen wir $j' > 2$ und $c_3 \leqslant b_2$. Für $j=2$ sind wir fertig; für $j > 2$ erhalten wir $c_3 < b_3$. Dies können wir iterieren und erhalten schließlich $j' > j$.

Es gelte nun umgekehrt $j'>j$. In der j-ten Zeile von $A(\mathbf{a}')$ gibt es dann eine Zahl, die größer als c_j ist. Nach Konstruktion ist b_j die größte Zahl in dieser Zeile, also folgt $c_j<b_j$. Für $j=1$ sind wir fertig. Für $j>1$ ist c_j die kleinste Zahl in der $(j-1)$-ten Zeile von $A(\mathbf{a}')$ mit $c_{j-1}<c_j$. Nun ist auch b_{j-1} in der $(j-1)$-ten Zeile von $A(\mathbf{a}')$ enthalten. Wäre $b_{j-1}\leqslant c_{j-1}$, so gehörte c_j schon zur $(j-1)$-ten Zeile von $A(\mathbf{a})$. Nach Konstruktion ist b_j die kleinste Zahl in dieser Zeile mit $b_{j-1}<b_j$, also wäre $b_j\leqslant c_j$ im Widerspruch zum Resultat oben. Daher muß $c_{j-1}<b_{j-1}$ sein. Durch Iteration erhält man nun $c_1<b_1$ und damit einen Beweis von a).

5.25 Es sei $\Lambda\in h^*/P(R)$ mit R_Λ vom Typ A_{n-1}. Wir numerieren $B_\Lambda=\{\alpha_1,\alpha_2,\dots,\alpha_{n-1}\}$ wie in 5.22 und identifizieren W_Λ mit S_n wie dort. Insbesondere können wir $A(w)$ und $B(w)$ für alle $w\in W_\Lambda$ definieren. Nach 5.24 (3) gilt

(1) $$A(w)=A(w') \Leftrightarrow w\underset{L}{\sim}w'$$

für alle $w, w'\in W_\Lambda$, und aus Lemma 5.24.b folgt

(2) $$\tau_\Lambda(w)=\{\alpha_i\mid 1\leqslant i<n, \textit{ in } A(w) \textit{ steht } i+1 \textit{ echt tiefer als } i\}$$

für alle $w\in W_\Lambda$.

Satz. *Es sei* $\lambda\in\Lambda^{++}$.
a) *Für alle* $w, w'\in W_\Lambda$ *gilt:* $I(w\cdot\lambda)=I(w'\cdot\lambda) \Leftrightarrow w\underset{L}{\sim}w'$.
b) *Für jedes* $I\in\mathscr{X}_\lambda$ *gibt es genau ein* $w\in W_\Lambda$ *mit* $w^2=1$ *und* $I=I(w\cdot\lambda)$.

Beweis. a) Wir brauchen nach 5.22 (2) nur noch eine Richtung zu zeigen; es gelte also $I(w\cdot\lambda)=I(w'\cdot\lambda)$. Es seien π und π' die Partitionen von n mit $A(w)\in\mathrm{St}(\pi)$ und $A(w')\in\mathrm{St}(\pi')$. Wegen der Bijektion in 5.24 (1) gibt es $w_1, w_1'\in W_\Lambda$ mit $A(w_1)=A(w)$ und $B(w_1)=A_\pi$ sowie $A(w_1')=A(w')$ und $B(w_1')=A_{\pi'}$. Nun gilt $w_1\underset{L}{\sim}w$ und $w_1'\underset{L}{\sim}w'$ nach (1) und

$$I(w_1\cdot\lambda)=I(w\cdot\lambda)=I(w'\cdot\lambda)=I(w_1'\cdot\lambda)$$

nach 5.22 (2). Daher reicht es den Satz für w_1 und w_1' zu beweisen, denn aus $w_1\underset{L}{\sim}w_1'$ folgt auch $w\underset{L}{\sim}w'$. Wir können daher ohne Beschränkung der Allgemeinheit annehmen:

(3) $$B(w)=A_\pi \quad\text{und}\quad B(w')=A_{\pi'}.$$

Wieder wegen der Bijektivität der Abbildung in 5.24 (1) gibt es ein $w_2\in W_\Lambda$ mit $A(w_2)=A_\pi=B(w_2)$. Aus $B(w)=B(w_2)$ folgt nach 5.24 (2) und 5.22 (1), daß $w\underset{R}{\sim}w_2$ gilt. Daher gibt es $s\in\mathbf{N}$ und $\beta_1,\dots,\beta_s,\beta_1',\dots,\beta_s'\in B_\Lambda$ mit $\langle\beta_h',\beta_h^\vee\rangle=-1$ für $1\leqslant h\leqslant s$, so daß alle $D_{\beta_i,\beta_i'}\,(D_{\beta_{i+1},\beta_{i+1}'}\dots D_{\beta_s,\beta_s'}w)$ definiert sind und $D_{\beta_1,\beta_1'}\dots D_{\beta_s,\beta_s'}w=w_2$ ist. Nach 5.9 sind nun auch alle $D_{\beta_i,\beta_i'}\dots D_{\beta_s,\beta_s'}I(w\cdot\lambda)$ definiert und es gilt

$$I(w_2\cdot\lambda)=D_{\beta_1,\beta_1'}\dots D_{\beta_s,\beta_s'}I(w\cdot\lambda).$$

Wegen $I(w\cdot\lambda)=I(w'\cdot\lambda)$ sind nun auch alle $D_{\beta_i,\beta_i'}\dots D_{\beta_s,\beta_s'}I(w'\cdot\lambda)$ erklärt, mithin auch die $D_{\beta_i,\beta_i'}\dots D_{\beta_s,\beta_s'}w'$. Insbesondere gilt $I(w_2\cdot\lambda)=I(w_2'\cdot\lambda)$ mit $w_2'=D_{\beta_1,\beta_1'}\dots D_{\beta_s,\beta_s'}w'$, also auch $\tau_\Lambda(w_2)=\tau_\Lambda(w_2')$ sowie $B(w_2')=B(w')=A_{\pi'}$.

Es seien nun $l_1, l_2, \dots$ bzw. $l_1', l_2', \dots$ die Längen der Spalten des Diagramms vom Typ π bzw. π'. Wegen $A(w_2)=A_\pi$ gilt

$$\tau_\Lambda(w_2)=\{\alpha_1, \alpha_2, \dots, \alpha_{l_1-1}, \alpha_{l_1+1}, \dots, \alpha_{l_1+l_2-1}, \alpha_{l_1+l_2+1}, \dots\}$$

nach Lemma 5.24.b; wenden wir dies Lemma auf w_2' an, so folgt, daß $1, 2, \dots, l_1$ in verschiedenen Zeilen von $A(w_2')$ stehen müssen. Dies zeigt $l_1'\geqslant l_1$. Da die Voraussetzungen symmetrisch in w und w' sind, gilt ebenso $l_1\geqslant l_1'$, also $l_1'=l_1$; außerdem müssen $1, 2, \dots, l_1$ gerade die erste Spalte von $A(w_2')$ bilden. Weiter müssen auch $l_1+1, l_1+2, \dots, l_1+l_2$ in verschiedenen Zeilen von $A(w_2')$ stehen und können nicht in der ersten Spalte enthalten sein; daher muß $l_2'\geqslant l_2$ sein. Wie eben folgt $l_2'=l_2$ und, daß die zweite Spalte von $A(w_2')$ gerade $l_1+1, \dots, l_1+l_2$ enthält. Dieses Verfahren kann man iterieren und sieht so $\pi=\pi'$ und $A(w_2')=A_\pi=A(w_2)$. Da auch $B(w_2')=A_\pi=B(w_2)$ gilt, folgt $w_2=w_2'$ aus der Injektivität der Abbildung 5.24 (1), also $w=w'$ wegen der Bijektivität der $D_{\beta,\beta'}$ nach 5.9. Insbesondere ist $w\underset{L}{\sim}w'$, was zu beweisen war.

b) Zu jedem $I\in\mathscr{X}_\lambda$ gibt es ein $w_1\in W_\Lambda$ mit $I=I(w_1\cdot\lambda)$. Wegen der Bijektivität von 5.24 (1) gibt es $w\in W_\Lambda$ mit $A(w)=A(w_1)=B(w)$. Nach Teil a) gilt $I=I(w\cdot\lambda)$, nach 5.24 (2) aber $w=w^{-1}$, also $w^2=1$. Ist umgekehrt $w'\in W_\Lambda$ mit $w'^2=1$ und $I=I(w'\cdot\lambda)$, so folgt $A(w')=A(w)$ nach Teil a) und $B(w')=B(w)$ nach 5.24 (2), also $w=w'$.

5.26 Es sei $\Lambda\in\mathfrak{h}^*/P(R)$, so daß R_Λ vom Typ $A_{m_1-1}\times A_{m_2-1}\times\dots\times A_{m_r-1}$ für geeignete $m_i\in\mathbb{N}$, $m_i\geqslant 2$ ist. Dann können wir W_Λ mit einem Produkt $S_{m_1}\times S_{m_2}\times\dots\times S_{m_r}$ symmetrischer Gruppen identifizieren. Entspricht dabei einem $w\in W_\Lambda$ ein Produkt $\sigma_1\sigma_2\dots\sigma_r$ mit $\sigma_i\in S_{m_i}$, so setzen wir

$$A(w)=(A(\sigma_1), A(\sigma_2), \dots, A(\sigma_r)).$$

Dies ist ein r-tupel von Standardtableaus. Mit denselben Methoden wie in 5.25 zeigt man nun für alle $w, w'\in W_\Lambda$ und $\lambda\in\Lambda^{++}$

(1) $$I(w\cdot\lambda)=I(w'\cdot\lambda) \Leftrightarrow A(w)=A(w').$$

Für alle $\lambda\in\Lambda^{++}$ und alle $I\in\mathscr{X}_\lambda$ findet man erneut genau ein $w\in W_\Lambda$ mit $w^2=1$ und $I(w\cdot\lambda)=I$.

5.27 Wir betrachten als Beispiel ein $\Lambda\in\mathfrak{h}^*/P(R)$ mit R_Λ vom Typ A_3. Es gibt fünf Partitionen von 4, und man weiß:

$$\#St(4) \quad = \#St(1,1,1,1)=1,$$
$$\#St(3,1)=\#St(2,1,1)=3,$$
$$\#St(2,2)=2.$$

Für ein $\lambda \in \Lambda^{++}$ besteht $\mathscr{X}_\lambda$ daher aus 10 Elementen. Eine genauere Untersuchung der $A(w)$ zeigt, daß es für jedes $I \in \mathscr{X}_\lambda$ ein $S \subset B_\Lambda$ mit $I = I(w_S \cdot \lambda)$ oder mit $I = I(w_\Lambda w_S \cdot \lambda)$ gibt. Daher erhält man aus Corollar 5.20 alle Inklusionen zwischen den Elementen von $\mathscr{X}_\lambda$. Das Ordnungsdiagramm hat nun die folgende Gestalt:

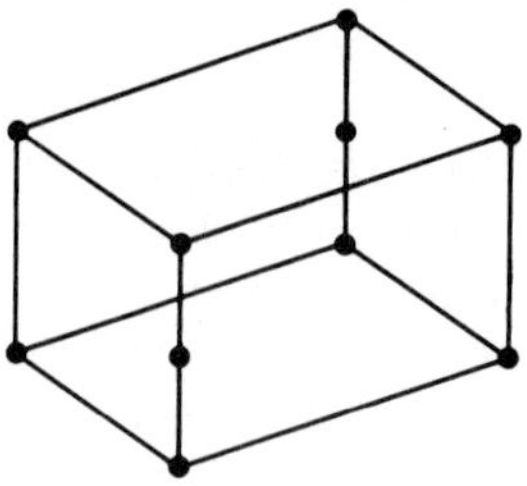

Dabei stehen zwei Ideale $I(w \cdot \lambda)$ und $I(w' \cdot \lambda)$ auf derselben Höhe, wenn $A(w)$ und $A(w')$ Tableaus vom selben Typ sind. Die drei Ideale $I(w_\Lambda s_\alpha \cdot \lambda)$ mit $\alpha \in B_\Lambda$ sind hier die drei oberen Nachbarn des kleinsten Elements; numeriert man $B_\Lambda = \{\alpha_1, \alpha_2, \alpha_3\}$ mit $\langle \alpha_1, \alpha_3^\vee \rangle = 0$, so stehen diese drei Ideale oben in der Reihenfolge zu dieser Numerierung. Mit 5.20 (7) kann man nun $\tau(I)$ für alle I ablesen.

Für $\mu \in \Lambda^+$ mit $B_\mu^0 \neq \emptyset$ erhält man nach Satz 5.8 nun die folgenden Ordnungsdiagramme für $\mathscr{X}_\lambda$:

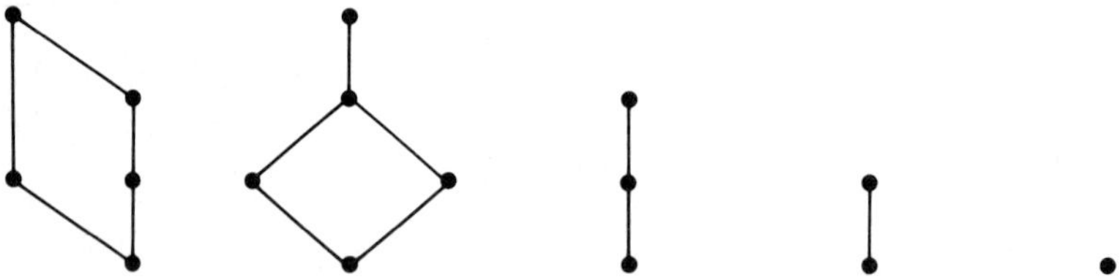

$B_\mu^0 = \{\alpha_1\}$ $\quad$ $B_\mu^0 = \{\alpha_2\}$ $\quad$ $B_\mu^0 = \{\alpha_1, \alpha_3\}$ $\quad$ $B_\mu^0 = \{\alpha_1, \alpha_2\}$ $\quad$ $B_\mu^0 = B_\Lambda$.

In den beiden übrigen Fällen erhält man Diagramme, die zu dem ersten bzw. vierten hier isomorph sind.

Anhang

5A.1 Die ältesten Resultate in diesem Kapitel sind die Beschreibung von $I_\lambda^{\min}$ durch Duflo (5.1, vgl. [DIX], 8.4) und diejenige des größten Elements von $\mathscr{X}_\mu$ in [Conze/Dixmier] (vgl. 5.21). Genauer erhalten Conze und Dixmier sogar das größte Ideal von $U(\mathfrak{g})$, das $I_\mu^{\min}$ umfaßt; dies ist erst nach 7.3 dasselbe wie das größte Element von $\mathscr{X}_\mu$. Das Beispiel 5.15 ist in Josephs Klassifikation aller primitiver Ideale von $U(\mathfrak{sl}_3(\mathbf{C}))$ enthalten ([Joseph 5]).

Als Duflo für algebraisch abgeschlossenen k zeigte, daß jedes primitive Ideal von $U(\mathfrak{g})$ ein $I(\lambda)$, ist, fand er (vgl. [Duflo 3]) neben der einfachen Formel 5.2(2) auch den Satz 5.19, die Beschreibung der „fast minimalen“ Elemente von $\mathscr{X}_\lambda$ in 5.20(6), die Beschreibung der τ-Invariante durch 5.20(7) und damit die Formel $\#\mathscr{X}_\lambda \geqslant 2^{\# B_\lambda}$. Ungefähr gleichzeitig entstand die Arbeit [Borho/Jantzen], der die Abschnitte 5.4–5.8, 5.20 und 5.27 (für $\Lambda = P(R)$) entstammen. Auch die Bemerkung zu 5.18 findet sich dort. Das $T_\lambda^\mu I$ in [Borho/Jantzen] ist das $\sqrt{T_\lambda^\mu I}$ hier; die verbesserte Definition wurde dadurch möglich, daß in 5.3 das Lemma 2.8 aus [Vogan 2] an die Stelle von [Borho/Jantzen], 2.7 trat.

Dann führte Joseph seine „charakteristische Varietät“ $\mathscr{V}_0(I)$ ein und erhielt so die Ergebnisse in den Abschnitten 5.10–5.14 und 5.16–5.18 hier; insbesondere fand er einen rein algebraischen Beweis von Satz 5.19 (alles in [Joseph 8]). In derselben Arbeit erkannte er die Bedeutung der Konstruktion von Robinson und Schensted (5.23) für die explizite Beschreibung von $\underset{L}{\sim}$ in der Situation von 5.22. Er bewies damals unter anderem das Lemma 5.24.

Mit anderen Methoden als hier erhielt er in [Joseph 12] einen Beweis von Satz 5.25 im Fall $B_\Lambda \subset B$. Wir hier folgen [Vogan 3], 6.1.

5A.2 Es seien $\Lambda \in \mathfrak{h}^*/P(R)$ und $\lambda \in \Lambda^{++}$. Dann läßt sich die Bemerkung zu 5.18 so verallgemeinern (vgl. [Borho/Jantzen], 2.20): Hat R_Λ Rang 2, so gilt $\#\mathscr{X}_\lambda = 4$. Für $w_1, w_2 \in W_\Lambda$ ist also $I(w_1 \cdot \lambda) \subset I(w_2 \cdot \lambda)$ zu $\tau_\Lambda(w_1) \supset \tau_\Lambda(w_2)$ äquivalent. Für $\mathfrak{g} = \mathfrak{sp}(4, \mathbf{C})$ war dies schon in [Joseph 5] gezeigt worden.

5A.3 Es seien $\Lambda \in \mathfrak{h}^*/P(R)$ und $\lambda \in \Lambda^{++}$. Ebenso wie man 5.18 aus 5.15 ableitet, erhält man aus 5A.2: Für $\alpha, \beta \in B_\Lambda$, die ein Teilsystem vom Typ B_2 in R_Λ erzeugen, und für alle $w \in W_\Lambda$ mit $\{\alpha, \beta\} \cap \tau_\Lambda(w^{-1}) = \emptyset$ gilt (vgl. [Joseph 8], 5.1):

$$I(s_\alpha w \cdot \lambda) = I(s_\beta s_\alpha w \cdot \lambda) = I(s_\alpha s_\beta s_\alpha w \cdot \lambda).$$

5A.4 Es seien Λ und λ wie in 5A.3. Ist R_Λ vom Typ D_4, so findet man $w_1, w_2 \in W_\Lambda$ mit $I(w_1 \cdot \lambda) = I(w_2 \cdot \lambda)$, für welche diese Gleichung nicht durch mehrfaches Anwenden von Satz 5.18.b folgt. Mit denselben Methoden wie in 5.18 erhält man daraus auch in dem Fall, daß eine Teilmenge von R_Λ ein System vom Typ D_4 erzeugt, Identitäten zwischen primitiven Idealen der Gestalt $I(w \cdot \lambda)$. Präzisere Formulierungen findet man in [Vogan 3], 4.1.

5A.5 Es seien $\Lambda, \lambda, \alpha, \beta$ wie in 5A.3 und $D(\alpha), D(\beta), D(\alpha, \beta), D(\beta, \alpha)$ wie in 4A.4. Geht man ähnlich wie in 5.9 vor, so kann man (vgl. [Vogan 3], 3.9) jedem $I \in \mathscr{X}_\lambda$ mit $\alpha \in \tau_\Lambda(I)$ und $\beta \notin \tau_\Lambda(I)$ ein ungeordnetes Paar $(I_1, I_2) = D_{\alpha\beta} I$ von Elementen von $\mathscr{X}_\lambda$ mit $\alpha \notin \tau_\Lambda(I_1) \cup \tau_\Lambda(I_2)$ und $\beta \in \tau_\Lambda(I_1) \cap \tau_\Lambda(I_2)$ zuordnen. Genauer gilt für ein $w \in W_\Lambda$ mit $\{\alpha, \beta\} \cap \tau_\Lambda(w) = \emptyset$:

$$D_{\alpha\beta} I(w s_\alpha \cdot \lambda) = (I(w s_\alpha s_\beta \cdot \lambda), I(w s_\alpha s_\beta \cdot \lambda)),$$

$$D_{\alpha\beta} I(w s_\beta s_\alpha \cdot \lambda) = (I(w s_\beta \cdot \lambda), I(w s_\beta s_\alpha s_\beta \cdot \lambda)),$$

$$D_{\alpha\beta} I(w s_\alpha s_\beta s_\alpha \cdot \lambda) = (I(w s_\alpha s_\beta \cdot \lambda), I(w s_\alpha s_\beta \cdot \lambda)).$$

Natürlich ist auch $D_{\beta\alpha}$ definiert; ist $D_{\alpha\beta} I=(I_1, I_2)$, so gibt es ein $I_3 \in \mathscr{X}_\lambda$ mit $D_{\alpha\beta} I_1=(I, I_3)=D_{\beta\alpha} I_2$. Setzen wir $I_3=S_{\alpha\beta} I$, so ist $S_{\alpha\beta}$ nach [Vogan 4], 4.8 ein involutorischer Automorphismus der geordneten Menge $\{I \in \mathscr{X}_\lambda \mid \alpha \in \tau_\Lambda(I), \beta \notin \tau_\Lambda(I)\}$. Für ein w wie oben gilt

$$S_{\alpha\beta} I(w s_\alpha \cdot \lambda)=I(w s_\alpha s_\beta s_\alpha \cdot \lambda),$$

$$S_{\alpha,\beta} I(w s_\beta s_\alpha \cdot \lambda)=I(w s_\beta s_\alpha \cdot \lambda).$$

5A.6 Für R_λ vom Typ A_4 findet sich ein Ordnungsdiagramm von $\mathscr{X}_\lambda$ in [Borho/Jantzen], 4.17. Für R_λ vom Typ B_3 oder C_3 wird in [Joseph 10], 5.2 explizit angegeben, für welche $w, w' \in W_\lambda$ die Gleichung $I(w \cdot \lambda)=I(w' \cdot \lambda)$ gilt.

5A.7 Es seien $\lambda, \mu \in \mathfrak{h}^*$ mit $W_\lambda^0=\{1\}=W_\mu^0$. Ist $\lambda-\mu \in P(R)$, so sind $\mathscr{X}_\lambda$ und $\mathscr{X}_\mu$ nach 5.8 als geordnete Mengen isomorph. In [MHG], 4.21 wird dies auf den Fall verallgemeinert, daß R_λ und R_μ unter W konjugiert sind. Unterstellt man die Vermutung von Kazhdan und Lusztig, so erhält man noch stärkere Ergebnisse in dieser Richtung (vgl. 16.4).

Kapitel 6. Harish-Chandra-Moduln

Man kann $U(\mathfrak{g})$ in natürlicher Weise als $(U(\mathfrak{g}), U(\mathfrak{g}))$-Bimodul auffassen; die Unterbimoduln sind gerade die (zweiseitigen) Ideale von $U(\mathfrak{g})$. Für alle $\lambda \in \mathfrak{h}^*$ wird jetzt insbesondere $U(\mathfrak{g})/I_\lambda^{\min}$ zu einem Bimodul. Er gehört zu einer speziellen Kategorie solcher Bimoduln, den Harish-Chandra-Moduln. Da für algebraisch abgeschlossenes k jedes primitive Ideal I von $U(\mathfrak{g})$ ein solches $I_\lambda^{\min}$ umfaßt, also einem Unterbimodul von $U(\mathfrak{g})/I_\lambda^{\min}$ entspricht, können wir hoffen, aus Resultaten über Harish-Chandra-Moduln solche über primitive Ideale zu erhalten. Dies wird in Kapitel 7 geschehen, während wir hier zunächst die Harish-Chandra-Moduln untersuchen. Vor allem zeigen wir Äquivalenzen von Kategorien gewisser Harish-Chandra-Moduln mit Unterkategorien von $\mathcal{O}$.

6.1 Natürlich ist ein $(U(\mathfrak{g}), U(\mathfrak{g}))$-Bimodul dasselbe wie ein $U(\mathfrak{g}) \otimes U(\mathfrak{g})^{\text{opp}}$-Modul. Mit Isomorphismen $U(\mathfrak{g})^{\text{opp}} \xrightarrow{\sim} U(\mathfrak{g})$ und $U(\mathfrak{g} \times \mathfrak{g}) \xrightarrow{\sim} U(\mathfrak{g}) \otimes U(\mathfrak{g})$ kann man nun die Kategorien der $(U(\mathfrak{g}), U(\mathfrak{g}))$-Bimoduln und die der $(\mathfrak{g} \times \mathfrak{g})$-Moduln identifizieren. Dies ist natürlich abhängig von der Wahl der Isomorphismen; für $U(\mathfrak{g} \times \mathfrak{g}) \xrightarrow{\sim} U(\mathfrak{g}) \otimes U(\mathfrak{g})$ nehmen wir wie üblich die Abbildung mit $(x, y) \mapsto x \otimes 1 + 1 \otimes y$ für alle $x, y \in \mathfrak{g}$. Während für eine beliebige Lie-Algebra die Abbildung $u \mapsto \check{u}$ als die angemessene Wahl für $U(\mathfrak{g})^{\text{opp}} \xrightarrow{\sim} U(\mathfrak{g})$ erscheint, werden wir hier für unsere zerfallende halbeinfache Lie-Algebra $\mathfrak{g}$ stets die Abbildung $u \mapsto {}^t u$ nehmen. Dieser Isomorphismus hat den Vorteil, daß er auf $Z(\mathfrak{g})$ die Identität induziert (3.5(c)).

Nach diesen Konventionen fassen wir also jeden $(U(\mathfrak{g}), U(\mathfrak{g}))$-Bimodul X auch als $U(\mathfrak{g}) \otimes U(\mathfrak{g})$-Modul auf mit

(1) $\qquad (u_1 \otimes u_2) m = u_1 m\, {}^t u_2 \quad$ für alle $u_1, u_2 \in U(\mathfrak{g}),\ m \in X$

sowie als $(\mathfrak{g} \times \mathfrak{g})$-Modul mit

(2) $\qquad (x, y) m = x m + m\, {}^t y \quad$ für alle $x, y \in \mathfrak{g},\ m \in X.$

Den Raum der Homomorphismen zwischen zwei $(U(\mathfrak{g}), U(\mathfrak{g}))$-Bimoduln X und Y bezeichnen wir mit $\operatorname{Hom}_{\mathfrak{g} \times \mathfrak{g}}(X, Y)$.

Für einen Homomorphismus $\chi: Z(\mathfrak{g}) \to k$ von Algebren setzen wir $U(\mathfrak{g})_\chi = U(\mathfrak{g})/U(\mathfrak{g}) \operatorname{Kern} \chi$. Wir werden insbesondere $(U(\mathfrak{g}), U(\mathfrak{g})_\chi)$-Bimoduln betrachten. Dies sind spezielle $(U(\mathfrak{g}), U(\mathfrak{g}))$-Bimoduln; unter unseren Identifizierungen entsprechen sie den $U(\mathfrak{g}) \otimes U(\mathfrak{g})_\chi$-Moduln.

6.2 Wir beschreiben nun die wichtigsten Methoden zur Konstruktion von $(U(\mathfrak{g}), U(\mathfrak{g}))$-Bimoduln. In den Notationen haben wir uns eher an [Bernstein/Gelfand] als an die Arbeiten von Duflo und Joseph gehalten.

Es sei $\chi: Z(\mathfrak{g}) \to k$ ein Homomorphismus von Algebren.

a) Die einhüllende Algebra $U(\mathfrak{g})$ selbst ist unter der Links- und der Rechtsmultiplikation ein $(U(\mathfrak{g}), U(\mathfrak{g}))$-Bimodul. Die Unterbimoduln sind genau die (zweiseitigen) Ideale von $U(\mathfrak{g})$. Für jedes solche Ideal I ist $U(\mathfrak{g})/I$ dann wieder ein $(U(\mathfrak{g}), U(\mathfrak{g}))$-Bimodul; gilt $I \supset \operatorname{Kern}\chi$, so ist $U(\mathfrak{g})/I$ sogar ein $(U(\mathfrak{g}), U(g)_\chi)$-Bimodul.

Es sei noch einmal ausdrücklich daran erinnert, daß nach 6.1 (1) die Operation von $U(\mathfrak{g}) \otimes U(\mathfrak{g})$ auf $U(\mathfrak{g})/I$ durch

$$(1) \qquad (u_1 \otimes u_2)(u+I) = (u_1 u\, {}^t u_2) + I \quad \textit{für alle} \; u_1, u_2, u \in U(\mathfrak{g})$$

gegeben ist.

b) Für zwei $\mathfrak{g}$-Moduln M und N wird $\operatorname{Hom}(M, N)$ zu einem $(U(\mathfrak{g}), U(\mathfrak{g}))$-Bimodul durch

$$(2) \qquad (u_1 \phi u_2)(m) = u_1(\phi(u_2 m)) \quad \textit{für alle} \; u_1, u_2 \in U(\mathfrak{g}), \; m \in M,$$

also zu einem $U(\mathfrak{g}) \otimes U(\mathfrak{g})$-Modul durch

$$(2') \qquad ((u_1 \otimes u_2)\phi)m = u_1(\phi({}^t u_2 m)) \quad \textit{für alle} \; u_1, u_2 \in U(\mathfrak{g}), \; m \in M.$$

Ist M sogar ein $U(\mathfrak{g})_\chi$-Modul, so ist $\operatorname{Hom}(M, N)$ ein $(U(\mathfrak{g}), U(g)_\chi)$-Bimodul.

Offensichtlich ist Hom ein Funktor mit zwei Argumenten von den $\mathfrak{g}$-Moduln in die $(U(\mathfrak{g}), U(\mathfrak{g}))$-Bimoduln, kontravariant im ersten, kovariant im zweiten und exakt in beiden Argumenten.

Für alle $\mathfrak{g}$-Moduln M ist die Abbildung $\mu: U(\mathfrak{g}) \to \operatorname{Hom}(M, M)$ mit $\mu(u)(m) = um$ für alle $u \in U(\mathfrak{g})$ und $m \in M$ ein Homomorphismus von $(U(\mathfrak{g}), U(\mathfrak{g}))$-Bimoduln mit $\operatorname{Ann} M$ als Kern.

c) Für zwei $\mathfrak{g}$-Moduln M und N wird $M \otimes N$ zu einem $U(\mathfrak{g}) \otimes U(\mathfrak{g})$-Modul durch

$$(3) \qquad (u_1 \otimes u_2)(m \otimes n) = u_1 m \otimes u_2 n \quad \textit{für alle} \; u_1, u_2 \in U(\mathfrak{g}), \; m \in M, \; n \in N,$$

also zu einem $(U(\mathfrak{g}), U(\mathfrak{g}))$-Bimodul durch

$$(3') \qquad u_1(m \otimes n)u_2 = u_1 m \otimes {}^t u_2 n \quad \textit{für alle} \; u_1, u_2 \in U(\mathfrak{g}), \; m \in M, \; n \in N.$$

Ist N ein $U(\mathfrak{g})_\chi$-Modul, so ist $M \otimes N$ ein $(U(\mathfrak{g}), U(g)_\chi)$-Bimodul.

Es ist $L(0)$ der triviale, eindimensionale $\mathfrak{g}$-Modul. Mit der Methode oben kann man jedem $\mathfrak{g}$-Modul M zwei $(U(\mathfrak{g}), U(\mathfrak{g}))$-Bimoduln M^l und M^r durch

$$(4) \qquad M^l = M \otimes L(0) \quad \text{und} \quad M^r = L(0) \otimes M$$

zuordnen. Als Vektorräume können wir M^l und M^r mit M identifizieren; ein $(x, y) \in \mathfrak{g} \times \mathfrak{g}$ operiert auf M^l wie x auf M und auf M^r wie y auf M. Ist M ein

$U(\mathfrak{g})_\chi$-Modul, so ist M^r ein $(U(\mathfrak{g}), U(\mathfrak{g})_\chi)$-Bimodul; in jedem Fall ist M^l ein $(U(\mathfrak{g}), U(\mathfrak{g})_{\chi_0})$-Bimodul.

Das Tensorprodukt zweier $(\mathfrak{g}\times\mathfrak{g})$-Moduln, also auch zweier $(U(\mathfrak{g}), U(\mathfrak{g}))$-Bimoduln ist in natürlicher Weise wieder ein $(\mathfrak{g}\times\mathfrak{g})$-Modul und $(U(\mathfrak{g}), U(\mathfrak{g}))$-Bimodul. Für zwei $\mathfrak{g}$-Moduln M und N ist nun $M\otimes N$ mit der oben angegebenen Struktur als $(U(\mathfrak{g}), U(\mathfrak{g}))$-Bimodul zu $M^l\otimes N^r$ isomorph; wir werden in der Regel die Bezeichnung $M^l\otimes N^r$ benutzen.

d) Für zwei Vektorräume M und N hat man eine kanonische Abbildung $N\otimes M^*\to \mathrm{Hom}(M, N)$, die jedem $n\otimes\phi$ mit $n\in N$ und $\phi\in M^*$ die lineare Abbildung $m\mapsto\phi(m)n$ zuordnet. Sind nun M und N zwei $\mathfrak{g}$-Moduln, so kann man auf M^* die Struktur $M^{(t)}$ als $\mathfrak{g}$-Modul definieren (2.1); man rechnet jetzt leicht nach, daß die kanonische Abbildung zu einem Homomorphismus

$$(5)\qquad N^l\otimes(M^{(t)})^r\to \mathrm{Hom}(M, N)$$

von $(U(\mathfrak{g}), U(\mathfrak{g}))$-Bimoduln wird. Ist M oder ist N endlich dimensional, so ist diese Abbildung ein Isomorphismus.

Für drei Vektorräume M, N und E mit $\dim E<\infty$ hat man kanonische Isomorphismen von Vektorräumen $E\otimes\mathrm{Hom}(M, N)\xrightarrow{\sim}\mathrm{Hom}(M, E\otimes N)$ und $\mathrm{Hom}(M, N)\otimes E^*\xrightarrow{\sim}\mathrm{Hom}(M\otimes E, N)$. Sind diese drei Vektorräume nun $\mathfrak{g}$-Moduln, so zeigt eine einfache Rechnung, daß diese Abbildungen zu Isomorphismen

$$(6)\qquad E^l\otimes\mathrm{Hom}(M, N)\xrightarrow{\sim}\mathrm{Hom}(M, E\otimes N)$$

und

$$(6')\qquad \mathrm{Hom}(M, N)\otimes(E^{(t)})^r\xrightarrow{\sim}\mathrm{Hom}(M\otimes E, N)$$

von $(U(\mathfrak{g}), U(\mathfrak{g}))$-Bimoduln werden. Wegen $\dim E<\infty$ ist E direkte Summe von Moduln $L(\lambda)$ mit $\lambda\in P(R)^{++}$; außerdem gilt $E^{(t)}={}^tE$. Aus 4.10 (3) folgt nun $E^{(t)}\simeq E$; dieser Isomorphismus ist allerdings nicht kanonisch. Für einfaches E ist er immerhin bis auf ein skalares Vielfaches eindeutig festgelegt.

e) Der Dualraum X^* eines $(U(\mathfrak{g}), U(\mathfrak{g}))$-Bimoduls X ist in natürlicher Weise wieder ein $(U(\mathfrak{g}), U(\mathfrak{g}))$-Bimodul. Ähnlich wie in 2.1 führen wir eine andere Operation ein, indem wir

$$(u_1\phi u_2)(x)=\phi({}^tu_1 x\, {}^tu_2)$$

für alle $x\in X$, $u_1, u_2\in U(\mathfrak{g})$ und $\phi\in X^*$ setzen. Den Dualraum von X mit dieser Struktur als Bimodul bezeichnen wir mit $X^{(t)}$.

Für alle Vektorräume M und N hat man einen kanonischen Isomorphismus von Vektorräumen

$$\mathrm{Hom}(M, N^*)\xrightarrow{\sim}(N\otimes M)^*.$$

Sind M und N nun $\mathfrak{g}$-Moduln, so rechnet man leicht nach, daß diese Abbildung ein Isomorphismus von $(U(\mathfrak{g}), U(\mathfrak{g}))$-Bimoduln

(7) $\quad \operatorname{Hom}(M, N^{(t)}) \xrightarrow{\sim} (N^l \otimes M^r)^{(t)}$

ist.

6.3 Zu jedem $(U(\mathfrak{g}), U(\mathfrak{g}))$-Bimodul X kann man einen neuen $(U(\mathfrak{g}), U(\mathfrak{g}))$-Bimodul ${}^sX$ konstruieren, indem man ${}^sX$ als Vektorraum gleich X setzt und eine neue Operation $*$ einführt, und zwar durch

(1) $\quad u_1 * m * u_2 = {}^t u_2 m\, {}^t u_1 \quad$ für alle $u_1, u_2 \in U(\mathfrak{g}),\ m \in X$.

Faßt man X als $(\mathfrak{g} \times \mathfrak{g})$-Modul auf, so ist die neue Operation durch

(1′) $\quad (x, y) * m = (y, x) m \quad$ für alle $x, y \in \mathfrak{g},\ m \in X$

gegeben.

Offensichtlich haben X und ${}^sX$ dieselben Unterbimoduln; insbesondere ist X genau dann einfach, wenn ${}^sX$ es ist. Auch ist klar, daß es kanonische Isomorphismen

(2) $\quad {}^s({}^sX) \xrightarrow{\sim} X$

und

(3) $\quad {}^s(X^{(t)}) \xrightarrow{\sim} ({}^sX)^{(t)}$

sowie für zwei $(U(\mathfrak{g}), U(\mathfrak{g}))$-Bimoduln X_1 und X_2

(4) $\quad {}^s(X_1 \otimes X_2) \xrightarrow{\sim} ({}^sX_1) \otimes ({}^sX_2)$

gibt.

Für einen $\mathfrak{g}$-Modul M sieht man leicht

(5) $\quad {}^s(M^l) \xrightarrow{\sim} M^r \quad$ und $\quad {}^s(M^r) \xrightarrow{\sim} M^l$,

für zwei $\mathfrak{g}$-Moduln M und N also nach (4)

(6) $\quad {}^s(M^l \otimes N^r) \xrightarrow{\sim} N^l \otimes M^r$.

Für solche M und N folgt aus 6.2 (7) nun

(7) $\quad {}^s\operatorname{Hom}(M, N^{(t)}) \xrightarrow{\sim} \operatorname{Hom}(N, M^{(t)})$.

Die Abbildung $u \mapsto {}^t u$ ist ein Isomorphismus $U(\mathfrak{g}) \xrightarrow{\sim} {}^s U(\mathfrak{g})$ von $(U(\mathfrak{g}), U(\mathfrak{g}))$-Bimoduln. Für alle Ideale I von $U(\mathfrak{g})$ erhält man daraus einen Isomorphismus

(8) $\quad {}^s(U(\mathfrak{g})/I) \xrightarrow{\sim} U(\mathfrak{g})/{}^t I.$

6.4 Es sei $\mathfrak{k} = \{(x, -{}^t x) \mid x \in \mathfrak{g}\}$; dies ist eine Unteralgebra von $\mathfrak{g} \times \mathfrak{g}$, und die Abbildung $j: \mathfrak{g} \to \mathfrak{k}$ mit $j(x) = (x, -{}^t x)$ für alle $x \in \mathfrak{g}$ ist ein Isomorphismus von Lie-Algebren. Wir fassen jeden $\mathfrak{g}$-Modul über j^{-1} auch als $\mathfrak{k}$-Modul und umgekehrt jeden $\mathfrak{k}$-Modul über j auch als $\mathfrak{g}$-Modul auf. Es sei $\mathfrak{k}^\wedge$ ein Repräsentantensystem für die Isomorphieklassen einfacher, endlich dimensionaler $\mathfrak{k}$-Moduln; zum Beispiel können wir für $\mathfrak{k}^\wedge$ die Menge der $L(\lambda)$ mit $\lambda \in P(R)^{++}$ nehmen, wie oben aufgefaßt als $\mathfrak{k}$-Moduln.

Jeder $(U(\mathfrak{g}), U(\mathfrak{g}))$-Bimodul X ist auch ein $(\mathfrak{g} \times \mathfrak{g})$-Modul und damit durch Einschränkung auch ein $\mathfrak{k}$-Modul, und zwar gilt

(1) $\quad j(x)m = xm - mx \quad$ für alle $x \in \mathfrak{g}$, $m \in X$.

Nach den Konventionen von 6.2 operiert daher ein $j(x)$ auf $U(\mathfrak{g})/I$ wie $\operatorname{ad}(x)$, wenn I ein Ideal von $U(\mathfrak{g})$ ist. Für zwei $\mathfrak{g}$-Moduln M und N ist die Aktion von $j(x)$ auf $\operatorname{Hom}(M, N)$ die von x bei der üblichen Darstellung (vgl. [DIX], 1.2.15) von $\mathfrak{g}$ in $\operatorname{Hom}(M, N)$; außerdem operiert $j(x)$ auf M^l wie x und auf N^r wie $-{}^t x$ bei der gegebenen Struktur als $\mathfrak{g}$-Modul. Für endlich dimensionales N ist daher N^r als $\mathfrak{k}$-Modul zu N^* isomorph.

Ist X ein $(U(\mathfrak{g}), U(\mathfrak{g}))$-Bimodul, so operiert $j(x)$ auf $X^{(t)}$ durch $(j(x)\phi)(m) = \phi(j({}^t x)m)$ für $\phi \in X^{(t)}$ und $m \in X$, also genau so, als ob wir zunächst X über j als $\mathfrak{g}$-Modul auffassen und dann $X^{(t)}$ wie in 2.1 als $\mathfrak{g}$-Modul bilden. Schließlich ist die Aktion von $j(x)$ auf ${}^s X$ gleich der von $j(-{}^t x)$ auf X.

6.5 Für jeden $(U(\mathfrak{g}), U(\mathfrak{g}))$-Bimodul X und jedes $E \in \mathfrak{k}^\wedge$ sei X_E die E-isotypische Komponente des Sockels von X als $\mathfrak{k}$-Modul, also die Summe aller zu E isomorphen $\mathfrak{k}$-Untermoduln von X. Die Summe der X_E mit $E \in \mathfrak{k}$ ist direkt und in dem Sockel von X als $\mathfrak{k}$-Modul enthalten. Wir nennen X einen *Harish-Chandra-Modul* (für $\mathfrak{g} \times \mathfrak{g}$), wenn X gleich der Summe aller X_E mit $E \in \mathfrak{k}^\wedge$ ist. Wegen der Halbeinfachheit von $\mathfrak{k}$ ist dies dazu äquivalent, daß $\dim U(\mathfrak{k})m < \infty$ für alle $m \in X$ gilt. Wir bezeichnen die Kategorie aller Harish-Chandra-Moduln mit $\mathscr{H}$. Offensichtlich ist $\mathscr{H}$ abgeschlossen unter der Bildung von Untermoduln, homomorphen Bildern und Tensorprodukten.

Die Kategorie aller Harish-Chandra-Moduln, die als $U(\mathfrak{g}) \otimes U(\mathfrak{g})$-Moduln endlich erzeugbar sind, bezeichnen wir mit $\mathscr{H}^{ee}$. Diese Kategorie ist abgeschlossen unter der Bildung von Untermoduln, homomorphen Bildern und von Tensorprodukten mit endlich dimensionalen Moduln.

Für jeden $(U(\mathfrak{g}), U(\mathfrak{g}))$-Bimodul X und jeden einfachen, endlich dimensionalen $\mathfrak{k}$-Modul E sei $[X: E]_\mathfrak{k}$ die Multiplizität von E als direkter Summand von X_E. Da $\mathfrak{k} \simeq \mathfrak{g}$ zerfallend, mithin E absolut einfach ist, gilt auch $[X: E]_\mathfrak{k} = \dim \operatorname{Hom}_\mathfrak{k}(E, X)$. Ist $(\phi_i)_{i \in I}$ eine Basis von $\operatorname{Hom}_\mathfrak{k}(E, X)$, so ist X_E die direkte Summe der $\phi_i(E)$ mit $i \in I$. Es sei $\mathscr{H}^{em}$ die Kategorie aller X in $\mathscr{H}$ mit $[X: E]_\mathfrak{k} < \infty$ für alle $E \in \mathfrak{k}^\wedge$, oder (äquivalent) aller X in $\mathscr{H}$ mit

$\dim \operatorname{Hom}_{\mathfrak{k}}(F, X) < \infty$ für alle endlich dimensionalen $\mathfrak{k}$-Moduln F. Die Kategorie $\mathscr{H}^{em}$ ist wieder abgeschlossen unter der Bildung von Untermoduln und homomorphen Bildern sowie von Tensorprodukten mit endlich dimensionalen Moduln. (Sind $E \in \mathfrak{k}^\wedge$ und X aus $\mathscr{H}^{em}$ sowie V ein endlich dimensionaler $(\mathfrak{g} \times \mathfrak{g})$-Modul, so gilt $\dim \operatorname{Hom}_{\mathfrak{k}}(E, X \otimes V) = \dim \operatorname{Hom}_{\mathfrak{k}}(E \otimes V^*, X) < \infty$ wegen $\dim E \otimes V^* < \infty$.)

Wir bezeichnen die Kategorie aller $(\mathfrak{g} \times \mathfrak{g})$-Moduln, die sowohl zu $\mathscr{H}^{ee}$ als auch zu $\mathscr{H}^{em}$ gehören, mit $\mathscr{H}^{ee} \cap \mathscr{H}^{em}$. Ist X aus $\mathscr{H}^{ee}$, so kann man einen endlich dimensionalen Teilraum V von X finden, der X als $U(\mathfrak{g}) \otimes U(\mathfrak{g})$-Modul erzeugt und unter $\mathfrak{k}$ stabil ist. Es gibt dann $E_1, E_2, \ldots, E_r \in \mathfrak{k}^\wedge$ mit $V \subset X_{E_1} \oplus X_{E_2} \oplus \ldots \oplus X_{E_r}$. Jeder Homomorphismus $\phi: X \to Y$ von $(U(\mathfrak{g}), U(\mathfrak{g}))$-Bimoduln ist nun durch $\phi|_V$ festgelegt, und $\phi(V)$ ist in $Y_{E_1} \oplus Y_{E_2} \oplus \ldots \oplus Y_{E_r}$ enthalten. Daraus folgt

(1) $\dim \operatorname{Hom}_{\mathfrak{g} \times \mathfrak{g}}(X, Y) < \infty$ *für X aus $\mathscr{H}^{ee}$ und Y aus $\mathscr{H}^{em}$.*

Gehört oben $X = Y$ zu $\mathscr{H}^{ee} \cap \mathscr{H}^{em}$, so gibt es wegen $\phi(X_{E_i}) \subset X_{E_i}$ und $\dim X_{E_i} < \infty$ für alle i ein $n \in \mathbf{N}$ mit $\phi^n(X_{E_i}) = \phi^{n+1}(X_{E_i})$, also auch $\phi^n(X) = \phi^{n+1}(X)$. Dann folgt $\phi^n(X_E) = \phi^{n+1}(X_E)$, mithin $X_E = \operatorname{Kern} \phi^n|_{X_E} \oplus \phi^n(X_E)$ für alle $E \in \mathfrak{k}^\wedge$, also $X = \operatorname{Kern} \phi^n \oplus \phi^n(X)$. Daher gilt in $\mathscr{H}^{ee} \cap \mathscr{H}^{em}$ ein Analogon zum Lemma von Fitting. Da außerdem $\dim \operatorname{End}_{\mathfrak{g} \times \mathfrak{g}}(X) < \infty$ für alle X aus $\mathscr{H}^{ee} \cap \mathscr{H}^{em}$ gilt, folgt:

(2) *Jedes X aus $\mathscr{H}^{ee} \cap \mathscr{H}^{em}$ ist endliche direkte Summe unzerlegbarer Moduln aus $\mathscr{H}^{ee} \cap \mathscr{H}^{em}$. Je zwei Zerlegungen als direkte Summe unzerlegbarer Moduln sind äquivalent.*

Ist $\chi: Z(\mathfrak{g}) \to k$ ein Homomorphismus von Algebren, so sei $\mathscr{H}_\chi$ die Kategorie der $(U(\mathfrak{g}), U(\mathfrak{g})_\chi)$-Bimoduln, die zu $\mathscr{H}$ gehören. Analog seien $\mathscr{H}_\chi^{ee}$, $\mathscr{H}_\chi^{em}$ und $\mathscr{H}_\chi^{ee} \cap \mathscr{H}_\chi^{em}$ definiert.

6.6 Es sei $k' \supset k$ eine Körpererweiterung. Dann ist $\mathfrak{g} \otimes k'$ eine zerfallende halbeinfache Lie-Algebra über k'; für jeden g-Modul M ist $M \otimes k'$ in natürlicher Weise ein $(\mathfrak{g} \otimes k')$-Modul. Für zwei $\mathfrak{g}$-Moduln M und N gilt $\operatorname{Hom}_{\mathfrak{g} \otimes k'}(M \otimes k', N \otimes k') \simeq \operatorname{Hom}_{\mathfrak{g}}(M, N) \otimes k'$. Die einfachen, endlich dimensionalen Darstellungen von $\mathfrak{g}$ wie von $\mathfrak{g} \otimes k'$ werden durch $P(R)^{++}$ parameterisiert; entsprechende Darstellungen gehen durch $E \mapsto E \otimes k'$ auseinander hervor. Analoges gilt natürlich auch für die zu $\mathfrak{g}$ isomorphe Lie-Algebra $\mathfrak{k}$. Ist X ein $(U(\mathfrak{g}), U(\mathfrak{g}))$-Bimodul, so ist $X \otimes k'$ in natürlicher Weise ein $(U(\mathfrak{g}) \otimes k', U(\mathfrak{g}) \otimes k')$-Bimodul. Für alle $E \in \mathfrak{k}^\wedge$ gilt nun $\operatorname{Hom}_{\mathfrak{k} \otimes k'}(E \otimes k', X \otimes k') \simeq \operatorname{Hom}_{\mathfrak{k}}(E, X) \otimes k'$, also $(X \otimes k')_{E \otimes k'} = (X_E) \otimes k'$ und $[X \otimes k' : E \otimes k']_{\mathfrak{k} \otimes k'} = [X : E]_{\mathfrak{k}}$. Daher ist X genau dann ein Harish-Chandra-Modul für $\mathfrak{g} \times \mathfrak{g}$, wenn $X \otimes k'$ einer für $(\mathfrak{g} \otimes k') \times (\mathfrak{g} \otimes k') \simeq (\mathfrak{g} \times \mathfrak{g}) \otimes k'$ ist. Auch gehört X genau dann zu $\mathscr{H}^{ee}$ oder $\mathscr{H}^{em}$, wenn $X \otimes k'$ zur entsprechenden Kategorie über k' gehört.

6.7 Für einen beliebigen $(U(\mathfrak{g}), U(\mathfrak{g}))$-Bimodul X setzen wir

$$\mathscr{E}_{\mathfrak{k}}(X) = \bigoplus_{E \in \mathfrak{k}^\wedge} X_E = \{m \in X \mid \dim U(\mathfrak{k}) m < \infty\}.$$

Die Elemente von $\mathscr{E}_{\mathfrak{k}}(X)$ werden auch die $\mathfrak{k}$-endlichen Elemente von X genannt. Nach [DIX], 1.7.9 ist $\mathscr{E}_{\mathfrak{k}}(X)$ ein $(U(\mathfrak{g}), U(\mathfrak{g}))$-Unterbimodul von X; für alle $E \in \mathfrak{k}^{\wedge}$ gilt $\mathscr{E}_{\mathfrak{k}}(X)_E = X_E$. Offensichtlich ist $\mathscr{E}_{\mathfrak{k}}$ ein linksexakter Funktor von der Kategorie aller $(U(\mathfrak{g}), U(\mathfrak{g}))$-Bimoduln nach $\mathscr{H}$.

Für zwei $(U(\mathfrak{g}), U(\mathfrak{g}))$-Bimoduln X und V mit $\dim V < \infty$ gilt

(1) $$\mathscr{E}_{\mathfrak{k}}(X \otimes V) = \mathscr{E}_{\mathfrak{k}}(X) \otimes V.$$

Dabei ist die Inklusion $\mathscr{E}_{\mathfrak{k}}(X) \otimes V \subset \mathscr{E}_{\mathfrak{k}}(X \otimes V)$ trivial; um die Gleichheit zu erhalten, müssen wir

(2) $$\mathrm{Hom}_{\mathfrak{k}}(E, \mathscr{E}_{\mathfrak{k}}(X) \otimes V) = \mathrm{Hom}_{\mathfrak{k}}(E, X \otimes V)$$

für alle endlich dimensionalen $\mathfrak{k}$-Moduln E zeigen. Man hat aber wegen $\dim V < \infty$ kanonische Isomorphismen

$$\mathrm{Hom}_{\mathfrak{k}}(E, \mathscr{E}_{\mathfrak{k}}(X) \otimes V) \simeq \mathrm{Hom}_{\mathfrak{k}}(E \otimes V^*, \mathscr{E}_{\mathfrak{k}}(X))$$

und

$$\mathrm{Hom}_{\mathfrak{k}}(E, X \otimes V) \simeq \mathrm{Hom}_{\mathfrak{k}}(E \otimes V^*, X);$$

wegen $\dim E \otimes V^* < \infty$ ist nach Konstruktion von $\mathscr{E}_{\mathfrak{k}}(X)$ außerdem

$$\mathrm{Hom}_{\mathfrak{k}}(E \otimes V^*, X) = \mathrm{Hom}_{\mathfrak{k}}(E \otimes V^*, \mathscr{E}_{\mathfrak{k}}(X))$$

klar. Daraus folgt (2) nun sofort. Ist $k' \supset k$ ein Erweiterungskörper, so gilt

(3) $$\mathscr{E}_{\mathfrak{k} \otimes k'}(X \otimes k') = \mathscr{E}_{\mathfrak{k}}(X) \otimes k'$$

nach der Diskussion in 6.6.

6.8 Wir kehren zu den Beispielen in 6.2 zurück.

a) Die adjungierte Operation von $\mathfrak{g}$ auf $U(\mathfrak{g})$ ist lokal endlich, da alle $U_n(\mathfrak{g})$ unter $\mathfrak{g}$ stabil sind. Daher gehört $U(\mathfrak{g})/I$ für jedes Ideal I von $U(\mathfrak{g})$ zu $\mathscr{H}^{ee}$. Gilt $\dim Z(\mathfrak{g})/(Z(\mathfrak{g}) \cap I) < \infty$, so gehört $U(\mathfrak{g})/I$ nach 3.1 sogar zu $\mathscr{H}^{em}$. Ist $\chi: Z(\mathfrak{g}) \to k$ ein Homomorphismus von Algebren, so gilt für jedes $E \in \mathfrak{k}^{\wedge}$ nach 3.1 (1) genauer

(1) $$[U(\mathfrak{g})/U(\mathfrak{g})\,\mathrm{Kern}\chi : E]_{\mathfrak{k}} = \dim E^0.$$

b) Für zwei $\mathfrak{g}$-Moduln M und N setzen wir

$$\mathscr{L}(M, N) = \mathscr{E}_{\mathfrak{k}}\,\mathrm{Hom}(M, N).$$

Offensichtlich ist $\mathscr{L}$ ein Funktor in zwei Argumenten mit Werten in $\mathscr{H}$; er ist linksexakt in beiden Argumenten. Für Untermoduln M' von M und N' von N werden wir stets $\mathscr{L}(M, N')$ mit $\{\phi \in \mathscr{L}(M, N) \mid \phi(M) \subset N'\}$ und häufig $\mathscr{L}(M/M', N)$ mit $\{\phi \in \mathscr{L}(M, N) \mid \phi(M') = 0\}$ identifizieren.

Für M und N wie oben sowie einen endlich dimensionalen $\mathfrak{g}$-Modul E folgt aus 6.2 (6), (6′) und 6.7 (1)

(2) $$\mathscr{L}(M\otimes E, N)\simeq\mathscr{L}(M, N)\otimes(E^{(t)})^r$$

und

(2′) $$\mathscr{L}(M, N\otimes E)\simeq E^l\otimes\mathscr{L}(M, N).$$

Faßt man E wie üblich über j^{-1} als $\mathfrak{k}$-Modul auf, so erhält man

(3) $$\mathrm{Hom}_{\mathfrak{k}}(E, \mathscr{L}(M, N))\simeq\mathrm{Hom}_{\mathfrak{g}}(M\otimes E, N)\simeq\mathrm{Hom}_{\mathfrak{g}}(M, N\otimes E^*).$$

(Die kanonischen Isomorphismen $\mathrm{Hom}(E, \mathrm{Hom}(M, N))\simeq\mathrm{Hom}(M\otimes E, N)$ $\simeq\mathrm{Hom}(M, N\otimes E^*)$ respektieren die Operation von $\mathfrak{k}$ bzw. $\mathfrak{g}$.)

Für einen Erweiterungskörper k' von k folgt aus 6.7 (3) einfach

(4) $$\mathscr{L}(M\otimes k', N\otimes k')\simeq\mathscr{L}(M, N)\otimes k'.$$

Die Abbildung $\mu: U(\mathfrak{g})\to\mathrm{Hom}(M, M)$ von 6.2.b bildet $U(\mathfrak{g})=\mathscr{E}_{\mathfrak{k}}(U(\mathfrak{g}))$ in $\mathscr{E}_{\mathfrak{k}}(\mathrm{Hom}(M,M))=\mathscr{L}(M, M)$ ab, induziert also einen injektiven Homomorphismus

(5) $$U(\mathfrak{g})/\mathrm{Ann}\, M\to\mathscr{L}(M, M),$$

den wir auch kanonisch nennen.

Für drei $\mathfrak{g}$-Moduln M_1, M_2, M_3 gilt

(6) $$\mathscr{L}(M_2, M_3)\,\mathscr{L}(M_1, M_2)\subset\mathscr{L}(M_1, M_3),$$

denn die Verknüpfung von Abbildungen induziert einen Homomorphismus $\mathrm{Hom}(M_2,M_3)\otimes\mathrm{Hom}(M_1, M_2)\to\mathrm{Hom}(M_1, M_3)$ von $\mathfrak{k}$-Moduln, führt also $\mathfrak{k}$-endliche Elemente in eben solche über.

Insbesondere ist $\mathscr{L}(M, M)$ für jeden $\mathfrak{g}$-Modul M eine Unteralgebra von $\mathrm{End}(M)$; die kanonische Abbildung (5) ist auch ein Homomorphismus von Algebren.

c) Für zwei $\mathfrak{g}$-Moduln M und N setzen wir

$$\mathscr{D}(M, N)=\mathscr{E}_{\mathfrak{k}}((M^l\otimes N^r)^{(t)}).$$

Offensichtlich ist $\mathscr{D}$ ein Funktor, der in beiden Argumenten kontravariant und rechtsexakt ist. Aus 6.2 (7) folgt für alle solchen M und N

(7) $$\mathscr{D}(M, N)\simeq\mathscr{L}(N, M^{(t)}).$$

d) Für jeden $(U(\mathfrak{g}), U(\mathfrak{g}))$-Bimodul X und jedes $E \in \mathfrak{k}^\wedge$ kann man $({}^sX)_E$ mit $X_{(E^*)}$ identifizieren (vgl. 6.4); insbesondere gilt

(8) $$[{}^sX : E]_{\mathfrak{k}} = [X : E^*]_{\mathfrak{k}}.$$

Außerdem folgt

(9) $${}^s\mathscr{E}_{\mathfrak{k}}(X) \simeq \mathscr{E}_{\mathfrak{k}}({}^sX).$$

Der Funktor $X \mapsto {}^sX$ führt daher die Kategorien $\mathscr{H}$, $\mathscr{H}^{ee}$ und $\mathscr{H}^{em}$ in sich über.

Wegen 6.3 (3), (6) gilt für alle $\mathfrak{g}$-Moduln M und N

(10) $${}^s\mathscr{D}(M, N) \simeq \mathscr{D}(N, M),$$

nach (6) oben also auch

(11) $${}^s\mathscr{L}(M, N^{(t)}) \simeq \mathscr{L}(N, M^{(t)}).$$

6.9 Wir wenden die oben für beliebige $\mathfrak{g}$-Moduln durchgeführten Konstruktionen nun auf Moduln in der Kategorie $\mathscr{O}$ an. Für alle M und N in $\mathscr{O}$ ist $\mathrm{Hom}_{\mathfrak{g}}(M, N)$ nach 4.3 (1) endlich dimensional; da $\mathscr{O}$ unter Tensorprodukten mit endlich dimensionalen $\mathfrak{g}$-Moduln abgeschlossen ist, folgt aus 6.8 (3), daß $\mathscr{L}(M, N)$ zur Kategorie $\mathscr{H}^{em}$ gehört. (Dies gilt übrigens stets für $\mathfrak{g}$-Moduln endlicher Länge, vgl. 8.17.)

Sind M und N weiter in $\mathscr{O}$ und ist E ein endlich dimensionaler $\mathfrak{g}$-Modul, so ist das Bild eines jeden Homomorphismus $N \otimes E \to M^{(t)}$ direkte Summe seiner Gewichtsräume, also nach Definition (siehe 4.10) in ${}^tM$ enthalten. Es gilt demnach $\mathrm{Hom}_{\mathfrak{g}}(N \otimes E, M^{(t)}) = \mathrm{Hom}_{\mathfrak{g}}(N \otimes E, {}^tM)$, nach 6.8 (3) also

(1) $$\mathscr{L}(N, M^{(t)}) = \mathscr{L}(N, {}^tM)$$

und nach 6.8 (7) somit

(2) $$\mathscr{D}(M, N) \xrightarrow{\sim} \mathscr{L}(N, {}^tM).$$

Benutzt man ${}^t({}^tM) \simeq M$, so erhält man aus 6.8 (11)

(3) $${}^s\mathscr{L}(M, N) \xrightarrow{\sim} \mathscr{L}({}^tN, {}^tM).$$

Verfolgt man die Identifikationen zurück, so sieht man, daß dieser Isomorphismus einer Abbildung $\phi: M \to N$ aus $\mathscr{L}(M, N)$ die Abbildung $\psi \mapsto \psi \circ \phi$ von ${}^tN$ nach ${}^tM$ zuordnet. Versieht man $\mathscr{L}(M, M)$ mit der Struktur von $\mathscr{L}(M, M)$ als Algebra, so ist die Abbildung ${}^s\mathscr{L}(M, M) \to \mathscr{L}({}^tM, {}^tM)$ ein Antiisomorphismus von Algebren. Außerdem ist das folgende Diagramm kommutativ, wo die vertikalen Pfeile die kanonischen Homomorphismen sind (vgl. 5.2 (1)) und wo der obere horizontale Pfeil von der Abbildung $u \mapsto {}^t u$ induziert wird (vgl. 6.3 (8)):

(4)
$$\begin{array}{ccc} {}^s(U(\mathfrak{g})/\operatorname{Ann} M) & \xrightarrow{\sim} & U(\mathfrak{g})/{}^t\operatorname{Ann} M \\ \downarrow & & \downarrow \\ {}^s\mathscr{L}(M, M) & \xrightarrow{\sim} & \mathscr{L}({}^tM, {}^tM) \end{array}$$

Wegen 4.10 (3) gilt für alle $\lambda, \mu \in \mathfrak{h}^*$

(5) $${}^s\mathscr{L}(L(\lambda), L(\mu)) \simeq \mathscr{L}(L(\mu), L(\lambda)).$$

Die Moduln $\mathscr{D}(M(\lambda), M(\mu))$ mit $\lambda, \mu \in \mathfrak{h}^*$ bilden die Hauptserie von $\mathfrak{g} \times \mathfrak{g}$; sie gehören schon wegen (2) zu $\mathscr{H}^{em}$, und zwar gilt nach [DIX], 9.6.2 (i)

(6) $$[\mathscr{D}(M(\lambda), M(\mu)): E]_{\mathfrak{k}} = \dim E^{\lambda - \mu}$$

für alle $E \in \mathfrak{k}^\wedge$.

Es sei $\Lambda \in \mathfrak{h}^*/P(R)$; für alle $\lambda \in \Lambda^+$ und $\mu \in \mathfrak{h}^*$ folgt dann aus 4.8 (1) und 6.8 (3)

(7) $$[\mathscr{L}(M(\lambda), M(\mu)): E]_{\mathfrak{k}} = \dim E^{\mu - \lambda}$$

für alle $E \in \mathfrak{k}^\wedge$. Wegen $\operatorname{Ann} M(\lambda) = I_\lambda^{\min} = U(\mathfrak{g}) \operatorname{Kern} \chi_\lambda$ folgt aus 6.8 (1) nun, daß die kanonische Abbildung

(8) $$U(\mathfrak{g})/I_\lambda^{\min} \xrightarrow{\sim} \mathscr{L}(M(\lambda), M(\lambda)) \quad \text{für } \lambda \in \Lambda^+$$

ein Isomorphismus ist. (In 7.25 werden wir dies für alle $\lambda \in \mathfrak{h}^*$ sehen.) Dabei wird $\operatorname{Ann}(M(\lambda)/M)/I_\lambda^{\min}$ für einen Untermodul M von $M(\lambda)$ auf $\mathscr{L}(M(\lambda), M)$ abgebildet.

Für jeden Modul M in $\mathscr{O}$ kann man den Funktor $\mathscr{L}_M$ von $\mathscr{O}$ nach $\mathscr{H}^{em}$ mit $\mathscr{L}_M(N) = \mathscr{L}_M(M, N)$ betrachten; er ist linksexakt, weil $\mathscr{L}$ dies schon ist. Wir behaupten:

(9) *Ist M projektiv in $\mathscr{O}$, so ist $\mathscr{L}_M$ exakt.*

Dazu müssen wir zeigen, daß für jedes $E \in \mathfrak{k}^\wedge$ die Zuordnung $N \mapsto \operatorname{Hom}(M, N)_E$ ein exakter Funktor ist. Nun gilt $(\dim \operatorname{Hom}(M, N)_E)/\dim E = \dim \operatorname{Hom}_{\mathfrak{k}}(E, \operatorname{Hom}(M, N)) = \dim \operatorname{Hom}_{\mathfrak{g}}(M, N \otimes E^*)$. Da sowohl $N \mapsto N \otimes E^*$ als auch (wegen der Projektivität von M) $N' \mapsto \operatorname{Hom}_{\mathfrak{g}}(M, N')$ exakte Funktoren sind, folgt nun die Behauptung.

Dies kann man nach 4.8 insbesondere auf $M = M(\lambda)$ mit $\lambda \in \Lambda^+$ wie oben anwenden. Für zwei Untermoduln M_1 und M_2 von $M(\lambda)$ folgt nun (auch mit (8)):

$$\begin{aligned}\mathscr{L}(M(\lambda)/M_1, M(\lambda)/M_2) &\simeq \{\phi \in \mathscr{L}(M(\lambda), M(\lambda)/M_2) \mid \phi(M_1)=0\}\\ &\simeq \{\phi \in \mathscr{L}(M(\lambda), M(\lambda)) \mid \phi(M_1) \subset M_2\}/\mathscr{L}(M(\lambda), M_2)\\ &\simeq \{u \in U(\mathfrak{g}) \mid u M_1 \subset M_2\}/\{u \in U(\mathfrak{g}) \mid u M(\lambda) \subset M_2\}.\end{aligned}$$

Insbesondere erhält man für alle Untermoduln M von $M(\lambda)$:

(10) $$\mathscr{L}(M(\lambda)/M, M(\lambda)/M) \simeq U(\mathfrak{g})/\mathrm{Ann}(M(\lambda)/M).$$

6.10 Reden wir davon, daß wir einen $(U(\mathfrak{g}), U(\mathfrak{g}))$-Bimodul als $U(\mathfrak{g})$-Linksmodul oder als $U(\mathfrak{g})$-Rechtsmodul betrachten, so soll immer die Struktur gemeint sein, die wir erhalten, wenn wir nur das erste $U(\mathfrak{g})$ bzw. nur das zweite $U(\mathfrak{g})$ operieren lassen.

Lemma. *Es sei X ein $(U(\mathfrak{g}), U(\mathfrak{g}))$-Bimodul.*
a) *Ist $V \subset X$ ein $\mathfrak{k}$-stabiler Teilraum, so gilt*

$$U(\mathfrak{g})V = U(\mathfrak{g})VU(\mathfrak{g}) = VU(\mathfrak{g}).$$

b) *Gehört X zu $\mathscr{H}^{ee}$, so gibt es einen endlich dimensionalen, $\mathfrak{k}$-stabilen Teilraum V von X mit $X = U(\mathfrak{g})V = VU(\mathfrak{g})$. Es ist X dann auch als Links- und als Rechtsmodul über $U(\mathfrak{g})$ endlich erzeugbar.*

Beweis. a) Die Inklusion $U(\mathfrak{g})V \subset U(\mathfrak{g})VU(\mathfrak{g})$ ist klar; um auch die Umkehrung zu erhalten, müssen wir nur $V\mathfrak{g} \subset U(\mathfrak{g})V$ zeigen. Dazu seien $v \in V$ und $x \in \mathfrak{g}$; dann gilt

$$vx = xv - (xv - vx) = xv + j(x)v \in \mathfrak{g}V + \mathfrak{k}V \subset \mathfrak{g}V + V \subset U(\mathfrak{g})V.$$

Ebenso zeigt man $U(\mathfrak{g})VU(\mathfrak{g}) = VU(\mathfrak{g})$.

b) Nach Voraussetzung wird X über $U(\mathfrak{g}) \otimes U(\mathfrak{g})$ von endlich vielen Elementen erzeugt; da X ein Harish-Chandra-Modul ist, sind diese endlich vielen Elemente in einem endlich dimensionalen $\mathfrak{k}$-stabilen Teilraum V von X enthalten. Nun gilt $X = (U(g) \otimes U(g))V = U(g)VU(\mathfrak{g})$, nach a) also $X = U(\mathfrak{g})V = VU(\mathfrak{g})$. Dies zeigt die Behauptung.

6.11 Für einen $(U(\mathfrak{g}), U(\mathfrak{g}))$-Bimodul X setzen wir

$$\mathrm{LAnn}\,X = \{u \in U(\mathfrak{g}) \mid ux = 0 \quad \text{für alle } x \in X\},$$

$$\mathrm{RAnn}\,X = \{u \in U(\mathfrak{g}) \mid xu = 0 \quad \text{für alle } x \in X\}.$$

Diese beiden Ideale sind gerade die Annullatoren von X aufgefaßt als Links- oder Rechtsmodul über $U(\mathfrak{g})$ wie in 6.10. Offensichtlich gilt

(1) $$\mathrm{LAnn}^s X = {}^t\mathrm{RAnn}\,X \quad \text{und} \quad \mathrm{RAnn}^s X = {}^t\mathrm{LAnn}\,X.$$

Satz. *Zu jedem Bimodul X in $\mathscr{H}^{ee}$ gibt es endlich dimensionale $\mathfrak{g}$-Moduln E_1 und E_2 mit surjektiven Homomorphismen*

$$(U(\mathfrak{g})/\mathrm{LAnn}\,X) \otimes E_1^r \to X \quad \textit{und} \quad (U(\mathfrak{g})/\mathrm{RAnn}\,X) \otimes E_2^l \to X$$

sowie injektiven Homomorphismen

$$U(\mathfrak{g})/\mathrm{LAnn}\,X \to (E_1^*)^r \otimes X \quad \textit{und} \quad U(\mathfrak{g})/\mathrm{RAnn}\,X \to (E_2^*)^l \otimes X$$

jeweils von $(U(\mathfrak{g}), U(\mathfrak{g}))$*-Bimoduln.*

Beweis. Nach Lemma 6.10.b können wir einen endlich dimensionalen $\mathfrak{k}$-stabilen Teilraum V von X mit $X = U(\mathfrak{g})\,V = V\,U(\mathfrak{g})$ finden. Daher sind die Abbildungen

$$\phi_1 : (U(\mathfrak{g})/\mathrm{LAnn}\,X) \otimes V \to X, \quad (u + \mathrm{LAnn}\,X) \otimes v \mapsto uv$$

und

$$\phi_2 : (U(\mathfrak{g})/\mathrm{RAnn}\,X) \otimes V \to X, \quad (u + \mathrm{RAnn}\,X) \otimes v \mapsto vu$$

surjektiv. Es seien nun E_1 und E_2 beide als Vektorräume gleich V, auf dem ein $a \in \mathfrak{g}$ wie $j(-{}^t a)$ im Fall E_1 und wie $j(a)$ im Fall E_2 operiere. Gibt man nun oben V die Struktur von E_1^r bei ϕ_1 und von E_2^l bei ϕ_2, so rechnet man leicht nach, daß ϕ_1 und ϕ_2 Homomorphismen von $(U(\mathfrak{g}), U(\mathfrak{g}))$-Bimoduln werden.

Es sei $(v_1, \dots, v_r)$ eine Basis von V; die dazu duale Basis von V^* werde mit $(\nu_1, \dots, \nu_r)$ bezeichnet. Aus $X = V\,U(\mathfrak{g}) = U(\mathfrak{g})\,V$ folgt

(2) $$\mathrm{LAnn}\,X = \{u \in U(\mathfrak{g}) \mid u v_i = 0 \quad \text{für } 1 \leqslant i \leqslant r\}$$

und

(2′) $$\mathrm{RAnn}\,X = \{u \in U(\mathfrak{g}) \mid v_i u = 0 \quad \text{für } 1 \leqslant i \leqslant r\}.$$

Daher sind die Abbildungen

$$\psi_1 : U(\mathfrak{g})/\mathrm{LAnn}\,X \to V^* \otimes X, \quad u + \mathrm{LAnn}\,X \mapsto \sum_{i=1}^{r} \nu_i \otimes u v_i$$

und

$$\psi_2 : U(\mathfrak{g})/\mathrm{RAnn}\,X \to V^* \otimes X, \quad u + \mathrm{RAnn}\,X \mapsto \sum_{i=1}^{r} \nu_i \otimes v_i u$$

injektiv. Wir geben V^* nun die Struktur von $(E_1^*)^r$ bei ψ_1 und von $(E_2^*)^l$ bei ψ_2; in beiden Fällen erhalten wir die gegebene Struktur von V^* als $\mathfrak{k}$-Modul. Das Element $a = \sum_{i=1}^{r} \nu_i \otimes v_i$ ist $\mathfrak{k}$-invariant; unter dem kanonischen Isomorphismus $V^* \otimes X \to \mathrm{Hom}(V, X)$ entspricht es der Inklusion von V in X. Wegen $\psi_1(u + \mathrm{LAnn}\,X) = ua$ für alle $u \in U(\mathfrak{g})$ folgt aus der $\mathfrak{k}$-Invarianz von a für alle $u_1, u_2 \in U(\mathfrak{g})$:

$$\begin{aligned}\psi_1(u_1(u + \mathrm{LAnn}\,X)u_2) &= \psi_1(u_1 u u_2 + \mathrm{LAnn}\,X) = u_1 u u_2 a = u_1 u a u_2 \\ &= u_1 \psi_1(u + \mathrm{LAnn}\,X) u_2 .\end{aligned}$$

Daher ist ψ_1 ein Homomorphismus von $(U(\mathfrak{g}), U(\mathfrak{g}))$-Bimoduln. Ebenso argumentiert man für ψ_2.

6.12 Corollar. *Für einen Bimodul X in $\mathscr{H}^{ee}$ sind äquivalent:*

(i) *X gehört auch zu $\mathscr{H}^{em}$.*

(ii) $\dim Z(\mathfrak{g}\times\mathfrak{g})/\mathrm{Ann}_{Z(\mathfrak{g}\times\mathfrak{g})}X<\infty$.

(iii) $\dim Z(\mathfrak{g})/(Z(\mathfrak{g})\cap \mathrm{RAnn}\,X)<\infty$.

(iv) $\dim Z(\mathfrak{g})/(Z(g)\cap \mathrm{LAnn}\,X)<\infty$.

Beweis. (i) $\Rightarrow$ (ii): Nach Lemma 6.10.b gibt es einen endlich dimensionalen $\mathfrak{k}$-stabilen Teilraum V von $X=U(\mathfrak{g})V=VU(\mathfrak{g})$. Gehört X zu $\mathscr{H}^{em}$, so kann man V von der Form $X_{E_1}\oplus X_{E_2}\oplus\ldots\oplus X_{E_r}$ mit $E_1, E_2, \ldots, E_r\in\mathfrak{k}^\wedge$ wählen. Dann ist V unter $Z(\mathfrak{g}\times\mathfrak{g})\simeq Z(\mathfrak{g})\otimes Z(\mathfrak{g})$ stabil. Wegen $\mathrm{Ann}_{Z(\mathfrak{g}\times\mathfrak{g})}X=\mathrm{Ann}_{Z(\mathfrak{g}\times\mathfrak{g})}V$ ist $Z(\mathfrak{g}\times\mathfrak{g})/\mathrm{Ann}_{Z(\mathfrak{g}\times\mathfrak{g})}X$ in $\mathrm{End}(V)$ eingebettet, also endlich dimensional.

(ii) $\Rightarrow$ (iii): Die Abbildung $z\mapsto 1\otimes z$ von $Z(\mathfrak{g})$ nach $Z(\mathfrak{g})\otimes Z(\mathfrak{g})\simeq Z(\mathfrak{g}\times\mathfrak{g})$ induziert eine Einbettung von $Z(\mathfrak{g})/(Z(\mathfrak{g})\cap\mathrm{RAnn}\,X)$ in $Z(\mathfrak{g}\times\mathfrak{g})/\mathrm{Ann}_{Z(\mathfrak{g}\times\mathfrak{g})}X$. Daher ist diese Implikation klar.

(iii) $\Rightarrow$ (i): Nach 6.8.a gehört $U(\mathfrak{g})/\mathrm{RAnn}\,X$ zu $\mathscr{H}^{em}$. Da $\mathscr{H}^{em}$ unter Tensorprodukten mit endlich dimensionalen Moduln und unter homomorphen Bildern abgeschlossen ist (6.5), folgt aus Satz 6.11, daß auch X zu $\mathscr{H}^{em}$ gehört.

(ii) $\Rightarrow$ (iv) und (iv) $\Rightarrow$ (i) zeigt man analog.

6.13 Lemma. *Es seien M ein $\mathfrak{g}$-Modul, I ein Ideal von $U(\mathfrak{g})$ und X ein $(U(\mathfrak{g}), U(\mathfrak{g}))$-Bimodul. Dann ist die Abbildung*

$$\Phi\colon \mathrm{Hom}_{\mathfrak{g}\times\mathfrak{g}}(M^l\otimes U(\mathfrak{g})/I, X)\to\mathrm{Hom}_{\mathfrak{k}}(M^l, X)$$

mit $\Phi(\phi)(m)=\phi(m\otimes(1+I))$ für alle $m\in M$ und $\phi\in\mathrm{Hom}_{\mathfrak{g}\times\mathfrak{g}}(M^l\otimes U(\mathfrak{g})/I, X)$ injektiv. Gilt $I\subset\mathrm{RAnn}\,X$, so ist Φ bijektiv.

Beweis. Wir können $I\neq U(\mathfrak{g})$ annehmen. Dann ist $k(1+I)$ in $U(\mathfrak{g})/I$ ein eindimensionaler trivialer $\mathfrak{k}$-Untermodul; wir können $\Phi(\phi)$ als Einschränkung von ϕ auf $M^l\otimes k(1+I)$ interpretieren, das wir mit M^l identifizieren. Insbesondere ist so klar, daß $\Phi(\phi)$ wirklich ein Homomorphismus von $\mathfrak{k}$-Moduln ist. Für alle $u\in U(\mathfrak{g})$ und $m\in M$ gilt nun

$$\phi(m\otimes(u+I))=\phi((m\otimes(1+I))u)=\phi(m\otimes(1+I))u=(\Phi(\phi)(m))u\,;$$

dies zeigt, daß Φ injektiv ist.

Es gelte nun $I\subset\mathrm{RAnn}\,X$. Dann können wir jedem k-Homomorphismus $\psi\colon M^l\to X$ eine lineare Abbildung $\Psi(\psi)\colon M^l\otimes U(\mathfrak{g})/I\to X$ durch $\Psi(\psi)(m\otimes(u+I))=\psi(m)u$ zuordnen. Man rechnet leicht nach, daß $\Psi(\psi)$ ein Homomorphismus von Bimoduln ist. Offensichtlich sind Φ und Ψ invers zueinander, also beide bijektiv.

6.14 Wir halten in den nächsten Abschnitten (bis 6.21) einen Homomorphismus $\chi\colon Z(\mathfrak{g})\to k$ fest. Nach 6.12 gehören alle Bimoduln X in $\mathscr{H}_\chi^{ee}$ zu $\mathscr{H}_\chi^{em}$. Wie wir in 6.5 (1) und (2) gesehen haben, gilt deshalb $\dim \mathrm{Hom}_{\mathfrak{g}\times\mathfrak{g}}(X, Y)<\infty$ für alle X und Y aus $\mathscr{H}_\chi^{ee}$, und jedes solche X läßt sich (eindeutig bis auf Äquivalenz) in eine endliche direkte Summe unzerlegbarer Bimoduln aus $\mathscr{H}_\chi^{ee}$ zerlegen.

Für alle $(U(\mathfrak{g}), U(\mathfrak{g})_\chi)$-Bimoduln X gilt $U(\mathfrak{g})\,\mathrm{Kern}\,\chi\subset \mathrm{RAnn}\,X$; aus Lemma 6.13 erhält man daher für alle $\mathfrak{g}$-Moduln M einen Isomorphismus

$$(1)\qquad \mathrm{Hom}_{\mathfrak{g}\times\mathfrak{g}}(M^l\otimes U(\mathfrak{g})_\chi, X)\xrightarrow{\sim}\mathrm{Hom}_{\mathfrak{k}}(M^l, X).$$

Satz. a) *Für jeden endlich dimensionalen $\mathfrak{g}$-Modul E gehört $E^l\otimes U(\mathfrak{g})_\chi$ zu $\mathscr{H}_\chi^{ee}$ und ist ein projektives Objekt in $\mathscr{H}_\chi$.*

b) *Jeder Modul in $\mathscr{H}_\chi^{ee}$ besitzt eine projektive Auflösung in $\mathscr{H}_\chi^{ee}$.*

c) *Die projektiven Objekte in $\mathscr{H}_\chi^{ee}$ sind bis auf Isomorphie die direkten Summanden der $E^l\otimes U(\mathfrak{g})_\chi$, wobei E die endlich dimensionalen $\mathfrak{g}$-Moduln durchläuft.*

Beweis. a) Nach 6.5 gehört $E^l\otimes U(\mathfrak{g})_\chi$ zu $\mathscr{H}^{ee}$; da $E^l\otimes U(\mathfrak{g})_\chi$ als $U(\mathfrak{g})$-Rechtsmodul zu einer direkten Summe von $\dim E$ Kopien von $U(\mathfrak{g})_\chi$ isomorph ist, gehört er sogar zu $\mathscr{H}_\chi^{ee}$. Da E^l und alle Bimoduln in $\mathscr{H}$ als $\mathfrak{k}$-Moduln halbeinfach sind, ist $X\mapsto \mathrm{Hom}_{\mathfrak{k}}(E, X)$ ein exakter Funktor auf $\mathscr{H}_\chi$. Der Isomorphismus (1) ist funktoriell in X, wie leicht aus der expliziten Beschreibung in 6.13 folgt; also ist auch $X\mapsto \mathrm{Hom}_{\mathfrak{g}\times\mathfrak{g}}(E^l\otimes U(\mathfrak{g})_\chi, X)$ exakt auf $\mathscr{H}_\chi$, mithin $E^l\otimes U(\mathfrak{g})_\chi$ ein projektives Objekt in $\mathscr{H}_\chi$.

b) Zu jedem X aus $\mathscr{H}_\chi^{ee}$ kann man nach Satz 6.11 einen endlich dimensionalen $\mathfrak{g}$-Modul E finden, so daß X homomorphes Bild von $E^l\otimes(U(\mathfrak{g})/\mathrm{RAnn}\,X)$ ist, also auch von $E^l\otimes U(\mathfrak{g})_\chi$. Dieser letzte Modul ist nach a) ein projektives Objekt in $\mathscr{H}_\chi^{ee}$. Der Kern der Surjektion auf X gehört wieder zu $\mathscr{H}_\chi^{ee}$ (vgl. 6.5). Daher kann man nun sukzessiv eine projektive Auflösung konstruieren.

c) Wie wir gerade sahen, ist jedes X in $\mathscr{H}_\chi^{ee}$ homomorphes Bild eines $E^l\otimes U(\mathfrak{g})_\chi$ für einen endlich dimensionalen $\mathfrak{g}$-Modul E. Ist X ein projektives Objekt in $\mathscr{H}_\chi^{ee}$, so spaltet eine Surjektion $E^l\otimes U(\mathfrak{g})_\chi\to X$, also ist X zu einem direkten Summanden von $E^l\otimes U(\mathfrak{g})_\chi$ isomorph. Die Umkehrung folgt aus a), weil direkte Summanden projektiver Objekte wieder projektiv sind.

Bemerkung. Wir bezeichnen ein projektives Objekt in $\mathscr{H}_\chi^{ee}$ kurz als projektiven Bimodul in $\mathscr{H}_\chi^{ee}$.

6.15 Für jeden $\mathfrak{g}$-Modul M definieren wir durch

$$\mathscr{T}_M(X)=X\underset{U(\mathfrak{g})}{\otimes} M$$

einen Funktor $\mathscr{T}_M$ von $\mathscr{H}$ in die Kategorie der $\mathfrak{g}$-Moduln, wobei die Operation von $U(\mathfrak{g})$ auf $\mathscr{T}_M(X)$ von derjenigen auf X von links herkommen soll. Offensichtlich ist $\mathscr{T}_M$ rechtsexakt.

Es sei nun M ein $U(\mathfrak{g})_\chi$-Modul. Wir wollen jetzt nur die Einschränkung von $\mathscr{T}_M$ auf $\mathscr{H}_\chi$ betrachten; für X in $\mathscr{H}_\chi$ gilt auch

$$\mathscr{T}_M(X) = X \bigotimes_{U(\mathfrak{g})_\chi} M.$$

Für alle $\mathfrak{g}$-Moduln N folgt daher

$$(1) \qquad \mathscr{T}_M(N^l \otimes U(\mathfrak{g})_\chi) = (N^l \otimes U(\mathfrak{g})_\chi) \bigotimes_{U(\mathfrak{g})_\chi} M \simeq N^l \otimes (U(\mathfrak{g})_\chi \bigotimes_{U(\mathfrak{g})_\chi} M) \simeq N \otimes M,$$

wobei die Isomorphismen zunächst nur solche von Vektorräumen sind. Da aber die Operation von $\mathfrak{g}$ auf $U(\mathfrak{g})_\chi \bigotimes_{U(\mathfrak{g})_\chi} M$ von links auf dem ersten Faktor des Tensorprodukts bei dessen Identifizierung mit M in die übliche Operation auf M übergeht, sind die linearen Isomorphismen auch mit den Strukturen als $\mathfrak{g}$-Moduln verträglich.

Für zwei $\mathfrak{g}$-Moduln N und N' entspricht jedem Homomorphismus $\phi: N^l \otimes U(\mathfrak{g})_\chi \to (N')^l \otimes U(\mathfrak{g})_\chi$ von Bimoduln unter $\mathscr{T}_M$ ein Homomorphismus $\mathscr{T}_M(\phi): N \otimes M \to N' \otimes M$ von $\mathfrak{g}$-Moduln. Wir wollen ihn explizit angeben: Sind $(v_i)_{i \in I}$ und $(v'_j)_{j \in J}$ Basen von N und N', so gibt es $u_{ij} \in U(\mathfrak{g})_\chi$ mit $\phi(v_i \otimes 1) = \sum_{j \in J} v'_j \otimes u_{ij}$ für alle $i \in I$. Für alle $m \in M$ und $i \in I$ entspricht $\mathscr{T}_M(\phi)(v_i \otimes m)$ dann in $((N')^l \otimes U(\mathfrak{g})_\chi) \bigotimes_{U(\mathfrak{g})_\chi} M$ das Element

$$\phi(v_i \otimes 1) \otimes m = \sum_{j \in J} (v'_j \otimes u_{ij}) \otimes m = \sum_{j \in J} (v'_j \otimes 1) \otimes u_{ij} m,$$

es gilt also

$$(2) \qquad \mathscr{T}_M(\phi)(v_i \otimes m) = \sum_{j \in J} v'_j \otimes u_{ij} m \quad \text{für alle } i \in I.$$

Lemma. *Es sei M ein $U(\mathfrak{g})_\chi$-Modul mit $\operatorname{Ann} M = U(\mathfrak{g}) \operatorname{Kern}\chi$. Für alle $\mathfrak{g}$-Moduln N und N' ist dann die Abbildung*

$$\operatorname{Hom}_{\mathfrak{g} \times \mathfrak{g}}(N^l \otimes U(\mathfrak{g})_\chi, (N')^l \otimes U(\mathfrak{g})_\chi) \to \operatorname{Hom}_{\mathfrak{g}}(N \otimes M, N' \otimes M)$$

mit $\phi \mapsto \mathscr{T}_M(\phi)$ injektiv.

Beweis. Wir übernehmen die Notationen von oben. Aus $\mathscr{T}_M(\phi) = 0$ folgt $\mathscr{T}_M(\phi)(v_i \otimes m) = 0$ für alle $i \in I$ und $m \in M$, also $\sum_{j \in J} v'_j \otimes u_{ij} m = 0$. Wegen der linearen Unabhängigkeit der v'_j muß $u_{ij} m = 0$ für alle $m \in M$ sein, mithin $u_{ij} M = 0$ für alle $i \in I$ und $j \in J$. Da der Annullator von M in $U(\mathfrak{g})$ gleich $U(\mathfrak{g}) \operatorname{Kern}\chi$ ist, muß derjenige in $U(\mathfrak{g})_\chi$ gleich 0 sein. Dies zeigt $u_{ij} = 0$ für alle i und j, also $\phi(v_i \otimes 1) = 0$ für alle $i \in I$ und damit $\phi(v_i \otimes u) = \phi((v_i \otimes 1)u)$ $= \phi(v_i \otimes 1)u = 0$ für alle $u \in U(\mathfrak{g})_\chi$ und alle $i \in I$, mithin $\phi = 0$.

6.16 Wir werden den Funktor $\mathcal{T}_M$ insbesondere für Moduln $M = M(\lambda)$ mit $\lambda \in \mathfrak{h}^*$ betrachten; zur Abkürzung setzen wir $\mathcal{T}_\lambda = \mathcal{T}_{M(\lambda)}$. Auf diese $\mathcal{T}_\lambda$ können wir Lemma 6.15 für $\chi = \chi_\lambda$ nach 5.1 (3) anwenden.

Satz. *Es seien $\Lambda \in \mathfrak{h}^*/P(R)$ und $\lambda \in \Lambda^+$ mit $\chi = \chi_\lambda$. Für alle endlich dimensionalen $\mathfrak{g}$-Moduln E_1 und E_2 ist dann die Abbildung*

$$\operatorname{Hom}_{\mathfrak{g}\times\mathfrak{g}}(E_1^l \otimes U(\mathfrak{g})_\chi, E_2^l \otimes U(\mathfrak{g})_\chi) \to \operatorname{Hom}_{\mathfrak{g}}(E_1 \otimes M(\lambda), E_2 \otimes M(\lambda))$$

mit $\phi \mapsto \mathcal{T}_\lambda(\phi)$ ein Isomorphismus.

Beweis. Nach Lemma 6.15 ist die Abbildung injektiv; wir müssen also nur zeigen, daß beide Räume dieselbe Dimension haben. Nach 6.14 (1) hat man Isomorphismen

$$\begin{aligned}\operatorname{Hom}_{\mathfrak{g}\times\mathfrak{g}}(E_1^l \otimes U(\mathfrak{g})_\chi, E_2^l \otimes U(\mathfrak{g})_\chi) &\simeq \operatorname{Hom}_{\mathfrak{k}}(E_1^l, E_2^l \otimes U(\mathfrak{g})_\chi)\\ &\simeq \operatorname{Hom}_{\mathfrak{k}}((E_1 \otimes E_2^*)^l, U(\mathfrak{g})_\chi) \simeq \operatorname{Hom}_{\mathfrak{g}}(E_1 \otimes E_2^*, U(\mathfrak{g})/U(\mathfrak{g})\operatorname{Kern}\chi),\end{aligned}$$

wobei beim letzten Term die adjungierte Operation von $\mathfrak{g}$ auf $U(\mathfrak{g})/U(\mathfrak{g})\operatorname{Kern}\chi$ betrachtet wird. Wendet man nun 3.1 auf eine Zerlegung von $E_1 \otimes E_2^*$ in eine direkte Summe einfacher Moduln an, so folgt

$$\dim \operatorname{Hom}_{\mathfrak{g}\times\mathfrak{g}}(E_1^l \otimes U(\mathfrak{g})_\chi, E_2^l \otimes U(\mathfrak{g})_\chi) = \dim (E_1 \otimes E_2^*)^0.$$

Andererseits gilt nach 4.8 (1)

$$\begin{aligned}\dim \operatorname{Hom}_{\mathfrak{g}}(E_1 \otimes M(\lambda), E_2 \otimes M(\lambda)) &= \dim \operatorname{Hom}_{\mathfrak{g}}(M(\lambda), E_1^* \otimes E_2 \otimes M(\lambda))\\ &= \dim (E_1^* \otimes E_2)^0.\end{aligned}$$

Weil aber $E_1^* \otimes E_2$ zum Dualmodul von $E_1 \otimes E_2^*$ isomorph ist, folgt $\dim(E_1^* \otimes E_2)^0 = \dim(E_1 \otimes E_2^*)^0$ und damit der Satz.

Bemerkung. Der Isomorphismus im Satz ist funktoriell. Insbesondere ist er für $E_1 = E_2$ ein Isomorphismus von Algebren.

6.17 **Satz.** *Es seien $\Lambda \in \mathfrak{h}^*/P(R)$ und $\lambda \in \Lambda^+$ mit $\chi = \chi_\lambda$.*

a) *Für alle X aus $\mathcal{H}_\chi^{ee}$ gehört $\mathcal{T}_\lambda X$ zu $\mathcal{O}_\Lambda$.*
b) *Ein X aus $\mathcal{H}_\chi^{ee}$ ist genau dann ein projektiver Bimodul in $\mathcal{H}_\chi^{ee}$, wenn $\mathcal{T}_\lambda X$ projektiv in $\mathcal{O}_\Lambda$ ist.*
c) *Für alle X und Y aus $\mathcal{H}_\chi^{ee}$ ist die Abbildung $\phi \mapsto \mathcal{T}_\lambda(\phi)$ ein Isomorphismus*

$$\operatorname{Hom}_{\mathfrak{g}\times\mathfrak{g}}(X, Y) \to \operatorname{Hom}_{\mathfrak{g}}(\mathcal{T}_\lambda X, \mathcal{T}_\lambda Y).$$

d) *Ein X aus $\mathcal{H}_\chi^{ee}$ ist genau dann unzerlegbar, wenn $\mathcal{T}_\lambda X$ es ist.*

Beweis. b_1) Wir zeigen zunächst nur eine Richtung. Ist X aus $\mathcal{H}_\chi^{ee}$ ein projektiver Bimodul in $\mathcal{H}_\chi^{ee}$, so gibt es nach 6.14.c einen endlich dimensionalen $\mathfrak{g}$-Modul E, so daß X ein direkter Summand von $E^l \otimes U(\mathfrak{g})_\chi$ ist. Daraus folgt, daß $\mathcal{T}_\lambda X$ ein direkter Summand von $\mathcal{T}_\lambda(E^l \otimes U(\mathfrak{g})_\chi) \simeq E \otimes M(\lambda)$ ist. Da $M(\lambda)$ nach 4.8 ein projektiver Modul in $\mathcal{O}_\Lambda$ ist, und dieses nach 4.9 auch für $E \otimes M(\lambda)$ gilt, folgt die entsprechende Aussage für $\mathcal{T}_\lambda X$.

a) Nach 6.14.b gibt es einen projektiven Bimodul Y in $\mathcal{H}_\chi^{ee}$ mit einer Surjektion $Y \to X$. Nun ist $\mathcal{T}_\lambda X$ ein homomorphes Bild von $\mathcal{T}_\lambda Y$, weil $\mathcal{T}_\lambda$ rechtsexakt ist. Da $\mathcal{T}_\lambda Y$, wie wir gerade sahen, zu $\mathcal{O}_\Lambda$ gehört, muß dies auch für $\mathcal{T}_\lambda X$ gelten.

c) *Fall 1:* Es seien X und Y projektiv in $\mathcal{H}_\chi^{ee}$. Dann gibt es endlich dimensionale $\mathfrak{g}$-Moduln E_1 und E_2, so daß X bzw. Y direkter Summand von $E_1^l \otimes U(\mathfrak{g})_\chi$ bzw. von $E_2^l \otimes U(\mathfrak{g})_\chi$ ist. Für die Bimoduln $E_1^l \otimes U(\mathfrak{g})_\chi$ und $E_2^l \otimes U(\mathfrak{g})_\chi$ gilt die Behauptung nach Satz 6.16; für direkte Summanden folgt sie nun aus der Funktorialität von $\mathcal{T}_\lambda$.

Fall 2: Es seien Y beliebig und X projektiv in $\mathcal{H}_\chi^{ee}$. Nach Satz 6.14.b gibt es eine exakte Sequenz $P' \to P \to Y \to 0$ mit projektiven Bimoduln P' und P in $\mathcal{H}_\chi^{ee}$. Weil $\mathcal{T}_\lambda$ rechtsexakt ist, muß auch $\mathcal{T}_\lambda P' \to \mathcal{T}_\lambda P \to \mathcal{T}_\lambda Y \to 0$ exakt sein. Da X und nach b_1) auch $\mathcal{T}_\lambda X$ projektiv sind, erhalten wir nun ein kommutatives Diagramm mit exakten Zeilen

$$\begin{array}{ccccccc}
\mathrm{Hom}_{\mathfrak{g}\times\mathfrak{g}}(X, P') & \to & \mathrm{Hom}_{\mathfrak{g}\times\mathfrak{g}}(X, P) & \to & \mathrm{Hom}_{\mathfrak{g}\times\mathfrak{g}}(X, Y) & \to & 0 \\
\downarrow & & \downarrow & & \downarrow & & \\
\mathrm{Hom}_{\mathfrak{g}}(\mathcal{T}_\lambda X, \mathcal{T}_\lambda P') & \to & \mathrm{Hom}_{\mathfrak{g}}(\mathcal{T}_\lambda X, \mathcal{T}_\lambda P) & \to & \mathrm{Hom}_{\mathfrak{g}}(\mathcal{T}_\lambda X, \mathcal{T}_\lambda Y) & \to & 0,
\end{array}$$

wobei die vertikalen Pfeile durch $\mathcal{T}_\lambda$ gegeben sind. Nach Fall 1 entsprechen den beiden ersten vertikalen Pfeilen bijektive Abbildungen, also muß dies auch auf den letzten zutreffen.

Fall 3: Es seien X und Y nun beliebig in $\mathcal{H}_\chi^{ee}$. Wir können nun eine exakte Sequenz $P' \to P \to X \to 0$ mit projektiven Bimoduln P und P' in $\mathcal{H}_\chi^{ee}$ finden. Wie im Fall 2 ist auch $\mathcal{T}_\lambda P' \to \mathcal{T}_\lambda P \to \mathcal{T}_\lambda X \to 0$ exakt. Da der Hom-Funktor im ersten Argument stets rechtsexakt ist, erhalten wir nun ein kommutatives Diagramm mit exakten Zeilen

$$\begin{array}{ccccccc}
0 \to & \mathrm{Hom}_{\mathfrak{g}\times\mathfrak{g}}(X, Y) & \to & \mathrm{Hom}_{\mathfrak{g}\times\mathfrak{g}}(P, Y) & \to & \mathrm{Hom}_{\mathfrak{g}\times\mathfrak{g}}(P', Y) \\
& \downarrow & & \downarrow & & \downarrow \\
0 \to & \mathrm{Hom}_{\mathfrak{g}}(\mathcal{T}_\lambda X, \mathcal{T}_\lambda Y) & \to & \mathrm{Hom}_{\mathfrak{g}}(\mathcal{T}_\lambda P, \mathcal{T}_\lambda Y) & \to & \mathrm{Hom}_{\mathfrak{g}}(\mathcal{T}_\lambda P', \mathcal{T}_\lambda Y),
\end{array}$$

wobei die vertikalen Pfeile wieder durch $\mathcal{T}_\lambda$ gegeben sind. Nach Fall 2 entsprechen den beiden letzten vertikalen Pfeilen bijektive Abbildungen, also muß dies auch auf den ersten zutreffen.

b_2) Es muß X aus $\mathcal{H}_\chi^{ee}$ mit $\mathcal{T}_\lambda X$ projektiv. Zu jedem surjektiven Morphismus $\phi: Y \to Y'$ in $\mathcal{H}_\chi^{ee}$ und jedem Homomorphismus $\psi: X \to Y'$ gibt es dann ein $\gamma \in \mathrm{Hom}_{\mathfrak{g}}(\mathcal{T}_\lambda X, \mathcal{T}_\lambda Y)$ mit $\mathcal{T}_\lambda(\phi) \circ \gamma = \mathcal{T}_\lambda(\psi)$. Wegen c) gibt es einen Homomorphismus $\psi_1: X \to Y$ mit $\gamma = \mathcal{T}_\lambda(\psi_1)$, also $\mathcal{T}_\lambda(\phi \circ \psi_1) = \mathcal{T}_\lambda(\psi)$; aus c) folgt nun $\phi \circ \psi_1 = \psi$. Dies zeigt, daß X projektiv in $\mathcal{H}_\chi^{ee}$ ist.

d) Für jedes X aus $\mathcal{H}_\chi^{ee}$ haben wir nach c) einen Isomorphismus

$$\mathrm{End}_{\mathfrak{g}\times\mathfrak{g}}(X) \xrightarrow{\sim} \mathrm{End}_{\mathfrak{g}}(\mathcal{T}_\lambda X)$$

von Vektorräumen, der aber wegen der Funktorialität von $\mathscr{T}_\lambda$ auch mit der Struktur als Algebra verträglich ist. Da X genau dann unzerlegbar ist, wenn es in $\mathrm{End}_{\mathfrak{g}\times\mathfrak{g}}(X)$ keine idempotenten Elemente außer 0 und 1 gibt, und entsprechendes für $\mathscr{T}_\lambda X$ gilt, ist die Behauptung klar.

Bemerkung. Das Resultat in c) bedeutet, daß $\mathscr{T}_\lambda$ ein völlig treuer Funktor ist. Daraus folgt auch, daß zwei Bimoduln X und Y aus $\mathscr{H}_\chi^{ee}$ genau dann isomorph sind, wenn $\mathscr{T}_\lambda X$ und $\mathscr{T}_\lambda Y$ es sind.

6.18   Es seien $\Lambda\in\mathfrak{h}^*/P(R)$ und $\lambda\in\Lambda^+$ mit $\chi=\chi_\lambda$. Wir setzen $\mathscr{P}_\lambda$ gleich der Menge aller Moduln in $\mathscr{O}_\Lambda$, die zu einem direkten Summanden eines $E\otimes M(\lambda)$ für einen endlich dimensionalen $\mathfrak{g}$-Modul E isomorph sind. Offensichtlich besteht $\mathscr{P}_\lambda$ aus projektiven Moduln in $\mathscr{O}_\Lambda$ und ist unter dem Bilden endlicher direkter Summen abgeschlossen. (Für $\lambda\in\Lambda^{++}$ wäre es einfach zu zeigen, daß $\mathscr{P}_\lambda$ aus allen projektiven Moduln in $\mathscr{O}_\Lambda$ besteht; wir geben eine allgemeine Beschreibung in 6.26).

Einen $\mathfrak{g}$-Modul aus $\mathscr{O}_\Lambda$ wollen wir $\mathscr{P}_\lambda$-*erzeugbar* nennen, wenn es einen surjektiven Homomorphismus von $\mathfrak{g}$-Moduln $P\to M$ mit P aus $\mathscr{P}_\lambda$ gibt. Ferner heiße M dann $\mathscr{P}_\lambda$-*präsentierbar*, wenn es eine exakte Sequenz $P'\to P\to M\to 0$ mit P und P' aus $\mathscr{P}_\lambda$ gibt.

Lemma. a) *Ein projektiver Modul in $\mathscr{O}_\Lambda$ gehört genau dann zu $\mathscr{P}_\lambda$, wenn er zu einem $\mathscr{T}_\lambda X$ mit X aus $\mathscr{H}_\chi^{ee}$ isomorph ist.*
b) *Ein Modul aus $\mathscr{O}_\Lambda$ ist genau dann $\mathscr{P}_\lambda$-präsentierbar, wenn er zu einem $\mathscr{T}_\lambda X$ mit X aus $\mathscr{H}_\chi^{ee}$ isomorph ist.*

Beweis. a) Die projektiven Objekte in $\mathscr{H}_\chi^{ee}$ sind nach 6.14.c die direkten Summanden der $E^l\otimes U(\mathfrak{g})_\chi$ mit einem endlich dimensionalen $\mathfrak{g}$-Modul E. Ihre Bilder sind also direkte Summanden der $\mathscr{T}_\lambda(E^l\otimes U(\mathfrak{g})_\chi)\simeq E\otimes M(\lambda)$. Wegen 6.17.c erhält man auch alle direkten Summanden von $E\otimes M(\lambda)$. Daher ist die Behauptung nach 6.17.b klar.

b) Zu einem X aus $\mathscr{H}_\chi^{ee}$ gibt es eine exakte Sequenz $P'\to P\to X\to 0$ mit P' und P projektiv in $\mathscr{H}_\chi^{ee}$. Dann ist auch $\mathscr{T}_\lambda P'\to\mathscr{T}_\lambda P\to\mathscr{T}_\lambda X\to 0$ exakt, und $\mathscr{T}_\lambda P'$ sowie $\mathscr{T}_\lambda P$ gehören nach a) zu $\mathscr{P}_\lambda$. Also ist $\mathscr{T}_\lambda X$ ein $\mathscr{P}_\lambda$-präsentierbarer Modul.

Ist umgekehrt ein $\mathscr{P}_\lambda$-präsentierbar Modul M aus $\mathscr{O}_\Lambda$ gegeben, so gibt es P_1 und P_2 aus $\mathscr{P}_\lambda$ und einen Homomorphismus $\phi\colon P_1\to P_2$ von $\mathfrak{g}$-Moduln mit $P_2/\phi(P_1)\simeq M$. Nach a) können wir annehmen, daß es projektive Bimoduln P_1' und P_2' in $\mathscr{H}_\chi^{ee}$ mit $P_i=\mathscr{T}_\lambda P_i'$ für $i=1,2$ gibt. Nach 6.17.c gibt es ein $\psi\in\mathrm{Hom}_{\mathfrak{g}\times\mathfrak{g}}(P_1',P_2')$ mit $\phi=\mathscr{T}_\lambda(\psi)$. Weil $\mathscr{T}_\lambda$ rechtsexakt ist, folgt nun

$$\mathscr{T}_\lambda(P_2'/\psi(P_1'))\simeq\mathscr{T}_\lambda(P_2')/\mathscr{T}_\lambda(\psi)P_1'=P_2/\phi(P_1)\simeq M.$$

6.19 Lemma. *Es seien $\Lambda\in\mathfrak{h}^*/P(R)$ und $\lambda\in\Lambda^+$ mit $\chi=\chi_\lambda$. Für alle Bimoduln Y_1, Y_2 und X aus $\mathscr{H}_\chi^{ee}$ und alle Homomorphismen $\phi_1\colon Y_1\to X$ und $\phi_2\colon Y_2\to X$ von Bimoduln gilt:*

$$\mathrm{Bild}\,\phi_1\subset\mathrm{Bild}\,\phi_2 \quad\Leftrightarrow\quad \mathrm{Bild}\,\mathscr{T}_\lambda(\phi_1)\subset\mathrm{Bild}\,\mathscr{T}_\lambda(\phi_2).$$

Beweis. Nehmen wir an, es gelte Bild $\mathcal{T}_\lambda(\phi_1) \subset$ Bild $\mathcal{T}_\lambda(\phi_2)$. Nach 6.14.b können wir uns auf den Fall beschränken, daß Y_1 projektiv in $\mathcal{H}_\chi^{ee}$ ist; dann ist nach 6.17.b auch $\mathcal{T}_\lambda Y_1$ projektiv in $\mathcal{O}_\Lambda$. Wegen Bild $\mathcal{T}_\lambda(\phi_1) \subset$ Bild $\mathcal{T}_\lambda(\phi_2)$ und der Projektivität von $\mathcal{T}_\lambda Y_1$ gibt es einen Homomorphismus $\psi: \mathcal{T}_\lambda Y_1 \to \mathcal{T}_\lambda Y_2$ mit $(\mathcal{T}_\lambda \phi_2) \circ \psi = \mathcal{T}_\lambda \phi_1$. Nach 6.17.c gibt es $\phi \in \mathrm{Hom}_{\mathfrak{g} \times \mathfrak{g}}(Y_1, Y_2)$ mit $\psi = \mathcal{T}_\lambda(\phi)$; nun folgt erst $\mathcal{T}_\lambda(\phi_2 \circ \phi) = \mathcal{T}_\lambda(\phi_1)$, dann $\phi_2 \circ \phi = \phi_1$ und schließlich Bild $\phi_1 \subset$ Bild ϕ_2. Die Umkehrung ist trivial.

6.20 Es seien $\Lambda \in \mathfrak{h}^*/P(R)$ und $\lambda \in \Lambda^+$ mit $\chi = \chi_\lambda$ sowie X aus $\mathcal{H}_\chi^{ee}$. Für jeden Unterbimodul Y von X möge mit $i_Y: Y \to X$ die Inklusion bezeichnet werden. Wir setzen nun $\gamma(Y) = \text{Bild}\, \mathcal{T}_\lambda(i_Y)$, dies ist ein Untermodul von $\mathcal{T}_\lambda X$.

Satz. *Die Abbildung γ ist ein Isomorphismus geordneter Mengen von der Menge der Unterbimoduln von X auf die Menge der $\mathcal{P}_\lambda$-erzeugbaren Untermoduln von $\mathcal{T}_\lambda X$.*

Beweis. Für Untermoduln Y und Y' von X ist offensichtlich $Y \subset Y'$ zu Bild $i_Y \subset$ Bild $i_{Y'}$ äquivalent, nach 6.19 also zu $\gamma(Y) \subset \gamma(Y')$. Daher ist γ ein Ordnungsisomorphismus aufs Bild.

Für jeden Unterbimodul Y von X gibt es einen projektiven Bimodul P in $\mathcal{H}_\chi^{ee}$ mit einem surjektiven Homomorphismus $\phi: P \to Y$. Nun ist Bild $i_Y =$ Bild ϕ, also

$$\gamma(Y) = \text{Bild}\, \mathcal{T}_\lambda(i_Y) = \text{Bild}\, \mathcal{T}_\lambda(\phi).$$

Der Modul $\mathcal{T}_\lambda P$ gehört nach 6.18.a zu $\mathcal{P}_\lambda$, und $\gamma(Y)$ ist homomorphes Bild von $\mathcal{T}_\lambda P$, also $\mathcal{P}_\lambda$-erzeugbar.

Ist umgekehrt M ein $\mathcal{P}_\lambda$-erzeugbarer Untermodul von $\mathcal{T}_\lambda(X)$, so gibt es nach 6.18.a einen projektiven Bimodul P in $\mathcal{H}_\chi^{ee}$ und einen surjektiven Homomorphismus $\phi: \mathcal{T}_\lambda P \to M$. Interpretieren wir ϕ als Abbildung nach $\mathcal{T}_\lambda X$, so können wir nach 6.17.c ein $\psi \in \mathrm{Hom}_{\mathfrak{g} \times \mathfrak{g}}(P, X)$ mit $\phi = \mathcal{T}_\lambda(\psi)$ finden. Nun folgt

$$M = \text{Bild}\, \mathcal{T}_\lambda(\psi) = \text{Bild}\, \mathcal{T}_\lambda(i_{\text{Bild}\,\psi}) = \gamma(\text{Bild}\,\psi).$$

6.21 Corollar. *Jeder Bimodul in $\mathcal{H}_\chi^{ee}$ hat endliche Länge.*

Beweis. Ist χ von der Form χ_λ für ein $\lambda \in \mathfrak{h}^*$, so folgt dies aus 6.20, weil alle Moduln in $\mathcal{O}$ endliche Länge haben. Im allgemeinen Fall benutzt man, daß bei Körpererweiterung die Länge höchstens zunimmt, daß dabei Bimoduln aus $\mathcal{H}_\chi^{ee}$ in eine entsprechende Kategorie über dem Erweiterungskörper übergehen (vgl. 6.6) und daß über einem algebraisch abgeschlossenen Körper jedes χ von der Gestalt χ_λ mit $\lambda \in \mathfrak{h}^*$ ist.

Bemerkung. Aus dem Corollar und aus Satz 6.14 folgt nun: Für jeden unzerlegbaren, projektiven Bimodul P in $\mathcal{H}_\chi^{ee}$ ist $P/\mathrm{rad}\, P$ einfach. Die Abbildung $P \mapsto P/\mathrm{rad}\, P$ induziert eine Bijektion zwischen den Isomorphieklassen von unzerlegbaren, projektiven Bimoduln in $\mathcal{H}_\chi^{ee}$ einerseits und von einfachen Bimoduln in $\mathcal{H}_\chi^{ee}$ andererseits.

Sind P, L und X Bimoduln in $\mathscr{H}_\chi^{ee}$ mit P projektiv unzerlegbar und $L \simeq P/\operatorname{rad} P$ einfach, so gilt

$$\text{(1)} \qquad \dim \operatorname{Hom}_{\mathfrak{g}\times\mathfrak{g}}(P, X) = [X: L] \dim \operatorname{End}_{\mathfrak{g}\times\mathfrak{g}}(L),$$

wobei $[X: L]$ die Multiplizität von L als Kompositionsfaktor von X bezeichnet.

Wir wollen nun die einfachen Bimoduln in den $\mathscr{H}_\chi^{ee}$ konstruieren.

6.22 Wir haben schon in 6.9 für alle $\mathfrak{g}$-Moduln M in $\mathscr{O}$ den Funktor $\mathscr{L}_M$ von $\mathscr{O}$ nach $\mathscr{H}^{em}$ mit $\mathscr{L}_M(N) = \mathscr{L}(M, N)$ für alle N eingeführt. Gehört M zu einem $\mathscr{O}_\Lambda$ mit $\Lambda \in \mathfrak{h}^*/P(R)$, so gilt $\mathscr{L}_M(N) = 0$ für alle N in einem $\mathscr{O}_{\Lambda'}$ mit $\Lambda' \in \mathfrak{h}^*/P(R)$ und $\Lambda' \neq \Lambda$, weil für alle endlich dimensionalen $\mathfrak{g}$-Moduln E auch $M \otimes E$ zu $\mathscr{O}_\Lambda$ gehört und weil dann $\operatorname{Hom}_\mathfrak{g}(M \otimes E, N) = 0$ ist (vgl. 6.8 (3)). Operiert $Z(\mathfrak{g})$ auf M durch ein χ_λ mit $\lambda \in \mathfrak{h}^*$, so ist $\mathscr{L}_M$ ein Funktor mit Werten in $\mathscr{H}_{\chi_\lambda}^{em}$. Im allgemeinen ist $\mathscr{L}_M$ linksexakt, für projektive Moduln M in $\mathscr{O}$ ist $\mathscr{L}_M$ nach 6.9 (9) sogar exakt.

Lemma. *Für alle M in $\mathscr{O}$ ist der Funktor $\mathscr{L}_M$ von $\mathscr{O}$ nach $\mathscr{H}^{em}$ linksadjungiert zum Funktor $\mathscr{T}_M$.*

Beweis. Es seien N ein $\mathfrak{g}$-Modul aus $\mathscr{O}$ und X ein Bimodul aus $\mathscr{H}$. Nun gilt

$$\begin{aligned} \operatorname{Hom}_\mathfrak{g}(\mathscr{T}_M X, N) &= \operatorname{Hom}_\mathfrak{g}(X \otimes_{U(\mathfrak{g})} M, N) \simeq \operatorname{Hom}_{\mathfrak{g}\times\mathfrak{g}}(X, \operatorname{Hom}(M, N)) \\ &= \operatorname{Hom}_{\mathfrak{g}\times\mathfrak{g}}(X, \mathscr{L}(M, N)) = \operatorname{Hom}_{\mathfrak{g}\times\mathfrak{g}}(X, \mathscr{L}_M(N)). \end{aligned}$$

Hier ist nur der zweite Schritt zu erläutern: Man rechnet leicht nach, daß bei dem kanonischen Isomorphismus von $\operatorname{Hom}(X \otimes M, N)$ auf $\operatorname{Hom}(X, \operatorname{Hom}(M, N))$ gerade $\operatorname{Hom}(X \otimes_{U(\mathfrak{g})} M, N)$ in $\operatorname{Hom}_{0\times\mathfrak{g}}(X, \operatorname{Hom}(M, N))$ und $\operatorname{Hom}_\mathfrak{g}(X \otimes M, N)$ in $\operatorname{Hom}_{\mathfrak{g}\times 0}(X, \operatorname{Hom}(M, N))$ übergehen, wobei im zweiten Fall $\mathfrak{g}$ auf $X \otimes M$ nur auf X operiert.

6.23 Satz. *Es seien $\Lambda \in \mathfrak{h}^*/P(R)$ und $\lambda \in \Lambda^+$.*

a) *Für alle $\mu \in \Lambda$ mit $Q(\mu)$ in $\mathscr{P}_\lambda$ ist $\mathscr{L}(M(\lambda), L(\mu))$ einfach. Jeder einfache Bimodul in $\mathscr{H}_{\chi_\lambda}$ ist zu genau einem solchen $\mathscr{L}(M(\lambda), L(\mu))$ isomorph.*

b) *Für alle $\mu \in \Lambda$ mit $Q(\mu)$ nicht in $\mathscr{P}_\lambda$ gilt $\mathscr{L}(M(\lambda), L(\mu)) = 0$.*

Beweis. Wir setzen Λ_0 gleich der Menge der $\mu \in \Lambda$, für die $Q(\mu)$ zu $\mathscr{P}_\lambda$ gehört. Nach Lemma 6.18.a und Satz 6.17.d gibt es für $\mu \in \Lambda_0$ einen unzerlegbaren, projektiven Bimodul $P(\mu)$ in $\mathscr{H}_{\chi_\lambda}^{ee}$ mit $\mathscr{T}_\lambda P(\mu) \simeq Q(\mu)$. Jeder projektive, unzerlegbare Bimodul in $\mathscr{H}_{\chi_\lambda}^{ee}$ ist zu genau einem $P(\mu)$ mit $\mu \in \Lambda_0$ isomorph. Für alle $\mu' \in \Lambda_0$ und $\mu \in \Lambda$ folgt aus Lemma 6.22 nun

$$\begin{aligned}
&\dim \operatorname{Hom}_{\mathfrak{g}\times\mathfrak{g}}(P(\mu'), \mathscr{L}(M(\lambda), L(\mu)))\\
&=\dim \operatorname{Hom}_{\mathfrak{g}\times\mathfrak{g}}(P(\mu'), \mathscr{L}_{M(\lambda)} L(\mu))\\
&=\dim \operatorname{Hom}_{\mathfrak{g}}(\mathscr{T}_\lambda P(\mu'), L(\mu))\\
&=\dim \operatorname{Hom}_{\mathfrak{g}}(Q(\mu'), L(\mu))=\begin{cases}1 & \text{für } \mu=\mu',\\ 0 & \text{sonst}.\end{cases}
\end{aligned}$$

Wir können nun 6.21(1) auf jeden endlich erzeugbaren Unterbimodul X von $\mathscr{L}(M(\lambda), L(\mu))$ anwenden. So erhalten wir: ist $\mathscr{L}(M(\lambda), L(\mu))\neq 0$, so muß $\mu\in\Lambda_0$ sein. Damit ist b) bewiesen. Für $\mu\in\Lambda_0$ muß jeder endlich erzeugbare Unterbimodul ungleich 0 von $\mathscr{L}(M(\lambda), L(\mu))$ zu $P(\mu)/\operatorname{rad} P(\mu)$ isomorph sein; außerdem kann $\mathscr{L}(M(\lambda), L(\mu))$ in diesem Fall nicht gleich 0 sein. Daraus folgt nun, daß insgesamt $\mathscr{L}(M(\lambda), L(\mu))\simeq P(\mu)/\operatorname{rad} P(\mu)$ gilt. Nach der Bemerkung in 6.21 ist nun auch a) klar.

6.24 Es seien $\Lambda\in\mathfrak{h}^*/P(R)$ und $\lambda\in\Lambda^+$. Wir betrachten $\mu,\mu'\in\Lambda$ mit $M(\mu')\subset M(\mu)$; es gibt nun eindeutig bestimmte $\nu\in P(R)^{++}\cap W(\mu-\lambda)$ und $\nu'\in P(R)^{++}\cap W(\mu'-\lambda)$. Wir betrachten $L(\nu)$ wie üblich als $\mathfrak{k}$-Modul über j^{-1}.

Lemma. *Die folgenden Aussagen sind äquivalent:*

(i) $\quad \nu=\nu'$,

(ii) $\quad \mathscr{L}(M(\lambda), M(\mu'))=\mathscr{L}(M(\lambda), M(\mu))$,

(iii) $\quad [\mathscr{L}(M(\lambda), M(\mu')): L(\nu)]_{\mathfrak{k}}\neq 0$.

Beweis. Nach 6.9 (7) gilt für alle $E\in\mathfrak{k}^\wedge$:

$$[\mathscr{L}(M(\lambda), M(\mu)): E]_{\mathfrak{k}}=\dim E^{\nu}$$

und

$$[\mathscr{L}(M(\lambda), M(\mu')): E]_{\mathfrak{k}}=\dim E^{\nu'}.$$

Da $\mathscr{L}(M(\lambda), M(\mu'))$ in $\mathscr{L}(M(\lambda), M(\mu))$ eingebettet ist, sind die Implikationen (i) $\Rightarrow$ (ii) und (ii) $\Rightarrow$ (iii) klar. Es sei nun (iii) erfüllt. Dann muß $L(\nu)^{\nu'}\neq 0$, also $\nu'\leqslant\nu$ sein. Andererseits gilt $\dim L(\nu')^{\nu}=[\mathscr{L}(M(\lambda), M(\mu)): L(\nu')]_{\mathfrak{k}}\geqslant[\mathscr{L}(M(\lambda), M(\mu')): L(\nu')]_{\mathfrak{k}}=\dim L(\nu')^{\nu'}=1$, also $\nu\leqslant\nu'$ und somit $\nu=\nu'$ wie in (i).

6.25 Satz. *Es seien $\Lambda\in\mathfrak{h}^*/P(R)$ und $\lambda\in\Lambda^+$. Für ein $\mu\in\Lambda$ gilt $\mathscr{L}(M(\lambda), L(\mu))\neq 0$ genau dann, wenn $\langle\mu+\rho,\alpha^\vee\rangle\leqslant 0$ für alle $\alpha\in B_\lambda^0$ ist. Es sei $\nu\in P(R)^{++}\cap W(\mu-\lambda)$. Ist $\mathscr{L}(M(\lambda), L(\mu))\neq 0$, so ist dies der einzige Kompositionsfaktor X von $\mathscr{L}(M(\lambda), M(\mu))$ mit $[X: L(\nu)]_{\mathfrak{k}}\neq 0$.*

Beweis. Es sei $\mu\in\Lambda$; betrachten wir zunächst den Fall, daß es ein $\alpha\in B_\lambda^0$ mit $\langle\mu+\rho,\alpha^\vee\rangle>0$ gibt. Dann ist $M(s_\alpha\cdot\mu)$ nach 4.13(9) ein echter Untermodul von $M(\mu)$; weiter gilt $s_\alpha\cdot\mu-\lambda=s_\alpha\cdot\mu-s_\alpha\cdot\lambda=s_\alpha(\mu-\lambda)\in W\nu$. Aus 6.24(i) $\Rightarrow$ (ii) folgt nun $\mathscr{L}(M(\lambda), M(s_\alpha\cdot\mu))=\mathscr{L}(M(\lambda), M(\mu))$. Weil $M(\lambda)$ projektiv in $\mathscr{O}$, also $\mathscr{L}_{M(\lambda)}$ exakt ist, muß zunächst $\mathscr{L}(M(\lambda), M(\mu)/M(s_\alpha\cdot\mu))$ und dann auch $\mathscr{L}(M(\lambda), L(\mu))$ gleich 0 sein.

Nehmen wir nun den Fall, daß $\langle\mu+\rho, \alpha^\vee\rangle\leqslant 0$ für alle $\alpha\in B^0_\lambda$ gilt. Da W_λ von den s_α mit $\alpha\in B^0_\lambda$ erzeugt wird (vgl. 2.5), folgt $\mu\leqslant w\cdot\mu$ für alle $w\in W_\lambda$. Wendet man auf eine Kompositionsreihe von $M(\mu)$ den Funktor $\mathscr{L}_{M(\lambda)}$ an, so erhält man eine Kette von Unterbimoduln in $\mathscr{L}(M(\lambda), M(\mu))$, deren sukzessive Faktoren nach Satz 6.23 einfach oder gleich 0 sind. Insbesondere hat $\mathscr{L}(M(\lambda), M(\mu))$ endliche Länge, und alle Kompositionsfaktoren dieses Bimoduls haben die Gestalt $\mathscr{L}(M(\lambda), L(\mu'))$ mit $\mu'\in\Lambda$ und $[M(\mu): L(\mu')]\neq 0$. Nun muß es unter diesen μ' genau eines mit

$$[\mathscr{L}(M(\lambda), L(\mu')): L(\nu)]_{\mathfrak{k}}=[\mathscr{L}(M(\lambda), M(\mu)): L(\nu)]_{\mathfrak{k}}=1$$

geben. Nun folgt erst recht $[\mathscr{L}(M(\lambda), M(\mu')): L(\nu)]_{\mathfrak{k}}\neq 0$. Wegen $[M(\mu): L(\mu')]\neq 0$ ist $M(\mu')$ nach 4.13 (7), (9) ein Untermodul von $M(\mu)$. Nach 6.24 (iii) $\Rightarrow$ (ii) gilt $\mathscr{L}(M(\lambda), M(\mu))=\mathscr{L}(M(\lambda), M(\mu'))$. Der Satz folgt nun, wenn $\mu=\mu'$ ist. Nehmen wir an, dies sei nicht der Fall. Nach 4.13 (7), (9) gibt es dann ein $\beta\in R^+\cap R_\Lambda$ mit $M(\mu')\subset M(s_\beta\cdot\mu)\subsetneqq M(\mu)$. Wegen der natürlichen Inklusionen

$$\mathscr{L}(M(\lambda), M(\mu'))\subset\mathscr{L}(M(\lambda), M(s_\beta\cdot\mu))\subset\mathscr{L}(M(\lambda), M(\mu))$$

muß $\mathscr{L}(M(\lambda), M(s_\beta\cdot\mu))=\mathscr{L}(M(\lambda), M(\mu))$ gelten. Aus 6.24 (ii) $\Rightarrow$ (i) folgt nun $\mu-\lambda\in W(s_\beta\cdot\mu-\lambda)$. Weil die Differenz von $\mu-\lambda$ und $s_\beta\cdot\mu-\lambda$ ungleich 0 und proportional zu β ist, muß $s_\beta\cdot\mu-\lambda=s_\beta(\mu-\lambda)=s_\beta\cdot\mu-s_\beta\cdot\lambda$ sein. (Man benutze eine W-invariante, symmetrische Bilinearform auf $\mathfrak{h}^*$, für die β anisotrop ist.) Daraus folgt $s_\beta\cdot\lambda=\lambda$, mithin $s_\beta\in W^0_\lambda$, also $\mu\leqslant s_\beta\cdot\mu$, wie wir oben sahen. Dies ist ein Widerspruch zu $M(s_\beta\cdot\mu)\subsetneqq M(\mu)$. Daher muß wie gewünscht $\mu=\mu'$ sein.

Bemerkung. Die Moduln $M(\mu)$ und $'M(\mu)$ haben dieselben Kompositionsfaktoren. Daher kann man im letzten Teil des Satzes $\mathscr{L}(M(\lambda), M(\mu))$ durch $\mathscr{L}(M(\lambda), {'M(\mu)})$ ersetzen, nach 6.9(2) also auch durch den Modul $\mathscr{D}(M(\mu), M(\lambda))$ aus der Hauptserie von $\mathfrak{g}\times\mathfrak{g}$.

6.26 Es seien $\Lambda\in\mathfrak{h}^*/P(R)$ und $\lambda, \mu\in\Lambda^+$; wir setzen $S=B^0_\mu$ und $S'=B^0_\lambda$. Nach 2.7 gilt $W_\Lambda\cdot\mu=\{w\cdot\mu \mid w\in W^S_\Lambda\}$.

Corollar. a) *Für ein* $w\in W^S_\Lambda$ *gilt genau dann* $\mathscr{L}(M(\lambda), L(w\cdot\mu))\neq 0$, *wenn* $w\in {}^{S'}W^S_\Lambda$ *ist.*

b) *Für alle* $w\in {}^{S'}W^S_\Lambda$ *und alle* M *in* $\mathscr{O}_\mu$ *gilt*

$$[\mathscr{L}(M(\lambda), M): \mathscr{L}(M(\lambda), L(w\cdot\mu))]=[M: L(w\cdot\mu)].$$

c) *Ein unzerlegbarer projektiver Modul in* $\mathscr{O}_\mu$ *gehört genau dann zu* $\mathscr{P}_\lambda$, *wenn er von der Form* $Q(w\cdot\mu)$ *mit* $w\in {}^{S'}W^S_\Lambda$ *ist.*

Dies ist nach 6.25, 6.23 und 2.7(2) klar.

Bemerkung. Nach 6.9(2) gilt für alle M in $\mathcal{O}_\mu$ und $w \in {}^{S'}W_\Lambda^S$ auch

$$[\mathscr{D}(M, M(\lambda)) : \mathscr{L}(M(\lambda), L(w \cdot \mu))] = [{}^tM : L(w \cdot \mu)] = [M : L(w \cdot \mu)].$$

Für alle $w \in W_\Lambda$ kann man zeigen (vgl. Bemerkung zu 6.34), daß $\mathscr{D}(M(\nu), M(w \cdot \lambda))$ und $\mathscr{D}(M(w^{-1} \cdot \nu), M(\lambda))$ dieselben Kompositionsfaktoren und Multiplizitäten haben. Damit ist für alle $(\mathfrak{g} \times \mathfrak{g})$-Moduln in der Hauptserie die Frage nach den Multiplizitäten auf das gleiche Problem für Verma-Moduln zurückgeführt.

6.27 Es seien $\Lambda \in h^*/P(R)$ und $\lambda \in \Lambda^{++}$. Dann besteht $\mathscr{P}_\lambda$ nach 6.26 aus allen $Q(\mu)$ mit $\mu \in \Lambda$, und für alle solchen μ ist $\mathscr{L}(M(\lambda), L(\mu)) \neq 0$. Daraus folgt:

(1) *Für alle* M *in* $\mathcal{O}_\Lambda$ *mit* $M \neq 0$ *gilt* $\mathscr{L}(M(\lambda), M) \neq 0$.

Für zwei beliebige $\mathfrak{g}$-Moduln M und N ist $\mathscr{L}(N, M)N = \{\phi(n) \mid \phi \in \mathscr{L}(N, M), n \in N\}$ ein Untermodul von M. Offensichtlich gilt

$$\mathscr{L}(N, M) = \mathscr{L}(N, \mathscr{L}(N, M)N).$$

Da $\mathscr{L}_{M(\lambda)}$ ein exakter Funktor auf $\mathcal{O}$ ist, folgt für alle M in $\mathcal{O}_\Lambda$ nun $\mathscr{L}(M(\lambda), M/(\mathscr{L}(M(\lambda), M)M(\lambda))) = 0$, nach (1) also

(2) $\mathscr{L}(M(\lambda), M)M(\lambda) = M$ *für alle* M *in* $\mathcal{O}_\Lambda$.

Man kann dies auch so interpretieren: Der Homomorphismus

$$\mathscr{T}_\lambda \mathscr{L}(M(\lambda), M) = \mathscr{L}(M(\lambda), M) \bigotimes_{U(\mathfrak{g})} M(\lambda) \to M$$

mit $\phi \otimes m \to \phi(m)$ für $\phi \in \mathscr{L}(M(\lambda), M)$ und $m \in M(\lambda)$ ist surjektiv. Wählt man nun für alle $\mu \in \Lambda$ einen projektiven Bimodul $P(\mu)$ in $\mathscr{H}_{\chi\lambda}^{ee}$ mit $\mathscr{T}_\lambda P(\mu) \simeq Q(\mu)$, so folgt aus 6.17.c und 6.22 für alle $\mu \in \Lambda$

$$\begin{aligned}\mathrm{Hom}_{\mathfrak{g}}(Q(\mu), \mathscr{T}_\lambda \mathscr{L}(M(\lambda), M)) &\simeq \mathrm{Hom}_{\mathfrak{g} \times \mathfrak{g}}(P(\mu), \mathscr{L}(M(\lambda), M)) \\ &\simeq \mathrm{Hom}_{\mathfrak{g}}(Q(\mu), M).\end{aligned}$$

Daher haben $\mathscr{T}_\lambda \mathscr{L}(M(\lambda), M)$ und M dieselben Kompositionsfaktoren mit denselben Multiplizitäten, insbesondere dieselbe Länge. Der surjektive Homomorphismus oben muß also ein Isomorphismus sein:

(3) $\mathscr{T}_\lambda \mathscr{L}(M(\lambda), M) \xrightarrow{\sim} M$ *für alle* M *in* $\mathcal{O}_\Lambda$.

Aus 6.17 folgt, daß wir nun für alle M und N aus $\mathcal{O}_\Lambda$ einen kanonischen Isomorphismus

(4) $\mathrm{Hom}_{\mathfrak{g}}(M, N) \simeq \mathrm{Hom}_{\mathfrak{g} \times \mathfrak{g}}(\mathscr{L}(M(\lambda), M), \mathscr{L}(M(\lambda), N))$

haben. Man kann auch einen kanonischen Isomorphismus

$$X \xrightarrow{\sim} \mathscr{L}(M(\lambda), \mathscr{T}_\lambda X)$$

für alle X in $\mathscr{H}^{ee}_{\chi\lambda}$ konstruieren. (Dazu reicht sogar $\lambda \in \Lambda^+$.) Insgesamt sieht man so, daß $\mathscr{T}_\lambda$ und $\mathscr{L}_{M(\lambda)}$ Äquivalenzen von Kategorien zwischen $\mathscr{H}^{ee}_{\chi\lambda}$ und $\mathscr{O}_\Lambda$ sind.

6.28 Es seien $\Lambda \in \mathfrak{h}^*/P(R)$ und $\lambda \in \Lambda^{++}$ sowie $\alpha \in B_\Lambda$. Wir wählen ein $\mu \in \Lambda^+$ mit $B^0_\mu = \{\alpha\}$. Für alle $\alpha \in W_\Lambda$ mit $\alpha \notin \tau_\Lambda(w^{-1})$ ist $M(s_\alpha w \cdot \lambda)$ ein echter Untermodul von $M(w \cdot \lambda)$; der Anfang des Beweises von Satz 6.25 zeigt nun

$$\mathscr{L}(M(\mu), M(s_\alpha w \cdot \lambda)) = \mathscr{L}(M(\mu), M(w \cdot \lambda)),$$

also $\mathscr{L}(M(\mu), M(w \cdot \lambda)/M(s_\alpha w \cdot \lambda)) = 0$ und daher $\mathscr{L}(M(\mu), L(w' \cdot \lambda)) = 0$ für alle Kompositionsfaktoren von $M(w \cdot \lambda)/M(s_\alpha w \cdot \lambda)$.

Aus Corollar 6.26.a folgt jetzt für alle $w' \in W_\Lambda$ mit $\alpha \in \tau_\Lambda(w'^{-1})$

$$[M(w \cdot \lambda) : L(w' \cdot \lambda)] = [M(s_\alpha w \cdot \lambda) : L(w' \cdot \lambda)],$$

also 4.16(1). Daraus ist 4.16(2) eine einfache Folgerung.

Ein Modul M aus $\mathscr{O}_\Lambda$ ist nun genau dann α-endlich (im Sinn von 4.17), wenn $\mathscr{L}(M(\mu), M) = 0$ ist. Wegen $\mathscr{L}(M(\mu), M \otimes E) \simeq \mathscr{L}(M(\mu), M) \otimes E^l$ erhält man so einen anderen Zugang zu 4.17(6).

6.29 Satz. *Es sei k algebraisch abgeschlossen.*

a) *Jeder einfache Harish-Chandra-Modul ist zu einem $\mathscr{L}(M(\lambda), L(\mu))$ ungleich 0 mit $\lambda \in \Lambda^+$ und $\mu \in \Lambda$ für ein $\Lambda \in \mathfrak{h}^*/P(R)$ isomorph.*

b) *Zu jedem Homomorphismus $\omega: Z(\mathfrak{g} \times \mathfrak{g}) \to k$ von Algebren gibt es bis auf Isomorphie nur endlich viele einfache Harish-Chandra-Moduln, auf denen $Z(\mathfrak{g} \times \mathfrak{g})$ durch ω operiert.*

Beweis. Auf jedem einfachen Harish-Chandra-Modul operiert $Z(\mathfrak{g} \times \mathfrak{g})$ durch einen Homomorphismus $Z(\mathfrak{g} \times \mathfrak{g}) \to k$. Identifizieren wir $Z(\mathfrak{g} \times \mathfrak{g})$ mit $Z(\mathfrak{g}) \otimes Z(\mathfrak{g})$, so hat jeder derartige Homomorphismus die Gestalt $\chi_\mu \otimes \chi_\lambda$ für geeignete $\lambda, \mu \in \mathfrak{h}^*$. Wir können annehmen, daß $\lambda \in \Lambda^+$ für ein $\Lambda \in \mathfrak{h}^*/P(R)$ gilt. Operiert $Z(\mathfrak{g}) \otimes Z(\mathfrak{g})$ auf einem einfachen Harish-Chandra-Modul durch $\chi_\mu \otimes \chi_\lambda$, so gehört dieser zu $\mathscr{H}^{ee}_{\chi\lambda}$. Aus Satz 6.23 folgt nun a); da $Z(\mathfrak{g} \times \mathfrak{g})$ auf $\mathscr{L}(M(\lambda), L(\mu))$ durch $\chi_\mu \otimes \chi_\lambda$ operiert, ist auch b) klar.

6.30 Satz. *Jeder Bimodul X in $\mathscr{H}^{em}$ mit $\dim Z(\mathfrak{g} \times \mathfrak{g})/\mathrm{Ann}_{Z(\mathfrak{g} \times \mathfrak{g})} X < \infty$ hat endliche Länge.*

Beweis. Da sich bei Körpererweiterung die Länge höchstens vergrößert und $\dim Z(\mathfrak{g} \times \mathfrak{g})/\mathrm{Ann}_{Z(\mathfrak{g} \times \mathfrak{g})} X$ nicht ändert, können wir nach 6.6 annehmen, daß k algebraisch abgeschlossen ist. Nun ist $I = \mathrm{Ann}_{Z(\mathfrak{g} \times \mathfrak{g})} X$ nur in endlich vielen maximalen Idealen von $Z(\mathfrak{g} \times \mathfrak{g})$ enthalten. Nach 6.29.b gibt es daher nur bis auf Isomorphie endlich viele einfache Harish-Chandra-Moduln $L_1, L_2, \ldots, L_s$, die von I annulliert werden. Zu diesen L_i kann man $E_1, \ldots, E_r \in \mathfrak{k}^\wedge$ finden, so daß für jedes i mindestens ein j mit $[L_i : E_j]_{\mathfrak{k}} \neq 0$ existiert. Sind nun $Y_1 \subset Y_2 \subset X$ Unterbimoduln mit Y_2/Y_1 einfach, so ist Y_2/Y_1 zu einem der L_i isomorph. Daraus folgt $\sum_{j=1}^{r} [Y_1 : E_j]_{\mathfrak{k}} < \sum_{j=1}^{r} [Y_2 : E_j]_{\mathfrak{k}}$. Wir erhalten die Behauptung nun durch Induktion über $\sum_{j=1}^{r} [X : E_j]_{\mathfrak{k}}$.

6.31 Corollar. *Für alle M und N in $\mathcal{O}$ hat $\mathcal{L}(M, N)$ endliche Länge.*

Dies ist klar, weil $\mathrm{Ann}_{Z(\mathfrak{g})} M$ und $\mathrm{Ann}_{Z(\mathfrak{g})} N$ beide endliche Kodimension in $Z(\mathfrak{g})$ haben.

6.32 Corollar. *Für alle Harish-Chandra-Moduln X endlicher Länge und alle endlich dimensionalen $(\mathfrak{g} \times \mathfrak{g})$-Moduln E hat $X \otimes E$ endliche Länge.*

Beweis. Daß $X \otimes E$ ein Harish-Chandra-Modul ist, haben wir schon in 6.5 erwähnt. Um zu zeigen, daß seine Länge endlich ist, können wir nach [DIX], 2.6.9 annehmen, daß k algebraisch abgeschlossen ist. Außerdem können wir uns auf den Fall beschränken, daß X und E einfach sind. Dann ist X nach 6.29.a zu $\mathcal{L}(M, N)$ für geeignete M und N in $\mathcal{O}$ isomorph, und E von der Form $E_1^l \otimes E_2^r$ für endlich dimensionale $\mathfrak{g}$-Moduln E_1 und E_2. Aus 6.8 (2), (2') folgt nun

$$X \otimes E \simeq \mathcal{L}(M, N) \otimes E_1^l \otimes E_2^r \simeq \mathcal{L}(M \otimes E_2^{(t)}, N \otimes E_1),$$

und dieser Bimodul hat nach 6.31 endliche Länge.

6.33 Für einen $(U(\mathfrak{g}), U(\mathfrak{g}))$-Bimodul X und $\lambda, \lambda' \in \mathfrak{h}^*$ setzen wir (vgl. 4.4)

$$\mathrm{pr}_{(\lambda, \lambda')} X = \{x \in X \mid \text{für alle } z_1, z_2 \in Z(\mathfrak{g}) \text{ gibt es ein } n \in \mathbf{N} \text{ mit } (z_1 \otimes z_2 - \chi_\lambda(z_1) \chi_{\lambda'}(z_2) 1)^n x = 0\}.$$

Dies ist ein Unterbimodul von X, und die Zuordnung $X \mapsto \mathrm{pr}_{(\lambda, \lambda')} X$ ist ein Funktor, der zumindest auf den Bimoduln endlicher Länge exakt ist.

Für zwei $\mathfrak{g}$-Moduln endlicher Länge M und N gilt nun kanonisch

(1) $\quad \mathrm{pr}_{(\lambda, \lambda')} \mathcal{L}(M, N) \simeq \mathcal{L}(\mathrm{pr}_{\lambda'} M, \mathrm{pr}_\lambda N)$

und

(2) $\quad \mathrm{pr}_{(\lambda, \lambda')} (M^l \otimes N^r) \simeq (\mathrm{pr}_\lambda M)^l \otimes (\mathrm{pr}_{\lambda'} N)^r.$

Für alle $(U(\mathfrak{g}), U(\mathfrak{g}))$-Bimoduln X induziert die Identität einen Isomorphismus

(3) $\quad \mathrm{pr}_{(\lambda, \lambda')} {}^s X \simeq {}^s(\mathrm{pr}_{(\lambda', \lambda)} X).$

Es seien nun $\Lambda_1, \Lambda_2 \in \mathfrak{h}^*/P(R)$ und $\lambda, \mu \in \Lambda_1^+$ sowie $\lambda', \mu' \in \Lambda_2^+$. Für alle $(U(\mathfrak{g}), U(\mathfrak{g}))$-Bimoduln X mit $X = \mathrm{pr}_{(\lambda, \lambda')} X$ setzen wir

(4) $$T_{(\lambda,\lambda')}^{(\mu,\mu')} X = \mathrm{pr}_{(\mu,\mu')}(X \otimes E_1^l \otimes E_2^r),$$

wobei E_1 und E_2 die einfachen, endlich dimensionalen $\mathfrak{g}$-Moduln mit höchstem Gewicht in $W(\mu - \lambda)$ bzw. $W(\mu' - \lambda')$ sind. Offensichtlich ist $T_{(\lambda,\lambda')}^{(\mu,\mu')}$ ein Funktor, er führt Harish-Chandra-Moduln endlicher Länge, auf denen er definiert ist, nach 6.32 in Harish-Chandra-Moduln endlicher Länge über und ist auf sie eingeschränkt ein exakter Funktor.

Offensichtlich gilt

(5) $${}^s(T_{(\lambda,\lambda')}^{(\mu,\mu')} X) \simeq T_{(\lambda',\lambda)}^{(\mu',\mu)}({}^s X),$$

und zwar ist die eine Seite genau dann definiert, wenn es die andere ist. Für $\mathfrak{g}$-Moduln M in $\mathcal{O}_{\lambda'}$ und N in $\mathcal{O}_\lambda$ ist $T_{(\lambda,\lambda')}^{(\mu,\mu')} \mathscr{L}(M, N)$ definiert; nach (1) und 6.8 (2), (2') gilt

(6) $$T_{(\lambda,\lambda')}^{(\mu,\mu')} \mathscr{L}(M, N) \simeq \mathscr{L}(T_{\lambda'}^{\mu'} M, T_\lambda^\mu N).$$

Daraus sowie aus 6.9 (2) und 4.12 (9) folgt

(7) $$T_{(\lambda,\lambda')}^{(\mu,\mu')} \mathscr{D}(N, M) \simeq \mathscr{D}(T_\lambda^\mu N, T_{\lambda'}^{\mu'} M).$$

6.34 Es seien $\Lambda \in \mathfrak{h}^*/P(R)$ und $\lambda, \mu \in \Lambda^{++}$. Für alle $w \in W_\Lambda$ sei $\nu_w \in W(w \cdot \mu - \lambda) \cap P(R)^{++}$. Zur Abkürzung sei $X(w) = \mathscr{L}(M(\lambda), L(w \cdot \mu))$ gesetzt. Nach 6.25 gilt $[X(w): L(\nu_w)]_\mathfrak{k} \neq 0$, und aus 6.9(7) folgt für ein $\nu \in P(R)^{++}$ mit $[X(w): L(\nu)]_\mathfrak{k} \neq 0$, daß $\nu \geqslant \nu_w$ sein muß. In diesem Sinn ist ν_w der „minimale $\mathfrak{k}$-Typ" von $X(w)$. Nehmen wir nun an, daß die ν_w paarweise verschieden sind. Dann ist jedes $X(w)$ als der einfache Harish-Chandra-Modul mit zentralem Charakter $\chi_\mu \otimes \chi_\lambda$ und minimalem k-Typ ν_w festgelegt. Ist X ein Bimodul in $\mathscr{H}^{em}$ mit zentralem Charakter $\chi_\mu \otimes \chi_\lambda$, so sind die Kompositionsfaktoren von X mit ihren Multiplizitäten durch die $[X: E]_\mathfrak{k}$ mit $E \in \mathfrak{k}^\wedge$ eindeutig festgelegt. (Es reichen sogar die $[X: L(\nu_w)]_\mathfrak{k}$ mit $w \in W$.)

Satz. *Es seien $\Lambda \in \mathfrak{h}^*/P(R)$ und $\lambda, \mu \in \Lambda^+$. Für alle $w \in W_\Lambda$ mit $B_\mu^0 \subset \tau_\Lambda(w)$ und $B_\lambda^0 \subset \tau_\Lambda(w^{-1})$ gilt*

$${}^s\mathscr{L}(M(\lambda), L(w \cdot \mu)) \simeq \mathscr{L}(M(\mu), L(w^{-1} \cdot \lambda))$$

Beweis. Wir können $\lambda', \mu' \in \Lambda^{++}$ finden, so daß alle $\mu' - w_1 \cdot \lambda'$ mit $w_1 \in W_\Lambda$ zu $P(R)^{++}$ gehören. Für alle $w_1, w_2 \in W_\Lambda$ mit $w_1 \neq w_2$ gilt $w_1 \cdot \lambda' \neq w_2 \cdot \lambda'$, also auch $W(w_1 \cdot \lambda' - \mu') \neq W(w_2 \cdot \lambda' - \mu')$. Daher ist ein einfacher Harish-Chandra-Modul mit zentralem Charakter $\chi_{\lambda'} \otimes \chi_{\mu'}$ durch seinen minimalen $\mathfrak{k}$-Typ bis auf Isomorphie eindeutig festgelegt.

Nun gehört der minimale $\mathfrak{k}$-Typ ν von $X = \mathscr{L}(M(\lambda'), L(w \cdot \mu'))$ zu $W(w \cdot \mu' - \lambda')$. Der von ${}^s X$ ist nach 6.8(8) gleich $-w_0 \nu$, gehört also zu

$-W(w\cdot\mu'-\lambda')=W(\lambda'-w\cdot\mu')=W(w^{-1}\cdot\lambda'-\mu')$. Nach den Vorbemerkungen ist jetzt klar, daß ${}^sX\simeq\mathscr{L}(M(\mu'), L(w^{-1}\cdot\lambda'))$ gelten muß.

Um daraus die Behauptung des Satzes zu erhalten, wendet man die Verschiebungsfunktoren $T_{(\lambda',\mu')}^{(\lambda,\mu)}$ und $T_{(\mu',\lambda')}^{(\mu,\lambda)}$ an und benutzt 6.33 (5), (6) sowie 4.12 (2), (3).

Bemerkung. Es seien $\Lambda\in\mathfrak{h}^*/P(R)$ und $\nu, \nu'\in\Lambda$ sowie $w\in W_\Lambda$. Nach 6.9(6) sind $\mathscr{D}(M(\nu), M(\nu'))$ und $\mathscr{D}(M(w\cdot\nu), M(w\cdot\nu'))$ als $\mathfrak{k}$-Moduln isomorph. Mit derselben Methode wie beim Beweis des Satzes und mit 6.33(7) kann man nun zeigen, daß $\mathscr{D}(M(\nu), M(\nu'))$ und $\mathscr{D}(M(w\cdot\nu), M(w\cdot\nu'))$ dieselben Kompositionsfaktoren mit denselben Multiplizitäten haben.

6.35 Es seien $\Lambda\in\mathfrak{h}^*/P(R)$ und $\lambda\in\Lambda^{++}$ sowie $\mu\in\Lambda^+$. Wir betrachten einen surjektiven Homomorphismus $\pi\colon M(\lambda)\to M$ von $\mathfrak{g}$-Moduln; insbesondere gehört M zu $\mathscr{O}$. Nach 4.12(2) können wir $T_\lambda^\mu M(\lambda)$ mit $M(\mu)$ identifizieren; wegen der Exaktheit von T_λ^μ ist auch $T_\lambda^\mu(\pi)\colon M(\mu)\to T_\lambda^\mu M$ ein surjektiver Homomorphismus von $\mathfrak{g}$-Moduln.

Nach 6.9(8) sind die kanonischen Abbildungen $U(\mathfrak{g})/I_\lambda^{\min}\to\mathscr{L}(M(\lambda), M(\lambda))$ und $U(\mathfrak{g})/I_\mu^{\min}\to\mathscr{L}(M(\mu), M(\mu))$ Isomorphismen von Bimoduln und Algebren. Daher erhalten wir Abbildungen

$$\Phi\colon \mathscr{L}(M(\lambda), M(\lambda))\to\mathscr{L}(M, M)$$

und

$$\Phi'\colon \mathscr{L}(M(\mu), M(\mu))\to\mathscr{L}(T_\lambda^\mu M, T_\lambda^\mu M),$$

die Homomorphismen von Algebren und Bimoduln sind, so daß für alle $\phi\in\mathscr{L}(M(\lambda), M(\lambda))$ bzw. $\phi'\in\mathscr{L}(M(\mu), M(\mu))$ gilt:

$$\Phi(\phi)\circ\pi=\pi\circ\phi \quad\text{und}\quad \Phi'(\phi')\circ T_\lambda^\mu(\pi)=T_\lambda^\mu(\pi)\circ\phi'.$$

Offensichtlich gilt

$$\operatorname{Bild}\Phi\simeq U(\mathfrak{g})/\operatorname{Ann}M \quad\text{und}\quad \operatorname{Bild}\Phi'\simeq U(\mathfrak{g})/\operatorname{Ann}T_\lambda^\mu M.$$

Nach 6.33 (6) wissen wir

$$\mathscr{L}(M(\mu), M(\mu))\simeq T_{(\lambda,\lambda)}^{(\mu,\mu)}\mathscr{L}(M(\lambda), M(\lambda))$$

und

$$\mathscr{L}(T_\lambda^\mu M, T_\lambda^\mu M)\simeq T_{(\lambda,\lambda)}^{(\mu,\mu)}\mathscr{L}(M, M).$$

Wenn wir nun auch noch $T_{(\lambda,\lambda)}^{(\mu,\mu)}\Phi=\Phi'$ zeigen, so folgt wegen der Exaktheit $T_{(\lambda,\lambda)}^{(\mu,\mu)}\operatorname{Bild}\Phi\simeq\operatorname{Bild}\Phi'$, also in den Notationen von Satz 5.4

(1) $\quad T_{(\lambda,\lambda)}^{(\mu,\mu)}(U(\mathfrak{g})/\operatorname{Ann}M)\simeq U(\mathfrak{g})/T_\lambda^\mu(\operatorname{Ann}M).$

Um $T_{(\lambda,\lambda)}^{(\mu,\mu)}$ zu beschreiben, nehmen wir den einfachen, endlich dimensionalen $\mathfrak{g}$-Modul E mit höchstem Gewicht in $W(\mu-\lambda)$. Dann identifiziert man $E^l \otimes E^r$ als Bimodul mit $\operatorname{End} E$ nach 6.2 (6), (6′). Aus Φ erhält man zunächst

$$\Phi \otimes \mathrm{id}: \mathscr{L}(M(\lambda), M(\lambda)) \otimes \operatorname{End} E \to \mathscr{L}(M, M) \otimes \operatorname{End} E,$$

dann eine Abbildung

$$\Phi_1: \mathscr{L}(M(\lambda) \otimes E, M(\lambda) \otimes E) \to \mathscr{L}(M \otimes E, M \otimes E),$$

so daß für alle $\phi \in \mathscr{L}(M(\lambda) \otimes E, M(\lambda) \otimes E)$ gilt:

$$\Phi_1(\phi) \circ (\pi \otimes \mathrm{id}_E) = (\pi \otimes \mathrm{id}_E) \circ \phi .$$

Nun ist $T_{(\lambda,\lambda)}^{(\mu,\mu)} \mathscr{L}(M(\lambda), M(\lambda))$ die Menge der $\phi \in \mathscr{L}(M(\lambda) \otimes E, M(\lambda) \otimes E)$ mit $\phi(\mathrm{pr}_{\mu'}(M(\lambda) \otimes E)) = 0$ für alle $\mu' \in \Lambda^+$ mit $\mu' \neq \mu$ und mit $\phi(\mathrm{pr}_\mu(M(\lambda) \otimes E)) \subset \mathrm{pr}_\mu(M(\lambda) \otimes E)$. Man identifiziert $M(\mu)$ mit $\mathrm{pr}_\mu(M(\lambda) \otimes E)$ und dann $T_{(\lambda,\lambda)}^{(\mu,\mu)} \mathscr{L}(M(\lambda), M(\lambda))$ mit $\mathscr{L}(M(\mu), L(\mu))$, indem man jedem ϕ wie oben seine Einschränkung auf $\mathrm{pr}_\mu(M(\lambda) \otimes E)$ zuordnet. Analog geht man mit $T_{(\lambda,\lambda)}^{(\mu,\mu)} \mathscr{L}(M, M)$ vor. Nun ist $T_\lambda^\mu(\pi)$ die Einschränkung von $\pi \otimes \mathrm{id}_E$ auf $\mathrm{pr}_\mu(M(\lambda) \otimes E)$ und $T_{(\lambda,\lambda)}^{(\mu,\mu)} \Phi$ die von Φ_1 auf $\mathscr{L}(\mathrm{pr}_\mu(M(\lambda) \otimes E), \mathrm{pr}_\mu(M(\lambda) \otimes E))$. Daraus folgt

$$(T_{(\lambda,\lambda)}^{(\mu,\mu)} \Phi)(\phi) \circ T_\lambda^\mu(\pi) = T_\lambda^\mu(\pi) \circ \phi$$

für alle $\phi \in \mathscr{L}(M(\mu), M(\mu))$. Aus dem Vergleich mit der Beschreibung von Φ' folgt nun in der Tat $\Phi' = T_{(\lambda,\lambda)}^{(\mu,\mu)} \Phi$, weil $T_\lambda^\mu(\pi)$ surjektiv ist.

6.36 Die Begriffsbildungen der Harish-Chandra-Moduln lassen sich natürlich statt auf $\mathfrak{g}$ auch auf die halbeinfache, zerfallende Lie-Algebra $\mathfrak{g} \times \mathfrak{g}$ anwenden. Zur Unterscheidung von $j: \mathfrak{g} \to \mathfrak{g} \times \mathfrak{g}$ wollen wir die entsprechende Ab*bildung für* $\mathfrak{g} \times \mathfrak{g}$ mit $\bar{j}: \mathfrak{g} \times \mathfrak{g} \to (\mathfrak{g} \times \mathfrak{g}) \times (\mathfrak{g} \times \mathfrak{g})$ bezeichnen.

Man kann also für alle $(\mathfrak{g} \times \mathfrak{g})$-Moduln X und Y den $(U(\mathfrak{g} \times \mathfrak{g}), U(\mathfrak{g} \times \mathfrak{g}))$-Bimodul $\mathscr{L}(X, Y)$ bilden. Ein $\bar{j}(a, b)$ mit $a, b \in \mathfrak{g}$ operiert auf $\operatorname{Hom}(X, Y)$ wie üblich (vgl. 6.5). Fassen wir X und Y als $(U(\mathfrak{g}), U(\mathfrak{g}))$-Bimoduln auf, so ist $\operatorname{Hom}(X, Y)^{\bar{j}(\mathfrak{g} \times 0)} = \operatorname{Hom}_{\mathfrak{g} \times 0}(X, Y)$ der Raum aller Homomorphismen als $U(\mathfrak{g})$-Linksmoduln und $\operatorname{Hom}(X, Y)^{\bar{j}(0 \times \mathfrak{g})} = \operatorname{Hom}_{0 \times \mathfrak{g}}(X, Y)$ derjenigen als $U(\mathfrak{g})$-Rechtsmodul.

Lemma. *Für alle X und Y in $\mathscr{H}^{ee}$ gilt*

$$\operatorname{Hom}_{0 \times \mathfrak{g}}(X, Y) = \mathscr{L}(X, Y)^{\bar{j}(0 \times \mathfrak{g})} \quad \textit{und} \quad \operatorname{Hom}_{\mathfrak{g} \times 0}(X, Y) = \mathscr{L}(X, Y)^{\bar{j}(\mathfrak{g} \times 0)}$$

Beweis. Beide Formeln werden ähnlich bewiesen; wir beschränken uns hier auf die erste. Offensichtlich reicht es, die Inklusion

$$\operatorname{Hom}_{0 \times \mathfrak{g}}(X, Y) \subset \mathscr{L}(X, Y)$$

zu beweisen. Wir wählen einen endlich dimensionalen, $\mathfrak{k}$-stabilen Teilraum V von X mit $X = U(\mathfrak{g})\,V = V\,U(\mathfrak{g})$. Daher induziert die Restriktion von Abbildungen einen injektiven Homomorphismus

(1) $\quad \mathrm{Hom}_{0\times\mathfrak{g}}(X, Y) \to \mathrm{Hom}(V, Y)$.

Wir wollen für alle $\phi \in \mathrm{Hom}_{0\times\mathfrak{g}}(X, Y)$ zeigen:

(2) $\quad (\tilde{j}(U(\mathfrak{g}\times\mathfrak{g}))\phi)\,V \subset j(U(\mathfrak{g}))\,\phi(V)$

Ist dies gezeigt, so erhalten wir nach (1) eine injektive Abbildung

(3) $\quad \tilde{j}(U(\mathfrak{g}\times\mathfrak{g}))\phi \to \mathrm{Hom}(V, j(U(\mathfrak{g}))\,\phi(V))$,

denn $\mathrm{Hom}_{0\times\mathfrak{g}}(X, Y)$ ist ein $\tilde{j}(U(\mathfrak{g}\times\mathfrak{g}))$-Untermodul, weil $0\times\mathfrak{g}$ ein Ideal von $\mathfrak{g}\times\mathfrak{g}$ ist. Nun ist $\phi(V)$ endlich dimensional und Y aus $\mathscr{H}$, also $\dim j(U(\mathfrak{g}))\,\phi(V) < \infty$. Wegen (3) ist auch $\tilde{j}(U(\mathfrak{g}\times\mathfrak{g}))\phi$ endlich dimensional, mithin $\phi \in \mathscr{L}(X, Y)$.

Wir müssen also (2) zeigen. Für alle $a, b \in \mathfrak{g}$ und $x \in X$ gilt

$$\begin{aligned}(\tilde{j}(a, b)\phi)(x) &= a\phi(x) + \phi(x)\,{}^t b - \phi(ax) - \phi(x\,{}^t b)\\ &= a\phi(x) - \phi(ax)\\ &= a\phi(x) + \phi(x)\,{}^t a - \phi(ax) - \phi(x\,{}^t a)\\ &= j(a)\phi(x) - \phi(j(a)x).\end{aligned}$$

Wegen $\tilde{j}(\mathfrak{g}\times\mathfrak{g})\,\mathrm{Hom}_{0\times\mathfrak{g}}(X, Y) \subset \mathrm{Hom}_{0\times\mathfrak{g}}(X, Y)$ folgt

$$(\tilde{j}(U(\mathfrak{g}\times\mathfrak{g}))\phi)(x) \subset j(U(\mathfrak{g}))\,\phi(x) + \phi(j(U(\mathfrak{g}))x).$$

Daraus erhalten wir (2), da $j(U(\mathfrak{g}))\,V \subset V$ nach Wahl von V gilt.

6.37 Die einfachen, endlich dimensionalen $(\mathfrak{g}\times\mathfrak{g})$-Moduln haben die Gestalt $E_1^l \otimes E_2^r$, wo E_1 und E_2 die einfachen, endlich dimensionalen $\mathfrak{g}$-Moduln durchlaufen. In 6.36 ist $\mathscr{L}(X, Y)$ die direkte Summe der isotypischen Komponenten relativ $\tilde{j}(\mathfrak{g}\times\mathfrak{g})$ für die $E_1^l \otimes E_2^r$. Man erhält nun $\mathscr{L}(X, Y)^{\tilde{j}(0\times\mathfrak{g})}$, indem man nur die Komponenten für alle E_1^l nimmt.

Satz. *Es seien $\Lambda \in \mathfrak{h}^*/P(R)$ und $\lambda \in \Lambda^{++}$ sowie M_1 und M_2 Moduln in $\mathcal{O}_\Lambda$. Dann ist $\mathscr{L}(M_1, M_2)$ in natürlicher Weise zu $\mathrm{Hom}_{0\times\mathfrak{g}}(\mathscr{L}(M(\lambda), M_1), \mathscr{L}(M(\lambda), M_2))$ isomorph.*

Beweis. Jedes $\phi \in \mathscr{L}(M_1, M_2)$ induziert nach 6.8 (6) durch $\psi \to \phi\circ\psi$ eine lineare Abbildung $\mathscr{L}(M(\lambda), M_1) \to \mathscr{L}(M(\lambda), M_2)$ die mit der Operation von $U(\mathfrak{g})$ von rechts kommutiert.

So erhalten wir eine lineare Abbildung

$$\Phi\colon \mathscr{L}(M_1, M_2) \to \mathrm{Hom}_{0\times\mathfrak{g}}(\mathscr{L}(M(\lambda), M_1), \mathscr{L}(M(\lambda), M_2)).$$

Für ein ϕ im Kern von Φ gilt $\phi(\psi M(\lambda))=0$ für alle $\psi\in\mathscr{L}(M(\lambda), M_1)$, also $0=\phi(\mathscr{L}(M(\lambda), M_1)M(\lambda))=\phi(M_1)$ nach 6.27 (2), mithin $\phi=0$. Daher ist Φ injektiv.

Wir behaupten nun

$$\Phi(j(a)\phi)=\tilde{j}(a, 0)\Phi(\phi)$$

für alle $a\in\mathfrak{g}$ und $\phi\in\mathscr{L}(M_1, M_2)$. Für alle $\psi\in\mathscr{L}(M(\lambda), M_1)$ und $m\in M(\lambda)$ gilt nämlich

$$\begin{aligned}(\Phi(j(a)\phi)\psi)m&=(j(a)\phi)(\psi m)=a(\phi\circ\psi(m))-\phi(a(\psi m))\\&=(a(\phi\circ\psi))m-(\phi\circ(a\,\psi))m=(a(\phi\circ\psi)-\psi\circ(a\,\psi))m,\end{aligned}$$

also

$$\Phi(j(a)\phi)\psi=a(\Phi(\phi)\psi)-\Phi(\phi)(a\,\psi)=(\tilde{j}(a(0)\Phi(\phi))\psi,$$

wie behauptet.

Für jeden einfachen endlich dimensionalen $\mathfrak{g}$-Modul E wird die E-isotypische Komponente von $\mathscr{L}(M_1, M_2)$ nun unter Φ in die E^l-isotypische Komponente von $\mathrm{Hom}_{0\times\mathfrak{g}}(\mathscr{L}(M(\lambda), M_1), \mathscr{L}(M(\lambda), M_2))$ abgebildet. Um den Satz zu beweisen, müssen wir daher nur wissen, daß die Multiplizität von E in beiden Fällen gleich ist. In $\mathscr{L}(M_1, M_2)$ ist sie gleich $\dim\mathrm{Hom}_{\mathfrak{g}}(M_1\otimes E, M_2)$ nach 6.8 (3), im zweiten Fall dagegen gleich

$$\begin{aligned}&\dim\mathrm{Hom}_{\mathfrak{g}\times\mathfrak{g}}(\mathscr{L}(M(\lambda), M_1)\otimes E^l, \mathscr{L}(M(\lambda), M_2))\\&=\dim\mathrm{Hom}_{\mathfrak{g}\times\mathfrak{g}}(\mathscr{L}(M(\lambda), M_1\otimes E), \mathscr{L}(M(\lambda), M_2)).\end{aligned}$$

Nun folgt die Gleichheit der Dimensionen aus 6.27 (4).

Anhang

6A.1 Es seien G' eine halbeinfache zusammenhängende Lie-Gruppe (über **R**) mit endlichem Zentrum und K' eine maximal kompakte Untergruppe von G'. Ferner seien $\mathfrak{g}'$ und $\mathfrak{k}'$ die Komplexifizierungen der Lie-Algebren von G' und K'. Ist eine Darstellung von G' auf einem Banachraum V gegeben und ist diese Darstellung in einem geeigneten Sinn stetig und irreduzibel, so (vgl. [Warner], 4.5.5.4) operiert $\mathfrak{g}'$ in natürlicher Weise auf $V_K=\{v\in V\mid\dim\mathbf{C}Kv<\infty\}$, und V_K ist ein einfacher $\mathfrak{g}'$-Modul mit der Eigenschaft $\dim U(\mathfrak{k}')v<\infty$ für alle $v\in V_K$. Diese Situation läßt sich in der Definition eines Harish-Chandra-Moduls für das Paar $(\mathfrak{g}', \mathfrak{k}')$ verallgemeinern (vgl. [DIX], 9.1.4).

Ist oben G' eine komplexe Lie-Gruppe mit komplexer Lie-Algebra $\mathfrak{g}$, so kann man einen Isomorphismus von $\mathfrak{g}'$ auf $\mathfrak{g}\times\mathfrak{g}$ finden, der $\mathfrak{k}'$ auf das $\mathfrak{k}$ von 6.4

überführt. Der allgemeine Begriff von Harish-Chandra-Modul geht dann in die Definition von 6.5 über (vgl. [DIX], 9.6).

6A.2 Es sei der Einfachheit halber $k=\mathbf{C}$. In Satz 6.23.a ist insbesondere das allgemeine Ergebnis von Harish-Chandra (vgl. [DIX], 9.4.4) enthalten, daß jeder einfache Harish-Chandra-Modul als Faktor in einem Modul der Hauptserie auftritt, denn $\mathscr{L}(M(\lambda), L(\mu))$ ist sogar ein Untermodul von $\mathscr{L}(M(\lambda), {}'M(\mu)) \simeq \mathscr{D}(M(\mu), M(\lambda))$.

Die erste explizite Klassifikation der einfachen Harish-Chandra-Moduln in Fall von $\mathfrak{g} \times \mathfrak{g}$ stammt von D. P. Želobenko; neben seinen Aufsätzen konsultiere man auch [Duflo 2]. Das Ergebnis von Želobenko sieht so aus: Für $\lambda, \mu \in \mathfrak{h}^*$ mit $\lambda - \mu \in P(R)$ gilt $[\mathscr{D}(M(\lambda), M(\mu)) : E]_{\mathfrak{k}} = 1$ nach 6.9 (6) für das $E \in \mathfrak{k}^\wedge$ mit höchstem Gewicht in $W(\lambda - \mu)$; es gibt daher genau einen einfachen Faktor $Y(\lambda, \mu)$ von $\mathscr{D}(M(\lambda), M(\mu))$ mit $Y(\lambda, \mu)_E \neq 0$. Nun ist jeder einfache Harish-Chandra-Modul zu solch einem $Y(\lambda, \mu)$ isomorph; für $\lambda, \mu, \lambda', \mu' \in \mathfrak{h}^*$ mit $\lambda - \mu, \lambda' - \mu' \in P(R)$ ist $Y(\lambda, \mu)$ genau dann zu $Y(\lambda', \mu')$ isomorph, wenn es ein $w \in W$ mit $\lambda' = w \cdot \lambda$ und $\mu' = w \cdot \mu$ gibt.

In der Situation von Satz 6.23.a ist nach Satz 6.25 und der Bemerkung dazu klar, daß $\mathscr{L}(M(\lambda), L(\mu))$ zu $Y(\mu, \lambda)$ isomorph ist. Um ein beliebiges $Y(\mu, \lambda)$ mit einem $\mathscr{L}(M(\lambda'), L(\mu'))$ zu identifizieren, geht man wie beim Beweis von Satz 6.34 vor.

6A.3 In 6.26 werden insbesondere die Kompositionsfaktoren der Bimoduln in der Hauptserie bestimmt. Das Ergebnis wurde zuerst in [Hirai] angekündigt und in [Duflo 3], Prop. 4 bewiesen. Daß die Multiplizitäten hier dieselben wie in den Verma-Moduln sind, wurde zuerst und unabhängig voneinander in [Joseph 15/16], [Enright] und [Bernstein/Gelfand] bewiesen.

6A.4 In den ersten Abschnitten (6.1–6.10) geben wir hier die grundlegenden Definitionen und zählen elementare Eigenschaften auf, die meistens zuerst in Spezialfällen bewiesen wurden. Zu 6.11 sei auf [Vogan 4], 3.5 hingewiesen; im Beweis von prop. 4.1 wird in der Arbeit wohl 6.7 (1) zum ersten Mal explizit ausgesprochen.

Von 6.12 bis 6.32 folgen wir im wesentlichen [Bernstein/Gelfand]; die Methode von [Joseph 15] ist allerdings ähnlich. Man vergleiche auch [Gabber/Joseph 1], 1.16 und 1.7.

Die Verschiebungsfunktoren in 6.33 wurden für Harish-Chandra-Moduln (in der allgemeinen Situation von 6A.1) zuerst in [Zuckerman] betrachtet. In unserer Situation vergleiche man [Joseph 11], 7.2, [Joseph 14], 5.2/3, [Vogan 4], 4.1, [Gabber/Joseph 1], 1.13 und 4.6.

Satz 6.37 geht auf [Joseph 17], 3.2 zurück.

Kapitel 7. Primitive Ideale und Harish-Chandra-Moduln

Mit Hilfe der im letzten Kapitel entwickelten Methoden zeigen wir nun, daß für algebraisch abgeschlossenes k jedes primitive Ideal von $U(\mathfrak{g})$ die Gestalt $I(\lambda)$ mit $\lambda \in \mathfrak{h}^*$ hat. Dann bestimmen wir die Annullatoren der einfachen Harish-Chandra-Moduln aus 6.23.

Damit können wir die Frage, wann $I(\lambda) \subset I(\mu)$ gilt, auf ein Problem über Multiplizitäten in Verma-Moduln zurückführen. Danach kann man auch Ideale in $U(\mathfrak{g})$ mit denen in $U(\mathfrak{g}_S)$ für ein $S \subset B$ besser vergleichen. Weiter untersuchen wir Bimoduln der Form $\mathscr{L}(M(\lambda), M(\mu))$ und erhalten daraus genauere Informationen über die Ideale in $U(\mathfrak{g})/I_\lambda^{\min}$.

7.1 Satz. *Es seien $\Lambda \in \mathfrak{h}^*/P(R)$ und $\lambda \in \Lambda^+$. Dann ist die Abbildung $I \mapsto IM(\lambda)$ ein Ordnungsisomorphismus von der Menge aller Ideale I von $U(\mathfrak{g})$ mit $I \supset U(\mathfrak{g})\operatorname{Kern}\chi_\lambda$ auf die Menge aller $\mathscr{P}_\lambda$-erzeugbaren Untermoduln von $M(\lambda)$. Für jedes solche Ideal I gilt $I = \operatorname{Ann} M(\lambda)/IM(\lambda)$.*

Beweis. Wir setzen zur Abkürzung $\chi = \chi_\lambda$. Die Ideale von $U(\mathfrak{g})$, die $U(\mathfrak{g})\operatorname{Kern}\chi$ umfassen, entsprechen eindeutig den Unterbimoduln von $U(\mathfrak{g})_\chi$. Nun gilt

$$\mathscr{T}_\lambda(U(\mathfrak{g})_\chi) = U(\mathfrak{g})_\chi \underset{U(\mathfrak{g})_\chi}{\otimes} M(\lambda) \simeq M(\lambda).$$

Für jedes Ideal I wie oben induziert die Inklusion $i: I/U(\mathfrak{g})\operatorname{Kern}\chi \to U(\mathfrak{g})_\chi$ einen Homomorphismus $\mathscr{T}_\lambda(i): (I/U(\mathfrak{g})\operatorname{Kern}\chi) \underset{U(\mathfrak{g})_\chi}{\otimes} M(\lambda) \to U(\mathfrak{g})_\chi \underset{U(\mathfrak{g})_\chi}{\otimes} M(\lambda) \xrightarrow{\sim} M(\lambda)$, der jedes $(u + U(\mathfrak{g})\operatorname{Kern}\chi) \otimes m$ mit $u \in I$ und $m \in M(\lambda)$ auf um abbildet, also $IM(\lambda)$ als Bild hat. Daher folgt die erste Behauptung aus Satz 6.20.

Setzen wir $J = \operatorname{Ann} M(\lambda)/IM(\lambda)$, so ist die Inklusion $I \subset J$ trivial. Da $JM(\lambda) \subset IM(\lambda)$ gilt, muß nach dem schon bewiesenen Teil des Satzes auch $J \subset I$ gelten. Somit folgt $I = J$.

7.2 Wir wollen noch den folgenden Spezialfall von 7.1 explizit erwähnen, der nach der Beschreibung von $\mathscr{P}_\lambda$ in 6.26 sofort klar ist:

Corollar. *Es seien $\Lambda \in \mathfrak{h}^*/P(R)$ und $\lambda \in \Lambda^{++}$. Dann ist $I \mapsto IM(\lambda)$ ein Ordnungsisomorphismus von der Menge aller Ideale I von $U(\mathfrak{g})$ mit $I \supset U(\mathfrak{g})\operatorname{Kern}\chi_\lambda$ auf die Menge aller Untermoduln von $M(\lambda)$.*

7.3 Satz. *Für alle $\lambda \in \mathfrak{h}^*$ ist $\mathscr{X}_\lambda = \{I(w \cdot \lambda) \mid w \in W_\lambda\}$ die Menge aller Primideale I von $U(\mathfrak{g})$ mit $I \cap Z(\mathfrak{g}) = \operatorname{Kern}\chi_\lambda$. Jedes solche Primideal ist primitiv.*

Beweis. Wir können $\lambda \in (\lambda + P(R))^+$ annehmen. Für jedes Primideal I von $U(\mathfrak{g})$ mit $I \cap Z(\mathfrak{g}) = \operatorname{Kern} \chi_\lambda$ gilt nach 7.1 und 1.12(1)

$$I = \operatorname{Ann} M(\lambda)/I M(\lambda) = \sqrt{\operatorname{Ann} M(\lambda)/I M(\lambda)}$$
$$= I(\lambda_1) \cap I(\lambda_2) \cap \ldots \cap I(\lambda_r),$$

wenn $L(\lambda_1)$, $L(\lambda_2), \ldots, L(\lambda_r)$ die Kompositionsfaktoren von $M(\lambda)/I M(\lambda)$ sind. Da I prim ist, muß es ein i mit $I = I(\lambda_i)$ geben, also ein $w \in W_\lambda$ mit $I = I(w \cdot \lambda)$. Insbesondere ist I primitiv.

7.4 Corollar. *Für algebraisch abgeschlossenes k ist $\{I(\lambda) \mid \lambda \in \mathfrak{h}^*\}$ die Menge aller primitiven Ideale von $U(\mathfrak{g})$.*

Beweis. Jedes primitive Ideal I von $U(\mathfrak{g})$ schneidet $Z(\mathfrak{g})$ in einem maximalen Ideal (vgl. [DIX], 2.6.8); dieses hat nach 3.4, 3.5 die Gestalt $\operatorname{Kern} \chi_\mu$ für ein $\mu \in \mathfrak{h}^*$. Daher folgt das Corollar aus 7.3.

7.5 Corollar. *Für jedes halbprime Ideal I von $U(\mathfrak{g})$ gilt ${}^\tau I = I$.*

Beweis. Nach [DIX], 3.4.2 können wir annehmen, daß k algebraisch abgeschlossen ist. Da I Durchschnitt von primitiven Idealen ist (vgl. [DIX], 3.1.15) und ${}^\tau I(\lambda) = I(\lambda)$ für alle $\lambda \in \mathfrak{h}^*$ gilt (vgl. 5.2(2)), folgt die Behauptung aus 7.4.

7.6 In der Situation von 7.1 ist $I M(\lambda)$ der kleinste Untermodul M von $M(\lambda)$ mit $I = \operatorname{Ann}(M(\lambda)/M)$. Andererseits gilt:

Satz. *Es seien $\Lambda \in \mathfrak{h}^*/P(R)$ und $\lambda \in \Lambda^+$.*

a) *Für ein Ideal I von $U(\mathfrak{g})$ mit $I \supset I_\lambda^{\min}$ gibt es unter den Untermoduln M von $M(\lambda)$ mit $\operatorname{Ann} M(\lambda)/M \subset I$ ein größtes Element M_I. Es gilt $I = \operatorname{Ann} M(\lambda)/M_I$.*

b) *Für zwei Ideale I, J wie in a) gilt $M_I \cap M_J = M_{I \cap J}$, und $I \subset J$ ist zu $M_I \subset M_J$ äquivalent.*

Beweis. Wir identifizieren $\mathscr{L}(M(\lambda), M(\lambda))$ gemäß 6.9(8) mit $U(\mathfrak{g})/I_\lambda^{\min}$ und $\mathscr{L}(M(\lambda), M)$ für jeden Untermodul M von $M(\lambda)$ mit $\operatorname{Ann}(M(\lambda)/M)/I_\lambda^{\min} \subset U(\mathfrak{g})/I_\lambda^{\min}$. Für zwei solche Untermoduln M_1, M_2 gilt

$$\mathscr{L}(M(\lambda), M_1 + M_2) = \mathscr{L}(M(\lambda), M_1) + \mathscr{L}(M(\lambda), M_2). \tag{1}$$

Um dies zu sehen, wendet man den exakten Funktor $\mathscr{L}_{M(\lambda)}$ auf die natürliche Surjektion $M_1 \oplus M_2 \to M_1 + M_2$ an.

Nun ist $\operatorname{Ann}(M(\lambda)/M) \subset I$ zu $\mathscr{L}(M(\lambda), M) \subset I/I_\lambda^{\min}$ äquivalent. Setzt man M_I gleich der Summe aller Untermoduln mit dieser Eigenschaft, so folgt $\operatorname{Ann}(M(\lambda)/M_I) \subset I$ aus (1). Andererseits gilt $M_I \supset I M(\lambda)$ nach 7.1, also $I \subset \operatorname{Ann}(M(\lambda)/M_I)$, und a) ist bewiesen.

Für $I \subset J$ ist in b) nun $M_I \subset M_J$ klar. Für beliebige I und J folgt daraus $M_{I \cap J} \subset M_I \cap M_J$. Andererseits gilt

$$\operatorname{Ann}(M(\lambda)/(M_I \cap M_J)) \subset \operatorname{Ann}(M(\lambda)/M_I \oplus M(\lambda)/M_J) = I \cap J$$

und somit $M_I \cap M_J \subset M_{I \cap J}$. Damit ist nun ganz b) gezeigt.

7.7 Satz. *Für alle $\lambda, \lambda' \in \mathfrak{h}^*$ sind die primitiven Ideale J von $U(\mathfrak{g}) \otimes U(\mathfrak{g})$ mit $J \cap (Z(\mathfrak{g}) \otimes Z(\mathfrak{g})) = \mathrm{Kern}(\chi_\lambda \otimes \chi_\mu)$ genau die Ideale $J = I_1 \otimes U(\mathfrak{g}) + U(\mathfrak{g}) \otimes I_2$ mit $I_1 \in \mathscr{X}_\lambda$ und $I_2 \in \mathscr{X}_{\lambda'}$. Ist X ein $(U(\mathfrak{g}), U(\mathfrak{g}))$-Bimodul mit $J = \mathrm{Ann}_{U(\mathfrak{g}) \otimes U(\mathfrak{g})} X$ für J wie oben, so gilt $I_1 = \mathrm{LAnn}\, X$ und $I_2 = \mathrm{RAnn}\, X$.*

Beweis. Wir können Satz 7.3 auf die halbeinfache Lie-Algebra $\mathfrak{g} \times \mathfrak{g}$ mit ihrer zerfällenden Cartan-Unteralgebra $\mathfrak{h} \times \mathfrak{h}$ anwenden. Daher sind die primitiven Ideale J von $U(\mathfrak{g}) \otimes U(\mathfrak{g}) \simeq U(\mathfrak{g} \times \mathfrak{g})$, deren Durchschnitt mit $Z(\mathfrak{g}) \otimes Z(\mathfrak{g}) \simeq Z(\mathfrak{g} \times \mathfrak{g})$ gerade $\mathrm{Kern}\chi_\lambda \otimes \chi_{\lambda'} \simeq \mathrm{Kern}\chi_{(\lambda, \lambda')}$ ist, genau die Annullatoren der einfachen $(\mathfrak{g} \times \mathfrak{g})$-Moduln mit einem höchsten Gewicht der Form $(w \cdot \lambda, w' \cdot \lambda')$ mit $w \in W_\lambda$ und $w' \in W_{\lambda'}$. Dieser einfache Modul ist aber gerade $L(w \cdot \lambda)^l \otimes L(w' \cdot \lambda')^r$, sein Annullator also $I(w \cdot \lambda) \otimes U(\mathfrak{g}) + U(\mathfrak{g}) \otimes I(w' \cdot \lambda')$. Damit ist die erste Behauptung bewiesen. Außerdem ist nun klar, daß $I(w \cdot \lambda) = \{u \in U(\mathfrak{g}) \mid u \otimes 1 \in J\}$ und $I(w' \cdot \lambda') = \{u \in U(\mathfrak{g}) \mid 1 \otimes u \in J\}$ gilt. Für einen $(U(\mathfrak{g}), U(\mathfrak{g}))$-Bimodul X mit $J = \mathrm{Ann}_{U(\mathfrak{g}) \otimes U(\mathfrak{g})} X$ dagegen ist offensichtlich $\mathrm{LAnn}\, X = \{u \in U(\mathfrak{g}) \mid u \otimes 1 \in J\}$ und $\mathrm{RAnn}\, X = \{u \in U(\mathfrak{g}) \mid 1 \otimes {}^t u \in J\}$. Nun folgt auch die zweite Behauptung wegen ${}^t I(w' \cdot \lambda') = I(w' \cdot \lambda')$.

7.8 Es seien M und N zwei $\mathfrak{g}$-Moduln und X ein Unterbimodul von $\mathscr{L}(M, N)$. Dann ist $XM = \sum_{\phi \in X} \phi(M)$ ein Untermodul von N und $\bigcap_{\phi \in X} \mathrm{Kern}\, \phi$ einer von M. Es gilt

(1) $\qquad \mathrm{LAnn}\, X = \mathrm{Ann}\, XM$

und

(2) $\qquad \mathrm{RAnn}\, X = \mathrm{Ann}\, M / \bigcap_{\phi \in X} \mathrm{Kern}\, \phi,$

denn für ein $u \in U(\mathfrak{g})$ sind äquivalent

$$\begin{aligned} & u\phi = 0 \quad \text{für alle } \phi \in X \\ \Leftrightarrow\ & u(\phi(m)) = (u\phi)(m) = 0 \quad \text{für alle } \phi \in X,\ m \in M \\ \Leftrightarrow\ & u(n) = 0 \quad \text{für alle } n \in XM \end{aligned}$$

und

$$\begin{aligned} & \phi u = 0 \quad \text{für alle } \phi \in X \\ \Leftrightarrow\ & \phi(um) = (\phi u)(m) = 0 \quad \text{für alle } \phi \in X,\ m \in M \\ \Leftrightarrow\ & uM \subset \bigcap_{\phi \in X} \mathrm{Kern}\, \phi. \end{aligned}$$

Für einfaches N gilt $XM = N$ für $X \neq 0$. Insbesondere folgt aus (1) demnach:

(3) $\qquad$ *Ist N einfach und gilt $\mathscr{L}(M, N) \neq 0$, so ist* $\mathrm{LAnn}\, \mathscr{L}(M, N) = \mathrm{Ann}\, N$.

Bemerkung. Nach 6.8(6) sind $\mathscr{L}(M, M)$ und $\mathscr{L}(N, N)$ Algebren, die in natürlicher Weise von rechts bzw. links auf $\mathscr{L}(M, N)$ operieren und ihn so zu einem $(\mathscr{L}(N,N), \mathscr{L}(M,M))$-Bimodul machen. (Die Struktur als $(U(\mathfrak{g}), U(\mathfrak{g}))$-Bimodul wird dann von den kanonischen Einbettungen $U(\mathfrak{g})/\operatorname{Ann} N \to \mathscr{L}(N,N)$ und $U(\mathfrak{g})/\operatorname{Ann} M \to \mathscr{L}(M,M)$ induziert.) Mit denselben Argumenten wie oben zeigt man für jeden $(\mathscr{L}(N,N), \mathscr{L}(M,M))$-Unterbimodul X von $\mathscr{L}(M,N)$:

$$(4) \qquad \operatorname{Ann}_{\mathscr{L}(N,N)} X = \{\psi \in \mathscr{L}(N,N) \mid \psi(XM) = 0\}$$

und

$$(5) \qquad \operatorname{Ann}_{\mathscr{L}(M,M)} X = \{\psi \in \mathscr{L}(M,M) \mid \psi(M) \subset \bigcap_{\phi \in X} \operatorname{Kern} \phi\}.$$

7.9 Satz. *Für alle $\Lambda \in \mathfrak{h}^*/P(R)$ und $\lambda, \mu \in \Lambda^+$ sowie $w \in W_\Lambda$ mit $B_\mu^0 \subset \tau_\Lambda(w)$ und $B_\lambda^0 \subset \tau_\Lambda(w^{-1})$ gilt*

$$(1) \qquad \operatorname{LAnn} \mathscr{L}(M(\lambda), L(w \cdot \mu)) = I(w \cdot \mu),$$

$$(2) \qquad \operatorname{RAnn} \mathscr{L}(M(\lambda), L(w \cdot \mu)) = I(w^{-1} \cdot \lambda),$$

$$(3) \qquad \operatorname{Ann}_{U(\mathfrak{g}) \otimes U(\mathfrak{g})} \mathscr{L}(M(\lambda), L(w \cdot \mu)) = I(w \cdot \mu) \otimes U(\mathfrak{g}) + U(\mathfrak{g}) \otimes I(w^{-1} \cdot \lambda).$$

Beweis. Nach 6.26 ist $\mathscr{L}(M(\lambda), L(w \cdot \mu)) \neq 0$. Daher folgt (1) aus 7.8(3) und (2) aus Satz 6.34, während (3) nun nach Satz 7.7 klar ist.

7.10 Corollar. *Es seien $\Lambda \in \mathfrak{h}^*/P(R)$ und $\lambda, \mu \in \Lambda^{++}$. Ist R_Λ vom Typ A_{n-1} für ein $n \in \mathbf{N}$, so haben die einfachen Harish-Chandra-Moduln $\mathscr{L}(M(\lambda), L(w \cdot \mu))$ mit $w \in W_\Lambda$ paarweise verschiedene Annullatoren in $U(\mathfrak{g}) \otimes U(\mathfrak{g})$.*

Beweis. In den Notationen von 5.25 gilt für alle $w, w' \in W_\Lambda$

$$I(w \cdot \mu) = I(w' \cdot \mu) \Leftrightarrow A(w) = A(w')$$

und (mit 5.24(2))

$$I(w^{-1} \cdot \lambda) = I(w'^{-1} \cdot \lambda) \Leftrightarrow A(w^{-1}) = A(w'^{-1}) \Leftrightarrow B(w) = B(w').$$

Nun folgt die Behauptung aus 7.9(3) und der Injektivität der Abbildung 5.24(1).

Bemerkung. Wie in 5.26 läßt sich das Corollar auf den Fall verallgemeinern, daß R_Λ vom Typ $A_{m_1-1} \times A_{m_2-1} \times \ldots \times A_{m_r-1}$ ist.

7.11 Im folgenden Satz sei M_I wie in Satz 7.6.

Satz. *Es seien $\Lambda \in \mathfrak{h}^*/P(R)$ und $\lambda \in \Lambda^+$. Für alle $I \in \mathscr{X}_\lambda$ gibt es genau ein $w \in W_\Lambda$ mit $B_\lambda^0 \subset \tau_\Lambda(w) \cap \tau_\Lambda(w^{-1})$ und $\operatorname{soc} U(\mathfrak{g})/I \simeq \mathscr{L}(M(\lambda), L(w \cdot \lambda))$. Für dieses w gilt $w^2 = 1$ und $I = I(w \cdot \lambda)$ sowie $L(w \cdot \lambda) \simeq \operatorname{soc} M(\lambda)/M_I$.*

Beweis. Nach 1.13 ist der Sockel des Bimoduls $U(\mathfrak{g})/I$ einfach. Da $Z(\mathfrak{g}) \otimes Z(\mathfrak{g})$ hier durch $\chi_\lambda \otimes \chi_\lambda$ operiert, muß dieser Sockel nach 6.26 zu genau einem $\mathscr{L}(M(\lambda), L(w\cdot\lambda))$ mit $w\in W_\Lambda$ und $B_\lambda^0\subset\tau_\Lambda(w)\cap\tau_\Lambda(w^{-1})$ isomorph sein. Nach 1.13 gilt außerdem $I=\operatorname{LAnn}(\operatorname{soc} U(\mathfrak{g})/I)=I(w\cdot\lambda)$. Da ${}^s(U(\mathfrak{g})/I)$ zu $U(\mathfrak{g})/{}^tI=U(\mathfrak{g})/I$ isomorph ist, folgt für den Sockel

$$\mathscr{L}(M(\lambda), L(w\cdot\lambda))\simeq{}^s\mathscr{L}(M(\lambda), L(w\cdot\lambda))\simeq\mathscr{L}(M(\lambda), L(w^{-1}\cdot\lambda))$$

nach 6.34. Wegen 6.23 muß nun $w=w^{-1}$ sein.

Nach Konstruktion ist M_I maximal unter den Untermoduln von $M(\lambda)$ mit $\mathscr{L}(M(\lambda), M_I)=I/I_\lambda^{\min}$ oder (äquivalent) mit $\mathscr{L}(M(\lambda), M(\lambda)/M_I)=U(\mathfrak{g})/I$. (Wir haben wieder $\mathscr{L}(M(\lambda), M(\lambda))$ mit $U(\mathfrak{g})/I_\lambda^{\min}$ identifiziert.) Wegen dieser Maximalität ist $\mathscr{L}(M(\lambda), L)$ für alle einfachen Untermoduln L von $M(\lambda)/M_I$ ungleich 0, also zu einem einfachen Untermodul von $U(\mathfrak{g})/I$ isomorph, mithin zu $\mathscr{L}(M(\lambda), L(w\cdot\lambda))$. Es folgt $L\simeq L(w\cdot\lambda)$, außerdem muß $\operatorname{soc} M(\lambda)/M_I$ einfach sein, weil sonst $U(\mathfrak{g})/I\simeq\mathscr{L}(M(\lambda), M(\lambda)/M_I)$ einen halbeinfachen Untermodul der Länge $\geqslant 2$ hätte. Damit erhalten wir $\operatorname{soc} M(\lambda)/M_I\simeq L(w\cdot\lambda)$.

Bemerkungen. 1) Es sei $\mu\in\Lambda^{++}$. Zu I gibt es nach 5.8 genau ein $I'\in\mathscr{X}_\mu$ mit $T_\mu^\lambda I'=I$. Nach dem Satz oben gibt es zu I' genau ein $w'\in W_\Lambda$ mit $\operatorname{soc} U(\mathfrak{g})/I'\simeq\mathscr{L}(M(\mu), L(w'\cdot\mu))$; es gilt dann $w'^2=1$ und $I'=I(w'\cdot\mu)$. Wir behaupten nun

(1) $\qquad w=w'.$

Nach 5.8 gilt zunächst $B_\lambda^0\subset\tau_\Lambda(w')=\tau_\Lambda(w'^{-1})$, nach 4.12 (2), (3) außerdem $T_\mu^\lambda M(\mu)=M(\lambda)$ und $T_\mu^\lambda L(w'\cdot\mu)\simeq L(w'\cdot\lambda)$, nach 6.33 (6) also

$$T_{(\mu,\mu)}^{(\lambda,\lambda)}\mathscr{L}(M(\mu), L(w'\cdot\mu))\simeq\mathscr{L}(M(\lambda), L(w'\cdot\lambda)).$$

Wegen $B_\lambda^0\subset\tau_\Lambda(w')$ ist $\mathscr{L}(M(\lambda), L(w'\cdot\lambda))\neq 0$, also zu einem einfachen Unterbimodul von $T_{(\mu,\mu)}^{(\lambda,\lambda)}(U(\mathfrak{g})/I')$ isomorph. Da $I'=\operatorname{Ann} M(\mu)/I'M(\mu)$ nach 7.1 gilt, können wir 6.35 anwenden und erhalten

$$T_{(\mu,\mu)}^{(\lambda,\lambda)}(U(\mathfrak{g})/I')\simeq U(\mathfrak{g})/T_\mu^\lambda I'=U(\mathfrak{g})/I.$$

Nun folgt $\mathscr{L}(M(\lambda), L(w'\cdot\lambda))\simeq\operatorname{soc} U(\mathfrak{g})/I$, also (1).

2) Ist R_Λ vom Typ A_{n-1} für ein $n\in\mathbf{N}$ und ist $\lambda\in\Lambda^{++}$, so gibt es zu jedem $I\in\mathscr{X}_\lambda$ nach 5.25 genau ein $w\in W_\Lambda$ mit $w^2=1$ und $I=I(w\cdot\lambda)$. Dieses Element w muß dann auch dasjenige im Satz sein, das sich also in diesem Fall explizit bestimmen läßt. Mit Hilfe von (1) erhält man es auch für alle $\lambda\in\Lambda^+$. (Wie in 5.26 kann man dies auf den Fall verallgemeinern, wo R_Λ vom Typ $A_{m_1-1}\times A_{m_2-1}\times\ldots\times A_{m_r-1}$ ist.)

7.12 Satz. *Für zwei $(U(\mathfrak{g}), U(\mathfrak{g}))$-Bimoduln X_1 und X_2 in $\mathscr{H}^{ee}$ gilt* $\operatorname{RAnn} X_1\subset\operatorname{RAnn} X_2$ *(bzw.* $\operatorname{LAnn} X_1\subset\operatorname{LAnn} X_2$*) genau dann, wenn es einen endlich dimensionalen $\mathfrak{g}$-Modul E und Unterbimoduln $Y_1\subset Y_2\subset X_1\otimes E^l$ (bzw. $Y_1\subset Y_2\subset X_1\otimes E^r$) mit $Y_2/Y_1\simeq X_2$ gibt.*

Beweis. Als $U(\mathfrak{g})$-Rechtsmodul ist $X_1 \otimes E^l$ für jedes E wie im Satz direkte Summe von $\dim E$ Kopien von X_1. Daher gilt $\mathrm{RAnn}\, X_1 = \mathrm{RAnn}(X_1 \otimes E^l)$ $\subset \mathrm{RAnn}\, Y_2 / Y_1$ für alle Y_1, Y_2 wie im Satz. Damit ist eine Richtung bewiesen.

Es gelte nun umgekehrt $\mathrm{RAnn}\, X_1 \subset \mathrm{RAnn}\, X_2$. Nach Satz 6.11 gibt es endlich dimensionale $\mathfrak{g}$-Moduln E_1 und E_2 mit einem surjektiven Homomorphismus $(U(\mathfrak{g})/\mathrm{RAnn}\, X_2) \otimes E_2^l \to X_2$ und einem injektiven Homomorphismus $U(\mathfrak{g})/\mathrm{RAnn}\, X_1 \to X_1 \otimes E_1^l$ jeweils von Bimoduln. Wegen $\mathrm{RAnn}\, X_1 \subset \mathrm{RAnn}\, X_2$ ist $U(\mathfrak{g})/\mathrm{RAnn}\, X_2$ homomorphes Bild von $U(\mathfrak{g})/\mathrm{RAnn}\, X_1$, also X_2 eines von $(U(\mathfrak{g})/\mathrm{RAnn}\, X_1) \otimes E_2^l$. Der zuletzt genannte Bimodul ist aber zu einem Unterbimodul von $X_1 \otimes E_1^l \otimes E_2^l \simeq X_1 \otimes (E_1 \otimes E_2)^l$ isomorph. Nun erhalten wir die Behauptung, indem wir $E = E_1 \otimes E_2$ nehmen.

Bei den $\mathrm{LAnn}\, X_i$ geht man analog vor.

7.13 Corollar. *Es seien $\Lambda \in \mathfrak{h}^*/P(R)$ und $\lambda, \mu, \mu' \in \Lambda^{++}$. Für $w_1, w_2 \in W_\Lambda$ gilt genau dann $I(w_1 \cdot \lambda) \subset I(w_2 \cdot \lambda)$, wenn es einen endlich dimensionalen $\mathfrak{g}$-Modul E mit $[L(w_1^{-1} \cdot \mu) \otimes E : L(w_2^{-1} \cdot \mu')] \neq 0$ gibt.*

Beweis. Nach 7.12 und 7.9 (2) gilt $I(w_1 \cdot \lambda) \subset I(w_2 \cdot \lambda)$ genau dann, wenn es einen endlich dimensionalen $\mathfrak{g}$-Modul E gibt, so daß $\mathscr{L}(M(\lambda), L(w_2^{-1} \cdot \mu'))$ ein Kompositionsfaktor von (vgl. 6.8 (2'))

$$\mathscr{L}(M(\lambda), L(w_1^{-1} \cdot \mu)) \otimes E^l \simeq \mathscr{L}(M(\lambda), L(w_1^{-1} \cdot \mu) \otimes E)$$

ist. Die Behauptung folgt nun aus 6.26.b.

7.14 Satz. *Es seien $\Lambda \in \mathfrak{h}^*/P(R)$ und $\lambda, \lambda' \in \Lambda^{++}$. Für $w_1, w_2 \in W_\Lambda$ ist $\mathscr{L}(L(w_1 \cdot \lambda), L(w_2 \cdot \lambda'))$ genau dann ungleich 0, wenn $I(w_1^{-1} \cdot \lambda) = I(w_2^{-1} \cdot \lambda)$ gilt.*

Beweis. Ist $\mathscr{L}(L(w_1 \cdot \lambda), L(w_2 \cdot \lambda')) \neq 0$, so gibt es nach 6.8 (3) einen endlich dimensionalen $\mathfrak{g}$-Modul E mit

$$\mathrm{Hom}_\mathfrak{g}(L(w_1 \cdot \lambda) \otimes E^*, L(w_2 \cdot \lambda')) \simeq \mathrm{Hom}_\mathfrak{g}(L(w_1 \cdot \lambda), L(w_2 \cdot \lambda') \otimes E) \neq 0;$$

daraus folgt $[L(w_1 \cdot \lambda) \otimes E^* : L(w_2 \cdot \lambda')] \neq 0$ und $[L(w_2 \cdot \lambda') \otimes E : L(w_1 \cdot \lambda)] \neq 0$, nach 7.13 also $I(w_1^{-1} \cdot \lambda) = I(w_2^{-1} \cdot \lambda)$.

Es gelte umgekehrt $I = I(w_1^{-1} \cdot \lambda) = I(w_2^{-1} \cdot \lambda)$. Nach 7.11 gibt es ein $w \in W_\Lambda$ mit $\mathrm{soc}\, U(\mathfrak{g})/I \simeq \mathscr{L}(M(\lambda), L(w \cdot \lambda))$ und $w^2 = 1$. Nun gilt

$$I = \mathrm{RAnn}\, \mathscr{L}(M(\lambda), L(w_1 \cdot \lambda)) = \mathrm{RAnn}\, \mathscr{L}(M(\lambda), L(w_2 \cdot \lambda'))$$

$$= \mathrm{RAnn}\, \mathscr{L}(M(\lambda), L(w \cdot \lambda)).$$

Nach 6.9 können wir also endlich dimensionale $\mathfrak{g}$-Moduln E_1 und E_2 finden, so daß $U(\mathfrak{g})/I$ und damit $\mathscr{L}(M(\lambda), L(w \cdot \lambda))$ sich in $\mathscr{L}(M(\lambda), L(w_1 \cdot \lambda)) \otimes E_1^l$ $\simeq \mathscr{L}(M(\lambda), L(w_1 \cdot \lambda) \otimes E_1)$ und in $\mathscr{L}(M(\lambda), L(w_2 \cdot \lambda')) \otimes E_2^l \simeq \mathscr{L}(M(\lambda), L(w_2 \cdot \lambda') \otimes E_2)$ einbetten läßt. Wegen 6.27(4) ist $L(w \cdot \lambda)$ zu Untermoduln von $L(w_1 \cdot \lambda) \otimes E_1$ und $L(w_2 \cdot \lambda') \otimes E_2$ isomorph, insbesondere sind $\mathscr{L}(L(w \cdot \lambda), L(w_1 \cdot \lambda))$ und $\mathscr{L}(L(w \cdot \lambda), L(w_2 \cdot \lambda'))$ ungleich 0. Nach 6.9 (5) gilt nun auch $\mathscr{L}(L(w_1 \cdot \lambda), L(w \cdot \lambda)) \neq 0$; dann ist $\mathscr{L}(L(w_1 \cdot \lambda), L(w \cdot \lambda)) L(w_1 \cdot \lambda)$ ein

Untermodul ungleich 0 von $\mathscr{L}(w\cdot\lambda)$, also gleich $L(w\cdot\lambda)$. Aus $\mathscr{L}(L(w\cdot\lambda), L(w_2\cdot\lambda'))\neq 0$ folgt nun $\mathscr{L}(L(w\cdot\lambda), L(w_2\cdot\lambda'))\mathscr{L}(L(w_1\cdot\lambda), L(w\cdot\lambda))L(w_1\cdot\lambda)\neq 0$, also $\mathscr{L}(L(w\cdot\lambda), L(w_2\cdot\lambda'))\mathscr{L}(L(w_1\cdot\lambda), L(w\cdot\lambda))\neq 0$ und nach 6.8(6) mithin $\mathscr{L}(L(w_1\cdot\lambda), L(w_2\cdot\lambda'))\neq 0$, was zu zeigen war.

7.15 Es sei $S\subset B$ bis zum Ende von 7.19 festgewählt. Wir haben schon früher die Unteralgebren $\mathfrak{g}_S$ und $\mathfrak{g}_S+\mathfrak{h}=\mathfrak{g}_S\oplus\mathfrak{h}'_S$ (vgl. 2.2), die einfachen Moduln $L^S(\lambda')$ und $\hat{L}^S(\lambda)$ mit einem höchsten Gewicht $\lambda'\in\mathfrak{h}_S^*$ bzw. $\lambda\in\mathfrak{h}^*$ sowie deren Annullatoren $I^S(\lambda')$ bzw. $\hat{I}^S(\lambda)$ (vgl. 5.11) eingeführt. Das Wurzelsystem von $\mathfrak{g}_S$ relativ $\mathfrak{h}_S$ werde mit R_S bezeichnet und mit $\mathbf{Z}S\cap R=\mathbf{Q}S\cap R$ identifiziert.

Für alle $\lambda\in\mathfrak{h}^*$ kann man $\hat{L}^S(\lambda)$ als den $U(\mathfrak{g}_S+\mathfrak{h})$-Untermodul von $L(\lambda)$ auffassen, der von $\bar{v}_\lambda$ erzeugt wird (vgl. [MHG], 1.18). Bezeichnen wir stets die Einschränkung von λ auf $\mathfrak{h}_S$ mit λ_S, so können wir $L^S(\lambda_S)$ mit $\hat{L}^S(\lambda)$ aufgefaßt als $\mathfrak{g}_S$-Modul identifizieren.

Für ein $\Lambda\in\mathfrak{h}^*/P(R)$ gilt $\Lambda_S=\{\lambda_S\,|\,\lambda\in\Lambda\}\in\mathfrak{h}_S^*/P(R_S)$ wegen $P(R)_S=P(R_S)$; dies sieht man sofort mit Hilfe der Fundamentalgewichte. Für alle $\alpha\in S$ gilt $\langle\rho_S,\alpha^\vee\rangle=\langle\rho,\alpha^\vee\rangle=1$; deshalb spielt ρ_S für $\mathfrak{g}_S$ dieselbe Rolle wie ρ für $\mathfrak{g}$. Für alle $w\in W_S$ und $\lambda\in\mathfrak{h}^*$ gilt $(w\cdot\lambda)_S=w\cdot(\lambda_S)$, wobei rechts die um ρ_S verschobene Operation auf $\mathfrak{h}_S^*$ der mit W_S identifizierten Weylgruppe von $\mathfrak{g}_S$ gemeint ist.

Für ein $\lambda\in\Lambda^+$ gilt $\lambda_S\in(\Lambda_S)^+$, für $\lambda\in\Lambda^{++}$ sogar $\lambda_S\in(\Lambda_S)^{++}$. Die Umkehrung ist im allgemeinen nicht richtig; für $\lambda\in\Lambda^{++}$ und $w\in W_\Lambda$ ist $(w\cdot\lambda)_S\in(\Lambda_S)^+$ zu $(w\cdot\lambda)_S\in(\Lambda_S)^{++}$ äquivalent, dies wiederum zu $\langle w(\lambda+\rho),\alpha^\vee\rangle>0$ für alle $\alpha\in R_\Lambda\cap R^+\cap R_S$, also zu $w^{-1}(R_\Lambda\cap R_S\cap R^+)\subset R^+\cap R_\Lambda$. Damit ist gezeigt:

$$(1)\qquad (w\cdot\lambda)_S\in(\Lambda_S)^{++}\;\Leftrightarrow\; R_S\cap N_\Lambda(w^{-1})=\emptyset.$$

Für alle $\alpha,\beta\in R^+$ mit $\alpha<\beta$ und $\beta\in R_S$ gilt $\alpha\in R_S$. Daher muß $R_S\cap R_\Lambda=\mathbf{Z}B'\cap R_\Lambda$ mit $B'=B_\Lambda\cap R_S$ sein. Nun folgt (vgl. 2.7):

$$(2)\qquad (w\cdot\lambda)_S\in(\Lambda_S)^{++}\;\Leftrightarrow\; B'\cap\tau_\Lambda(w^{-1})=\emptyset\;\Leftrightarrow\; B'\subset\tau_\Lambda(w^{-1}w_{B'})$$
$$\Leftrightarrow\; w_{B'}w\in{}^{B'}W_\Lambda.$$

Insbesondere bilden die Elemente w mit dieser Eigenschaft ein Repräsentantensystem für $W_{B'}\backslash W_\Lambda=W_{\Lambda_S}\backslash W_\Lambda$.

7.16 Für jede Unteralgebra $\mathfrak{m}$ eine Lie-Algebra $\mathfrak{s}$ und für jeden $\mathfrak{m}$-Modul M kann man den induzierten $\mathfrak{s}$-Modul $U(\mathfrak{s})\bigotimes_{U(\mathfrak{m})}M$ bilden. Diese Konstruktion ist ein exakter Funktor, weil $U(\mathfrak{s})$ als $U(\mathfrak{m})$-Modul frei ist. Sind ein $\mathfrak{m}$-Modul M und ein $\mathfrak{s}$-Modul N gegeben, so kann man N auch als $\mathfrak{m}$-Modul auffassen, das Tensorprodukt $M\otimes N$ von $\mathfrak{m}$-Moduln bilden und dann induzieren. In dieser Situation hat man einen kanonischen Isomorphismus

$$(1)\qquad U(\mathfrak{s})\bigotimes_{U(\mathfrak{m})}(M\otimes N)\xrightarrow{\sim}(U(\mathfrak{s})\bigotimes_{U(\mathfrak{m})}M)\otimes N,$$

der von dem Homomorphismus $M \otimes N \to (U(\mathfrak{s}) \bigotimes_{U(\mathfrak{m})} M) \otimes N$ mit $m \otimes n \mapsto (1 \otimes m) \otimes n$ für alle $m \in M, n \in N$ von $\mathfrak{m}$-Moduln induziert wird. Wir wollen dies insbesondere auf $\mathfrak{g}$ und die schon in 2.2 eingeführte Unteralgebra $\mathfrak{p}_S$ anwenden. Man kann jeden $(\mathfrak{g}_S + \mathfrak{h})$-Modul M zu einem $\mathfrak{p}_S$-Modul machen, indem man $\mathfrak{m}_S$ trivial operieren läßt. So erhält man für jedes $\lambda \in \mathfrak{h}^*$ einen $\mathfrak{g}$-Modul

$$M_S(\lambda) = U(\mathfrak{g}) \bigotimes_{U(\mathfrak{p}_S)} \hat{L}^S(\lambda)$$

mit höchstem Gewicht λ. Er hat dann einen zu $L(\lambda)$ isomorphen Restklassenmodul; gilt $\langle \lambda + \rho, \alpha^\vee \rangle \notin \mathbf{N} \setminus 0$ für alle $\alpha \in R^+ \setminus R_S$, so ist $M_S(\lambda)$ einfach (vgl. [MHG] 1.17). Setzen wir nun wieder $B' = B_\Lambda \cap R_S$ für ein $\Lambda \in \mathfrak{h}^*/P(R)$, so gilt:

(2) $\quad$ *$M_S(w w_\Lambda \cdot \lambda)$ ist einfach für alle $w \in W_{B'}$ und $\lambda \in \Lambda^+$.*

Lemma. *Es seien $\lambda, \mu \in \mathfrak{h}^*$. Gibt es einen endlich dimensionalen $\mathfrak{g}$-Modul E mit $[M_S(\lambda) \otimes E : L(\mu)] \neq 0$, so gibt es einen endlich dimensionalen $\mathfrak{g}_S$-Modul E' mit $[L^S(\lambda_S) \otimes E' : L^S(\mu_S)] \neq 0$.*

Beweis. Da $L^S(\mu_S)$ zu einem $\mathfrak{g}_S$-Untermodul von $L(\mu)$ isomorph ist, muß es zu einem E wie im Lemma $\mathfrak{g}_S$-Untermoduln $N_1 \subset N_2 \subset M_S(\lambda) \otimes E$ mit $N_2/N_1 \simeq L^S(\mu_S)$ geben. Nun ist $M_S(\lambda)$ als $\mathfrak{g}_S$-Modul zu $S('\mathfrak{m}_S) \otimes L^S(\lambda_S)$ isomorph, wobei die symmetrische Algebra $S('\mathfrak{m}_S)$ von $'\mathfrak{m}_S$ zu einem $\mathfrak{g}_S$-Modul über die adjungierte Operation von $\mathfrak{g}_S$ auf $'\mathfrak{m}_S$ wird. Daher ist $M_S(\lambda) \otimes E$ als $\mathfrak{g}_S$-Modul zur direkten Summe der $L^S(\lambda_S) \otimes (S^n('\mathfrak{m}_S) \otimes E)$ mit $n \in \mathbf{N}$ isomorph. Es muß nun ein n geben, so daß der einfache Modul N_2/N_1 Kompositionsfaktor von $L^S(\lambda_S) \otimes (S^n('\mathfrak{m}_S) \otimes E)$ ist, also $[L^S(\lambda_S) \otimes E' : L^S(\mu_S)] \neq 0$ für $E' = S^n('\mathfrak{m}_S) \otimes E$ gilt.

7.17 Satz. *Es seien $\Lambda \in \mathfrak{h}^*/P(R)$ und $\lambda \in \Lambda^{++}$ sowie $S \subset B$. Mit $B' = R_S \cap B_\Lambda$ gilt für alle $w_1, w_2 \in W_\Lambda^{B'} w_{B'}$ und $w, w' \in W_{B'}$:*

Aus $I(w_1 w \cdot \lambda) \subset I(w_2 w' \cdot \lambda)$ folgt $I^S(w \cdot \lambda_S) \subset I^S(w' \cdot \lambda_S)$.

Beweis. Ist $I(w_1 w \cdot \lambda)$ in $I(w_2 w' \cdot \lambda)$ enthalten, so gibt es nach Corollar 7.13 einen endlich dimensionalen $\mathfrak{g}$-Modul E mit $[L(w^{-1} w_1^{-1} \cdot \lambda) \otimes E : L(w'^{-1} w_2^{-1} \cdot \lambda)] \neq 0$, also erst recht mit $[M_S(w^{-1} w_1^{-1} \cdot \lambda) \otimes E : L(w'^{-1} w_2^{-1} \cdot \lambda)] \neq 0$. Nach Lemma 7.15 können wir einen endlich dimensionalen $\mathfrak{g}_S$-Modul E' mit $[L^S(w^{-1} \cdot (w_1^{-1} \cdot \lambda)_S) \otimes E' : L^S(w'^{-1} \cdot (w_2^{-1} \cdot \lambda)_S)] \neq 0$ finden. Da w_1^{-1}, w_2^{-1} und 1 zu $w_{B'}{}^{B'}W_\Lambda$ gehören, also $(w_1^{-1} \cdot \lambda)_S, (w_2^{-1} \cdot \lambda)_S$ und λ_S zu $(\Lambda_S)^{++}$ nach 7.15 (2), folgt aus Corollar 7.13 nun die Inklusion $I^S(w \cdot \lambda_S) \subset I(w' \cdot \lambda_S)$.

Bemerkung. Der Beweis des Satzes zeigt insbesondere für w_1, w_2, w, w' wie oben:

(1) $\quad$ *Aus $[M_S((w_1 w)^{-1} \cdot \lambda) : L((w_2 w')^{-1} \cdot \lambda)] \neq 0$ folgt $I^S(w \cdot \lambda_S) \subset I^S(w' \cdot \lambda_S)$.*

7.18 Analog zu $\mathscr{X}_\lambda$ führen wir für ein $\lambda' \in \mathfrak{h}_S^*$ die Notation

$$\mathscr{X}_{\lambda'}^S = \{ I^S(w \cdot \lambda') = \mathrm{Ann}_{U(\mathfrak{g}_S)} L^S(w \cdot \lambda') \mid w \in W_S \}$$

ein. Dies ist natürlich auch die Menge aller primitiven Ideale I von $U(\mathfrak{g}_S)$ mit $I \cap Z(\mathfrak{g}_S) = I^S(\lambda') \cap Z(\mathfrak{g}_S)$; wie früher reicht es, in der Definition alle $w \in (W_S)_{\lambda'}$ zu nehmen.

Corollar. *Es seien $\Lambda \in \mathfrak{h}^*/P(R)$ und $\lambda \in \Lambda^+$. Ist S eine Teilmenge von B mit $R_\Lambda \subset R_S$, so gibt es einen Isomorphismus geordneter Mengen $\mathscr{X}^S_{\lambda_S} \to \mathscr{X}_\lambda$, der jedes $I^S(w \cdot \lambda_S)$ mit $w \in W_\Lambda$ in $I(w \cdot \lambda)$ überführt.*

Beweis. Aus $R_\Lambda \subset R_S$ folgt $B_\Lambda = R_S \cap B_\Lambda = B'$ und $W_{B'} = W_\Lambda$ sowie $W^{B'}_\Lambda = \{w_{B'}\}$ in den Notationen von 7.17. Nach 5.8 kann man sich auf $\lambda \in \Lambda^{++}$ beschränken. Für alle $w, w' \in W_\Lambda$ bedeutet Satz 7.17 nun

$$(1) \qquad I(w \cdot \lambda) \subset I(w' \cdot \lambda) \Rightarrow I^S(w \cdot \lambda_S) \subset I^S(w' \cdot \lambda_S).$$

Für alle $w \in W_\Lambda \subset W_S$ gilt $\lambda|_{\mathfrak{h}_S} = (w \cdot \lambda)|_{\mathfrak{h}_S}$. Daher folgt die Umkehrung von (1) aus Satz 5.13. Damit ist die Behauptung klar.

Bemerkungen. 1) Unter den Voraussetzungen des Corollars gilt

$$(2) \qquad L(w \cdot \lambda) = U(\mathfrak{g}) \underset{U(\mathfrak{p}_S)}{\otimes} \hat{L}^S(w \cdot \lambda) \quad \text{für alle } w \in W_\Lambda.$$

Man nennt Annullatoren induzierter Moduln auch induzierte Ideale. In unserer Situation besteht also $\mathscr{X}_\lambda$ aus von $\mathfrak{p}_S$ induzierten Idealen. Die Umkehrung in (1) folgt nun auch aus allgemeinen Überlegungen über das Induzieren von Idealen (vgl. [DIX], 5.1.7 (ii)). Man erhält sie übrigens auch aus Satz 7.19 unten.

2) Das Corollar ist natürlich nur für $S \neq B$ interessant. Dann ist der Rang von R_Λ echt kleiner als der von R. Betrachten wir umgekehrt ein $\Lambda \in \mathfrak{h}^*/P(R)$ mit $\text{Rang}(R_\Lambda) < \text{Rang}\, R$. Wir bilden dann $R_1 = \mathbf{Q} R_\Lambda \cap R$; dies ist ein Wurzelsystem in $\mathbf{Q} R_\Lambda$. Es sei B_1 eine Basis von R_1; wegen $\mathbf{Q} B_1 \cap R = R_1 = \mathbf{Z} B_1 \cap R$ gibt es nach [Bourbaki 3], ch. VI, § 1, prop. 24 ein $w \in W$ mit $w(B_1) \subset B$. Nun gilt $\mathscr{X}_{w \cdot \lambda} = \mathscr{X}_\lambda$ für ein $\lambda \in \Lambda$ und $R_{w \cdot \lambda} = w(R_\Lambda) \subset w(R_1) = R_{w(B_1)}$. Man kann daher das Corollar auf $w \cdot \lambda$ und $w(B_1)$ anwenden. Solange wir $\mathscr{X}_\lambda$ nur als geordnete Menge beschreiben wollen, können wir uns also auf den Fall $\text{Rang}(R_\lambda) = \text{Rang}(R)$ beschränken.

7.19 Satz. *Es seien $\Lambda \in \mathfrak{h}^*/P(R)$ und $\lambda \in \Lambda^{++}$. Für alle $w \in W_{B'}$ mit $B' = B_\Lambda \cap R_S$ gilt*

$$\{y \in W_\Lambda \mid I(w_\Lambda w_{B'} w \cdot \lambda) \subset I(y \cdot \lambda)\}$$
$$= \{w_1 w' \mid w_1 \in W^{B'}_\Lambda w_{B'}, w' \in W_{B'} \text{ mit } I^S(w \cdot \lambda_S) \subset I^S(w' \cdot \lambda_S)\}.$$

Beweis. Man kann jedes $y \in W_\Lambda$ eindeutig in der Form $y = w_1 w'$ mit $w_1 \in W^{B'}_\Lambda w_{B'}$ und $w' \in W_{B'}$ schreiben. Aus $I(w_\Lambda w_{B'} w \cdot \lambda) \subset I(w_1 w' \cdot \lambda)$ folgt $I^S(w \cdot \lambda_S) \subset I^S(w' \cdot \lambda_S)$ nach 7.17 wegen $w_\Lambda w_{B'} \in W^{B'}_\Lambda w_{B'}$.

Nehmen wir umgekehrt an, es gelte $I^S(w \cdot \lambda_S) \subset I^S(w' \cdot \lambda_S)$. Nach 7.13 gibt es einen endlich dimensionalen $\mathfrak{g}_S$-Modul E mit $[L^S((w^{-1} w_{B'} w_\Lambda \cdot \lambda)_S) \otimes E : L^S((w'^{-1} w_1^{-1} \cdot \lambda)_S)] \neq 0$. Wir können annehmen, daß E einfach ist, und machen E zu einem $(\mathfrak{g}_S+\mathfrak{h}=\mathfrak{g}_S\oplus\mathfrak{h}'_S)$-Modul, indem wir $\mathfrak{h}'_S$ skalar durch $(w'^{-1}w_1^{-1}\cdot\lambda-w^{-1}w_{B'}w_A\cdot\lambda)|_{\mathfrak{h}'_S}$ operieren lassen. Dann ist $\hat{L}^S(w'^{-1}w_1^{-1}\cdot\lambda)$ Kompositionsfaktor des $(\mathfrak{g}_S+\mathfrak{h})$-Moduls $\hat{L}^S(w^{-1}w_{B'}w_A\cdot\lambda)\otimes E$.

Weil E einfach ist, hat es ein höchstes Gewicht ν. Nach Konstruktion gilt nun $w'^{-1}w_1^{-1}\cdot\lambda\leqslant w^{-1}w_{B'}w_A\cdot\lambda+\nu$, insbesondere also $\nu\in P(R)$. Es gibt ein $w_2\in W$ mit $w_2(\nu)\in P(R)^{++}$ und $w_2(S)\subset R^+$. Der endlich dimensionale, einfache $\mathfrak{g}$-Modul $L(w_2(\nu))$ enthält nun E als $(\mathfrak{g}_S+\mathfrak{h})$-Untermodul. Nach 7.16(1), (2) gilt

$$U(\mathfrak{g})\bigotimes_{U(\mathfrak{p}_S)}(\hat{L}^S(w^{-1}w_{B'}w_A\cdot\lambda)\otimes L(w_2(\nu)))$$
$$\simeq M_S(w^{-1}w_{B'}w_A\cdot\lambda)\otimes L(w_2(\nu))\simeq L(w^{-1}w_{B'}w_A\cdot\lambda)\otimes L(w_2(\nu)).$$

Wegen der Exaktheit des Induzierens hat dieses Tensorprodukt eine Filtrierung, deren Faktoren durch Induktion aus den Kompositionsfaktoren von $\hat{L}^S(w^{-1}w_{B'}w_A\cdot\lambda)\otimes L(w_2(\nu))$ als $\mathfrak{p}_S$-Modul entstehen. Zu diesen Faktoren gehört auch $\hat{L}^S(w'^{-1}w_1^{-1}\cdot\lambda)$, weil E ein Faktor von $L(w_2(\nu))$ als $\mathfrak{p}_S$-Modul ist. Daraus folgt nun

$$[L(w^{-1}w_{B'}w_A\cdot\lambda)\otimes L(w_2(\nu)):L(w'^{-1}w_1^{-1}\cdot\lambda)]\neq 0,$$

also die Umkehrung oben.

7.20 Es seien $\Lambda\in\mathfrak{h}^*/P(R)$ und $\alpha\in B_\Lambda$. In 4.17 wurden die Begriffe α-frei und α-endlich für Moduln in $\mathcal{O}_\Lambda$ eingeführt. Aus 4.17(1), (4), (6) und 6.8(3) folgt für alle M und N in $\mathcal{O}_\Lambda$:

(1) M *α-endlich,* $\operatorname{soc} N$ *α-frei* $\Rightarrow\mathcal{L}(M,N)=0$,

(2) $M/\operatorname{rad} M$ *α-frei,* N *α-endlich* $\Rightarrow\mathcal{L}(M,N)=0$.

Sind nun $M'\subset M$ und $N'\subset N$ Untermoduln, so folgt aus der Linksexaktheit von $\mathcal{L}$, also aus der Exaktheit von

$$0\to\mathcal{L}(M,N')\to\mathcal{L}(M,N)\to\mathcal{L}(M,N/N')$$

und

$$0\to\mathcal{L}(M/M',N)\to\mathcal{L}(M,N)\to\mathcal{L}(M',N)$$

sofort

(3) M *α-endlich,* $\operatorname{soc} N/N'$ *α-frei* $\Rightarrow\mathcal{L}(M,N')=\mathcal{L}(M,N)$,

(4) $M/\operatorname{rad} M$ *α-frei,* N/N' *α-endlich* $\Rightarrow\mathcal{L}(M,N')=\mathcal{L}(M,N)$,

(5) M' *α-endlich,* $\operatorname{soc} N$ *α-frei* $\Rightarrow\mathcal{L}(M/M',N)=\mathcal{L}(M,N)$,

(6) $M'/\operatorname{rad} M'$ *α-frei,* N *α-endlich* $\Rightarrow\mathcal{L}(M/M',N)=\mathcal{L}(M,N)$.

(Hier soll $=$ stets bedeuten, daß der natürliche Homomorphismus bijektiv ist; ebenso soll $\subset$ unten bedeuten, daß der natürliche Homomorphismus injektiv ist.)

(7) M *α-endlich,* $\operatorname{soc} N'$ *α-frei* $\Rightarrow \mathscr{L}(M,N) \subset \mathscr{L}(M,N/N')$,

(8) $M/\operatorname{rad} M$ *α-frei,* N' *α-endlich* $\Rightarrow \mathscr{L}(M,N) \subset \mathscr{L}(M,N/N')$,

(9) M/M' *α-endlich,* $\operatorname{soc} N$ *α-frei* $\Rightarrow \mathscr{L}(M,N) \subset \mathscr{L}(M',N)$,

(10) $(M/M')/\operatorname{rad}(M/M')$ *α-frei,* N *α-endlich* $\Rightarrow \mathscr{L}(M,N) \subset \mathscr{L}(M',N)$.

7.21 Es seien $\Lambda \in \mathfrak{h}^*/P(R)$ und $\alpha \in B_\Lambda$ sowie $\lambda \in \Lambda^+$. Für alle $w \in W_\Lambda$ gilt $\operatorname{soc} M(w \cdot \lambda) = M(w_\Lambda \cdot \lambda)$ (vgl. 4.13), also ist $\operatorname{soc} M(w \cdot \lambda)$ stets α-frei. Für alle $w \in W_\Lambda$ mit $s_\alpha w < w$ läßt sich $M(s_\alpha w \cdot \lambda)$ im $M(w \cdot \lambda)$ einbetten, und $M(w \cdot \lambda)/M(s_\alpha w \cdot \lambda)$ ist nach 4.17(5) α-endlich.

Lemma. *Für alle* $\lambda, \mu \in \Lambda^+$ *und alle* $w, w' \in W_\Lambda$ *mit* $s_\alpha w < w$ *und* $s_\alpha w' < w'$ *induziert die Restriktion von Abbildungen einen injektiven Homomorphismus.*

(1) $\mathscr{L}(M(w \cdot \lambda), M(w' \cdot \mu)) \to \mathscr{L}(M(s_\alpha w \cdot \lambda), M(w' \cdot \mu))$

und einen Isomorphismus

(2) $\mathscr{L}(M(s_\alpha w \cdot \lambda), M(w' \cdot \mu)) \xrightarrow{\sim} \mathscr{L}(M(s_\alpha w \cdot \lambda), M(s_\alpha w' \cdot \mu))$.

Beweis. Wie oben bemerkt ist $M(w \cdot \lambda)/M(s_\alpha w \cdot \lambda)$ ein α-endlicher und $\operatorname{soc} M(w' \cdot \mu)$ ein α-freier Modul. Daher folgt die Injektivität in (1) aus 7.20(9). Bei (2) können wir 7.20(4) anwenden, weil $M(w' \cdot \mu)/M(s_\alpha w' \cdot \mu)$ ein α-endlicher und $M(s_\alpha w \cdot \lambda)/\operatorname{rad} M(s_\alpha w \cdot \lambda) = L(s_\alpha w \cdot \lambda)$ ein α-freier Modul ist.

7.22 Es ist nach dem Lemma 7.21 klar, daß man zu allen λ, μ und w, w' wie dort $w_1, w_2 \in W_\Lambda$ mit injektiven Homomorphismen

$$\mathscr{L}(M(\lambda), M(w_1 \cdot \mu)) \to L(M(w \cdot \lambda), M(w' \cdot \mu)) \to \mathscr{L}(M(w_2 \cdot \lambda), M(w_\Lambda \cdot \mu))$$

finden kann. Um w_1 und w_2 explizit angeben zu können, führen wir einige neue Notationen ein. Dabei sei weiter $\Lambda \in \mathfrak{h}^*/P(R)$.

Ist A ein kommutativer Ring und sind $a, b \in A$, so kann man (vgl. [Bourbaki 3], ch. IV, § 2, exerc. 23) den freien A-Modul mit Basis $(e_w)_{w \in W_\Lambda}$ zu einer A-Algebra (einer Hecke-Algebra) mit neutralem Element e_1 machen, indem man für alle $w \in W_\Lambda$ und $\alpha \in B_\Lambda$ fordert:

$$e_{s_\alpha} e_w = \begin{cases} e_{s_\alpha w} & \text{für } s_\alpha w < w, \\ a\, e_w + b\, e_{s_\alpha w} & \text{für } s_\alpha w > w. \end{cases}$$

Man kann dann für alle $w, w' \in W_\Lambda$ und $\alpha \in B_\Lambda$ zeigen

$$e_w e_{s_\alpha} = \begin{cases} e_{w s_\alpha} & \text{für } w s_\alpha < w, \\ a\, e_w + b\, e_{w s_\alpha} & \text{für } w s_\alpha > w \end{cases}$$

und $e_w e_{w'} = e_{ww'}$ falls $l_\Lambda(ww') = l_\Lambda(w) + l_\Lambda(w')$.

Wir wollen nun speziell $A=\mathbf{Z}$ und $a=1$ sowie $b=0$ wählen. Da W_Λ von den s_α mit $\alpha\in B_\Lambda$ erzeugt wird, ist nun klar, daß es für alle $w, w'\in W_\Lambda$ ein $w*w'\in W_\Lambda$ mit $e_w e_{w'}=e_{w*w'}$ gibt. Damit ist eine Verknüpfung $(w,w')\mapsto w*w'$ auf W_Λ erklärt; sie ist assoziativ, weil wir oben eine Struktur als Algebra hatten, und 1 ist ein neutrales Element. Für alle $\alpha\in B_\Lambda$ und $w\in W_\Lambda$ folgt aus den Formeln oben $s_\alpha*w=\min(s_\alpha w, w)$ und $w*s_\alpha=\min(ws_\alpha, w)$. Durch Induktion erhält man daraus $w*w'\leqslant w, w'$ für alle $w, w'\in W_\Lambda$ und $w*w'=ww'$, wenn $l_\Lambda(ww')=l_\Lambda(w)+l_\Lambda(w')$ ist. Da die Multiplikation mit w_Λ die Ordnungsrelation umkehrt, gilt $(s_\alpha*(ww_\Lambda))w_\Lambda=\max(s_\alpha w, w)$ und $w_\Lambda((w_\Lambda w)*s_\alpha)=\max(ws_\alpha, w)$. Wir behaupten nun

$$(1)\qquad (w_1*w_2)^{-1}=w_2^{-1}*w_1^{-1}\quad \text{für alle } w_1, w_2\in W_\Lambda.$$

Wir benutzen Induktion über $l_\Lambda(w_1)$; für $w_1=1$ ist die Aussage trivial. Für $w_1=s_\alpha$ mit $\alpha\in B_\Lambda$ folgt sie aus der expliziten Beschreibung von $s_\alpha*w$ und $w*s_\alpha$ oben. Für $l_\Lambda(w_1)>1$ können wir ein $\alpha\in B_\Lambda$ mit $w_1<s_\alpha w_1$ finden; es gilt dann $w_1=s_\alpha*(s_\alpha w_1)$ und $l_\Lambda(w_\alpha w_1)<l_\Lambda(w_1)$. Nun folgt

$$\begin{aligned}(w_1*w_2)^{-1}&=(s_\alpha*(s_\alpha w_1)*w_2)^{-1}=((s_\alpha w_1)*w_2)^{-1}*s_\alpha\\ &=w_2^{-1}*w_1^{-1}s_\alpha*s_\alpha=w_2^{-1}*w_1^{-1}.\end{aligned}$$

Zwei triviale Formeln, die wir gleich brauchen werden, seien noch erwähnt. Für alle $\alpha\in B_\Lambda$ und $w_1, w_2\in W_\Lambda$ gilt

$$(2)\qquad (w_\Lambda w_2^{-1})*w_1=(w_\Lambda(s_\alpha w_2)^{-1})*w_1'\quad \text{falls } s_\alpha w_2<w_2,$$

wobei $w_1'=s_\alpha*w_1$ ist, und

$$(3)\qquad w_1^{-1}*(w_2w_\Lambda)=(s_\alpha w_1)^{-1}*(w_2'w_\Lambda)\quad \text{falls } w_1<s_\alpha w_1,$$

wobei $w_2'=(s_\alpha*(w_2w_\Lambda))w_\Lambda$ ist.

7.23 Satz. *Es seien $\Lambda\in\mathfrak{h}^*/P(R)$ und $\lambda,\mu\in\Lambda^+$. Für alle $w_1, w_2\in W_\Lambda$ induziert die Restriktion von Abbildungen Isomorphismen von $(U(\mathfrak{g}), U(\mathfrak{g}))$-Bimoduln:*

$$\begin{aligned}\mathcal{L}(M(\lambda), M(ww_\Lambda\cdot\mu))&\xrightarrow{\sim}\mathcal{L}(M(w_1\cdot\lambda), M(w_2\cdot\mu))\\ &\xrightarrow{\sim}\mathcal{L}(M(w^{-1}\cdot\lambda), M(w_\Lambda\cdot\mu)),\end{aligned}$$

wobei $w=w_1^{-1}*w_2w_\Lambda$ ist.

Beweis. Wir wollen zunächst zeigen, daß wir mit Hilfe der Restriktion injektive Abbildungen zwischen den genannten Bimoduln erhalten. Dazu benutzen wir rechts Induktion über w_2 von unten; für $w_2=w_\Lambda$ ist die Behauptung klar. Es sei also $w_2\neq w_\Lambda$; dann gibt es ein $\alpha\in B_\Lambda$ mit $s_\alpha w_2<w_2$. Nach 7.22 (1), (2) reicht es, wenn wir zeigen, daß die Restriktion eine injektive Abbildung

$$\mathcal{L}(M(w_1\cdot\lambda), M(w_2\cdot\mu))\to\mathcal{L}(M((s_\alpha*w_1)\cdot\lambda), M(s_\alpha w_2\cdot\mu))$$

induziert. Für $s_\alpha w_1 < w_1$, also $s_\alpha * w_1 = s_\alpha w_1$, folgt dies aus 7.21 (1), (2); für $s_\alpha w_1 > w_1$ also $s_\alpha * w_1 = w_1$, wenden wir 7.21 (2) auf $s_\alpha w_1$ an.

An der ersten Stelle oben benutzen wir Induktion über w_1 von oben; für $w_1 = 1$ ist alles klar. Für $w_1 \neq 1$ wählen wir ein $\alpha \in B_\Lambda$ mit $s_\alpha w_1 > w_1$. Wegen 7.22 (3) folgt die Behauptung, wenn durch Restriktion eine injektive Abbildung

$$\mathscr{L}(M(s_\alpha w_1 \cdot \lambda), M((s_\alpha * w_2 w_\Lambda) w_\Lambda \cdot \mu)) \to \mathscr{L}(M(w_\Lambda \cdot \lambda), M(w_2 \cdot \mu))$$

induziert wird. Für $s_\alpha w_2 < w_2$, also $(s_\alpha * w_2 w_\Lambda) w_\Lambda = w_2$, folgt dies aus 7.21 (1), für $s_\alpha w_2 > w_2$, also $(s_\alpha * w_2 w_\Lambda) w_\Lambda = s_\alpha w_2$, aus 7.21 (1), (2).

Nun erhalten wir den Satz, wenn wir wissen, daß die zusammengesetzte, injektive Abbildung

$$\mathscr{L}(M(\lambda), M(w w_\Lambda \cdot \lambda)) \to \mathscr{L}(M(w^{-1} \cdot \lambda), M(w_\Lambda \cdot \mu))$$

surjektiv ist. Dies folgt, wenn für alle $E \in \mathfrak{k}^\wedge$ gilt:

$$[\mathscr{L}(M(\lambda), M(w w_\Lambda \cdot \mu)) : E]_\mathfrak{k} = [\mathscr{L}(M(w^{-1} \cdot \lambda), M(w_\Lambda \cdot \mu)) : E]_\mathfrak{k} .$$

Wegen $w_\Lambda \cdot \mu - w^{-1} \cdot \lambda = w^{-1}(w w_\Lambda \cdot \mu - \lambda)$ und wegen ${}'M(w_\Lambda \cdot \mu) = {}'L(w_\Lambda \cdot \mu) \simeq L(w_\Lambda \cdot \mu) = M(w_\Lambda \cdot \mu)$ ist diese Gleichung nach 6.9 (7), (2) und (6) erfüllt.

Bemerkung. Da man hier am Schluß nur noch

$$[\mathscr{L}(M(w^{-1} \cdot \lambda), M(w_\Lambda \cdot \mu)) : E]_\mathfrak{k} \leqslant [\mathscr{L}(M(\lambda), M(w w_\Lambda \cdot \mu)) : E]_\mathfrak{k}$$

zeigen muß, kann man hier die Anwendung von 6.9 (2), (6) vermeiden, indem man wie in der Bemerkung zu 3.6 bei [Bernstein/Gelfand] argumentiert.

7.24 Corollar. *Für alle $\Lambda \in \mathfrak{h}^*/P(R)$ und $\lambda, \mu \in \Lambda^+$ sowie $w \in W_\Lambda$ induziert die Restriktion von Abbildungen Isomorphismen von Bimoduln:*

$$\mathscr{L}(M(\lambda), M(\mu)) \xrightarrow{\sim} \mathscr{L}(M(w \cdot \lambda), M(w \cdot \mu)) \xrightarrow{\sim} \mathscr{L}(M(w_\Lambda \cdot \lambda), M(w_\Lambda \cdot \mu)).$$

Beweis. Dies folgt sofort aus dem Satz, wenn wir $w^{-1} * w w_\Lambda = w_\Lambda$ zeigen. Wegen $l_\Lambda(w_\Lambda) = l_\Lambda(w^{-1}) + l_\Lambda(w w_\Lambda)$ ist dieses aber offensichtlich.

7.25 Corollar. *Für alle $\lambda \in \mathfrak{h}^*$ ist die kanonische Abbildung $\mu : U(\mathfrak{g})/I_\lambda^{\min} \to \mathscr{L}(M(\lambda), M(\lambda))$ bijektiv. Für alle Untermoduln M von $M(\lambda)$ gilt*

$$\mu(\operatorname{Ann}(M(\lambda)/M)/I_\lambda^{\min}) = \mathscr{L}(M(\lambda), M).$$

Beweis. Es gibt ein $w \in W_\lambda$ mit $w \cdot \lambda \in (\lambda + P(R))^+$. Nach 6.9 (8) ist die kanonische Abbildung $U(\mathfrak{g})/I_\lambda^{\min} \to \mathscr{L}(M(w \cdot \lambda), M(w \cdot \lambda))$ bijektiv, nach 7.24 die von der Restriktion induzierte Abbildung $\mathscr{L}(M(w \cdot \lambda), M(w \cdot \lambda)) \to \mathscr{L}(M(\lambda), M(\lambda))$ bijektiv. Da μ auch durch Komposition dieser beiden Abbildungen entsteht, muß μ bijektiv sein. Die zweite Behauptung ist nun klar.

7.26 Satz. *Es seien* $\Lambda \in \mathfrak{h}^*/P(R)$ *und* $\lambda \in \Lambda^+$. *Für alle* $w, w' \in W_\Lambda$ *mit* $l_\Lambda(w'w) = l_\Lambda(w') + l_\Lambda(w)$ *gilt*

$$\operatorname{Ann} M(w' \cdot \lambda)/M(w'w \cdot \lambda) = \operatorname{Ann} M(\lambda)/M(w \cdot \lambda)$$
$$= \operatorname{Ann} M(w_\Lambda w^{-1} \cdot \lambda)/M(w_\Lambda \cdot \lambda).$$

Beweis. Aus der Voraussetzung folgt

$$l_\Lambda(w'^{-1}) + l_\Lambda(w'ww_\Lambda) = l_\Lambda(w') + l_\Lambda(w_\Lambda) - l_\Lambda(w'w)$$
$$= l_\Lambda(w_\Lambda) - l_\Lambda(w) = l_\Lambda(ww_\Lambda),$$

also $(w'^{-1} * w'ww_\Lambda)w_\Lambda = (ww_\Lambda)w_\Lambda = w$. Daher erhalten wir durch die Restriktion von Abbildungen nach 7.23 einen Isomorphismus

$$\psi' \colon \mathscr{L}(M(\lambda), M(w \cdot \lambda)) \xrightarrow{\sim} \mathscr{L}(M(w' \cdot \lambda), M(w'w \cdot \lambda)).$$

Offensichtlich wird ψ' vom Isomorphismus

$$\psi \colon \mathscr{L}(M(\lambda), M(\lambda)) \to \mathscr{L}(M(w' \cdot \lambda), M(w' \cdot \lambda))$$

induziert. Wie im Beweis von 7.25 gilt $\psi \circ \mu_1 = \mu_2$, wobei

$$\mu_1 \colon U(\mathfrak{g})/I_\lambda^{\min} \to \mathscr{L}(M(\lambda), M(\lambda))$$

und

$$\mu_2 \colon U(\mathfrak{g})/I_\lambda^{\min} \to \mathscr{L}(M(w' \cdot \lambda), M(w' \cdot \lambda))$$

die kanonischen Abbildungen sind. Aus

$$\mu_2(\operatorname{Ann}(M(w \cdot \lambda)/M(ww' \cdot \lambda))/I_\lambda^{\min}) = \mathscr{L}(M(w' \cdot \lambda), M(w'w \cdot \lambda))$$
$$= \psi \mathscr{L}(M(\lambda), M(w \cdot \lambda)) = \psi \circ \mu_1(\operatorname{Ann}(M(\lambda)/M(w \cdot \lambda))/I_\lambda^{\min})$$

und $\mu_2 = \psi \circ \mu_1$ folgt nun $\operatorname{Ann} M(w \cdot \lambda)/M(ww' \cdot \lambda) = \operatorname{Ann} M(\lambda)/M(w \cdot \lambda)$. Die zweite Behauptung im Satz ist wegen $l_\Lambda(w_\Lambda w^{-1}) + l_\Lambda(w) = l_\Lambda(w_\Lambda)$ ein Spezialfall der ersten.

7.27 Es seien $\Lambda \in \mathfrak{h}^*/P(R)$ und $\lambda \in \Lambda^{++}$. Für alle $w \in W_\Lambda$ setzen wir $J_w(\lambda) = \operatorname{Ann} M(\lambda)/M(w \cdot \lambda)$; nach 7.26 gilt auch $J_w(\lambda) = \operatorname{Ann} M(w_\Lambda w^{-1} \cdot \lambda)/M(w_\Lambda \cdot \lambda)$. Für $\alpha \in B_\Lambda$ schreiben wir kurz $J_\alpha(\lambda)$ statt $J_{s_\alpha}(\lambda)$. Nach 4.13 (11) gilt $L(w_\Lambda s_\alpha \cdot \lambda) = M(w_\Lambda s_\alpha \cdot \lambda)/M(w_\Lambda \cdot \lambda)$, also ist $J_\alpha(\lambda) = I(w_\Lambda s_\alpha \cdot \lambda)$ nach 5.20 das kleinste primitive Ideal in $\mathscr{X}_\lambda$ mit $\alpha \notin \tau_\Lambda(J_\alpha(\lambda))$.

Satz. a) *Für alle* $w, w' \in W_\Lambda$ *gilt* $J_w(\lambda) M(w' \cdot \lambda) = M((w' * w) \cdot \lambda)$.

b) *Sind* $\alpha_1, \alpha_2, \ldots, \alpha_r \in B_\Lambda$ *und ist* $w = s_{\alpha_1} s_{\alpha_2} \ldots s_{\alpha_r}$ *eine reduzierte Zerlegung eines* $w \in W_\Lambda$, *so gilt*

$$J_w(\lambda) = J_{\alpha_r}(\lambda) J_{\alpha_{r-1}}(\lambda) \ldots J_{\alpha_2}(\lambda) J_{\alpha_1}(\lambda) + I_\lambda^{\min}.$$

Beweis. Zuerst betrachten wir die Behauptung in a) für ein $w = s_\alpha$ mit $\alpha \in B_\Lambda$. Nehmen wir zunächst ein $w' \in W_\Lambda$ mit $\alpha \in \tau_\Lambda(w') = \tau_\Lambda(I(w' \cdot \lambda))$, also $w' * s_\alpha = w'$. Nach 5.7 gilt dann $J_\alpha(\lambda) \not\subset I(w' \cdot \lambda)$, also $J_\alpha(\lambda) L(w' \cdot \lambda) \neq 0$. Nun ist $J_\alpha(\lambda) M(w' \cdot \lambda)$ ein Untermodul von $M(w' \cdot \lambda)$; wäre er ein echter Untermodul, so wäre er in $\operatorname{rad} M(w' \cdot \lambda)$ enthalten und $J_\alpha(\lambda)$ müßte insbesondere $M(w' \cdot \lambda) / \operatorname{rad} M(w' \cdot \lambda) = L(w' \cdot \lambda)$ annullieren. Wegen dieses Widerspruchs gilt $J_\alpha(\lambda) M(w' \cdot \lambda) = M(w' \cdot \lambda)$. Für ein $w' \in W_\Lambda$ mit $w' * s_\alpha = w' s_\alpha$ ist dagegen $l_\Lambda(w' s_\alpha) = l_\Lambda(w') + 1$, nach 7.26 also $J_\alpha(\lambda) = \operatorname{Ann} M(w' \cdot \lambda) / M(w' s_\alpha \cdot \lambda)$. Insbesondere folgt $J_\alpha(\lambda) M(w' \cdot \lambda) \subset M(w' s_\alpha \cdot \lambda)$. Andererseits gilt $M(w' s_\alpha \cdot \lambda) = J_\alpha(\lambda) M(w' s_\alpha \cdot \lambda) \subset J_\alpha(\lambda) M(w' \cdot \lambda)$ nach dem schon behandelten Fall. Insgesamt erhalten wir die gewünschte Gleichung $J_\alpha(\lambda) M(w' \cdot \lambda) = M(w' s_\alpha \cdot \lambda)$.

Für ein beliebiges $w \in W_\Lambda$ wählen wir nun eine reduzierte Zerlegung $w = s_{\alpha_1} s_{\alpha_2} \ldots s_{\alpha_r}$ wie in b) mit $\alpha_i \in B_\Lambda$ und setzen

$$J'_w(\lambda) = J_{\alpha_r}(\lambda) J_{\alpha_{r-1}}(\lambda) \ldots J_{\alpha_2}(\lambda) J_{\alpha_1}(\lambda) + I_\lambda^{\min}.$$

Da in dieser Situation $w = s_{\alpha_1} * s_{\alpha_2} * \ldots * s_{\alpha_{r-1}} * s_{\alpha_r}$ gilt, folgt aus dem schon Bewiesenen

$$J'_w(\lambda) M(w' \cdot \lambda) = M((w' * w) \cdot \lambda)$$

für alle $w' \in W_\Lambda$. Insbesondere gilt $J'_w(\lambda) M(\lambda) = M(w \cdot \lambda)$, nach 7.1 also $J'_w(\lambda) = \operatorname{Ann} M(\lambda) / M(w \cdot \lambda) = J_w(\lambda)$. Daraus folgen b) und a) für alle w.

7.28 Satz. *Es seien $\Lambda \in \mathfrak{h}^* / P(R)$ und $\lambda, \mu \in \Lambda^+$. Für alle $w \in W_\Lambda$ gilt ${}^s\mathscr{L}(M(\lambda), M(w \cdot \mu) \simeq \mathscr{L}(M(\mu), M(w^{-1} \cdot \lambda))$.*

Beweis. Wir wollen zunächst den Fall $\lambda = \mu \in \Lambda^{++}$ betrachten. Dann können wir die Ideale $J_w(\lambda)$ und $J_\alpha(\lambda)$ wie in 7.27 definieren. Für alle $\alpha \in B_\Lambda$ ist $J_\alpha(\lambda) \in \mathscr{X}_\lambda$, also gilt ${}^t J_\alpha(\lambda) = J_\alpha(\lambda)$. Da außerdem ${}^t I_\lambda^{\min} = I_\lambda^{\min}$ ist, folgt aus 7.27.b

$$(1) \qquad {}^t J_w(\lambda) = J_{w^{-1}}(\lambda) \quad \text{für alle } w \in W_\Lambda.$$

Nach 7.25 ist $J_w(\lambda) / I_\lambda^{\min}$ zu $\mathscr{L}(M(\lambda), M(w \cdot \lambda))$ isomorph; eine entsprechende Formel gilt für w^{-1}. Wie 6.3 (8) sieht man

$${}^s(J_w(\lambda) / I_\lambda^{\min}) \simeq {}^t J_w(\lambda) / {}^t I_\lambda^{\min},$$

wegen (1) also

$$(2) \qquad {}^s\mathscr{L}(M(\lambda), M(w \cdot \lambda)) \simeq \mathscr{L}(M(\lambda), M(w^{-1} \cdot \lambda)).$$

Im allgemeinen Fall wählen wir ein $\lambda' \in \Lambda^{++}$ und betrachten den Funktor $T_{(\lambda', \lambda')}^{(\lambda, \mu)}$ aus 6.33. Dann folgt der Satz aus (2) für λ' und aus 4.12 (2), 6.33 (5) sowie 6.33 (6).

Bemerkungen. 1) Aus dem Satz und 6.25 erhält man leicht einen anderen Beweis von 6.34.

2) Es seien $\Lambda \in \mathfrak{h}^*/P(R)$ und $\lambda \in \Lambda^{++}$. Für alle w und w' aus w_Λ ist die Multiplizität von $\mathscr{L}(M(\lambda), L(w\cdot\lambda))$ als Kompositionsfaktor von $\mathscr{L}(M(\lambda), M(w'\cdot\lambda))$ gleich derjenigen von ${}^s\mathscr{L}(M(\lambda), L(w\cdot\lambda))$ als Kompositionsfaktor von ${}^s\mathscr{L}(M(\lambda), M(w'\cdot\lambda))$. Aus dem Satz sowie 6.34 und 6.26.b folgt nun

(3) $$[M(w'\cdot\lambda) : L(w\cdot\lambda)] = [M(w'^{-1}\cdot\lambda) : L(w^{-1}\cdot\lambda)] \quad \textit{für alle } w, w' \in W_\Lambda.$$

7.29 Lemma. *Es seien $\Lambda \in \mathfrak{h}^*/P(R)$ und $\lambda \in \Lambda^{++}$. Für alle $w \in W_\Lambda$ mit $J_w(\lambda) \not\subset I(w\cdot\lambda)$ gilt dann*

$$(J_w(\lambda) + I(w\cdot\lambda))/I(w\cdot\lambda) = \operatorname{soc} U(\mathfrak{g})/I(w\cdot\lambda) \simeq \mathscr{L}(M(\lambda), L(w\cdot\lambda)).$$

und

$$(J_w(\lambda) \cap I(w\cdot\lambda))/I_\lambda^{\min} = \operatorname{rad} J_w(\lambda)/I_\lambda^{\min}.$$

Beweis. Der Kern der natürlichen Abbildung (vgl. 7.25)

$$J_w(\lambda)/I_\lambda^{\min} \simeq \mathscr{L}(M(\lambda), M(w\cdot\lambda)) \to \mathscr{L}(M(\lambda), L(w\cdot\lambda))$$

ist

$$\begin{aligned}&\{u \in J_w(\lambda) \mid u\,M(\lambda) \subset \operatorname{rad} M(w\cdot\lambda)\}/I_\lambda^{\min}\\ &\subset J_w(\lambda) \cap \{u \in U(\mathfrak{g}) \mid u\,M(w\cdot\lambda) \subset \operatorname{rad} M(w\cdot\lambda)\}/I_\lambda^{\min}\\ &= (J_w(\lambda) \cap I(w\cdot\lambda))/I_\lambda^{\min}.\end{aligned}$$

Ist nun $J_w(\lambda) \not\subset I(w\cdot\lambda)$, so muß der einfache Bimodul $\mathscr{L}(M(\lambda), L(w\cdot\lambda))$ zu

$$(J_w(\lambda) + I(w\cdot\lambda))/I(w\cdot\lambda) \simeq J_w(\lambda)/(J_w(\lambda) \cap I(w\cdot\lambda))$$

isomorph sein. Die erste Behauptung folgt nun daraus, daß $U(\mathfrak{g})/I(w\cdot\lambda)$ nach 7.11 einen einfachen Sockel hat, und die zweite, weil die Unterbimoduln von $J_w(\lambda)/I_\lambda^{\min}$ nach 7.1 eindeutig den Untermoduln von $J_w(\lambda)M(\lambda) = M(w\cdot\lambda)$ entsprechen, also $(J_w(\lambda)/I^{\min})/\operatorname{rad}(J_w(\lambda)/I_\lambda^{\min})$ einfach ist.

7.30 Satz. *Es seien $\Lambda \in \mathfrak{h}^*/P(R)$ und $\lambda \in \Lambda^{++}$.*

a) *Für ein $w \in W_\Lambda$ sind äquivalent:*
   (i) $J_w(\lambda) \not\subset I(w\cdot\lambda)$
   (ii) $(J_w(\lambda)/I_\lambda^{\min})^2 = J_w(\lambda)/I_\lambda^{\min}$
   (iii) *Es gibt ein $S \subset B_\Lambda$ mit $w = w_S$.*

b) *Für alle $S \subset B_\Lambda$ gilt*

$$\operatorname{soc} U(\mathfrak{g})/I(w_S\cdot\lambda) \simeq \mathscr{L}(M(\lambda), L(w_S\cdot\lambda)).$$

Es ist $J_{w_S}(\lambda)$ das kleinste Ideal J von $U(\mathfrak{g})$ mit $J \supset I_\lambda^{\min}$ und $\sqrt{J} = \bigcap_{\alpha \in S} J_\alpha(\lambda)$.

c) *Es seien $I \in \mathscr{X}_\lambda$ und $w \in W_\Lambda$ mit $\operatorname{soc} U(\mathfrak{g})/I \simeq \mathscr{L}(M(\lambda), L(w\cdot\lambda))$. Gibt es kein $S \subset B_\Lambda$ mit $w = w_S$, so folgt $[M(\lambda) : L(w\cdot\lambda)] \geq 2$.*

Beweis. a) Es gilt $J_w(\lambda)M(\lambda)=M(w\cdot\lambda)$ nach 7.27.a, also $J_w(\lambda)^2M(\lambda)=J_w(\lambda)M(w\cdot\lambda)$. Ist $(J_w(\lambda)/I_\lambda^{\min})^2=J_w(\lambda)/I_\lambda^{\min}$, so folgt $J_w(\lambda)^2M(\lambda)=J_w(\lambda)M(\lambda)$, also $J_w(\lambda)M(w\cdot\lambda)=M(w\cdot\lambda)$, mithin $J_w(\lambda)L(w\cdot\lambda)\neq 0$ und $J_w(\lambda)\not\subset I(w\cdot\lambda)$. Ist dagegen $(J_w(\lambda)/I_\lambda^{\min})^2$ echt in $J_w(\lambda)/I_\lambda^{\min}$ enthalten, also $J_w(\lambda)^2+I_\lambda^{\min}$ echt in $J_w(\lambda)$, nach 7.1 mithin $J_w(\lambda)^2M(\lambda)=J_w(\lambda)M(w\cdot\lambda)$ echt in $J_w(\lambda)M(\lambda)=M(w\cdot\lambda)$, so folgt $J_w(\lambda)L(w\cdot\lambda)=0$ und $J_w(\lambda)\subset I(w\cdot\lambda)$. Daher sind (i) und (ii) äquivalent.

Um (i) und (iii) zu vergleichen, wählen wir eine reduzierte Zerlegung $w=s_{\alpha_1}s_{\alpha_2}\dots s_{\alpha_r}$ von w mit $\alpha_i\in B_\Lambda$ und setzen $S=\{\alpha_1,\alpha_2,\dots,\alpha_r\}$. Da $I(w\cdot\lambda)$ ein Primideal in $U(\mathfrak{g})$ ist, gilt $I(w\cdot\lambda)\not\supset J_w(\lambda)$ wegen der Produktzerlegung in 7.27.b genau dann, wenn $I(w\cdot\lambda)\not\supset J_\alpha(\lambda)=I(w_\Lambda s_\alpha\cdot\lambda)$ für alle $\alpha\in S$ gilt. Nach 5.20(7) ist dies zu $S\subset\tau_\Lambda(w)$ äquivalent, wegen $w\in W_S$ also zu $w=w_S$.

b) Die erste Behauptung folgt sofort aus a) und 7.29. Nach 7.26.b gilt offensichtlich $\sqrt{J_{w_S}(\lambda)}=\bigcap_{\alpha\in S}J_\alpha(\lambda)$. Betrachten wir andererseits ein Ideal J von $U(\mathfrak{g})$ mit $J\supset I^{\min}$ und $\sqrt{J}=\bigcap_{\alpha\in S}J_\alpha(\lambda)$. Wir können J durch $J\cap J_{w_S}(\lambda)$ ersetzen, also $J\subset J_{w_S}(\lambda)$ annehmen. Wäre diese Inklusion echt, so folgte $JM(\lambda)\subsetneqq J_{w_S}(\lambda)M(\lambda)=M(w_S\cdot\lambda)$, mithin $JM(\lambda)\subset\operatorname{rad}M(w_S\cdot\lambda)$ und $J\subset I(w_S\cdot\lambda)$. Dann erhielten wir $I(w_S\cdot\lambda)\supset\sqrt{J}=\bigcap_{\alpha\in S}J_\alpha(\lambda)$ im Widerspruch zu $\tau(I(w_S\cdot\lambda))=S$. Also muß $J=J_{w_S}(\lambda)$ sein.

c) Ist $w\neq w_S$ für alle $S\subset B_\Lambda$ so folgt $J_w(\lambda)\subset I(w\cdot\lambda)$ nach a), mithin $M(w\cdot\lambda)=J_w(\lambda)M(\lambda)\subset I(w\cdot\lambda)M(\lambda)$. Da $L(w\cdot\lambda)$ ein Kompositionsfaktor von $M(w\cdot\lambda)$ ist, reicht es $[M(\lambda)/I(w\cdot\lambda)M(\lambda): L(w\cdot\lambda)]\neq 0$ zu zeigen, nach 6.26.b also, daß $\mathscr{L}(M(\lambda),L(w\cdot\lambda))$ ein Kompositionsfaktor von (nach 7.1, vgl. 6.9(10))

$$\mathscr{L}(M(\lambda),M(\lambda)/I(w\cdot\lambda)M(\lambda))\simeq U(\mathfrak{g})/I(w\cdot\lambda)$$

ist; dies gilt aber nach Voraussetzung.

Bemerkung. Teil c) des Satzes zeigt: Sind alle Multiplizitäten der Kompositionsfaktoren von $M(\lambda)$ gleich 1, so ist $\mathscr{X}_\lambda=\{I(w_S\cdot\lambda)\mid S\subset B_\lambda\}$, insbesondere gilt $\#\mathscr{X}_\lambda=2^{\#B_\lambda}$. Man kann zeigen, daß dies nur dann gilt, wenn alle irreduziblen Komponenten von R_λ einen Rang kleiner oder gleich 2 haben (vgl. [MHG], 5.24).

7.31 Es seien $\Lambda\in\mathfrak{h}^*/P(R)$ und $S\subset B_\Lambda$. Ein Modul M in $\mathscr{O}_\Lambda$ soll *S-beschränkt* heißen, wenn seine Kompositionsfaktoren alle die Form $L(w_\Lambda w\cdot\mu)$ mit $\mu\in\Lambda^+$ und $w\in W_S$ haben.

Lemma. *Es sei $\lambda\in\Lambda^+$; wir setzen $N=M(w_\Lambda w_S\cdot\lambda)$.*

a) *Für jeden endlich dimensionalen $\mathfrak{g}$-Modul E und jeden S-beschränkten Modul M in $\mathscr{O}_\Lambda$ gilt* $\operatorname{Ext}^1_{\mathscr{O}}(E\otimes N,M)=0$.

b) *Für jede exakte Sequenz $0\to M_1\to M\to M_2\to 0$ von S-beschränkten Moduln in $\mathscr{O}_\Lambda$ ist die natürliche Sequenz*

$$0\to\mathscr{L}(N,M_1)\to\mathscr{L}(N,M)\to\mathscr{L}(N,M_2)\to 0$$

exakt.

Beweis. a) Wir können annehmen, daß E einfach ist. Wegen der langen exakten Sequenzen für Ext reicht es zu zeigen, daß $\mathrm{Ext}^1_{\mathcal{O}}(E\otimes N, L(w_\Lambda w\cdot\mu))=0$ für alle $w\in W_S$ und $\mu\in\Lambda^+$ ist. Dazu benutzen wir Induktion über $w_\Lambda w\cdot\mu$ und können danach wegen 4.13(8) und 2.9 annehmen, daß $\mathrm{Ext}^1_{\mathcal{O}}(E\otimes N, L)=0$ für alle Kompositionsfaktoren L von $\mathrm{rad}\, M(w_\Lambda w\cdot\mu)$ gilt. Daraus folgt

(1) $$\mathrm{Ext}^1_{\mathcal{O}}(E\otimes N, \mathrm{rad}\, M(w_\Lambda w\cdot\mu))=0.$$

Schränken wir den Funktor $M\mapsto \mathrm{Hom}_{\mathfrak{g}}(E\otimes N, M)$ auf solche Moduln ein, deren Kompositionsfaktoren nur solche L wie oben sind, so wird er exakt. Da $\mathrm{rad}\, M(w_\Lambda w\cdot\mu)$ und $'(\mathrm{rad}\, M(w_\Lambda w\cdot\mu))$ zu diesen Moduln gehören und dieselben Kompositionsfaktoren mit denselben Multiplizitäten haben, folgt

(2) $$\dim \mathrm{Hom}_{\mathfrak{g}}(E\otimes N, \mathrm{rad}\, M(w_\Lambda w\cdot\mu))=\dim \mathrm{Hom}_{\mathfrak{g}}(E\otimes N, '(\mathrm{rad}\, M(w_\Lambda w\cdot\mu))).$$

Nach (1) erhalten wir aus der exakten Sequenz

$$0\to \mathrm{rad}\, M(w_\Lambda w\cdot\mu)\to M(w_\Lambda w\cdot\mu)\to L(w_\Lambda w\cdot\mu)\to 0$$

eine exakte Sequenz

$$0\to \mathrm{Hom}_{\mathfrak{g}}(E\otimes N, \mathrm{rad}\, M(w_\Lambda w\cdot\lambda))\to \mathrm{Hom}_{\mathfrak{g}}(E\otimes N, M(w_\Lambda w\cdot\mu))$$
$$\to \mathrm{Hom}_{\mathfrak{g}}(E\otimes N, L(w_\Lambda w\cdot\mu))\to 0,$$

aus der exakten Sequenz

$$0\to L(w_\Lambda w\cdot\mu)\to {}'M(w_\Lambda w\cdot\mu)\to {}'(\mathrm{rad}\, M(w_\Lambda w\cdot\mu))\to 0$$

dagegen nach 4.11 eine exakte Sequenz

$$0\to \mathrm{Hom}_{\mathfrak{g}}(E\otimes N, L(w_\Lambda w\cdot\mu))\to \mathrm{Hom}_{\mathfrak{g}}(E\otimes N, {}'M(w_\Lambda w\cdot\mu))$$
$$\to \mathrm{Hom}_{\mathfrak{g}}(E\otimes N, {}'(\mathrm{rad}\, M(w_\Lambda w\cdot\mu)))\to \mathrm{Ext}^1_{\mathcal{O}}(E\otimes N, L(w_\Lambda w\cdot\mu))\to 0.$$

Wegen (2) liefern nun ein Dimensionsvergleich und 6.8(3)

$$\dim \mathrm{Ext}^1_{\mathcal{O}}(E\otimes N, L(w_\Lambda w\cdot\mu))$$
$$=\dim \mathrm{Hom}_{\mathfrak{g}}(E\otimes N, M(w_\Lambda w\cdot\mu))-\dim \mathrm{Hom}_{\mathfrak{g}}(E\otimes N, {}'M(w_\Lambda w\cdot\mu))$$
$$=[\mathcal{L}(N, M(w_\Lambda w\cdot\mu)): E]_{\mathfrak{k}}-[\mathcal{L}(N, {}'M(w_\Lambda w\cdot\mu)): E]_{\mathfrak{k}}.$$

Nach 6.9(2) ist $\mathcal{L}(N, {}'M(w_\Lambda w\cdot\mu))$ zu $\mathcal{D}(M(w_\Lambda w\cdot\mu), M(w_\Lambda w_S\cdot\lambda))$ isomorph, also ist $[\mathcal{L}(N, {}'M(w_\Lambda w\cdot\mu)): E]_{\mathfrak{k}}$ nach 6.9(6) gleich der Dimension des Gewichtsraums zum Gewicht $w_\Lambda w\cdot\mu - w_\Lambda w_S\cdot\lambda = w_\Lambda w_S(w_S w\cdot\mu-\lambda)$ von E. Andererseits ist $\mathcal{L}(N, M(w_\Lambda w\cdot\mu))$ nach 7.23 zu $\mathcal{L}(M(\lambda), M(w' w_\Lambda\cdot\mu))$ mit $w'=(w_S w_\Lambda)*(w_\Lambda w w_\Lambda)$ isomorph. Nun gilt $l_\Lambda(w_S w_\Lambda)=l_\Lambda(w_\Lambda)-l_\Lambda(w_S)$ und $l_\Lambda(w_\Lambda w w_\Lambda)=l_\Lambda(w)$ sowie $l_\Lambda(w_S w_\Lambda w_\Lambda w w_\Lambda)=l_\Lambda(w_S w w_\Lambda)=l_\Lambda(w_\Lambda)-l_\Lambda(w_S w)$

$=l_\Lambda(w_\Lambda)-l_\Lambda(w_S)+l_\Lambda(w)=l_\Lambda(w_S w_\Lambda)+l_\Lambda(w_\Lambda w w_\Lambda)$, also $(w_S w_\Lambda)*(w_\Lambda w w_\Lambda) = w_S w w_\Lambda$ und $w' w_\Lambda = w_S w$. Daher ist $[\mathscr{L}(N, M(w_\Lambda w\cdot\mu)) : E]_{\mathfrak{k}}$ nach 6.9(7) gleich der Dimension des Gewichtsraums zum Gewicht $w_S w\cdot\mu-\lambda$ von E. Damit haben wir nun $\mathrm{Ext}^1_{\mathscr{O}}(E\otimes N, L(w_\Lambda w\cdot\mu))=0$ erhalten, und nur dies war beim Induktionsschritt zu zeigen.

b) Wegen der Linksexaktheit von $\mathscr{L}$ ist nur die Surjektivität der letzten Abbildung zu zeigen. Dazu reicht es aus, daß für alle $E\in\mathfrak{k}^\wedge$ die E-isotypische Komponente die richtige Dimension hat, wenn also für alle endlich dimensionalen $\mathfrak{g}$-Moduln E die Sequenz

$$0\rightarrow \mathrm{Hom}_{\mathfrak{g}}(E\otimes N, M_1)\rightarrow \mathrm{Hom}_{\mathfrak{g}}(E\otimes N, M)\rightarrow \mathrm{Hom}_{\mathfrak{g}}(E\otimes N, M_2)\rightarrow 0$$

exakt ist. Dies folgt aber aus a).

7.32 Satz. *Es seien $\Lambda\in\mathfrak{h}^*/P(R)$ und $\lambda\in\Lambda^{++}$ sowie $S\subset B_\Lambda$.*

a) *Es gilt $I(w_\Lambda w_S\cdot\lambda)=\sum_{\alpha\in S} I(w_\Lambda s_\alpha\cdot\lambda)$.*

b) *Die kanonische Abbildung*

$$U(\mathfrak{g})/I(w_\Lambda w_S\cdot\lambda)\rightarrow\mathscr{L}(L(w_\Lambda w_S\cdot\lambda), L(w_\Lambda w_S\cdot\lambda))$$

ist bijektiv.

Beweis. a) Wegen $-w_\Lambda(S)=w_\Lambda w_S(S)\subset B_\Lambda$ haben wir nach 4.18 einen surjektiven Homomorphismus

$$\bigoplus_{\alpha\in S} M(w_\Lambda w_S s_\alpha\cdot\lambda)\rightarrow \operatorname{rad} M(w_\Lambda w_S\cdot\lambda),$$

der von den Inklusionen der einzelnen Summanden in $M=M(w_\Lambda w_S\cdot\lambda)$ induziert wird. Nach 7.31.b erhalten wir eine Surjektion

$$\bigoplus_{\alpha\in S}\mathscr{L}(M, M(w_\Lambda w_S s_\alpha\cdot\lambda))\rightarrow\mathscr{L}(M, \operatorname{rad} M),$$

die wieder von den Inklusionen der einzelnen Summanden in $\mathscr{L}(M, M)$ induziert wird. Nach 7.25 können wir $\mathscr{L}(M, M)$ und $U(\mathfrak{g})/I_\lambda^{\min}$ identifizieren, so daß $\mathscr{L}(M, N)$ für einen Untermodul N von M in $(\operatorname{Ann} M/N)/I_\lambda^{\min}$ übergeht. Die Surjektivität oben bedeutet dann

$$\sum_{\alpha\in S}\operatorname{Ann} M(w_\Lambda w_S\cdot\lambda)/M(w_\Lambda w_S s_\alpha\cdot\lambda)=I(w_\Lambda w_S\cdot\lambda).$$

Aus 7.26 folgt nun für alle $\alpha\in S$

$$\operatorname{Ann} M(w_\Lambda w_S\cdot\lambda)/M(w_\Lambda w_S s_\alpha\cdot\lambda)=\operatorname{Ann} M(w_\Lambda s_\alpha\cdot\lambda)/M(w_\Lambda\cdot\lambda)=I(w_\Lambda s_\alpha\cdot\lambda)$$

(vgl. 7.27), also die Behauptung.

b) Wir können $\mathscr{S}(L(w_\Lambda w_S \cdot \lambda), L(w_\Lambda w_S \cdot \lambda))$ mit

$$X = \{\phi \in \mathscr{S}(M(w_\Lambda w_S \cdot \lambda), L(w_\Lambda w_S \cdot \lambda)) \mid \phi(\operatorname{rad} M(w_\Lambda w_S \cdot \lambda)) = 0\}$$

identifizieren. Nach 7.31.b ist die natürliche Abbildung

$$\mathscr{S}(M(w_\Lambda w_S \cdot \lambda), M(w_\Lambda w_S \cdot \lambda)) \to \mathscr{S}(M(w_\Lambda w_S \cdot \lambda), L(w_\Lambda w_S \cdot \lambda))$$

surjektiv. Wegen 7.25 gibt es nun zu jeden $\phi \in X$ ein $u \in U(\mathfrak{g})$ mit $\phi(m) = um$ für alle $m \in L(w_\Lambda w_S \cdot \lambda)$, mithin ist die kanonische Abbildung surjektiv, was nur zu zeigen ist.

Bemerkung. Die Aussage unter b) gilt auch für alle $\lambda \in \Lambda^+$ mit $B_\lambda^0 \cap S = \emptyset$, das heißt mit $B_\lambda^0 \subset B_\Lambda \setminus S = \tau_\Lambda(w_\Lambda w_S)$. Um dies einzusehen, wählen wir ein $\mu \in \Lambda^{++}$. Es gilt dann $T_\mu^\lambda L(w_\Lambda w_S \cdot \mu) \simeq L(w_\Lambda w_S \cdot \lambda)$ nach 4.12 (3), also

$$\begin{aligned} \mathscr{S}(L(w_\Lambda w_S \cdot \lambda), L(w_\Lambda w_S \cdot \lambda)) &\simeq T_{(\mu,\mu)}^{(\lambda,\lambda)} \mathscr{S}(L(w_\Lambda w_S \cdot \mu), L(w_\Lambda w_S \cdot \mu)) \\ &\simeq T_{(\mu,\mu)}^{(\lambda,\lambda)} U(\mathfrak{g})/I(w_\Lambda w_S \cdot \mu) \simeq U(\mathfrak{g})/I(w_\Lambda w_S \cdot \lambda) \end{aligned}$$

nach 6.33 (6) und 6.35 (1). Die stets injektive kanonische Abbildung ist daher auf allen $\mathfrak{k}$-isotypischen Komponenten bijektiv, also überhaupt ein Isomorphismus.

7.33 Corollar. *Es seien $\Lambda \in \mathfrak{h}^*/P(R)$ und $\lambda \in \Lambda^{++}$ sowie $S \subset B_\Lambda$.*
a) *Die maximalen Unterbimoduln von $I(w_\Lambda w_S \cdot \lambda)/I_\lambda^{\min}$ sind genau die $(I(w_\Lambda w_S \cdot \lambda) \cap I(s_\alpha \cdot \lambda))/I_\lambda^{\min}$ mit $\alpha \in S$.*
b) *Es gilt $(I(w_\Lambda w_S \cdot \lambda)/I_\lambda^{\min})^2 = I(w_\Lambda w_S \cdot \lambda)/I_\lambda^{\min}$.*

Beweis. a) Es sei J ein Ideal von $U(\mathfrak{g})$ mit $I_\lambda^{\min} \subset J \subset I(w_\Lambda w_S \cdot \lambda)$, so daß $J/I_\lambda^{\min}$ ein maximaler Untermodul von $I(w_\Lambda w_S \cdot \lambda)/I_\lambda^{\min}$ ist. Wegen 7.32 gibt es ein $\alpha \in S$ mit $J \not\supset I(w_\Lambda s_\alpha \cdot \lambda) = J_\alpha(\lambda)$, also mit $J_\alpha(\lambda) \cap J \subsetneqq J_\alpha(\lambda)$. Aus 7.30.a und 7.29 folgt nun $J_\alpha(\lambda) \cap J \subset J_\alpha(\lambda) \cap I(s_\alpha \cdot \lambda)$. Da $I(s_\alpha \cdot \lambda)$ ein Primideal ist und $J_\alpha(\lambda)$ nicht umfaßt, muß $J \subset I(s_\alpha \cdot \lambda)$, also $J \subset I(s_\alpha \cdot \lambda) \cap I(w_\Lambda w_S \cdot \lambda)$ sein. Wegen $I(w_\Lambda w_S \cdot \lambda) \not\subset I(s_\alpha \cdot \lambda)$ folgt aus der Maximalität von J nun $J = I(w_\Lambda w_S \cdot \lambda) \cap I(s_\alpha \cdot \lambda)$.

Andererseits ist jedes $I(s_\alpha \cdot \lambda) \cap I(w_\Lambda w_S \cdot \lambda)$ mit $\alpha \in S$ echt in $I(w_\Lambda w_S \cdot \lambda)$ enthalten und umfaßt $I_\lambda^{\min}$. Daher gibt es ein maximales J wie oben und dazu ein $\beta \in S$ mit

$$I(s_\alpha \cdot \lambda) \cap I(w_\Lambda w_S \cdot \lambda) \subset J = I(s_\beta \cdot \lambda) \cap I(w_\Lambda w_S \cdot \lambda).$$

Für $\beta \neq \alpha$ ist diese Gleichung wegen $I(s_\beta \cdot \lambda) \not\supset I(s_\alpha \cdot \lambda)$ und $I(s_\beta \cdot \lambda) \not\supset I(w_\Lambda w_S \cdot \lambda)$ unmöglich, also folgt $\beta = \alpha$, und $I(s_\alpha \cdot \lambda) \cap I(w_\Lambda w_S \cdot \lambda))/I_\lambda^{\min}$ ist in der Tat maximal.

b) Wäre $(I(w_\Lambda w_S \cdot \lambda)/I_\lambda^{\min})^2 \neq I(w_\Lambda w_S \cdot \lambda) I_\lambda^{\min}$, so gäbe es nach a) ein $\alpha \in S$ mit $I(w_\Lambda w_S \cdot \lambda)^2 \subset I(s_\alpha \cdot \lambda)$ und daher $I(w_\Lambda w_S \cdot \lambda) \subset I(s_\alpha \cdot \lambda)$, was unmöglich ist.

Anhang

7A.1 Das grundlegende Resultat in diesem Kapitel ist der Satz von Duflo (7.4), daß für algebraisch abgeschlossenes k die $I(\lambda)$ alle primitiven Ideale von $U(\mathfrak{g})$ sind. Neben 7.3–7.6 gehen auf [Duflo 3] auch noch Satz 7.32 im Fall $S \subset B$ und Satz 7.11 bis auf die letzte Aussage $I = I(w \cdot \lambda)$ zurück, die erst aus [Joseph 9] folgte. Duflos Beweis benutzt Verflechtungsoperatoren zwischen Moduln der Hauptserie, die analytisch definiert werden. Ein rein algebraischer Beweis von 7.3 findet sich (unabhängig voneinander) in [Joseph 15] und [Bernstein/Gelfand]; dort stehen auch 7.1/2. (Die Beschreibung des Bildes in 7.1 ist für $\lambda \notin \Lambda^{++}$ bei [Joseph 15] nicht so explizit wie bei [Bernstein/Gelfand].)

7A.2 Nach [Duflo 3] war klar, daß der Annullator eines einfachen Harish-Chandra-Moduls die Gestalt $I(\lambda) \otimes U(\mathfrak{g}) + U(\mathfrak{g}) \otimes I(\mu)$ für geeignete λ, μ haben mußte. Diese wurden in [Joseph 9] explizit bestimmt; er arbeitet mit den $Y(\lambda, \mu)$ wie in 6A.2. In dieser Arbeit finden sich auch 7.10 (modulo 5.25), 7.26/27, 7.29/30 und 7.33 (modulo 7.32), zum Teil ergänzt in [Joseph 15], während die Resultate in 7.20–7.24 im wesentlichen aus [Gabber/Joseph 1] stammen.

7A.3 Corollar 7.25 stammt aus [Joseph 14], für einfaches $M(\lambda)$ war es schon in [Conze] bewiesen worden. Im letzten Fall wurde damit für einfache Verma-Moduln die Frage von Kostant positiv beantwortet, ob für einen einfachen $\mathfrak{g}$-Modul M der kanonische Homomorphismus $U(\mathfrak{g})/\mathrm{Ann}\, M \to \mathscr{L}(M, M)$ surjektiv ist. Ein anderer Fall, wo die Antwort positiv ist, findet sich in Satz 7.32.b; dieses Ergebnis wurde für $S \subset B$ in [Conze-Berline/Duflo], für $S = B_\Lambda$ in [Joseph 9] und im allgemeinen (wie auch 7.32.a) in [Gabber/Joseph 1] bewiesen. Für beliebige M ist die Antwort negativ. Für $M = L(\lambda)$ mit R_λ vom Typ B_2 gibt es Gegenbeispiele; in [Joseph 14], 9.4 wird dieser Fall genau beschrieben. Im Kapitel 12 kommen wir auf diese Frage zurück.

7A.4 Satz 7.12 wurde in [Joseph 16] vermutet und zuerst in [Vogan 4] bewiesen, Corollar 7.13 so explizit in [Barbasch/Vogan 2] ausgesprochen. Satz 7.14 stammt aus [Gabber/Joseph 1], während wir in 7.16–7.19 im wesentlichen [Barbasch/Vogan 2] folgen. Dort in 3.12 findet man auch einen Beweis von 5.13 mit den hier benutzten Methoden.

7A.5 Für λ mit $\# B_\lambda = 2$ findet sich in [Joseph 9], 7.4 eine Beschreibung aller Ideale von $U(\mathfrak{g})$, die $I_\lambda^{\min}$ umfassen.

Kapitel 8. Gel'fand-Kirillov-Dimension und Multiplizität

Es sei $\mathfrak{s}$ in diesem Kapitel eine beliebige Lie-Algebra. Jedem endlich erzeugbaren $U(\mathfrak{s})$-Modul M ordnen wir zwei natürliche Zahlen zu: seine Gel'fand-Kirillov-Dimension $d(M)$ und seine Multiplizität $e(M)$, mit denen wir die „Größe" von M messen können. Wenn $\mathfrak{s}$ eine Filtrierung mit „schönen" Eigenschaften hat, kann man abhängig von dieser Filtrierung eine andere Definition einer Dimension $\tilde{d}(M)$ und einer Multiplizität $\tilde{e}(M)$ geben. Es stellt sich heraus, daß $\tilde{d}(m)=d(M)$ ist, während $\tilde{e}(M)$ von $e(M)$ verschieden sein kann. (Wir werden dies in Kapitel 9 auf Moduln in der Kategorie $\mathcal{O}$ und $\mathfrak{s}=\mathfrak{n}^-$ anwenden, wo $\tilde{e}(M)$ eher als $e(M)$ der Berechnung zugänglich ist.) Es möge M homogen heißen, wenn $d(M)=d(M')$ für alle Untermoduln $M'\neq 0$ von M gilt. Wir untersuchen diesen und verwandte Begriffe; für $\mathfrak{s}=\mathfrak{g}$ erhalten wir daraus insbesondere Aussagen über die Bimoduln $\mathscr{L}(M, N)$.

8.1 Es sei $\mathfrak{a}=\mathfrak{a}^1\oplus\mathfrak{a}^2\oplus\ldots\oplus\mathfrak{a}^r$ eine graduierte Lie-Algebra. Setzen wir $\mathfrak{a}^i=0$ für $i\notin\{1,2,\ldots,r\}$, so können wir sagen: Die $\mathfrak{a}^i$ sind Teilräume von $\mathfrak{a}$ mit $[\mathfrak{a}^i,\mathfrak{a}^j]\subset\mathfrak{a}^{i+j}$ für alle i und j. Offensichtlich ist $\mathfrak{a}$ nun eine nilpotente Lie-Algebra, und $\mathfrak{a}^r$ ist im Zentrum von $\mathfrak{a}$ enthalten. Wir setzen $m(\mathfrak{a})$ gleich dem kleinsten gemeinsamen Vielfachen aller i mit $\mathfrak{a}^i\neq 0$.

Wir betrachten nun einen graduierten $\mathfrak{a}$-Modul $M=\bigoplus_{j\geq 0} M^j$ ungleich 0; für alle i und j gilt also $\mathfrak{a}^i M^j\subset M^{i+j}$. Wir wollen annehmen, daß M endlich erzeugbar als Modul über $U(\mathfrak{a})$ ist; dann sind alle M^j endlich dimensional. Durch $F_M(-n)=0$ für $n>0$ und

$$F_M(n)=\sum_{j=0}^{n}\dim M^j \quad \text{für } n\geq 0$$

führen wir nun eine Funktion $F_M\colon \mathbf{Z}\to\mathbf{N}$ ein.

Satz. *Es gibt eine natürliche Zahl* $d\leq\dim\mathfrak{a}$ *und für* $0\leq j\leq d$ *Funktionen* $c_j\colon \mathbf{Z}/\mathbf{Z}m(\mathfrak{a})\to\mathbf{Q}$ *mit* $c_d\neq 0$, *so daß*

$$F_M(n)=\sum_{j=0}^{d} c_j(n+\mathbf{Z}m(\mathfrak{a}))\,n^j$$

für fast alle $n\in\mathbf{N}$ *gilt. Die Funktion* c_d *ist dann konstant und hat einen positiven Wert.*

Beweis. Wir wollen die erste Behauptung durch Induktion über $\dim\mathfrak{a}$ beweisen. Dazu können wir $\mathfrak{a}^r\neq 0$ annehmen und dann ein $x\in\mathfrak{a}^r$ mit $x\neq 0$ wählen.

Da x zum Zentrum von $\mathfrak{a}$ gehört, ist die Multiplikation $\psi: M \to M, m \mapsto xm$ mit x ein Homomorphismus von $\mathfrak{a}$-Moduln, und zwar ist ψ homogen vom Grad r. Daher sind Kern ψ und Kokern ψ graduierte, endlich erzeugbare $\mathfrak{a}$-Moduln; für alle $n \in \mathbf{N}$ hat man eine exakte Sequenz

$$0 \to (\operatorname{Kern} \psi)^n \to M^n \to M^{n+r} \to (\operatorname{Kokern} \psi)^{n+r} \to 0.$$

Daraus folgt sofort

$$F_M(n+r) - F_M(n) = F_{\operatorname{Kokern} \psi}(n+r) - F_{\operatorname{Kern} \psi}(n),$$

also auch, weil $m(\mathfrak{a})$ durch r teilbar ist,

$$(1) \qquad F_M(s+(n+1)m(\mathfrak{a})) - F_M(s+nm(\mathfrak{a}))$$
$$= \sum_{i=0}^{(m(\mathfrak{a})/r)-1} (F_{\operatorname{Kokern}\psi}(s+(i+1)r+nm(\mathfrak{a})) - F_{\operatorname{Kern}\psi}(s+ir+nm(\mathfrak{a}))$$

für alle $s, n \in \mathbf{N}$.

Nun läßt sich die erste Behauptung des Satzes auch so formulieren: Für alle $s \in \mathbf{N}$ ist die Abbildung $n \mapsto F_M(s+nm(\mathfrak{a}))$ für fast alle $n \in \mathbf{N}$ durch ein Polynom vom Grad $\leqslant \dim \mathfrak{a}$ über $\mathbf{Q}$ gegeben. Dazu äquivalent ist, daß $n \mapsto F_M(s+(n+1)m(\mathfrak{a})) - F_M(s+nm(\mathfrak{a}))$ für fast alle $n \in \mathbf{N}$ durch solch ein Polynom vom Grad $\leqslant \dim \mathfrak{a} - 1$ beschrieben werden kann. Nach (1) reicht es also, wenn wir zeigen, daß alle $n \mapsto F_{\operatorname{Kern}\psi}(s+nm(\mathfrak{a}))$ und $n \mapsto F_{\operatorname{Kokern}\psi}(s+nm(\mathfrak{a}))$ durch derartige Polynome (jeweils vom Grad $\leqslant \dim \mathfrak{a} - 1$) gegeben sind.

Auf Kern ψ und Kokern ψ operiert das Element x trivial; wir können diese Räume also auch als Moduln über $\tilde{\mathfrak{a}} = \mathfrak{a}/kx$ auffassen. Nun ist $\tilde{\mathfrak{a}}$ in natürlicher Weise $\tilde{\mathfrak{a}} = \tilde{\mathfrak{a}}^1 \oplus \tilde{\mathfrak{a}}^2 \oplus \ldots \oplus \tilde{\mathfrak{a}}^r$ graduiert, wobei die $\tilde{\mathfrak{a}}^i$ die Bilder der $\mathfrak{a}^i$ unter der kanonischen Projektion sind. Damit sind Kern ψ und Kokern ψ graduierte $\tilde{\mathfrak{a}}$-Moduln; da sie auch endlich erzeugbar über $U(\tilde{\mathfrak{a}})$ sind, können wir Induktion anwenden. Für alle $s \in \mathbf{N}$ werden die Abbildungen $n \mapsto F_{\operatorname{Kern}\psi}(s+nm(\tilde{\mathfrak{a}}))$ und $n \mapsto F_{\operatorname{Kokern}\psi}(s+nm(\tilde{\mathfrak{a}}))$ für fast alle $n \in \mathbf{N}$ durch Polynome über $\mathbf{Q}$ vom Grad $\leqslant \dim \tilde{\mathfrak{a}} = \dim \mathfrak{a} - 1$ beschrieben. Da $m(\mathfrak{a})$ das kleinste gemeinsame Vielfache von $m(\tilde{\mathfrak{a}})$ und r ist, folgt dieselbe Aussage über die Funktionen $n \mapsto F_{\operatorname{Kern}\psi}(s+nm(\mathfrak{a}))$ und $n \mapsto F_{\operatorname{Kokern}\psi}(s+nm(\mathfrak{a}))$ und damit die erste Behauptung des Satzes, wie wir oben sahen.

Für alle großen n gilt nun

$$0 \leqslant \dim M^n = F_M(n) - F_M(n-1)$$
$$= \sum_{j=0}^{d} (c_j(n+\mathbf{Z}m(\mathfrak{a}))n^j - c_j(n-1+\mathbf{Z}m(\mathfrak{a}))(n-1)^j).$$

Diese Differenz ist also die Summe von $(c_d(n+\mathbf{Z}m(\mathfrak{a})) - c_d(n-1+\mathbf{Z}m(\mathfrak{a})))n^d$ und einer Linearkombination der n^j mit $j<d$, wobei die Koeffizienten der n^j

nur von der Restklasse $n+\mathbf{Z}m(\mathfrak{a})$ abhängen. Läßt man nun n innerhalb seiner Restklasse gegen ∞ laufen, so folgt

$$c_d(n-1+\mathbf{Z}m(a)) \leqslant c_d(n+\mathbf{Z}m(a)),$$

weil die Differenz nicht negativ ist. Da c_d periodisch ist, muß es sogar konstant sein. Weil $F_M(n)>0$ für alle großen n gilt, zeigt eine ähnliche Überlegung, daß c_d einen positiven Wert annimmt.

Bemerkungen. 1) Man kann mit derselben Induktion zeigen, daß für alle $s\in\mathbf{N}$ die Funktion $n\mapsto F_M(s+nm(\mathfrak{a}))$ für große n durch ein Polynom f über $\mathbf{Q}$ mit $f(\mathbf{Z})\subset\mathbf{Z}$ gegeben ist. Da f dann eine $\mathbf{Z}$-Linearkombination der Polynome $n\mapsto\binom{n}{i}$ mit $i\leqslant d$ ist, folgt, daß c_d die Gestalt $c_d=e/(d!m(\mathfrak{a})^d)$ mit $e\in\mathbf{N}$, $e>0$ hat.

2) Ist $\mathfrak{a}=\mathfrak{a}^1$ eine kommutative Lie-Algebra, so ist $U(\mathfrak{a})\simeq S(\mathfrak{a})$ zu dem Polynomring über k in $\dim\mathfrak{a}$ Veränderlichen isomorph. In diesem Fall ist $m(\mathfrak{a})=1$, also F_M durch ein Polynom für große n gegeben. Dies heißt das Hilbert-Polynom von M, und in diesem Fall stammt der Satz von Hilbert. (Hier hat c_d also die Form $e/d!$ mit $e\in\mathbf{N}$, $e>0$).

8.2 Es sei $\mathfrak{a}=\mathfrak{a}^1\oplus\mathfrak{a}^2\oplus\ldots\oplus\mathfrak{a}^r$ wie in 8.1. Die Graduierung von $\mathfrak{a}$ induziert eine auf $U(\mathfrak{a})$: Man wählt eine Basis $x_1, x_2, \ldots, x_m$ von $\mathfrak{a}$ aus homogenen Elementen $x_i\in\mathfrak{a}^{g(i)}$ und setzt $U(\mathfrak{a})^n$ gleich dem von allen $x_1^{i_1}x_2^{i_2}\ldots x_m^{i_m}$ mit $i_1g(1)+i_2g(2)+\ldots+i_mg(m)=n$ aufgespannten Teilraum. Die Inklusionen $U(\mathfrak{a})^n\,U(\mathfrak{a})^{n'}\subset U(\mathfrak{a})^{n+n'}$ für alle n und n' folgen leicht aus $[\mathfrak{a}^i,\mathfrak{a}^j]\subset\mathfrak{a}^{i+j}$.

Wir betrachten nun eine aufsteigend filtrierte Algebra $A=\bigcup_{n\geqslant 0}A_n\supset\ldots\supset A_2\supset A_1\supset A_0=k1$, deren assoziierte graduierte Algebra $\operatorname{gr}A$ zur Einhüllenden $U(\mathfrak{a})$ mit der oben konstruierten Graduierung isomorph ist. Insbesondere sollen alle A_n endlich dimensional sein.

Weiter sei ein endlich erzeugbarer A-Modul M gegeben. Wir können dann einen endlich dimensionalen Teilraum M_0 von M mit $M=A\,M_0$ wählen. Setzen wir nun $M_n=A_n\,M_0$, so gilt $M_0\subset M_1\subset M_2\subset\ldots\subset M$ sowie $M=\bigcup_{n\geqslant 0}M_n$, und M ist dadurch zu einem filtrierten A-Modul geworden. Alle M_n sind offensichtlich endlich dimensional, und wir können durch $F_{M,M_0}(n)=\dim M_n$ für alle $n\in\mathbf{N}$ und $F_{M,M_0}(-n)=0$ für $n>0$ eine Funktion $\mathbf{Z}\to\mathbf{N}$ definieren. Bilden wir den zu M assoziierten graduierten $\operatorname{gr}(A)$-Modul $\operatorname{gr}M$ und fassen ihn über einen Isomorphismus zwischen $\operatorname{gr}(A)$ und $U(\mathfrak{a})$ als graduierten $\mathfrak{a}$-Modul auf, so gilt $F_{M,M_0}=F_{\operatorname{gr}M}$ in den Notationen von 8.1. Nach der Konstruktion wird $\operatorname{gr}M$ über $U(\mathfrak{a})$ von dem Bild von M_0 erzeugt. Daher können wir Satz 8.1 auf $F_{\operatorname{gr}M}$ anwenden: Es gibt eine natürliche Zahl $d\leqslant\dim\mathfrak{a}$ und Funktionen $c_j\colon\mathbf{Z}/\mathbf{Z}m(\mathfrak{a})\to\mathbf{Q}$ mit

$$F_{M,M_0}(n)=\sum_{j=0}^{d}c_j(n+\mathbf{Z}m(\mathfrak{a}))\,n^j$$

für fast alle $n\in\mathbf{N}$, wobei c_d für $M\neq 0$ konstant gleich einer positiven rationalen Zahl ist.

Ist nun M_0' ein anderer endlich dimensionaler Teilraum von M mit $A\,M_0'=M$, so können wir alle Überlegungen oben auch auf M_0' statt M_0 anwenden. Wir erhalten also ein $d'\in\mathbf{N}$ und Funktionen $c_j'\colon \mathbf{Z}/\mathbf{Z}m(\mathfrak{a})\to\mathbf{Q}$ mit

$$F_{M,M_0'}(n)=\sum_{j=0}^{d'} c_j'(n+\mathbf{Z}m(\mathfrak{a}))\,n^j$$

für fast alle $n\in\mathbf{N}$, wobei $c_{d'}'$ für $M\neq 0$ konstant gleich einer positiven rationalen Zahl ist.

Lemma. *Es gilt $d=d'$ und $c_d=c_d'$.*

Beweis. Wegen $\bigcup_{n\geqslant 0} A_n M_0=M=\bigcup_{n\geqslant 0} A_n M_0'$ gibt es ein $l\in\mathbf{N}$ mit $M_0'\subset A_l M_0$ und $M_0\subset A_l M_0'$. Für alle $n\in\mathbf{N}$ folgt nun $A_n M_0\subset A_n A_l M_0'\subset A_{n+l} M_0'$ und $A_n M_0'\subset A_n A_l M_0\subset A_{n+l} M_0$, mithin

$$F_{M,M_0}(n)\leqslant F_{M,M_0'}(n+l)\leqslant F_{M,M_0}(n+2l).$$

Vergleicht man nun das Verhalten von F_{M,M_0} und $F_{M,M_0'}$, wenn n in einer festen Nebenklasse modulo $m(\mathfrak{a})$ gegen ∞ läuft, so folgt sofort die Behauptung.

8.3 In der Situation von 8.2 setzen wir $d_A(M)=d\in\mathbf{N}$ und $e_A(M)=d!\,c_d\in\mathbf{Q}$, $e_A(M)>0$. Nach dem Lemma 8.2 sind diese Zahlen unabhängig von der Wahl von M_0. Für $M=0$ sei $d_A(M)=-\infty$ und $e(M)=0$. Für alle $d'\geqslant d_A(M)$ setzen wir noch

$$e_{d'}(M)=\begin{cases}0 & \text{für } d'>d_A(M),\\ e_A(M) & \text{für } d'=d_A(M).\end{cases}$$

Wir wollen die Resultate von 8.2 auf die Algebra $A=U(\mathfrak{g})$ anwenden, wobei $\mathfrak{g}$ eine beliebige (endlich dimensionale) Lie-Algebra ist. Nach 1.4 hat man eine Filtrierung mit $A_n=U_n(\mathfrak{g})$, und die assoziierte graduierte Algebra ist zur symmetrischen Algebra $S(\mathfrak{g})$ isomorph. Setzt man nun $\mathfrak{a}$ gleich der kommutativen Lie-Algebra, die als Vektorraum zu $\mathfrak{g}$ isomorph ist, so sind mit $\mathfrak{a}=\mathfrak{a}^1$ die Voraussetzungen von 8.1 erfüllt und $U(\mathfrak{a})$ ist als graduierte Algebra zu $S(\mathfrak{g})$ und damit zu $\operatorname{gr} U(\mathfrak{g})$ isomorph. (Die Graduierung auf $U(\mathfrak{a})$ ist die übliche auf einem Polynomring in $\dim(\mathfrak{g})$ Veränderlichen.) Wir schreiben für einen endlich erzeugbaren $U(\mathfrak{g})$-Modul M nun kurz $d_{\mathfrak{g}}(M)=d_{U(\mathfrak{g})}(M)$ und $e_{\mathfrak{g}}(M)=e_{U(\mathfrak{g})}(M)$; wenn klar ist, welche Lie-Algebra gemeint ist, lassen wir den Index $\mathfrak{g}$ auch weg. (Da hier $m(\mathfrak{a})=1$ ist, gilt $e_{\mathfrak{g}}(M)\in\mathbf{N}$ nach den Bemerkungen zu 8.1). Wir übernehmen auch die Notation $e_d(M)$ für alle $d\geqslant d_{\mathfrak{g}}(M)$ von oben.

Man nennt $d_{\mathfrak{g}}(M)$ die *Gel'fand-Kirillov-Dimension* von M und $e_{\mathfrak{g}}(M)$ die *Multiplizität* von M.

Für einen beliebigen $\mathfrak{g}$-Modul M definiert man $d_{\mathfrak{g}}(M)$ als das Supremum der $d_{\mathfrak{g}}(M')$ über alle endlich erzeugbaren Untermoduln M' von M. Es gilt stets $d_{\mathfrak{g}}(M)\leqslant\dim(\mathfrak{g})$.

Es wird $U(\mathfrak{s})$ als Modul über sich selbst (mit Hilfe der Linksmultiplikation) von 1 erzeugt. Wegen

$$\dim U_n(\mathfrak{s})(k\,1) = \dim U_n(\mathfrak{s}) = \binom{n+\dim(\mathfrak{s})}{\dim(\mathfrak{s})}$$

gilt $d(U(\mathfrak{s})) = \dim(\mathfrak{s})$ und $e(U(\mathfrak{s})) = 1$.

Ist ϕ ein Automorphismus von $\mathfrak{s}$, so kann man aus jedem $\mathfrak{s}$-Modul M einen neuen $\mathfrak{s}$-Modul ${}^{\phi}M$ konstruieren, der als Vektorraum gleich M ist und auf dem ein $x \in \mathfrak{s}$ wie $\phi(x)$ auf M operiert. Ist M endlich erzeugbar, so auch ${}^{\phi}M$, und dann gilt

$$(1) \qquad d(M) = d({}^{\phi}M) \quad \text{und} \quad e(M) = e({}^{\phi}M).$$

8.4 Es sei $\mathfrak{a} = \mathfrak{a}^1 \oplus \mathfrak{a}^2 \oplus \ldots \oplus \mathfrak{a}^r$ eine graduierte Lie-Algebra. Zu Anfang von 8.2 haben wir auf $A = U(\mathfrak{a})$ eine Graduierung eingeführt; setzt man $A_n = \bigoplus_{i=0}^{n} U(\mathfrak{a})^i$, so wird A zu einer filtrierten Algebra, für die $\operatorname{gr} A$ in natürlicher Weise zu A isomorph ist. Wir können nun die Konstruktionen von 8.2 auch auf dieses A anwenden. Zur Unterscheidung von der Situation in 8.3, die wir natürlich auch für $\mathfrak{s} = \mathfrak{a}$ betrachten können, bezeichnen wir hier die Funktion F_{M,M_0} mit $\tilde{F}_{M,M_0}$ und setzen weiter $\tilde{d}_{\mathfrak{a}}(M) = d_A(M)$ sowie $\tilde{e}_{\mathfrak{a}}(M) = e_A(M)$. Auch die Notation $\tilde{e}_d(M)$ für alle $d \geq \tilde{d}_{\mathfrak{a}}(M)$ wird sinngemäß übernommen.

Da $\dim A_n$ gleich dem Koeffizienten von T^n in der formalen Potenzreihe $(1-T)^{-1} \prod_{i=1}^{r} (1-T^i)^{-\dim \mathfrak{a}^i}$ in einer Veränderlichen T ist, folgt

$$(1) \qquad \tilde{d}_{\mathfrak{a}}(U(\mathfrak{a})) = \dim \mathfrak{a} \quad \text{und} \quad \tilde{e}_{\mathfrak{a}}(U(\mathfrak{a})) = \left(\prod_{i=1}^{r} i^{\dim \mathfrak{a}^i}\right)^{-1}$$

zum Beispiel aus [Springer 4], Lemma 2.5.9 (ii).

Ist ϕ ein Automorphismus von $\mathfrak{a}$ mit $\phi(\mathfrak{a}^i) = \mathfrak{a}^i$ für alle i, so gilt für jeden endlich erzeugbaren $\mathfrak{a}$-Modul M

$$(2) \qquad \tilde{d}_{\mathfrak{a}}({}^{\phi}M) = \tilde{d}_{\mathfrak{a}}(M) \quad \text{und} \quad \tilde{e}_{\mathfrak{a}}({}^{\phi}M) = \tilde{e}_{\mathfrak{a}}(M).$$

Lemma. *Für alle endlich erzeugbaren $\mathfrak{a}$-Moduln M gilt:*

$$\tilde{d}_{\mathfrak{a}}(M) = d_{\mathfrak{a}}(M) \quad \textit{und} \quad \tilde{e}_{\mathfrak{a}}(M) \leq e_{\mathfrak{a}}(M) \leq r^{d(M)}\, \tilde{e}_{\mathfrak{a}}(M).$$

Beweis. Es sei M_0 ein endlich dimensionaler Teilraum von M mit $M = U(\mathfrak{a})M_0$. Nun gilt offensichtlich

$$U(\mathfrak{a})_n \subset U_n(\mathfrak{a}) \subset U(\mathfrak{a})_{rn}$$

für alle $n \in \mathbf{N}$, also $\tilde{F}_{M,M_0}(n) \leq F_{M,M_0}(n) \leq \tilde{F}_{M,M_0}(rn)$. Lassen wir n gegen ∞ laufen, so erhalten wir die Behauptungen.

8.5 Es seien $\mathfrak{a}=\mathfrak{a}^1\oplus\mathfrak{a}^2\oplus\ldots\oplus\mathfrak{a}^r$ eine graduierte Lie-Algebra wie in 8.1 und $A=\bigcup_{n\geqslant 0} A_n\supset\ldots\supset A_2\supset A_1\supset A_0=k1$ eine filtrierte Algebra mit $\operatorname{gr}A\simeq U(\mathfrak{a})$ wie in 8.2.

Wir betrachten einen filtrierten A-Modul $M=\bigcup_{n\geqslant 0} M_n\supset\ldots\supset M_2\supset M_1\supset M_0$ mit $F_M(n)=\dim M_n<\infty$ für alle $n\in\mathbf{N}$. Für den assoziierten graduierten $U(\mathfrak{a})$-Modul $\operatorname{gr}M=\bigoplus_{n\geqslant 0}(M_n/M_{n-1})$ gilt dann $F_{\operatorname{gr}M}=F_M$. Wir wollen nun *annehmen,* daß $\operatorname{gr}M$ über $U(\mathfrak{a})$ *endlich erzeugbar* ist. Nach Satz 8.1 gibt es $d\in\mathbf{N}$ und Funktionen $c_j\colon\mathbf{Z}/\mathbf{Z}m(\mathfrak{a})\to\mathbf{Q}$ mit

$$(1)\qquad F_M(n)=\sum_{j=0}^{d} c_j(n+\mathbf{Z}m(\mathfrak{a}))n^j$$

für fast alle $n\in\mathbf{N}$, wobei c_d für $M\neq 0$ konstant gleich einer positiven rationalen Zahl ist. Aus unserer Annahme folgt, daß es ein $m\in\mathbf{N}$ mit

$$\operatorname{gr}M=U(\mathfrak{a})\sum_{i=0}^{m} M_i/M_{i-1}$$

gibt. Für alle $n\in\mathbf{N}$ bedeutet dies

$$\begin{aligned}M_n/M_{n-1}&=\sum_{i=0}^{m} U(\mathfrak{a})^{n-i}(M_i/M_{i-1})\\&=\sum_{i=0}^{m}(A_{n-i}/A_{n-i-1})(M_i/M_{i-1})\end{aligned}$$

also

$$M_n\subset\sum_{i=0}^{m} A_{n-i}M_i+M_{n-1}\subset A_n M_m+M_{n-1}.$$

Durch Induktion über n folgt daraus

$$M_n\subset A_n M_m\subset M_{n+m}\quad\text{für alle } n\in\mathbf{N}.$$

Wegen $M=\bigcup_{n\geqslant 0} M_n$ gilt $M=\bigcup_{n\geqslant 0} A_n M_m$, also $M=A\,M_m$. Daher ist M endlich erzeugbar, und aus den Inklusionen oben folgt

$$F_M(n)\leqslant F_{M,M_m}(n)\leqslant F_M(n+m)\quad\text{für alle } n\in\mathbf{N}.$$

Lassen wir n gegen ∞ gehen, so erhalten wir

$$(2)\qquad d=d_A(M)\quad\text{und}\quad c_d=e_A(M)/d!.$$

Bemerkung. Ist $M = \bigoplus_{j\geqslant 0} M^j$ ein graduierter, endlich erzeugbarer $\mathfrak{a}$-Modul wie in 8.1, so wird M durch $M_n = \bigoplus_{j=0}^{n} M^j$ zu einem filtrierten Modul über $U(\mathfrak{a})$. Wir können die Überlegungen oben auf $A = U(\mathfrak{a})$ und M anwenden. Der zu M assoziierte graduierte Modul ist dann zu M isomorph, und das F_M in (1) ist das F_M von 8.1.

8.6 Es seien $\mathfrak{a} = \mathfrak{a}^1 \oplus \mathfrak{a}^2 \oplus \ldots \oplus \mathfrak{a}^r$ und $A = \bigcup_{n\geqslant 0} A_n$ wie in 8.5.

Lemma. *Ist* $0 \to M' \to M \to M'' \to 0$ *eine exakte Sequenz von A-Moduln, wobei* M' *und* M'' *endlich erzeugbar sind, so ist auch* M *endlich erzeugbar, und es gilt*

$$d_A(M) = \max(d_A(M'), d_A(M''))$$

sowie

$$e_d(M) = e_d(M') + e_d(M'') \quad \textit{für alle } d \geqslant d_A(M).$$

Beweis. Wir identifizieren M' mit seinem Bild in M. Wir können endlich dimensionale Teilräume $M'_0 \subset M'$ und $M''_0 \subset M''$ mit $M' = A\,M'_0$ und $M'' = A\,M''_0$ finden. Dann gibt es einen endlich dimensionalen Teilraum M_0 von M mit $M_0 \cap M' = M'_0$, dessen Bild in M'' gleich M''_0 ist. Nun wird $A\,M_0$ surjektiv auf $A\,M''_0 = M''$ abgebildet und umfaßt $M' = A\,M'_0$, ist also gleich M. Insbesondere ist M endlich erzeugbar.

Für alle $n \in \mathbf{N}$ haben wir nun eine exakte Sequenz

$$0 \to A_n M_0 \cap M' \to A_n M_0 \to A_n M''_0 \to 0,$$

es gilt also

$$F_{M,\,M_0}(n) = F_{M'',\,M''_0}(n) + \dim(A_n M_0 \cap M') \tag{1}$$

für alle $n \in \mathbf{N}$. Die $A_n M_0 \cap M'$ sind endlich dimensionale Teilräume von M' mit

$$\bigcup_{n\geqslant 0} (A_n M_0 \cap M') = \Big(\bigcup_{n\geqslant 0} A_n M_0\Big) \cap M' = M \cap M' = M';$$

außerdem gilt

$$A_i(A_n M_0 \cap M') \subset A_i A_n M_0 \cap A_i M' \subset A_{n+i} M_0 \cap M'$$

für alle i. Daher bilden die $A_n M \cap M'$ eine Filtrierung von M'. Der assoziierte graduierte $U(\mathfrak{a})$-Modul ist

$$\begin{aligned} \operatorname{gr} M' &= \bigoplus_{n\geqslant 0} (A_n M_0 \cap M')/(A_{n-1} M_0 \cap M') \\ &\simeq \bigoplus_{n\geqslant 0} ((A_n M_0 \cap M') + A_{n-1} M_0)/A_{n-1} M_0 \end{aligned}$$

zu einem Untermodul von $\bigoplus_{n\geqslant 0} A_n M_0/A_{n-1} M_0$ isomorph. Da dieser Modul vom Bild von M_0 erzeugt wird und $U(\mathfrak{a})$ noethersch ist, muß auch $\operatorname{gr} M'$ endlich erzeugbar sein. Wir können daher 8.5 anwenden, insbesondere gelten die Formeln (1) und (2) dort für M' statt M. Setzt man die Formel für $\dim(A_n M_0 \cap M')$ in (1) ein, so erhält man sofort die Behauptung.

8.7 Es sei $\mathfrak{s}$ wie in 8.3. Wir können Lemma 8.6 auf die Situationen von 8.3 anwenden. Für alle exakten Sequenzen $0 \to M' \to M \to M'' \to 0$ endlich erzeugbarer $\mathfrak{s}$-Moduln gilt also $d_\mathfrak{s}(M) = \max(d_\mathfrak{s}(M'), d_\mathfrak{s}(M''))$ und $e_d(M) = e_d(M') + e_d(M'')$ für alle $d \geqslant d_\mathfrak{s}(M)$. Wir wollen einige einfache Folgerungen daraus zusammenstellen.

Es sei M ein endlich erzeugbarer $\mathfrak{s}$-Modul.

(1) *Ist N ein Untermodul oder ein homomorphes Bild von M, so gilt $d(N) \leqslant d(M)$ und $e_{d(M)}(N) \leqslant e(M)$.*

(2) *Ist $M = M_1 \supset M_2 \supset \ldots \supset M_r \supset M_{r+1} = \{0\}$ eine Kette von Untermoduln von M, so gilt $d(M) = \max\{d(M_i/M_{i+1}) \mid 1 \leqslant i \leqslant r\}$ und $e(M) = \sum_{i=1}^{r} e_{d(M)}(M_i/M_{i+1})$.*
(Diese Tatsache wird insbesondere auf Kompositionsreihen von Moduln endlicher Länge angewendet.)

(3) *Sind $M_1, M_2, \ldots, M_r$ Untermoduln von M mit $M = M_1 + M_2 + \ldots + M_r$, so gilt $d(M) = \max\{d(M_i) \mid 1 \leqslant i \leqslant r\}$.*
(Da M homomorphes Bild von $M_1 \oplus M_2 \oplus \ldots \oplus M_r$ ist, gilt nach (1)

$$d(M_i) \leqslant d(M) \leqslant d(M_1 \oplus M_2 \oplus \ldots \oplus M_r) \quad \text{für alle } i.$$

Aus 8.6 folgt $d(M_1 \oplus M_2 \oplus \ldots \oplus M_r) = \max\{d(M_i) \mid 1 \leqslant i \leqslant r\}$, also die Behauptung.)

(4) *Es gilt $d(M) = \max\{d(U(\mathfrak{s})m) \mid m \in M\} = \max\{d(U(\mathfrak{s})/\mathrm{Ann}_{U(\mathfrak{s})} m) \mid m \in M\}$.*
(Die zweite Gleichung ist wegen $U(\mathfrak{s})m \simeq U(\mathfrak{s})/\mathrm{Ann}_{U(\mathfrak{s})} m$ trivial. Für alle $m \in M$ gilt $d(U(\mathfrak{s})m) \leqslant d(M)$ nach (1). Weil M endlich erzeugbar ist, gibt es $m_1, \ldots, m_r \in M$ mit $M = U(\mathfrak{s})m_1 + \ldots + U(\mathfrak{s})m_r$, nach (3) also ein i mit $d(M) = d(U(\mathfrak{s})m_i)$, woraus die Behauptung folgt.) Weiter gilt nun offensichtlich

$$d(M) \leqslant d(U(\mathfrak{s})/\mathrm{Ann}\, M)$$

(5) *Für Untermoduln $M_1, M_2, \ldots, M_r$ von M gilt $d(M/\bigcap_{i=1}^{r} M_i) = \max\{d(M/M_i) \mid 1 \leqslant i \leqslant r\}$.*

(Man bette $M/\bigcap_{i=1}^{r} M_i$ einerseits in $\bigoplus_{i=1}^{r} M/M_i$ ein und bilde es andererseits surjektiv auf jedes M/M_j ab.)

(6) *Ist $\phi: M \to M$ ein injektiver Endomorphismus von $\mathfrak{s}$-Moduln, so gilt $d(M/\phi(M)) < d(M)$.*
(Weil offensichtlich $d(\phi(M)) = d(M)$ und $e(\phi(M)) = e(M)$ gilt, muß $e_{d(M)}(M/\phi(M))$ nach 8.6 gleich 0 sein.)

8.8 Lemma. *Es seien* $\mathfrak{s}$ *eine Lie-Algebra und* M *ein endlich erzeugbarer* $\mathfrak{s}$*-Modul. Für jeden endlich dimensionalen* $\mathfrak{s}$*-Modul* $E \neq 0$ *gilt*

$$d(M \otimes E) = d(M) \quad \text{und} \quad e(M \otimes E) = e(M) \cdot \dim E.$$

Beweis. Es sei $M_0 \subset M$ ein endlich dimensionaler Teilraum mit $M = U(\mathfrak{s}) M_0$. Für alle $n \in \mathbf{N}$, $u \in U_n(\mathfrak{s})$, $m \in M_0$ und $e \in E$ gilt nun

$$u(m \otimes e) - (u m) \otimes e \in (U_{n-1}(\mathfrak{s}) M_0) \otimes E.$$

Daraus folgt $U_n(\mathfrak{s})(M_0 \otimes E) = (U_n(\mathfrak{s}) M_0) \otimes E$, insbesondere wird $M \otimes E$ über $U(\mathfrak{s})$ von $M_0 \otimes E$ erzeugt. Multipliziert man das Polynom, das $n \mapsto \dim(U_n(\mathfrak{s}) M_0)$ für große n beschreibt, mit $\dim E$, so erhält man das Polynom, durch welches $n \mapsto \dim U_n(\mathfrak{s})(M_0 \otimes E)$ für große n gegeben ist. Daraus folgt die Behauptung.

8.9 Lemma. *Es sei* $\mathfrak{b}$ *eine Unteralgebra von* $\mathfrak{s}$. *Für einen endlich erzeugbaren* $\mathfrak{b}$*-Modul* N *ist* $M = U(\mathfrak{s}) \bigotimes_{U(\mathfrak{b})} N$ *ein endlich erzeugbarer* $\mathfrak{s}$*-Modul mit* $d_{\mathfrak{s}}(M) = d_{\mathfrak{b}}(N) + \dim(\mathfrak{s}/\mathfrak{b})$ *und* $e_{\mathfrak{s}}(M) = e_{\mathfrak{b}}(N)$.

Beweis. Es sei $N_0 \subset N$ ein endlich dimensionaler Teilraum mit $N = U(\mathfrak{b}) N_0$. Wir wählen einen zu $\mathfrak{b}$ in $\mathfrak{s}$ komplementären Teilraum $\mathfrak{c}$ und erhalten nach dem Satz von Poincaré, Birkhoff und Witt einen Isomorphismus von Vektorräumen $U(\mathfrak{s}) \simeq S(\mathfrak{c}) \otimes U(\mathfrak{b})$, der ebensolche Isomorphismen $U_n(\mathfrak{s}) \simeq \bigoplus_{i=0}^{n} S^{n-i}(\mathfrak{c}) \otimes U_i(\mathfrak{b})$ und $M \simeq S(\mathfrak{c}) \otimes N$ induziert. Setzen wir $M_0 = k \otimes N_0$, so wird oben $(S^{n-i}(\mathfrak{c}) \otimes U_i(\mathfrak{b})) M_0$ mit $S^{n-i}(\mathfrak{c}) \otimes U_i(\mathfrak{b}) N_0$ identifiziert, also $U_n(\mathfrak{s}) M_0$ mit $\bigoplus_{i=0}^{n} S^{n-i}(\mathfrak{c}) \otimes U_i(\mathfrak{b}) N_0$. Daher wird M von M_0 über $U(\mathfrak{s})$ erzeugt; setzen wir $c = \dim \mathfrak{c}$, so gilt

$$\text{(1)} \qquad \dim U_n(\mathfrak{s}) M_0 = \sum_{i=0}^{n} \binom{c+n-i-1}{c-1} \dim(U_i(\mathfrak{b}) N_0).$$

Es gibt nun ein Polynom f über $\mathbf{Q}$ mit $\operatorname{grad}(f) = d = d_{\mathfrak{b}}(N)$ und ein $m \in \mathbf{N}$ mit $f(n) = \dim(U_n(\mathfrak{b}) N_0)$ für alle $n > m$. Setzen wir

$$f_1(n) = \sum_{i=0}^{m} \binom{n+c-1-i}{c-1} (\dim(U_i(\mathfrak{b}) N_0) - f(i)),$$

so ist f_1 ein Polynom über $\mathbf{Q}$ mit $\operatorname{grad}(f_1) \leq c-1$, und für alle $n > m$ gilt

$$\text{(2)} \qquad \dim U_n(\mathfrak{s}) M_0 = \sum_{i=0}^{n} \binom{n+c-1-i}{c-1} f(i) + f_1(n).$$

Nun gibt es $a_0, a_1, \ldots, a_d \in \mathbf{Q}$ mit $a_d = e(N)$ und

$$f(n) = \sum_{j=0}^{d} a_j \binom{n+j}{j} \quad \text{für alle } n \in \mathbf{N}.$$

Aus (2) folgt nun

$$\begin{aligned}\dim U_n(\mathfrak{s}) M_0 &= \sum_{j=0}^{d} a_j \sum_{i=0}^{n} \binom{n+j}{j} \binom{n-i+c-1}{c-1} + f_1(n) \\ &= \sum_{j=0}^{d} a_j \binom{n+c+j}{c+j} + f_1(n) \quad \text{für } n > m.\end{aligned}$$

Daher wird $n \mapsto \dim U_n(\mathfrak{s}) M_0$ für große n durch ein Polynom beschrieben, dessen führender Term gleich dem vom $a_d \binom{n+c+d}{c+d}$ ist, also gleich $e(N) n^{c+d}/(c+d)!$. Daraus folgt die Behauptung.

8.10 Es seien $\mathfrak{b}$ eine Unteralgebra von $\mathfrak{s}$ und $\mathfrak{c}$ ein Teilraum von $\mathfrak{s}$ mit $\mathfrak{s} = \mathfrak{b} + \mathfrak{c}$. Gibt es in einem $\mathfrak{s}$-Modul M einen endlich dimensionalen Teilraum M_0 mit $\mathfrak{c} M_0 \subset M_0$ und $U(\mathfrak{s}) M_0 = M$, so folgt aus dem Satz von Poincaré, Birkhoff und Witt $U_n(\mathfrak{s}) M_0 = U_n(\mathfrak{b}) M_0$ für alle $n \in \mathbf{N}$. Insbesondere ist M über $U(\mathfrak{b})$ endlich erzeugbar, und es gilt

(1) $\quad d_{\mathfrak{s}}(M) = d_{\mathfrak{b}}(M)$ und $e_{\mathfrak{s}}(M) = e_{\mathfrak{b}}(M)$.

(Diese Formeln werden später für $\mathfrak{g}$-Moduln in $\mathcal{O}$ auf $(\mathfrak{s}, \mathfrak{c}) = (\mathfrak{g}, \mathfrak{b}^+)$ und $\mathfrak{b} = \mathfrak{n}^-$ sowie auf Bimoduln M in $\mathscr{H}^{ee}$ mit $(\mathfrak{s}, \mathfrak{c}) = (\mathfrak{g} \times \mathfrak{g}, \mathfrak{k})$ und $\mathfrak{b} = \mathfrak{g} \times 0$ oder $\mathfrak{b} = 0 \times \mathfrak{g}$ angewendet.)

8.11 Wir nennen einen endlich erzeugbaren $\mathfrak{s}$-Modul M
(a) *homogen,* wenn $d(M) = d(M')$ für alle Untermoduln $M' \neq 0$ von M gilt,
(b) *kohomogen,* wenn $d(M) = d(M/M')$ für alle Untermoduln $M' \neq M$ von M gilt,
(c) *kritisch,* wenn $d(M) > d(M/M')$ für alle Untermoduln $M' \neq 0$ von M gilt,
(d) *kokritisch,* wenn $d(M) > d(M')$ für alle Untermoduln $M' \neq M$ von M gilt.

Aus 8.6 folgt offensichtlich

(1) $\quad M$ *kritisch* $\Leftrightarrow$ *M homogen und $e(M') = e(M)$ für alle Untermoduln $M' \neq 0$ von M,*

(2) $\quad M$ *kokritisch* $\Leftrightarrow$ *M kohomogen und $e(M/M'') = e(M)$ für alle Untermoduln $M'' \neq M$ von M.*

Ein einfacher Modul hat alle vier Eigenschaften (a)–(d) aus trivialen Gründen. Jeder Untermodul eines homogenen Moduls ist wieder homogen, jedes homomorphe Bild eines kohomogenen Moduls wieder kohomogen. Insbesondere sind direkte Summanden eines homogenen (oder kohomogenen) Moduls wieder homogen (bzw. kohomogen).

Für endlich erzeugbare $\mathfrak{s}$-Moduln M und N gilt:

(3) *M homogen und* $d(N) < d(M) \Rightarrow \mathrm{Hom}_{\mathfrak{s}}(N, M) = 0$,

(4) *M kohomogen und* $d(N) < d(M) \Rightarrow \mathrm{Hom}_{\mathfrak{s}}(M, N) = 0$,

weil das Bild unter einem Homomorphismus ungleich 0 eine Gel'fand-Kirillov-Dimension hätte, die im ersten Fall echt kleiner als $d(M)$, im zweiten Fall echt größer als $d(N)$ wäre, was unmöglich ist.

Es sei daran erinnert, daß ein Untermodul M' eines Moduls M *wesentlich* (bzw. *überflüssig*) in M heißt, wenn für jeden Untermodul N von M mit $M' \cap N = 0$ (bzw. $M' + N = M$) gilt: $N = 0$ (bzw. $N = M$). Hat M endliche Länge, so ist M' genau dann wesentlich (bzw. überflüssig), wenn $\mathrm{soc}\, M \subset M'$ (bzw. $M' \subset \mathrm{rad}\, M$) gilt.

Für einen Untermodul M' eines endlich erzeugbaren $\mathfrak{s}$-Moduls M folgt nun

(5) *M homogen und* $d(M/M') < d(M) \Rightarrow$ *M' wesentlich in M*,

(6) *M kohomogen und* $d(M') < d(M) \Rightarrow$ *M' überflüssig in M*.

Ist nämlich N ein Untermodul von M mit $N \cap M' = 0$ in (5), so ist N zu einem Untermodul von M/M' isomorph. Daher folgt $d(N) \leqslant d(M/M') < d(M)$, also $N = 0$ nach der Definition in (a). Bei (6) betrachtet man ein N mit $N + M' = M$. Dann ist $M/N \simeq (M' + N)/N$ zu $M'/(M' \cap N)$ isomorph, also folgt $d(M/N) \leqslant d(M') < d(M)$, mithin $M = N$ nach der Definition in (b).

8.12 Ist $0 \to M' \to M \to M'' \to 0$ eine exakte Sequenz endlich erzeugbarer $\mathfrak{s}$-Moduln, so gilt

(1) *M', M'' homogen und* $d(M') = d(M'') \Rightarrow$ *M homogen*

(2) *M', M'' kohomogen und* $d(M') = d(M'') \Rightarrow$ *M kohomogen*.

Aus $d(M') = d(M'')$ folgt nach 8.6 zunächst $d(M) = d(M') = d(M'')$. Im Fall (1) gilt für einen Untermodul N ungleich 0 von M entweder $N \cap M' \neq 0$, also $d(N) \geqslant d(N \cap M') = d(M') = d(M)$, oder $N \cap M' = 0$, und dann ist N zu einem Untermodul ungleich 0 von M'' isomorph, so daß man ebenfalls $d(N) = d(M'') = d(M)$ schließen kann. Analog argumentiert man im Fall (2).

Lemma. *Es sei M ein endlich erzeugbarer* $\mathfrak{s}$*-Modul.*

a) *Es ist M genau dann homogen, wenn es eine Kette* $M = M_1 \supset M_2 \supset \ldots \supset M_s \supset M_{s+1} = 0$ *von Untermoduln gibt, so daß jedes* M_i/M_{i+1} *für* $1 \leqslant i \leqslant s$ *kritisch mit* $d(M_i/M_{i+1}) = d(M)$ *ist.*

b) *Hat M endliche Länge, so ist M genau dann kohomogen, wenn es eine Kette* $M = M_1 \supset M_2 \supset \ldots \supset M_s \supset M_{s+1} = 0$ *von Untermoduln gibt, so daß jedes* M_i/M_{i+1} *für* $1 \leqslant i \leqslant s$ *kokritisch mit* $d(M_i/M_{i+1}) = d(M)$ *ist.*

Beweis. Gibt es Ketten wie angegeben, so folgt aus (1) bzw. (2) sofort durch Induktion über s, daß M homogen bzw. kohomogen.

Um die anderen Richtungen zu zeigen, nehmen wir zunächst an, daß M homogen ist. Wir wollen durch Induktion über $e(M)$ vorgehen. (Dabei benutzen wir, daß $e(M)$ nach der Bemerkung 1 zu 8.1 eine natürliche Zahl ist; hat M endliche Länge, so kann man dies vermeiden.) Es sei M_2 maximal unter den Untermoduln von M mit $e(M_2)<e(M)$. Für jeden Untermodul M' von M mit $M_2 \subsetneqq M' \subset M$ gilt nun $e(M')=e(M)$, also

$$d((M/M_2)/(M'/M_2)) = d(M/M') < d(M) = d(M/M_2).$$

Daher ist M/M_2 kritisch mit $d(M/M_2)=d(M)$. Ist $M_2=0$, so sind wir fertig. Sonst gilt $d(M_2)=d(M)$, und M_2 ist als Untermodul von M wieder homogen. Wegen $e(M_2)<e(M)$ können wir auf M_2 die Induktionsannahme anwenden und erhalten dann die Behauptung für M.

Nehmen wir schließlich an, daß M kohomogen ist und endliche Länge hat. Nun wählen wir einen Untermodul M' von M, der minimal für $d(M')=d(M)$ ist. Offensichtlich ist M' nun kokritisch. Als homomorphes Bild von M ist M/M' kohomogen, und für $M \neq M'$ gilt noch $d(M)=d(M/M')$. Wegen $e(M/M')<e(M)$ können wir die Induktion über $e(M)$ auf M/M' anwenden. Aus der Behauptung für M/M' folgt sie nun für M.

8.13 Für endlich erzeugbare $\mathfrak{s}$-Moduln M, N und einen endlich dimensionalen $\mathfrak{s}$-Modul E gilt

(1) *M homogen und* $d(N)<d(M) \Rightarrow \mathrm{Hom}_{\mathfrak{s}}(N\otimes E, M)=0=\mathrm{Hom}_{\mathfrak{s}}(N, M\otimes E)$,

(2) *M kohomogen und* $d(N)<d(M) \Rightarrow \mathrm{Hom}_{\mathfrak{s}}(M, N\otimes E)=0=\mathrm{Hom}_{\mathfrak{s}}(M\otimes E, N)$.

Dabei folgt jeweils die erste Gleichung aus 8.11(3), (4) und aus $d(N)=d(N\otimes E)$, also aus 8.8. Die zweite Gleichung erhält man aus dem kanonischen Isomorphismus

$$\mathrm{Hom}_{\mathfrak{s}}(N\otimes E, M) \simeq \mathrm{Hom}_{\mathfrak{s}}(N, M\otimes E^*).$$

Man kann hier aber auch das folgende Lemma anwenden:

Lemma. *Für einen endlich erzeugbaren $\mathfrak{s}$-Modul M und einen endlich dimensionalen $\mathfrak{s}$-Modul E gilt:*
a) *M homogen* $\Leftrightarrow$ *$M\otimes E$ homogen,*
b) *M kohomogen* $\Leftrightarrow$ *$M\otimes E$ kohomogen.*

Beweis. Nach 8.8 ist $d(M\otimes E)=d(M)$.

a) Es sei zunächst M homogen. Für jeden Untermodul $N\neq 0$ von $M\otimes E$ müssen wir $d(N)\geqslant d(M)$ zeigen. Der Inklusion $i: N\to M\otimes E$ entspricht ein Homomorphismus $\psi\neq 0$ von $\mathfrak{s}$-Moduln, $\psi: N\otimes E^*\to M$. Weil M homogen und Bild ψ ein Untermodul ungleich 0 von M ist, folgt

$$d(M)=d(\mathrm{Bild}\,\psi)\leqslant d(N\otimes E^*)=d(N).$$

Es sei umgekehrt $M \otimes E$ homogen. Für jeden Untermodul $N \neq 0$ von M ist $N \otimes E$ ein Untermodul ungleich 0 von $M \otimes E$, also gilt

$$d(N) = d(N \otimes E) = d(M \otimes E) = d(M).$$

b) Der Beweis in diesem Fall verläuft analog.

8.14 In diesem und im folgenden Abschnitt schreiben wir kurz $\operatorname{Ann} M$ statt $\operatorname{Ann}_{U(\mathfrak{s})} M$.

Lemma. *Es sei M ein endlich erzeugbarer $\mathfrak{s}$-Modul.*

a) *Ist M kritisch, so ist* $\operatorname{Ann} M$ *ein Primideal von* $U(\mathfrak{s})$, *und für alle Untermoduln $M' \neq 0$ von M gilt* $\operatorname{Ann} M' = \operatorname{Ann} M$.

b) *Ist M kokritisch, so ist* $\operatorname{Ann} M$ *ein Primideal von* $U(\mathfrak{s})$, *und für alle Untermoduln $M' \neq M$ von M gilt* $\operatorname{Ann}(M/M') = \operatorname{Ann} M$.

Beweis. a) Es seien $M' \neq 0$ ein Untermodul von M und $P_1, P_2, \ldots, P_r$ Primideale von $U(\mathfrak{s})$ mit $\sqrt{\operatorname{Ann} M'} = P_1 \cap P_2 \cap \ldots \cap P_r$ (vgl. 1.12). Da es nun ein $n \in \mathbf{N}$ mit $(P_1 P_2 \ldots P_r)^n \subset \operatorname{Ann} M'$ gibt, können wir ein i mit

$$\{m \in M' \mid P_i m = 0\} \neq 0$$

finden. Diese Menge ist nun ein Untermodul von M', den wir mit M'' bezeichnen wollen. Da M kritisch ist, gilt $d(M/M'') < d(M)$.

Die lineare Abbildung $\phi\colon U(\mathfrak{s}) \otimes M \to M$ mit $\phi(u \otimes m) = um$ für alle $u \in U(\mathfrak{s})$ und $m \in M$ ist ein Homomorphismus von $\mathfrak{s}$-Moduln, wenn man $U(\mathfrak{s})$ mit der adjungierten Darstellung versieht. Wegen $\phi(P_i \otimes M'') = 0$ induziert ϕ für alle $n \in \mathbf{N}$ einen Homomorphismus von $\mathfrak{s}$-Moduln

$$\phi_n\colon (U_n(\mathfrak{s}) \cap P_i) \otimes (M/M'') \to M$$

mit $\phi_n(u \otimes (m + M'')) = um$ für alle $u \in U_n(\mathfrak{s}) \cap P_i$ und $m \in M$. Aus 8.13 (1) folgt nun $\phi_n = 0$ für alle $n \in \mathbf{N}$, weil M insbesondere homogen ist. Dies bedeutet $U_n(\mathfrak{s}) \cap P_i \subset \operatorname{Ann} M$ für alle $n \in \mathbf{N}$, also auch $P_i = \bigcup_{n \geqslant 0} (U_n(\mathfrak{s}) \cap P_i) \subset \operatorname{Ann} M$. Da nach Konstruktion $\operatorname{Ann} M \subset \operatorname{Ann} M' \subset P_i$ gilt, folgt $\operatorname{Ann} M = \operatorname{Ann} M' = P_i$ und damit die Behauptung.

b) Der Beweis verläuft analog: Man zerlegt $\sqrt{\operatorname{Ann}(M/M')} = P_1 \cap P_2 \cap \ldots \cap P_r$ und findet ein i mit $P_i(M/M') \subsetneqq M/M'$, also auch $P_i M \subsetneqq M$ und damit $d(P_i M) < d(M)$. Für alle $n \in \mathbf{N}$ hat man nun Homomorphismen $\phi_n\colon (U_n(\mathfrak{s}) \cap P_i) \otimes M \to P_i M$, die nach 8.13 (2) alle gleich 0 sind. Nun folgt wieder $P_i M = 0$, mithin $P_i \subset \operatorname{Ann} M \subset \operatorname{Ann} M/M' \subset P_i$, also die Behauptung.

8.15 Es sei M ein endlich erzeugbarer $\mathfrak{s}$-Modul ungleich 0. Jeder Untermodul $\neq M$ von M ist in einem maximalen Untermodul von M enthalten. Daher gilt:

(1) *M kohomogen $\Leftrightarrow$ $d(M) = d(L)$ für jedes einfache homomorphe Bild L von M.*

Da $M/(M_1 \cap M_2)$ für zwei verschiedene maximale Untermoduln M_1, M_2 von M zu $(M/M_1) \oplus (M/M_2)$ isomorph ist, folgt aus 8.11 (2):

(2) *M kokritisch* $\Leftrightarrow$ $M/\mathrm{rad}\, M$ *einfach und* $d(\mathrm{rad}\, M) < d(M)$.

$U(\mathfrak{s})$.

Lemma 8.14 impliziert nun

(3) *M kokritisch* $\Leftrightarrow$ $\mathrm{Ann}\, M = \mathrm{Ann}(M/\mathrm{rad}\, M)$ *ist ein primitives Ideal von*

Nun habe M sogar endliche Länge. Dann umfaßt jeder Untermodul $\neq 0$ von M einen einfachen Untermodul. Mit Argumenten dual zu denjenigen oben erhält man nun:

(4) *M homogen* $\Leftrightarrow$ $d(M) = d(L)$ *für jeden einfachen Untermodul L von M.*

(5) *M kritisch* $\Leftrightarrow$ $\mathrm{soc}\, M$ *einfach und* $d(M/\mathrm{soc}\, M) < d(M)$.

(6) *M kritisch* $\Leftrightarrow$ $\mathrm{Ann}\, M = \mathrm{Ann}(\mathrm{soc}\, M)$ *ist ein primitives Ideal von* $U(\mathfrak{s})$.

Lemma. *Es sei M ein homogener oder kohomogener $\mathfrak{s}$-Modul endlicher Länge. Dann ist $\sqrt{\mathrm{Ann}\, M}$ der Durchschnitt der* $\mathrm{Ann}\, L$, *wobei L die Kompositionsfaktoren von M mit $d(L) = d(M)$ durchläuft.*

Beweis. Man wähle eine Kette $M = M_1 \supset M_2 \supset \ldots \supset M_s \supset M_{s+1} = 0$ von Untermoduln wie in Lemma 8.12.a oder b. Nach 1.12 gilt $\sqrt{\mathrm{Ann}\, M} = \bigcap_{i=1}^{s} \sqrt{\mathrm{Ann}\, M_i/M_{i+1}}$. Nach (3) oder (6) ist $\sqrt{\mathrm{Ann}\, M_i/M_{i+1}} = \mathrm{Ann}\, M_i/M_{i+1}$ der Annullator des einzigen Kompositionsfaktors L von M_i/M_{i+1} mit $d(L) = d(M_i/M_{i+1}) = d(M)$. Daher ist die Behauptung klar.

Bemerkungen. 1) Für ein M wie im Lemma ist nun klar, daß die Zahl s in 8.12 gleich der Anzahl der Kompositionsfaktoren L von M (gezählt mit ihren Multiplizitäten) mit $d(L) = d(M)$ ist.

2) Es sei M ein endlich erzeugbarer $\mathfrak{s}$-Modul, der homogen ist, aber nicht unbedingt endliche Länge hat. Auch in diesem Fall kann man eine Kette $M = M_1 \supset M_2 \supset \ldots \supset M_s \supset M_{s+1} = 0$ wie in 8.12 bilden. Wie im Beweis des Lemmas sieht man

$$\sqrt{\mathrm{Ann}\, M} = \bigcap_{i=1}^{s} \sqrt{\mathrm{Ann}\, M_i/M_{i+1}} = \bigcap_{i=1}^{s} \mathrm{Ann}\, M_i/M_{i+1}.$$

Die Primkomponenten von $\sqrt{\mathrm{Ann}\, M}$ haben also alle die Gestalt $\mathrm{Ann}\, L$, wobei L ein kritischer $\mathfrak{s}$-Modul mit $d(L) = d(M)$ ist.

8.16 Wir wollen für $\mathfrak{s}$ nun unsere zerfallende, halbeinfache Lie-Algebra $\mathfrak{g}$ nehmen. Für zwei $\mathfrak{g}$-Moduln M und N hatten wir in 6.8.b den $(U(\mathfrak{g}), U(\mathfrak{g}))$-Bimodul $\mathscr{L}(M, N)$ definiert. Aus 6.8 (3) und 8.13 (1), (2) folgt nun, wenn M und N endlich erzeugbar sind:

(1) *M homogen und* $d(N) < d(M) \Rightarrow \mathscr{L}(N, M) = 0$,

(2) *M kohomogen und* $d(N) < d(M) \Rightarrow \mathscr{L}(M, N) = 0$.

Ist N' ein Untermodul von N, so erhält man wegen der Linksexaktheit von $\mathscr{L}$ exakte Sequenzen

$$0 \to \mathscr{L}(M, N') \to \mathscr{L}(M, N) \to \mathscr{L}(M, N/N')$$

und

$$0 \to \mathscr{L}(N/N', M) \to \mathscr{L}(N, M) \to \mathscr{L}(N', M).$$

Aus (1) und (2) erhalten wir nun eine Reihe von Aussagen, bei denen wir $\subset$ oder $=$ schreiben, wenn die natürlichen Abbildungen injektiv bzw. bijektiv sind.

(3) *M homogen und* $d(N') < d(M) \Rightarrow \mathscr{L}(N/N', M) = \mathscr{L}(N, M)$,

(4) *N' kohomogen und* $d(M) < d(N') \Rightarrow \mathscr{L}(N/N', M) = \mathscr{L}(N, M)$,

(5) *N/N' homogen und* $d(M) < d(N/N') \Rightarrow \mathscr{L}(M, N') = \mathscr{L}(M, N)$,

(6) *M kohomogen und* $d(N/N') < d(M) \Rightarrow \mathscr{L}(M, N') = \mathscr{L}(M, N)$,

(7) *M homogen und* $d(N/N') < d(M) \Rightarrow \mathscr{L}(N, M) \subset \mathscr{L}(N', M)$,

(8) *N/N' kohomogen und* $d(M) < d(N/N') \Rightarrow \mathscr{L}(N, M) \subset \mathscr{L}(N', M)$,

(9) *N' homogen und* $d(M) < d(N') \Rightarrow \mathscr{L}(M, N) \subset \mathscr{L}(M, N/N')$,

(10) *M kohomogen und* $d(N') < d(M) \Rightarrow \mathscr{L}(M, N) \subset \mathscr{L}(M, N/N')$.

Zwei wichtige Spezialfälle halten wir eigens fest:

Lemma. *Es seien M ein endlich erzeugbarer* $\mathfrak{g}$*-Modul und N ein Untermodul von M. Dann gilt*

a) *M kritisch und* $N \neq 0 \Rightarrow \mathscr{L}(M, M) \subset \mathscr{L}(N, M)$,

b) *M kokritisch und* $N \neq M \Rightarrow \mathscr{L}(M, M) \subset \mathscr{L}(M, M/N)$,

c) *M kritisch und von endlicher Länge* $\Rightarrow \mathscr{L}(M, M) \subset \mathscr{L}(\operatorname{soc} M, \operatorname{soc} M)$,

d) *M kokritisch* $\Rightarrow \mathscr{L}(M, M) \subset \mathscr{L}(M/\operatorname{rad} M, M/\operatorname{rad} M)$.

Beweis. Die Aussagen unter a) und b) sind Spezialfälle von (7) und (10), die unter c) und d) folgen aus a) und (6) bzw. b) und (3) sowie aus 8.15 (5) bzw. 8.15 (2).

Bemerkung. Mit Hilfe der Einbettung von $U(\mathfrak{g})/\operatorname{Ann} M$ in $\mathscr{L}(M, M)$ erhält man auch aus dem Lemma einen Beweis von Lemma 8.14.

8.17 Satz. *Es seien M und N zwei* $\mathfrak{g}$*-Moduln.*
a) *Sind M und N einfach mit* $d(N) \neq d(M)$, *so gilt* $\mathscr{L}(N, M) = 0$.

b) *Sind M und N einfach mit $d(N)=d(M)$, so gilt für jeden einfachen endlich dimensionalen $\mathfrak{g}$-Modul E*

$$[\mathscr{L}(M, N): E]_{\mathfrak{k}} \leqslant \frac{e(N)}{e(M)} (\dim E).$$

c) *Haben M und N endliche Länge als $\mathfrak{g}$-Moduln, so auch $\mathscr{L}(M, N)$ als $(U(\mathfrak{g}), U(\mathfrak{g}))$-Bimodul.*

Beweis. a) Dies ist nach 8.16 (1), (2) klar, weil M und N beide sowohl homogen als auch kohomogen sind.

b) Es sei $(\phi_i)_{i\in I}$ eine Basis von $\mathrm{Hom}_{\mathfrak{g}}(M, N\otimes E^*)$; nach 6.8 (3) gilt also $\# I=[\mathscr{L}(M, N): E]_{\mathfrak{k}}$. Nun ist die Summe N' der $\phi_i(M)$ in $N\otimes E^*$ direkt. Da alle diese Untermoduln zu M isomorph sind, gilt

$$d(N')=d(M)=d(N)=d(N\otimes E^*)$$

und

$$e(N')=(\# I)\, e(M)\leqslant e(N\otimes E^*)=e(N)\cdot \dim E.$$

Daraus folgt die Behauptung.

c) Nach [DIX], 2.6.9 und 6.8 (4) können wir annehmen, daß k algebraisch abgeschlossen ist. Da $\mathscr{L}$ in beiden Argumenten linksexakt ist, brauchen wir nur einfache M und N zu betrachten. Nach a) können wir uns außerdem auf den Fall $d(M)=d(N)$ beschränken. Nach b) gehört $\mathscr{L}(M, N)$ nun zur Kategorie $\mathscr{H}^{em}$. Weil k algebraisch abgeschlossen ist, operiert $Z(\mathfrak{g})$ auf M und N durch Charaktere; daraus folgt

$$\dim Z(\mathfrak{g})\otimes Z(\mathfrak{g})/\mathrm{Ann}_{Z(\mathfrak{g})\otimes Z(\mathfrak{g})}\, \mathscr{L}(M, N)=1.$$

Nach Satz 6.30 hat $\mathscr{L}(M, N)$ nun endliche Länge.

8.18 Corollar. *Ist M ein $\mathfrak{g}$-Modul endlicher Länge, so ist der Ring $\mathscr{L}(M, M)$ noethersch.*

Beweis. Nach 8.17.c hat $\mathscr{L}(M, M)$ als Bimodul endliche Länge, ist also nach 6.10.b sowohl als Links- als auch als Rechtsmodul über $U(\mathfrak{g})$ endlich erzeugbar und somit noethersch. Dann ist $\mathscr{L}(M, M)$ erst recht als Ring noethersch.

Anhang

8A.1 Im Abschnitt 4 von [Gel'fand/Kirillov 2] wird jeder Algebra A ober k eine „Dimension“ $d(A)$ zugeordnet, die danach Gel'fand-Kirillov-Dimension von A genannt wird. Für jeden endlich dimensionalen Teilraum V von

A mit $1 \in V$ und alle $n \in \mathbf{N}$ sei V^n der von allen $x_1 x_2 \ldots x_n$ mit $x_i \in V$ erzeugte Teilraum von A; dann setzt man $d(A)$ gleich dem Supremum über alle solchen V von

$$\limsup_{n \to \infty} \frac{\log \dim V^n}{\log n}.$$

Wird A von V als Algebra erzeugt, so wird oben das Supremum angenommen (vgl. [Borho/Kraft 1], 1.6/7). Gel'fand und Kirillov benutzen diesen Begriff, um für $n \neq m$ zu zeigen, daß $\mathbf{A}_n$ und $\mathbf{A}_m$ nicht isomorph sind, und beweisen dazu die Formel

$$d(\mathbf{A}_n) = 2n.$$

Für einen A-Modul M kann man nun ebenfalls eine Gel'fand-Kirillov-Dimension $d_A(M)$ definieren. Ist M endlich erzeugbar, so nimmt man einen endlich dimensionalen Teilraum N von M mit $M = AN$ und bildet das Supremum über alle V wie oben von

$$\limsup_{n \to \infty} \frac{\log \dim V^n N}{\log n}.$$

Dieses Supremum ist unabhängig von N, also ist dadurch $d_A(M)$ wohl definiert. Für beliebige M setzt man $d_A(M)$ gleich dem Supremum der $d_A(M')$ über alle endlich erzeugbaren Untermoduln M' von M. Für Moduln trat diese Dimension zuerst in [Bernštein] für spezielle A als Dimension einer assoziierten Varietät auf (vgl. 17.10 (1)). Für beliebige Algebren findet sich die Definition spätestens in [Joseph 8], 6.4.

Die Gel'fand-Kirillov-Dimension von Algebren wurde dann in einer unveröffentlichten Vorlesungsausarbeitung von Joseph und in [Borho/Kraft 1] eingehend untersucht.

Für die Moduln finden sich einige allgemeine Eigenschaften bei [Joseph/Small] und ein Überblick in [Tauvel].

8A.2 Wir betrachten hier die Gel'fand-Kirillov-Dimension nur in besonders schönen Fällen. Bei ihnen ist die Funktion $n \mapsto \dim V^n N$ von 8A.1 oder eine Verallgemeinerung davon für große n durch ein Polynom oder doch zumindest ein Polynom auf Restklassen gegeben. Der Grad des Polynoms ist dann $d_A(M)$, der Koeffizient von n^d mit $d = d_A(M)$ in dem Polynom ist eine weitere Invariante des Moduls, seine Multiplizität geteilt durch $d!$.

Der klassische Fall einer solchen Situation ist das Hilbert-Polynom eines graduierten Moduls über einem Polynomring (vgl. [Hartshorne], I.7.5). Auf eine nichtkommutative Algebra A läßt sich dies anwenden, wenn man wie in [Bernštein] eine Filtrierung von A hat, so daß gr$A$ eine kommutative, endlich erzeugbare Algebra ist. Dies ist nun insbesondere für eine Einhüllende $U(\mathfrak{g})$ einer Lie-Algebra $\mathfrak{g}$ der Fall. In [Joseph 11], 2.1/2 und [Vogan 1], vor 2.1 finden sich entsprechende Definitionen. Bei Vogan wird die Multiplizität jedoch Bernstein-Grad genannt.

Daß es bei der Untersuchung graduierter Moduln über nilpotenten Lie-Algebren auch zu Situationen kommt, bei denen Polynome auf Restklassen und nicht mehr Polynome auftreten, war nach [MHG], 3.12–3.15 klar. Die dazu nötige Verallgemeinerung des Hilbert-Polynoms findet sich in [Joseph 18], 3.7 (i) und wird hier in 8.1 wiedergegeben.

8A.3 Das Lemma in 8.2 ist im Grunde in [Bernštein], Lemma 1.2 enthalten; explizit findet es sich in [Vogan 1], 2.1. Zu Lemma 8.4 vergleiche man [Joseph 18], Lemma 3.7 (ii). Lemma 8.5 folgt einer entsprechenden Aussage über Algebren in [Borho/Kraft 1], 5.5, während die Bemerkung dem Lemma 4.3 in [Borho/Kraft 1] entspricht.

Die Aussage über $d_A(M)$ in 8.6 ist schon in [Bernštein] enthalten, die über die Multiplizitäten in [Joseph 11], 2.2 und [Vogan 1], 2.4. Für beliebige Algebren A und endlich erzeugbare Moduln M über A kann es Untermoduln N von M mit $d_A(M) > \max(d_A(N), d_A(M/N))$ geben, wie in [Bergman] gezeigt wird (vgl. [Borho 7], 1.4).

Daher läßt sich auch 8.7 (2) nicht auf beliebige Algebren verallgemeinern. Dagegen gelten 8.7 (1) und (3)–(6) stets (vgl. [Joseph/Small], 2.1 und [Borho 7], 1.5). Dabei ist insbesondere der Beweis von 8.7 (6) komplizierter, weil nicht mit $e(M)$ argumentiert werden kann; statt dessen folgt man [Borho/Kraft 1], 3.4.

Zu 8.8/9 vergleiche man [Vogan 1], 2.2/3.

8A.4 Mit der Terminologie „homogen" und „kritisch" folgen wir Konventionen, die sich zuerst bei der Krull-Dimension von Gabriel und Rentschler eingebürgert haben (vgl. [Borho 7], 3.1). In den Arbeiten von Joseph wird glatt („smooth") für homogen (so auch in [Joseph/Small]) und quasi-einfach („quasi-simple") für kritisch gesagt. Eine Kette wie in Lemma 8.12.a heißt bei ihm Quasi-Kompositionsreihe; ihre Existenz in homogenen Moduln wird in [Joseph 17], 2.3 erwähnt.

Lemma 8.13.a wird in [Joseph 17], 2.4 bewiesen. In 8.14/16 folgen wir [Joseph 14], 6.1/2, in 8.17 dagegen [Joseph 20], 2.3/4.

8A.5 In Verallgemeinerung von Lemma 8.14.a gilt für einen kritischen $(\mathfrak{g}\times\mathfrak{g})$-Modul X in $\mathcal{H}^{ee}$: Es sind $\operatorname{LAnn} X$ und $\operatorname{RAnn} X$ Primideale in $U(\mathfrak{g})$. Für jeden Unterbimodul $X' \neq 0$ von X gilt $\operatorname{LAnn} X' = \operatorname{LAnn} X$ und $\operatorname{RAnn} X' = \operatorname{RAnn} X$. Man kann dazu den Beweis von 8.14.a direkt übertragen. Im jeweils ersten Fall ersetzt man $\operatorname{Ann} M'$ durch $\operatorname{LAnn} X'$ und dann $U(\mathfrak{s})$ durch $U(\mathfrak{g})^l$ mit der Notation von 6.2 (4), wobei $U(\mathfrak{g})$ wieder mit der adjungierten Operation von $\mathfrak{g}$ versehen wird.

8A.6 Auch die Krull-Dimension Kdim von Gabriel und Rentschler spielt eine Rolle in der Theorie der einhüllenden Algebren. Sie ist jedoch im allgemeinen viel schwerer zu berechnen als die Gel'fand-Kirillov-Dimension. So weiß man im allgemeinen nur $\operatorname{Kdim} U(\mathfrak{g}) \geqslant \dim \mathfrak{b}^+$ und vermutet hier Gleichheit (vgl. [Joseph 22], Leçon 3), die jedoch bisher nur bewiesen wurde ([Levasseur]), wenn $\mathfrak{g}$ ein Produkt von Kopien von $\mathfrak{sl}_2$ ist. Für $\mathfrak{g} = \mathfrak{sl}_2$ war dies von S. P. Smith und A. Joseph (unabhängig voneinander) gezeigt worden. Für primitive Ideale I von $U(\mathfrak{g})$ erwartet man $\operatorname{Kdim} U(\mathfrak{g})/I = d(U(\mathfrak{g})/I)/2$.

Die Krull-Dimension und allgemeinere Dimensionsbegriffe werden auch in [Borho 7] und [Borho 8] betrachtet.

Kapitel 9. Die Multiplizität von Moduln in der Kategorie $\mathcal{O}$

Wir betrachten in diesem Kapitel Moduln für unsere halbeinfache zerfallende Lie-Algebra $\mathfrak{g}$, die zur Kategorie $\mathcal{O}$ gehören. Für solche Moduln fallen Gel'fand-Kirillov-Dimension als $\mathfrak{g}$-Moduln und als $\mathfrak{n}^-$-Moduln zusammen; dasselbe gilt für die Multiplizität.

Sind $\Lambda \in \mathfrak{h}^*/P(R)$ und $w \in W_\Lambda$, so ist die Funktion $\lambda \mapsto d(L(w\cdot\lambda))$ konstant auf Λ^{++}, während die Funktion $\lambda \mapsto e(L(w\cdot\lambda))$ auf Λ^{++} durch Einschränkung eines Polynoms gegeben ist. Man kann $\mathfrak{n}^-$ graduieren und wie in 8.4 für jedes M in $\mathcal{O}$ eine modifizierte Multiplizität $\tilde{e}(M)$ definieren. Wieder ist $\lambda \mapsto \tilde{e}(L(w\cdot\lambda))$ die Einschränkung eines Polynoms auf Λ^{++}; dieses kann man aus den Charakterformeln für die $L(w\cdot\lambda)$ berechnen.

9.1 Jeder $\mathfrak{g}$-Modul M, der zur Kategorie $\mathcal{O}$ gehört, ist nach der Definition in 4.3 endlich erzeugbar über $U(\mathfrak{g})$. Ist M_0 ein endlich dimensionaler Teilraum von M mit $M = U(\mathfrak{g})M_0$, so ist $M_0' = U(\mathfrak{b}^+)M_0$ nach 4.3 (a), (b) endlich dimensional. Wegen $M = U(\mathfrak{g})M_0'$ und $\mathfrak{b}^+ M_0' \subset M_0'$ folgt aus 8.10 (1) nun

(1) $\qquad d_{\mathfrak{n}^-}(M) = d_{\mathfrak{g}}(M) \quad \text{und} \quad e_{\mathfrak{n}^-}(M) = e_{\mathfrak{g}}(M).$

Für jedes $\lambda \in \mathfrak{h}^*$ ist $M(\lambda)$ als $\mathfrak{n}^-$-Modul zu $U(\mathfrak{n}^-)$ isomorph, also gilt nach (1) und 8.3

(2) $\qquad d_{\mathfrak{g}}(M(\lambda)) = \dim \mathfrak{n}^- = \# R^+ \quad \text{und} \quad e_{\mathfrak{g}}(M(\lambda)) = 1.$

Nun hat $M(\lambda)$ endliche Länge, und der Sockel von $M(\lambda)$ hat nach 4.13 die Gestalt $M(\mu)$ für ein $\mu \in \mathfrak{h}^*$. Es ist also $\operatorname{soc} M(\lambda)$ einfach mit $e(\operatorname{soc} M(\lambda)) = e(M(\lambda))$; nach 8.15 (5) gilt daher:

(3) $\qquad$ *Jedes $M(\lambda)$ ist kritisch.*

Jedes M in $\mathcal{O}$ hat endliche Länge; aus 8.7 (2) folgt also

(4) $\qquad d(M) = \max\{d(L(\lambda)) \mid \lambda \in \mathfrak{h}^*, [M : L(\lambda)] \neq 0\}$

und

(5) $\qquad e(M) = \sum_{\lambda \in \mathfrak{h}^*} [M : L(\lambda)]\, e_{d(M)}(L(\lambda)).$

Da M und $'M$ dieselben Kompositionsfaktoren mit denselben Multiplizitäten haben, folgt

(6) $\quad d('M)=d(M)$ und $e('M)=e(M)$.

Offensichtlich ist M genau dann homogen, wenn $'M$ kohomogen ist.

9.2 Sind M ein homogener (oder kohomogener) Modul in $\mathcal{O}$ und E ein endlich dimensionaler $\mathfrak{g}$-Modul, so ist jeder direkte Summand N von $M\otimes E$ nach 8.13 und 8.11 homogen (bzw. kohomogen) mit $d(N)=d(M)$.

Es seien $\Lambda\in\mathfrak{h}^*/P(R)$ und $\lambda,\mu\in\Lambda^+$. Für einen homogenen (bzw. kohomogenen) Modul in $\mathcal{O}_\lambda$ ist nun entweder $T_\lambda^\mu M$ auch homogen (bzw. kohomogen) mit $d(T_\lambda^\mu M)=d(M)$, oder es ist $T_\lambda^\mu M=0$. Damit ist nach 4.12(3) klar:

(1) *Für* $\lambda\in\Lambda^{++},\mu\in\Lambda^+$ *und* $w\in W_\Lambda$ *mit* $B_\mu^0\subset\tau_\Lambda(w)$ *gilt* $d(L(w\cdot\mu))=d(L(w\cdot\lambda))$.

Es seien nun $\alpha,\beta\in B_\Lambda$ mit $\langle\alpha,\beta^\vee\rangle=-1=\langle\beta,\alpha^\vee\rangle$. Für ein $w\in W_\Lambda$ mit $\{\alpha,\beta\}\cap\tau_\Lambda(w)=\emptyset$ und alle $\lambda\in\Lambda^{++}$ kann man zeigen:

(2) $\quad d(L(ws_\alpha\cdot\lambda))=d(L(ws_\alpha s_\beta\cdot\lambda))$.

Dies gilt, weil es nach 4.15(7), (8) Elemente $\mu,\mu'\in\Lambda^+$ mit

$$[T_{\mu'}^\lambda T_\lambda^{\mu'} L(ws_\alpha s_\beta\cdot\lambda): L(ws_\alpha\cdot\lambda)]=1=[T_\mu^\lambda T_\lambda^\mu L(ws_\alpha\cdot\lambda): L(ws_\alpha s_\beta\cdot\lambda)]$$

gibt. (Ist hier R_Λ vom Typ A_{n-1}, so gilt nun $d(L(w\cdot\lambda))=d(L(w'\cdot\lambda))$ für alle $w,w'\in W_\Lambda$ mit $w\underset{R}{\sim}w'$ in den Notationen von 5.22, also mit $B(w)=B(w')$ in den Notationen von 5.24.)

9.3 In 4.5 hatten wir $\mathscr{C}(\mathcal{O})=\sum_{\lambda\in\mathfrak{h}^*}\mathbf{Z}\operatorname{ch}L(\lambda)$ eingeführt. Für jedes $\chi\in\mathscr{C}(\mathcal{O})$ mit $\chi\neq0$ sei nun $d(\chi)$ das Maximum aller $d(L(\lambda))$ mit $\lambda\in\mathfrak{h}^*$ und $[\chi: L(\lambda)]\neq0$; wir setzen $d(0)=-\infty$. Für alle M in $\mathcal{O}$ gilt also $d(\operatorname{ch}M)=d(M)$.

Offensichtlich ist $d(\chi_1+\chi_2)\leqslant\max(d(\chi_1),d(\chi_2))$ für alle $\chi_1,\chi_2\in\mathscr{C}(\mathcal{O})$. Setzen wir für ein $d\in\mathbf{N}$ nun

(1) $\quad \mathscr{C}_d(\mathcal{O})=\{\chi\in\mathscr{C}(\mathcal{O})\mid d(\chi)\leqslant d\}$,

so ist dies eine Untergruppe von $\mathscr{C}(\mathcal{O})$; sie wird von den $\operatorname{ch}L(\lambda)$ mit $\lambda\in\mathfrak{h}^*$ und $d(L(\lambda))\leqslant d$ als Basis erzeugt. Für ein M in $\mathcal{O}$ gehört $\operatorname{ch}M$ genau dann zu $\mathscr{C}_d(\mathcal{O})$, wenn $d(M)\leqslant d$ ist.

Für jedes $\chi\in\mathscr{C}_d(\mathcal{O})$ definieren wir nun $e_d(\chi)\in\mathbf{Z}$ durch

(2) $\quad e_d(\chi)=\sum_\lambda[\chi: L(\lambda)]\,e_d(L(\lambda))$,

wobei über die $\lambda \in \mathfrak{h}^*$ mit $d(L(\lambda)) \leqslant d$ summiert wird. Ist M aus $\mathcal{O}$ mit $d(M) \leqslant d$, so gilt $e_d(\operatorname{ch} M) = e_d(M)$ nach 9.1(5). Offensichtlich ist die Abbildung $e_d: \mathscr{C}_d(\mathcal{O}) \to \mathbf{Z}$ ein Homomorphismus abelscher Gruppen.

Ist E ein endlich dimensionaler $\mathfrak{g}$-Modul, so ist $\mathscr{C}_d(\mathcal{O})$ nach 8.8 unter der Multiplikation mit $\operatorname{ch} E$ abgeschlossen. Außerdem folgt danach

(3) $$e_d(\chi \operatorname{ch} E) = e_d(\chi)(\dim E) \quad \text{für alle } \chi \in \mathscr{C}_d(\mathcal{O}).$$

9.4 Es seien $\Lambda \in \mathfrak{h}^*/P(R)$ und $w \in W_\Lambda$. Wir setzen $d = d_w$ gleich dem gemeinsamen Wert aller $d(L(w \cdot \lambda))$ mit $\lambda \in \Lambda^{++}$. In 4.14 haben wir für jedes $\mu \in \Lambda$ ein $\chi_w(\mu) \in \mathscr{C}(\mathcal{O})$ konstruiert. Nach 4.14(6) gibt es zu einem μ ein $\lambda \in \Lambda^{++}$, so daß $\chi_w(\mu)$ eine Linearkombination der $\operatorname{ch}(L(w \cdot \lambda) \otimes E)_\mu$ ist, wobei E die endlich dimensionalen $\mathfrak{g}$-Moduln durchläuft. Wegen $d((L(w \cdot \lambda) \otimes E)_\mu) \leqslant d(L(w \cdot \lambda) \otimes E) = d$ muß $d(\chi_w(\mu)) \leqslant d$ sein, also

(1) $$\chi_w(\mu) \in \mathscr{C}_d(\mathcal{O}) \quad \text{für alle } \mu \in \Lambda.$$

Insbesondere ist $e_d(\chi_w(\mu))$ für alle $\mu \in \Lambda$ erklärt. Setzt man

$$\operatorname{sym}(\nu) = \sum_{\nu' \in W\nu} e(\nu')$$

für alle $\nu \in P(R)$, so erzeugen die $\operatorname{sym}(\nu)$ mit $\nu \in P(R)^{++}$ denselben $\mathbf{Z}$-Modul wie die $\operatorname{ch} E$, wenn E die endlich dimensionalen $\mathfrak{g}$-Moduln durchläuft. Für alle $\nu \in P(R)$ folgt daher aus 4.14(3)

$$\chi_w(\mu) \operatorname{sym}(\nu) = \sum_{\nu' \in W\nu} \chi_w(\mu + \nu')$$

und aus 9.3(3)

$$e_d(\chi_w(\mu) \operatorname{sym}(\nu)) = \#(W\nu)\, e_d(\chi_w(\mu)),$$

insgesamt also

(2) $$\sum_{w' \in W} e_d(\chi_w(\mu + w'\nu)) = (\# W)\, e_d(\chi_w(\mu)).$$

Daher gehört die Abbildung $\mu \mapsto e_d(\chi_w(\mu))$ zu dem $\mathbf{Q}$-Vektorraum $\mathscr{F}_h(\Lambda)$ aller Funktionen $f: \Lambda \to \mathbf{Q}$ mit

$$\sum_{w \in W} f(\mu + w\nu) = (\# W) f(\mu) \quad \text{für alle } \mu \in \Lambda,\ \nu \in P(R).$$

Wählt man $\lambda \in \Lambda$ fest und ordnet man jedem $f \in \mathscr{F}_h(\Lambda)$ die Funktion $f_1: P(R) \to \mathbf{Q}$ mit $f_1(\mu) = f(\lambda + \mu)$ für alle $\mu \in P(R)$ zu, so erhält man eine $\mathbf{Q}$-lineare Bijektion $\mathscr{F}_h(\Lambda) \to \mathscr{F}_h(P(R))$. Daher kennt man alle $\mathscr{F}_h(\Lambda)$, wenn man $\mathscr{F}_h(P(R))$ beschreiben kann.

9.5 Es sei $\mathbf{Z}[P(R)]$ die von allen $e(\lambda)$ mit $\lambda \in P(R)$ erzeugte Untergruppe von $\mathbf{Z}[\mathfrak{h}^*]$. Durch $w(e(\lambda))=e(w\lambda)$ operiert W auf $\mathbf{Z}[P(R)]$; mit $\mathbf{Z}[P(R)]^W$ werde die Untergruppe der W-Invarianten in $\mathbf{Z}[P(R)]$ bezeichnet. Sie wird von den $\mathrm{sym}(\nu)$ mit $\nu \in P(R)$ aufgespannt.

Es gibt genau einen Homomorphismus $\varepsilon\colon \mathbf{Z}[P(R)] \to \mathbf{Z}$ von Ringen mit $\varepsilon(e(\lambda))=1$ für alle $\lambda \in P(R)$. Es sei A ein kommutativer Ring; wir fassen A als $\mathbf{Z}[P(R)]$-Modul auf, indem wir ein $\chi \in \mathbf{Z}[P(R)]$ als Multiplikation mit $\varepsilon(\chi)$ operieren lassen.

Wir betrachten die abelsche Gruppe $\mathscr{F}_h(P(R), A)$ aller Abbildungen $f\colon P(R) \to A$, die

$$(1) \qquad \sum_{\nu' \in W\nu} f(\lambda+\nu') = (\# W\nu) f(\lambda)$$

für alle $\lambda, \nu \in P(R)$ erfüllen. Wir identifizieren Abbildungen $f\colon P(R) \to A$ mit Homomorphismen von $\mathbf{Z}$-Moduln $f\colon \mathbf{Z}[P(R)] \to A$, indem wir $f(e(\lambda))=f(\lambda)$ setzen. Dann ist (1) zu $f(\mathrm{sym}(\nu)e(\lambda)) = (\# W\nu) f(e(\lambda)) = \varepsilon(\mathrm{sym}(\nu)) f(e(\lambda))$ für alle $\lambda, \nu \in P(R)$ äquivalent, also auch zu

$$(2) \qquad f(\chi\psi)=\varepsilon(\chi) f(\psi) \quad \textit{für alle } \chi \in \mathbf{Z}[P(R)]^W,\ \psi \in \mathbf{Z}[P(R)].$$

Wir können somit $\mathscr{F}_h(P(R), A)$ mit der Gruppe aller Homomorphismen von $\mathbf{Z}[P(R)]$ nach A als $\mathbf{Z}[P(R)]^W$-Moduln identifizieren.

Nun gilt der Satz von Pittie ([Pittie], vgl. auch [Steinberg 2] oder [Jantzen 3], Satz 1):

(3) *Als Modul über* $\mathbf{Z}[P(R)]^W$ *ist* $\mathbf{Z}[P(R)]$ *frei vom Rang* $\# W$.

Daraus folgt sofort

(4) *Als A-Modul ist* $\mathscr{F}_h(P(R), A)$ *frei vom Rang* $\# W$.

Die Überlegungen am Ende von 9.4 zeigen jetzt:

Lemma. *Für alle $\Lambda \in \mathfrak{h}^*/P(R)$ hat der $\mathbf{Q}$-Vektorraum $\mathscr{F}_h(\Lambda)$ die Dimension $\# W$.*

9.6 Jedes Element der symmetrischen Algebra $S(\mathfrak{h})$ läßt sich auch als polynomiale Funktion auf $\mathfrak{h}^*$ auffassen; durch Einschränken erhält man dann eine Abbildung von $P(R)$ nach k. Wir wollen nun ein $h \in \mathfrak{h}$ mit $\alpha(h) \in \mathbf{Q}$ und $\alpha(h) \neq 0$ für alle $\alpha \in R$ wählen. Jedes h^m mit $m \in \mathbf{N}$ nimmt dann als Funktion auf $P(R)$ rationale Werte an; außerdem gilt $w_1(h) \neq w_2(h)$ für alle $w_1, w_2 \in W$ mit $w_1 \neq w_2$.

Wir bezeichnen die Menge aller Abbildungen $a\colon W \to \mathbf{Q}$ mit $\mathscr{F}(W)$ und ordnen jedem $a \in \mathscr{F}(W)$ Elemente

$$g_{a,m} = \sum_{w \in W} a(w)(w^{-1}h)^m \in S^m(\mathfrak{h})$$

(für alle $m \in \mathbf{N}$) zu. Als Funktion auf $\mathfrak{h}^*$ gilt also

$$g_{a,m}(\lambda) = \sum_{w \in W} a(w)(w(\lambda)(h))^m.$$

Offensichtlich nimmt $g_{a,m}$ auf $P(R)$ rationale Werte an.

Lemma. *Es seien $a \in \mathscr{F}(W)$ und $m \in \mathbf{N}$ mit $g_{a,m} \neq 0$, aber $g_{a,m'} = 0$ für alle $m' \in \mathbf{N}$ mit $m' < m$. Dann gilt*

$$g_{a,m\,|\,P(R)} \in \mathscr{F}_h(P(R)).$$

Beweis. Für alle λ und ν aus $\mathfrak{h}^*$ gilt:

$$\begin{aligned}
\sum_{w \in W} g_{a,m}(\lambda + w\nu) &= \sum_{w' \in W} \sum_{w \in W} a(w')(w'(\lambda)(h) + w'w(\nu)(h))^m \\
&= \sum_{w' \in W} \sum_{w \in W} a(w')(w'(\lambda)(h) + w(\nu)(h))^m \\
&= \sum_{j=0}^{m} \sum_{w \in W} \sum_{w' \in W} \binom{m}{j} (w(\nu)(h))^{m-j} a(w')(w'(\lambda)(h))^j \\
&= \sum_{j=0}^{m} \sum_{w \in W} \binom{m}{j} (w(\nu)(h))^{m-j} g_{a,j}(\lambda) = (\# W) g_{a,m}(\lambda).
\end{aligned}$$

9.7 Für alle $m \in \mathbf{N}$ setzen wir

$$\mathscr{F}(W)_m = \{a \in \mathscr{F}(W) \mid g_{a,j} = 0 \quad \text{für } j < m\}.$$

Nun ist $\mathscr{F}(W)$ in natürlicher Weise eine Vektorraum über $\mathbf{Q}$, und die Abbildungen $a \mapsto g_{a,i}$ sind $\mathbf{Q}$-linear; daher ist jedes $\mathscr{F}(W)_m$ ein $\mathbf{Q}$-Unterraum von $\mathscr{F}(W)$. Außerdem ist $\mathscr{F}(W)_{m+1}$ der Kern der Abbildung $a \mapsto g_{a,m}$, eingeschränkt auf $\mathscr{F}(W)_m$; also erhalten wir daraus eine injektive $\mathbf{Q}$-lineare Abbildung $\mathscr{F}(W)_m / \mathscr{F}(W)_{m+1} \to S^m(\mathfrak{h})$. Insgesamt haben wir nun eine Einbettung

$$\bigoplus_{m \in \mathbf{N}} \mathscr{F}(W)_m / \mathscr{F}(W)_{m+1} \to \bigoplus_{m \in \mathbf{N}} S^m(\mathfrak{h}) = S(\mathfrak{h}).$$

Aus Gründen der Zariski-Topologie ist die Abbildung $f \mapsto f_{|P(R)}$ auf $S(\mathfrak{h})$ injektiv. Daher ist nach Lemma 9.6 klar, daß die $a \mapsto g_{a,m\,|\,P(R)}$ eine injektive, $\mathbf{Q}$-lineare Abbildung

(1) $$\bigoplus_{m \in \mathbf{N}} \mathscr{F}(W)_m / \mathscr{F}(W)_{m+1} \to \mathscr{F}_h(P(R))$$

induzieren.

Wir behaupten nun, daß es zu jedem $a \in \mathscr{F}(W)$ mit $a \neq 0$ ein $m \in \mathbf{N}$ mit $a \in \mathscr{F}(W)_m$, aber $a \notin \mathscr{F}(W)_{m+1}$ gibt. Sonst wäre $g_{a,n} = 0$, also

(2) $$\sum_{w \in W} a(w)(\lambda(w^{-1}h))^n = 0$$

für alle $\lambda \in \mathfrak{h}^*$ und $n \in \mathbf{N}$. Nach Wahl von h gilt $w_1^{-1}(h) \neq w_2^{-1}(h)$ für alle $w_1, w_2 \in W$ mit $w_1 \neq w_2$; man kann nun ein $\lambda \in \mathfrak{h}^*$ mit $\lambda(w_1^{-1}(h)) \neq \lambda(w_2^{-1}(h))$ für alle solchen w_1, w_2 finden. Dann ist die Vandermondesche Determinante der $\lambda(w^{-1}h)^n$ mit $w \in W$ und $0 \leqslant n < \# W$ ungleich 0, im Widerspruch dazu, daß nach (2) in der zugehörigen Matrix die Zeilen linear abhängig wären. Mithin gibt es ein $n \in \mathbf{N}$ mit $g_{a,n} \neq 0$.

Daraus folgt $\bigcap_{m \in \mathbf{N}} \mathscr{F}(W)_m = 0$, also $\mathscr{F}(W)_m = 0$ für alle großen m wegen $\dim \mathscr{F}(W) = \# W < \infty$. Der $\mathbf{Q}$-Vektorraum $\bigoplus_{m \in \mathbf{N}} \mathscr{F}(W)_m / \mathscr{F}(W)_{m+1}$ hat daher die Dimension $\# W$. Nach 9.5 hat $\mathscr{F}_h(P(R))$ dieselbe Dimension, also ist die Abbildung in (1) bijektiv. Damit ist Teil a) im folgenden Satz gezeigt:

Satz. a) *Als $\mathbf{Q}$-Vektorraum hat $\mathscr{F}_h(P(R))$ eine Zerlegung in eine direkte Summe $\mathscr{F}_h(P(R)) = \bigoplus_{m \in \mathbf{N}} \mathscr{F}_h^m(P(R))$, so daß $a \mapsto g_{a,m|P(R)}$ für alle $m \in \mathbf{N}$ eine $\mathbf{Q}$-lineare Bijektion*

$$\mathscr{F}(W)_m / \mathscr{F}(W)_{m+1} \to \mathscr{F}_h^m(P(R))$$

ist.

b) *Für alle $\Lambda \in \mathfrak{h}^*/P(R)$ besteht $\mathscr{F}_h(\Lambda)$ aus Einschränkungen auf Λ von polynomialen Funktionen auf $\mathfrak{h}^*$.*

Die Behauptung unter b) ist für $\Lambda = P(R)$ nun klar und folgt für beliebige Λ aus der Überlegung am Schluß von 9.4.

9.8 Corollar. *Es seien $\Lambda \in \mathfrak{h}^*/P(R)$ und $w \in W_\Lambda$. Dann gibt es eine polynomiale Funktion f_w^Λ auf $\mathfrak{h}^*$ mit $f_w^\Lambda(\mu) = e_{d_w}(\chi_w(\mu - \rho))$ für alle $\mu \in \Lambda$.*

Dies ist nun nach 9.4 (2) klar. (Hier ist d_w wie am Anfang von 9.4 eingeführt.)

Beispiel. Es sei $\Lambda = P(R)$ und $w = 1$. Für alle $\lambda \in P(R)^{++}$ ist $L(\lambda)$ endlich dimensional mit $\dim L(\lambda) = \prod_{\alpha \in R^+} \frac{\langle \lambda + \rho, \alpha^\vee \rangle}{\langle \rho, \alpha^\vee \rangle}$. Daraus folgt $d_1 = 0$ und $e(L(\lambda)) = \dim L(\lambda)$. Fassen wir $f_1^{P(R)}$ als Element von $S(\mathfrak{h})$ auf, so gilt

$$f_1^{P(R)} = \prod_{\alpha \in R^+} \rho(h_\alpha)^{-1} h_\alpha .$$

9.9 Wir wählen ein $h \in \mathfrak{h}$ mit $\alpha(h) \in \mathbf{N} \setminus 0$ für alle $\alpha \in B$, also auch für alle $\alpha \in R^+$. Setzen wir nun $(\mathfrak{n}^-)^i = \bigoplus_{\alpha(h) = i} \mathfrak{g}^{-\alpha}$ für alle $i \in \mathbf{N}$ und $r = \max\{\alpha(h) \mid \alpha \in R^+\}$, so ist

$$\mathfrak{n}^- = (\mathfrak{n}^-)^1 \oplus (\mathfrak{n}^-)^2 \oplus \ldots \oplus (\mathfrak{n}^-)^r$$

eine graduierte Lie-Algebra.

Es sei $\Lambda \in \mathfrak{h}^*/P(R)$. Für einen Modul M ungleich 0 in $\mathscr{O}_\Lambda$ können wir ein Gewicht λ von M mit $(\lambda - \mu)(h) \in \mathbf{N}$ für alle Gewichte μ von M finden. Setzen wir nun $M^i = \bigoplus_{(\lambda - \mu)(h) = i} M^\mu$ für alle $i \in \mathbf{N}$, so wird M dadurch zu einem graduierten $\mathfrak{n}^-$-Modul relativ der oben eingeführten Graduierung von $\mathfrak{n}^-$. Wir können die Resultate von 8.1 anwenden. Es ist wie dort eine Funktion F_M erklärt, und sie ist für große n durch ein Polynom auf den Restklassen modulo $m(\mathfrak{n}^-)$ gegeben; genauer hat sie nach 8.5 für große n die Gestalt

$$F_M(n) = \frac{\tilde{e}(M)}{d!} n^d + \sum_{j=0}^{d-1} c_j(n+m(\mathfrak{n}^-)) n^j$$

mit $d=d_{\mathfrak{n}^-}(M)=d_{\mathfrak{g}}(M)$ und $\tilde{e}(M)=\tilde{e}_{\mathfrak{n}^-}(M)$. Wir benutzen im folgenden die Notationen $\tilde{e}(M)$ und $\tilde{e}_{d'}(M)$ für $d'\geqslant d(M)$ für Moduln M in $\mathcal{O}$, aufgefaßt als graduierte $\mathfrak{n}^-$-Moduln wie oben und mit $\tilde{e}(0)=0$. Die Abhängigkeit von h drücken wir in unseren Notationen nicht aus.

Wie in 9.3 folgt aus 8.6, daß es für alle $d\in\mathbf{N}$ eine $\mathbf{Z}$-lineare Abbildung $\tilde{e}_d\colon \mathscr{C}_d(\mathcal{O}_\Lambda)\to\mathbf{Q}$ mit $\tilde{e}_d(\operatorname{ch} M)=\tilde{e}_d(M)$ für alle Moduln M in $\mathcal{O}_\Lambda$ mit $d(M)\leqslant d$ gibt. Wir können und wollen hier einige genauere Aussagen machen.

9.10 Für jeden graduierten $\mathfrak{n}^-$-Modul $M=\bigoplus_{i\in\mathbf{N}} M^i$ und jedes $n\in\mathbf{N}$ sei $M[n]$ der graduierte $\mathfrak{n}^-$-Modul, der als $\mathfrak{n}^-$-Modul gleich M ist und dessen Graduierung durch $(M[n])^r=M^{r-n}$ für alle $r\in\mathbf{N}$ gegeben ist. (Wir setzen hier und auch später $M^{-i}=0$ für $i>0$.) Für jede Funktion $F\colon\mathbf{Z}\to\mathbf{Q}$ und alle $n\in\mathbf{N}$ sei $F[n]\colon\mathbf{Z}\to\mathbf{Q}$ die Funktion mit $F[n](r)=F(r-n)$ für alle $r\in\mathbf{Z}$. Für M wie eben gilt dann $F_{M[n]}=(F_M)[n]$.

Es seien nun $M\neq 0$ aus $\mathcal{O}_\Lambda$ und λ ein Gewicht von M mit $M^\lambda\subset M^0$. Jeder $\mathfrak{g}$-Untermodul von M ist direkte Summe seiner Gewichtsräume und damit auch ein graduierter $\mathfrak{n}^-$-Modul. Ein Kompositionsfaktor $L(\mu)$ von M ist als graduierter $\mathfrak{n}^-$-Modul zu $L(\mu)[(\lambda-\mu)(h)]$ isomorph. Es gilt also

$$(1)\qquad F_M=\sum_{\mu\in\Lambda}[M:L(\mu)]\,F_{L(\mu)}[(\lambda-\mu)(h)].$$

Wendet man dies insbesondere auf Moduln der Gestalt $M(\lambda)$ an, so erhält man für beliebige M

$$(2)\qquad F_M=\sum_{\mu\in\Lambda}(M:M(\mu))\,F_{M(\mu)}[(\lambda-\mu)(h)].$$

Nun ist jedes $M(\mu)$ als graduierter $\mathfrak{n}^-$-Modul zu $U(\mathfrak{n}^-)$ wie in 8.4 isomorph. Insbesondere ist $F_{M(\mu)}$ unabhängig von μ; wir bezeichnen es kurz mit F_R. Das zugehörige Polynom hat als Grad gerade $\dim\mathfrak{n}^-=\#R^+$, und nach 8.4 (1) gilt

$$(3)\qquad \tilde{e}(M(\mu))=\prod_{\alpha\in R^+}\alpha(h)^{-1}\quad\text{für alle }\mu\in\Lambda.$$

Für einen endlich dimensionalen $\mathfrak{g}$-Modul E und jedes M in $\mathcal{O}_\Lambda$ gilt

$$F_{M\otimes E}=\sum_{\nu\in P(R)}(\dim E^\nu)\,F_M[\nu(h)-m],$$

wobei m das Minimum alle $\nu(h)$ mit $\dim E^\nu \neq 0$ ist. Hieraus folgt $\tilde{e}(M \otimes E) = (\dim E)\, \tilde{e}(M)$, was man aber auch ähnlich wie in 8.8 beweisen kann. Nun lassen sich auch 9.3 (3) und 9.4 (2) auf $\tilde{e}_d$ statt e_d verallgemeinern. Wie in 9.8 folgt, daß es für alle $w \in W_\Lambda$ ein Polynom $\tilde{f}_w^\Lambda \in S(\mathfrak{h})$ mit $\tilde{f}_w^\Lambda(\lambda) = \tilde{e}_w(\chi_w(\lambda - \rho))$ für alle $\lambda \in \Lambda$ gibt.

Wir wollen genauere Aussagen über die $\tilde{f}_w^\Lambda$ machen; dazu ersetzen wir die Funktionen F_M durch Funktionen $\hat{F}_M$, die für große n durch richtige Polynome, nicht mehr durch Polynome auf Restklassen gegeben sind.

9.11 Für jedes $m \in \mathbf{N}$, $m \neq 0$ und jede Funktion $f\colon \mathbf{Z} \to \mathbf{Q}$ definieren wir eine neue Funktion $I_m f\colon \mathbf{Z} \to \mathbf{Q}$ durch

$$(I_m f)(n) = \frac{1}{m} \sum_{j=0}^{m-1} f(n+j) \quad \text{für alle } n \in \mathbf{Z}.$$

Offensichtlich ist I_m eine $\mathbf{Q}$-lineare Abbildung auf dem Raum aller Funktionen von $\mathbf{Z}$ nach $\mathbf{Q}$. Für alle $n \in \mathbf{N}$ und $f\colon \mathbf{Z} \to \mathbf{Q}$ gilt $(I_m f)[n] = I_m(f[n])$. Gilt für zwei Funktionen $f_1, f_2\colon \mathbf{Z} \to \mathbf{Q}$, daß $f_1(n) = f_2(n)$ für fast alle $n \in \mathbf{N}$ ist, so gilt auch $(I_m f_1)(n) = (I_m f_2)(n)$ für fast alle $n \in \mathbf{N}$. Wird $f\colon \mathbf{Z} \to \mathbf{Q}$ durch ein Polynom über $\mathbf{Q}$ vom Grad d gegeben, so wird auch $I_m f$ durch ein Polynom vom Grad d gegeben; dessen führender Koeffizient ist gleich dem des Polynoms zu f.

Wir betrachten nun ein Polynom auf den Restklassen modulo m; es gebe also $d \in \mathbf{N}$ und Funktionen $c_i\colon \mathbf{Z}/\mathbf{Z}m \to \mathbf{Q}$ mit

$$f(n) = \sum_{i=0}^{d} c_i(n + \mathbf{Z}m)\, n^i \quad \text{für alle } n \in \mathbf{Z}.$$

Wir behaupten nun:

(1) *Für $r > d$ wird $(I_m)^r f$ durch ein Polynom mit führendem Term $\left(\frac{1}{m} \sum_{j=0}^{m-1} c_d(j + \mathbf{Z}m)\right) n^d$ gegeben.*

Um dies einzusehen, benutzen wir Induktion über d. Offensichtlich ist

$$\begin{aligned}(I_m f)(n) &= \frac{1}{m} \sum_{j=0}^{m-1} \sum_{i=0}^{d} c_i(n+j+\mathbf{Z}m)(n+j)^i \\ &= \frac{1}{m} \sum_{j=0}^{m-1} c_d(j+\mathbf{Z}m)\, n^d + \sum_{i=0}^{d-1} c_i'(n+\mathbf{Z}m)\, n^i\end{aligned}$$

mit geeigneten Funktionen $c_i'\colon \mathbf{Z}/\mathbf{Z}m \to \mathbf{Q}$. Es gilt also $(I_m f)(n) = c n^d + f_1(n)$ mit $c = \frac{1}{m} \sum_{j=0}^{m-1} c_d(j + \mathbf{Z}m)$, wobei f_1 ein Polynom auf den Restklassen modulo m vom Grad $< d$ ist. Nach Induktionsannahme ist $(I_m)^{r-1} f_1$ ein Polynom vom Grad $< d$, nach der Überlegung oben ist $(I_m)^{r-1}(c n^d)$ für $c \neq 0$ ein Polynom vom Grad d mit führendem Term $c n^d$. Daraus folgt (1).

Für eine graduierte Lie-Algebra $\mathfrak{a}$ wie in 8.1 und einen graduierten $\mathfrak{a}$-Modul M setzen wir

(2) $$\hat{F}_M = (I_{m(\mathfrak{a})})^{\dim(\mathfrak{a})} F_M .$$

Nach 8.1 und (1) wird nun $\hat{F}_M$ für alle großen n durch ein Polynom gegeben. Genauer hat $\hat{F}_M$ die Form

(3) $$\hat{F}_M(n) = \frac{\tilde{e}(M)n^d}{d!} + \sum_{j=0}^{d-1} a_j n^j \quad \text{für fast alle } n \in \mathbf{N}$$

mit $d = d(M)$, geeigneten $a_j \in \mathbf{Q}$ und $\tilde{e}(M) = \tilde{e}_{\mathfrak{a}}(M)$.

9.12 Es sei $\Lambda \in \mathfrak{h}^*/P(R)$. Wir wenden die Konstruktion von 9.11 auf die in 9.9 eingeführten Funktionen F_M für M in $\mathcal{O}_\Lambda$ an. Da jedes I_m mit den Abbildungen $f \mapsto f[n]$ kommutiert und $\mathbf{Q}$-linear ist, folgt aus 9.10(2)

(1) $$\hat{F}_M = \sum_{\mu \in \Lambda} (M: M(\mu)) \hat{F}_R[(\lambda - \mu)(h)],$$

wobei wir $\hat{F}_R = \hat{F}_{M(\mu)}$ für alle $\mu \in \Lambda$ setzen. Nach 9.11(1) wird $\hat{F}_R$ für große n durch ein Polynom gegeben; es gibt also $c_0, c_1, \ldots, c_r \in \mathbf{Q}$ mit $r = \# R^+$, so daß für fast alle $n \in \mathbf{N}$ gilt

(2) $$\hat{F}_R(n) = \sum_{i=0}^{r} c_i n^i ;$$

dabei ist $c_r = \tilde{e}(U(\mathfrak{n}^-))(r!)^{-1}$. Aus (1) folgt nun für fast alle $n \in \mathbf{N}$

$$\begin{aligned}\hat{F}_M(n) &= \sum_{\mu \in \Lambda} \sum_{i=0}^{r} (M: M(\mu)) c_i (n - (\lambda - \mu)(h))^i \\ &= \sum_{i=0}^{r} \sum_{j=0}^{i} c_i \binom{i}{j} (n - (\lambda + \rho)(h))^{i-j} \sum_{\mu \in \Lambda} (M: M(\mu))((\mu + \rho)(h))^j .\end{aligned}$$

Für $M \neq 0$ muß es ein j mit $0 \leqslant j \leqslant r$ und

$$\sum_{\mu \in \Lambda} (M: M(\mu))((\mu + \rho)(h))^j \neq 0$$

geben; es sei m minimal unter den j mit dieser Eigenschaft. Dann ist der führende Term im Polynom zu F_M gleich

$$c_r \binom{r}{m} n^{r-m} \sum_{\mu \in \Lambda} (M: M(\mu))((\mu + \rho)(h))^j .$$

Daraus folgt $d(M)=r-m$, also

(3) $$d(M)=\#R^+-\min\{j\in\mathbf{N}\mid \sum_{\mu\in\Lambda}(M:M(\mu))((\mu+\rho)(h))^j\neq 0\}$$

und

(4) $$\tilde{e}(M)=\frac{\tilde{e}(U(\mathfrak{n}^-))}{(\#R^+-d(M))!}\sum_{\mu\in\Lambda}(M:M(\mu))((\mu+\rho)(h))^{\#R^+-d(M)}$$

Wir wollen für M nun einfache Moduln in $\mathcal{O}_\Lambda$ nehmen. Mit den $a_\Lambda(w,w')$ aus 4.14 gilt für alle $\lambda\in\Lambda^+$ und $w\in W_\Lambda$ mit $B_\lambda^0\subset\tau_\Lambda(w)$:

(5) $$\sum_{\mu\in\Lambda}(L(w\cdot\lambda):M(\mu))((\mu+\rho)(h))^j=\sum_{w'\in W_\Lambda}a_\Lambda(w,w')(w'(\lambda+\rho)(h))^j$$

für alle $j\in\mathbf{N}$. Betrachten wir die Funktion $a: W\to\mathbf{Q}$ mit $a(w')=a_\Lambda(w,w')$ für $w'\in W_\Lambda$ und $a(w')=0$ für $w'\notin W_\Lambda$, so ist die Summe in (5) gleich $g_{a,j}(\lambda+\rho)$ in den Notationen von 9.6. Für alle λ wie oben gilt also $d(L(w\cdot\lambda))=\#R^+-m$ mit $m=\min\{j\in\mathbf{N}\mid g_{a,j}(\lambda+\rho)\neq 0\}$. Da $d(L(w\cdot\lambda))$ unabhängig von λ ist, muß dies auch für m gelten. Offensichtlich ist $g_{a,m}\neq 0$, und für $0\leqslant j<m$ gilt $g_{a,j}(\Lambda^{++}+\rho)=0$, mithin $g_{a,j}=0$, da $\Lambda^{++}+\rho$ Zariski-dicht (nach Übergang zu einem algebraischen Abschluß) in $\mathfrak{h}^*$ liegt. Damit haben wir bewiesen:

Satz. *Es seien $\Lambda\in\mathfrak{h}^*/P(R)$ und $w\in W_\Lambda$. Für alle $w'\in W_\Lambda$ werde $a_\Lambda(w,w')$ wie oben definiert, und es sei $m\in\mathbf{N}$ minimal mit $\sum_{w'\in W_\Lambda}a_\Lambda(w,w')(w'^{-1}h)^m\neq 0$. Dann gilt für alle $\lambda\in\Lambda^+$ mit $B_\lambda^0\subset\tau_\Lambda(w)$:*

$$d(L(w\cdot\lambda))=\#R^+-m$$

und

$$\tilde{e}(L(w\cdot\lambda))=\frac{\tilde{e}(U(\mathfrak{n}^-))}{m!}\sum_{w'\in W_\Lambda}a_\Lambda(w,w')(w'(\lambda+\rho)(h))^m.$$

Bemerkung. Für alle $\lambda\in P(R)^{++}$ gilt auch $\tilde{e}(L(\lambda))=\dim L(\lambda)$ ähnlich wie in der Bemerkung zu Corollar 9.8. Vergleicht man mit der Formel im Satz und setzt $\tilde{e}(U(\mathfrak{n}^-))$ aus 9.9(3) ein, so erhält man

$$\frac{1}{(\#R^+)!}\sum_{w\in W}\det(w)(w^{-1}h)^{\#R^+}=\prod_{\alpha\in R^+}(\alpha(h)\rho(h_\alpha)^{-1}h_\alpha).$$

9.13 Es sei $\Lambda\in\mathfrak{h}^*/P(R)$. In den Notationen von 9.10 und Satz 9.12 gilt

(1) $$\tilde{f}_w^\Lambda=\frac{1}{m!}\sum_{w'\in W_\Lambda}a_\Lambda(w,w')(w'^{-1}h)^m\in S^m(\mathfrak{h})$$

für alle $w\in W_\Lambda$, weil das Polynom rechts auf Λ^{++} mit $\tilde{f}_w^\Lambda$ übereinstimmt.

Wendet man Lemma 9.6 auf W_Λ statt W an, so folgt für alle $\mu \in \Lambda$ und $\nu \in P(R)$

(2) $$\sum_{w' \in W_\Lambda} \tilde{f}^\Lambda_w(\mu + w'\nu) = (\# W_\Lambda)\tilde{f}^\Lambda_w(\mu).$$

Wir wollen später (in 14.7) zeigen, daß die Polynome $\tilde{f}^\Lambda_w$ und f^Λ_w (aus 9.8) proportional sind. Zunächst zeigen wir, daß sie denselben Grad haben:

Satz. *Für alle $\Lambda \in \mathfrak{h}^*/P(R)$ und $w \in W_\Lambda$ ist der Grad von f^Λ_w gleich $\# R^+ - d_w$ mit $d_w = d(L(w \cdot \lambda))$ für alle $\lambda \in \Lambda^{++}$.*

Beweis. Nach Lemma 8.4 gibt es $a, b \in \mathbf{Q}$, $a, b > 0$ mit

$$0 < a\tilde{f}^\Lambda_w(\lambda+\rho) \leqslant f^\Lambda_w(\lambda+\rho) \leqslant b\tilde{f}^\Lambda_w(\lambda+\rho) \quad \text{für alle } \lambda \in \Lambda^{++}.$$

Es sei $m = \# R^+ - d_w$; dies ist nach 9.12 der Grad von $\tilde{f}^\Lambda_w$. Für alle $\lambda \in \Lambda^{++}$ und $\nu \in P(R)^{++}$ ist daher $\tilde{f}^\Lambda_w(\lambda+\rho+t\nu)$ ein Polynom in einer Veränderlichen t mit führendem Term $\tilde{f}^\Lambda_w(\nu)t^m$. Da $P(R)^{++}$ Zariski-dicht (nach Übergang zu einem algebraischen Abschluß) in $\mathfrak{h}^*$ ist, kann man ein $\nu \in P(R)^{++}$ mit $\tilde{f}^\Lambda_w(\nu) \neq 0$ finden. Für alle $n \in \mathbf{N}$ gilt nun

$$0 < a\tilde{f}^\Lambda_w(\lambda+\rho+n\nu) \leqslant f^\Lambda_w(\lambda+\rho+n\nu);$$

dabei ist der mittlere Ausdruck ein Polynom vom Grad m in n. Daraus folgt $\operatorname{grad} f^\Lambda_w \geqslant m$.

Die Ungleichung $\operatorname{grad} f^\Lambda_w \leqslant m$ erhält man mit einem ähnlichen Argument aus $f^\Lambda_w(\lambda+\rho) \leqslant b\tilde{f}^\Lambda_w(\lambda+\rho)$, indem man ein $\nu \in P(R)^{++}$ wählt, so daß der homogene Anteil maximalen Grades von f^Λ_w an der Stelle ν nicht verschwindet.

9.14 Lemma. *Es seien $\Lambda \in \mathfrak{h}^*/P(R)$ und $w \in W_\Lambda$.*

a) *Für $S = B_\Lambda \setminus \tau_\Lambda(w)$ gilt:*

$$\prod_{\alpha \in R_\Lambda \cap \mathbf{N}S} h_\alpha \textit{ teilt } f^\Lambda_w \textit{ und } \tilde{f}^\Lambda_w \textit{ in } S(\mathfrak{h}).$$

b) *Für alle $\alpha \in \tau_\Lambda(w)$ teilt h_α weder f^Λ_w noch $\tilde{f}^\Lambda_w$.*

Beweis. Wir setzen $d = d(L(w \cdot \lambda))$ für alle $\lambda \in \Lambda^{++}$. Nach Definition gilt

$$f^\Lambda_w(\mu) = e_d(\chi_w(\mu-\rho)) \text{ und } \tilde{f}^\Lambda_w(\mu) = \tilde{e}_d(\chi_w(\mu-\rho))$$

für alle $\mu \in \Lambda$. Für ein $\alpha \in \tau_\Lambda(w)$ wählen wir ein $\lambda \in \Lambda^+$ mit $B^0_\lambda = \{\alpha\}$, insbesondere $h_\alpha(\lambda+\rho) = 0$. Nach 4.14 (2) ist $\chi_w(\lambda) = \operatorname{ch} L(w \cdot \lambda)$, also $f^\Lambda_w(\lambda+\rho) \neq 0 \neq \tilde{f}^\Lambda_w(\lambda+\rho)$. Daher kann h_α kein Teiler von f^Λ_w oder $\tilde{f}^\Lambda_w$ sein. Damit ist b) gezeigt.

Für jedes $w' \in W_S$ gilt $\chi_w(w' \cdot \mu) = \det(w')\chi_w(\mu)$ für alle $\mu \in \Lambda$ nach 4.14 (8), weil W_S von den s_β mit $\beta \in S$ erzeugt wird. Für alle $\alpha \in R_\Lambda \cap \mathbf{N}S$ ist $s_\alpha \in W_S$; daraus folgt $\chi_w(s_\alpha \cdot \mu) = -\chi_w(\mu)$ für alle $\mu \in \Lambda$, also $\chi_w(\mu) = 0$ für alle $\mu \in \Lambda$ mit $h_\alpha(\mu+\rho) = 0$. Für diese μ gilt nun erst recht $f^\Lambda_w(\mu+\rho) = \tilde{f}^\Lambda_w(\mu+\rho) = 0$. Da die

$\mu \in \Lambda$ mit $h_\alpha(\mu)=0$ Zariski-dicht in Kern(h_α) liegen (nach Übergang zu einem algebraischen Abschluß, vgl. [MHG], 2.12), muß h_α die Polynome f_w^Λ und $\tilde{f}_w^\Lambda$ teilen. Da die h_α für verschiedene $\alpha \in R_\Lambda \cap \mathbf{N}S$ nicht proportionale, irreduzible Polynome in $S(\mathfrak{h})$ sind, folgt die Behauptung in a).

9.15 Lemma. *Es seien* $\Lambda \in \mathfrak{h}^*/P(R)$ *und* $S \subset B_\Lambda$.

a) *Für alle* $\lambda \in \Lambda^{++}$ *gilt* $d(L(w_\Lambda w_S \cdot \lambda)) = \#(R^+ \setminus (R_\Lambda \cap \mathbf{N}S))$.

b) *Die Polynome* $f_{w_\Lambda w_S}^\Lambda$ *und* $\tilde{f}_{w_\Lambda w_S}^\Lambda$ *sind beide skalare Vielfache von* $\prod_{\alpha \in R_\Lambda \cap \mathbf{N}S} h_\alpha$.

Beweis. Wir setzen $m = \#(R_\Lambda \cap \mathbf{N}S)$. Wegen $\tau_\Lambda(w_\Lambda w_S) = B_\Lambda \setminus S$ werden $f_{w_\Lambda w_S}^\Lambda$ und $\tilde{f}_{w_\Lambda w_S}^\Lambda$ nach 9.14 von dem in b) genannten Produkt geteilt; nach 9.13 gilt also $d(L(w_\Lambda w_S \cdot \lambda)) \leqslant \# R^+ - m$ für alle $\lambda \in \Lambda^{++}$.

Zeigen wir nun, daß $f = \sum_{w' \in W_\Lambda} a_\Lambda(w_\Lambda w_S, w')(w'^{-1} h)^m \neq 0$ ist, so folgt aus Satz 9.12 zunächst die Behauptung über die Gel'fand-Kirillov-Dimension in a). Nach 9.12 und 9.13 haben dann außerdem $f_{w_\Lambda w_S}^\Lambda$ und $\tilde{f}_{w_\Lambda w_S}^\Lambda$ den Grad m, müssen also proportional zu ihren Teilern dieses Grades sein.

Wir müssen also $f \neq 0$ zeigen. Nun gilt $a_\Lambda(w_\Lambda w_S, w_\Lambda w_S w') = \det(w')$ für alle $w' \in W_S$, während alle anderen $a_\Lambda(w_\Lambda w_S, w_\Lambda w_S w')$ gleich 0 sind. Für alle $\lambda \in \mathfrak{h}^*$ folgt also

$$f(\lambda) = \sum_{w' \in W_S} \det(w')((w_\Lambda w_S w')(\lambda)(h))^m .$$

Wir können nun $\lambda = \lambda_1 + \lambda_2$ mit $\lambda_1 \in \sum_{\alpha \in S} k\alpha$ und $\lambda_2 \in \sum_{\alpha \in S} \mathrm{Kern}(h_\alpha)$ zerlegen; für alle $w' \in W_S$ gilt dann $w'(\lambda_2) = \lambda_2$, also

$$\begin{aligned} f(\lambda) &= \sum_{w' \in W_S} \det(w')((w_\Lambda w_S w')(\lambda_1)(h) + w_\Lambda(\lambda_2)(h))^m \\ &= \sum_{j=0}^{m} \binom{m}{j} (w_\Lambda(\lambda_2)(h))^j \sum_{w' \in W_S} \det(w')((w_\Lambda w_S w')^{-1} h)^{m-j}(\lambda_1). \end{aligned}$$

Nach Satz 9.12 und dem, was wir schon über die Gel'fand-Kirillov-Dimension wissen, verschwindet oben die Summe für $j > 0$. Somit folgt

$$f(\lambda) = \sum_{w' \in W_S} \det(w')(w'(\lambda_1)(w_S w_\Lambda(h)))^m .$$

Nun spielt die Einschränkung von $w_S w_\Lambda(h)$ auf $\sum_{\alpha \in S} k\alpha$ für das Wurzelsystem $R_\Lambda \cap \mathbf{Z}S$ eine ähnliche Rolle wie h für R. Aus der Bemerkung zu 9.12 folgt nun, daß die Einschränkung von $\sum_{w' \in W_S} \det(w')(w'^{-1} w_S w_\Lambda)(h))^m$ auf $\sum_{\alpha \in S} k\alpha$ zu $\prod_{\alpha \in R_\Lambda \cap \mathbf{N}S} h_\alpha$ proportional und ungleich 0 ist. Es gibt also ein $c \in \mathbf{Q}$, $c \neq 0$ mit

$$f(\lambda) = c \prod_{\alpha \in R_\Lambda \cap \mathbf{N}S} h_\alpha(\lambda_1) = c \prod_{\alpha \in R_\Lambda \cap \mathbf{N}S} h_\alpha(\lambda),$$

also auch $f = c \prod_{\alpha \in R_\Lambda \cap \mathbf{N}S} h_\alpha$. Insbesondere ist $f \neq 0$, was zu zeigen war.

Anhang

9A.1 Die Formel 9.2 (1) wurde zunächst als Folgerung aus 10.10.a und 10.9 erhalten, doch ist klar, daß man mit dem Beweis von 10.10.a auch 9.2 (1) direkt erhält. Man vergleiche auch [MHG], 3.4 sowie [MHG], 3.8 zu 9.2 (2); analog zur letzten Formel kann man mit Hilfe von 4A.4 zeigen ([MHG], 3.8): Erzeugen $\alpha, \beta \in B_\Lambda$ ein Teilsystem vom Typ B_2, so gilt für alle $w \in W_\Lambda$ mit $\{\alpha, \beta\} \cap \tau_\Lambda(w) = \emptyset$ und alle $\lambda \in \Lambda^{++}$:

$$d(L(w s_\alpha \cdot \lambda)) = d(L(w s_\alpha s_\beta \cdot \lambda)) = d(L(w s_\alpha s_\beta s_\alpha \cdot \lambda)).$$

9A.2 Daß sich die Multiplizität $e(M)$ durch ein Polynom beschreiben läßt, wenn M eine geeignete Familie von Moduln durchläuft, wurde zuerst in [Vogan 1] für Harish-Chandra-Moduln (im allgemeinen Sinn wie in 6A.1) bewiesen. Zur Verallgemeinerung seiner Resultate auf die Kategorie $\mathcal{O}$ vergleiche man auch [Duflo 4], II. Hier folgen wir in 9.4 [Vogan 1], Lemma 4.1, während 9.7.b in [Vogan 1], Lemma 4.3 enthalten ist. Methodisch orientieren wir uns in 9.6/7 eher an [Joseph 18], 2.3.

Das Lemma 4.3 bei [Vogan 1] identifiziert genauer $\mathcal{F}_h(P(R))$ mit dem Raum der harmonischen Polynome auf $\mathfrak{h}^*$. Dabei heißt eine polynomiale Funktion $f \in S(\mathfrak{h})$ auf $\mathfrak{h}^*$ harmonisch, wenn f von jedem W-invarianten Differentialoperator D ohne konstanten Term auf $S(\mathfrak{h})$ annulliert wird: $Df = 0$. Man weiß, daß die harmonischen Polynome ein (graduiertes) Komplement zu den von $\bigoplus_{n>0} S^n(\mathfrak{h})^W$ erzeugten Ideal bilden (vgl. [Steinberg 1], 1.2.c), dessen Dimension gleich $\# W$ ist (vgl. [Bourbaki 3], ch. V, § 5, Thm. 2). Es ist einfach zu sehen, daß harmonische Polynome zu $\mathcal{F}_h(P(R))$ gehören (vgl. [Vogan 1], 4.3), also erhält man Gleichheit aus Lemma 9.5.

9A.3 Für spezielles h wurden die Graduierungen wie in 9.9 zuerst in [MHG], 3.12 betrachtet und für spezielle λ dann die Dimensionsaussage von Satz 9.12 in [MHG], 3.15 bewiesen. Der allgemeine Fall geht auf [Joseph 18] zurück, ebenso Satz 9.13. Zu 9.14 vergleiche man [Vogan 1], vor 4.8 und zu 9.15 [Joseph 10], 3.5 sowie [Duflo 4], Lemme 1.

9A.4 Zur Methode, mit Hilfe der $\mathfrak{h}$-Modulstruktur die Gel'fand-Kirillov-Dimension zu berechnen, gibt es ein Analogon in der Theorie der Harish-Chandra-Moduln für ein Paar $(\mathfrak{g}', \mathfrak{k}')$ wie in 6A.1. Für einen solchen Modul X und ein $n \in \mathbf{N}$ sei $X_{(n)}$ die Summe der Eigenräume des Casimir-Operators von $\mathfrak{k}'$ zu den Eigenwerten kleiner oder gleich n^2. Dann gibt es eine positive reelle Zahl $\tilde{e}(X)$, so daß die Funktion $n \mapsto \dim X_{(n)}$ bis auf Terme niedriger Ordnung wie $\tilde{e}(X) n^{d(X)}/d(X)!$ wächst; genauer gilt

$$\lim_{n \to \infty} n^{-d(X)} \dim X_{(n)} = \tilde{e}(X)/d(X)!$$

In [Vogan 1] 5.4/5 wird zunächst ein etwas schwächeres Ergebnis erzielt. In [Barbasch/Vogan 3], 4.8 wird dann gezeigt, daß die Abbildung $X \mapsto \tilde{e}(X)$ auf geeigneten Familien von Harish-Chandra-Moduln durch ein Polynom gegeben ist.

Kapitel 10. Gel'fand-Kirillov-Dimension von Harish-Chandra-Moduln

Wir betrachten in diesem Kapitel die Gel'fand-Kirillov-Dimension von $(U(\mathfrak{g}), U(\mathfrak{g}))$-Bimoduln X, die zur Kategorie $\mathscr{H}^{ee}$ gehören. Wir können X sowohl als $(\mathfrak{g}\times\mathfrak{g})$-Modul als auch als $\mathfrak{g}$-Modul (von links oder von rechts) auffassen; die möglichen Gel'fand-Kirillov-Dimensionen, die man nun definieren kann, sind alle gleich. Besonders wichtig sind Bimoduln der Gestalt $U(\mathfrak{g})/I$ für ein Ideal I von $U(\mathfrak{g})$. Wir vergleichen die Gel'fand-Kirillov-Dimension eines $\mathfrak{g}$-Moduls M in $\mathscr{O}$ und von $U(\mathfrak{g})/\operatorname{Ann} M$. Außerdem zeigen wir, daß einige wichtige Harish-Chandra-Moduln homogen oder kritisch sind.

10.1 Einen $(U(\mathfrak{g}), U(\mathfrak{g}))$-Bimodul X können wir nach 6.1 auch als $(\mathfrak{g}\times\mathfrak{g})$-Modul auffassen; ist er über $U(\mathfrak{g}\times\mathfrak{g})\simeq U(\mathfrak{g})\otimes U(\mathfrak{g})$ endlich erzeugbar, so sind $d_{\mathfrak{g}\times\mathfrak{g}}(X)$ und $e_{\mathfrak{g}\times\mathfrak{g}}(X)$ nach 8.3 definiert. (Dies trifft also auf alle X in $\mathscr{H}^{ee}$ zu, vgl. 6.5.) Wir können X auf zwei Weisen als $\mathfrak{g}$-Modul betrachten, und zwar indem wir ein $u\in U(\mathfrak{g})$ wie $u\otimes 1$ oder wie $1\otimes u$ operieren lassen. (Im ersten Fall erhalten wir die gegebene Struktur als $U(\mathfrak{g})$-Linksmodul, im zweiten Fall erhält man durch $u\mapsto {}^t u$ die gegebene Struktur als $U(\mathfrak{g})$-Rechtsmodul.) Ist X für eine dieser beiden Strukturen endlich erzeugbar über $U(\mathfrak{g})$, so bezeichnen wir die entsprechende Gel'fand-Kirillov-Dimension und Multiplizität mit $d_{\mathfrak{g}}^l(X)$ und $e_{\mathfrak{g}}^l(X)$ im ersten Fall, mit $d_{\mathfrak{g}}^r(X)$ und $e_{\mathfrak{g}}^r(X)$ im zweiten Fall.

Lemma. *Jeder $(U(\mathfrak{g}), U(\mathfrak{g}))$-Bimodul X in $\mathscr{H}^{ee}$ ist für beide Strukturen endlich erzeugbar als $U(\mathfrak{g})$-Modul, und es gilt*

$$d_{\mathfrak{g}\times\mathfrak{g}}(X)=d_{\mathfrak{g}}^l(X)=d_{\mathfrak{g}}^r(X) \quad \textit{sowie} \quad e_{\mathfrak{g}\times\mathfrak{g}}(X)=e_{\mathfrak{g}}^l(X)=e_{\mathfrak{g}}^r(X).$$

Beweis. Die erste Behauptung folgt aus Lemma 6.10.b. Danach gibt es auch einen endlich dimensionalen $\mathfrak{k}$-stabilen Teilraum V von X mit $X=U(\mathfrak{g}\times\mathfrak{g})V$. Wegen $\mathfrak{g}\times\mathfrak{g}=(\mathfrak{g}\times 0)\oplus\mathfrak{k}=(0\times\mathfrak{g})\oplus\mathfrak{k}$ folgt die Behauptung aus 8.10(1).

10.2 Für ein X aus $\mathscr{H}^{ee}$ schreiben wir in der Regel kurz $d(X)$ und $e(X)$ für $d_{\mathfrak{g}\times\mathfrak{g}}(X)$ und $e_{\mathfrak{g}\times\mathfrak{g}}(X)$.

Da $(a, b)\mapsto(b, a)$ ein Automorphismus von $\mathfrak{g}\times\mathfrak{g}$ ist, folgt aus 8.3(1) für alle X in $\mathscr{H}^{ee}$

(1) $\qquad d({}^sX)=d(X)$ und $e({}^sX)=e(X)$.

Lemma. *Es sei X ein Bimodul in $\mathscr{H}^{ee}$.*

a) *Für jeden $U(\mathfrak{g})$-Linksuntermodul M von X gilt $d_{\mathfrak{g}}(M)=d(M\,U(\mathfrak{g}))$.*

b) *Für jeden $U(\mathfrak{g})$-Rechtsuntermodul M von X gilt $d_{\mathfrak{g}}(M)=d(U(\mathfrak{g})\,M)$.*

Beweis. a) Nach 10.1 ist X endlich erzeugbar als $U(\mathfrak{g})$-Linksmodul; weil $U(\mathfrak{g})$ noethersch ist, gilt dies auch für M. Es sei $M_0 \subset M$ ein endlich dimensionaler Teilraum von M mit $M = U(\mathfrak{g}) M_0$. Da X ein Harish-Chandra-Modul ist, gibt es ein $m \in \mathbf{N}$ mit $U(\mathfrak{k}) M_0 = U_m(\mathfrak{k}) M_0$. Wegen $M_0 U_n(\mathfrak{g}) \subset U(\mathfrak{k}) M_0 + U(\mathfrak{g}) M_0 U_{n-1}(\mathfrak{g})$ für alle $n \in \mathbf{N}$ folgt daraus

$$M_0 U(\mathfrak{g}) \subset U(\mathfrak{g}) M_0 U_m(\mathfrak{g}).$$

Nun ist

$$M U(\mathfrak{g}) = U(\mathfrak{g}) M_0 U(\mathfrak{g}) = U(\mathfrak{g}) M_0 U_m(\mathfrak{g}) = M U_m(\mathfrak{g}),$$

es gibt also $u_1 = 1, u_2, \ldots, u_r \in U(\mathfrak{g})$ mit

$$M U(\mathfrak{g}) = M u_1 + M u_2 + \ldots + M u_r.$$

Für alle i ist die Abbildung $m \mapsto m u_i$ ein Homomorphismus $M \to M u_i$ von $U(\mathfrak{g})$-Linksmoduln. Nach 8.7(1) gilt also $d_{\mathfrak{g}}(M u_i) \leqslant d_{\mathfrak{g}}(M) = d_{\mathfrak{g}}(M u_1)$, nach 8.7(3) also $d_{\mathfrak{g}}(M U(\mathfrak{g})) = \max d_{\mathfrak{g}}(M u_i) = d_{\mathfrak{g}}(M)$. Da $d_{\mathfrak{g}}(M U(\mathfrak{g})) = d(M U(\mathfrak{g}))$ nach 10.1 ist, folgt die Behauptung.

b) Dies beweist man analog oder folgert es mit (1) aus a). Man beachte, daß wir $d_{\mathfrak{g}}(M)$ in 8.3 nur für $U(\mathfrak{g})$-Linksmoduln definiert haben, hier den Begriff aber für $U(\mathfrak{g})$-Rechtsmoduln brauchen. Man kann nun entweder die Theorie von Kapitel 8 auch für Rechtsmoduln durchführen oder aber über $u \mapsto {}^t u$ jeden Rechtsmodul als Linksmodul interpretieren. Beide Methoden führen zu demselben Ziel.

Bemerkung. Das Lemma zeigt, daß die folgenden drei Aussagen für ein X in $\mathscr{H}^{ee}$ äquivalent sind:
(i) *X ist als $(\mathfrak{g} \times \mathfrak{g})$-Modul homogen.*
(ii) *X ist als $U(\mathfrak{g})$-Linksmodul homogen.*
(iii) *X ist als $U(\mathfrak{g})$-Rechtsmodul homogen.*

10.3 Satz. *Für einen Bimodul X in $\mathscr{H}^{ee}$ gilt:*

$$d(X) = d(U(\mathfrak{g})/\mathrm{RAnn}\, X) = d(U(\mathfrak{g})/\mathrm{LAnn}\, X).$$

Beweis. Nach Satz 6.11 gibt es endlich dimensionale $(\mathfrak{g} \times \mathfrak{g})$-Moduln E_1 und E_2 mit einem surjektiven Homomorphismus $(U(\mathfrak{g})/\mathrm{RAnn}\, X) \otimes E_1 \to X$ und einem injektiven Homomorphismus $U(\mathfrak{g})/\mathrm{RAnn}\, X \to X \otimes E_2$. Wegen 8.8 und 8.7 gilt nun $d(X) \leqslant d(U(\mathfrak{g})/\mathrm{RAnn}\, X)$ und $d(U(\mathfrak{g})/\mathrm{RAnn}\, X) \leqslant d(X)$, also $d(X) = d(U(\mathfrak{g})/\mathrm{RAnn}\, X)$. Ebenso argumentiert man bei $\mathrm{LAnn}\, X$.

Bemerkung. Für X wie oben kann man noch zeigen:

(1) *Ist X homogen, so sind es auch $U(\mathfrak{g})/\mathrm{RAnn}\, X$ und $U(\mathfrak{g})/\mathrm{LAnn}\, X$.*

Im Beweis des Satzes ist nämlich $X \otimes E_2$ homogen nach Lemma 8.13, also auch $U(\mathfrak{g})/\mathrm{RAnn}\, X$ als Untermodul eines homogenen Moduls (vgl. 8.11). Für $\mathrm{LAnn}\, X$ geht man ähnlich vor.

10.4 Für $\mathfrak{g}$-Moduln M und N endlicher Länge hat nach Lemma 8.17.c auch der Bimodul $\mathscr{L}(M, N)$ endliche Länge, gehört also erst recht zu $\mathscr{H}^{ee}$. Es gibt nach 7.8 Untermoduln $M' \subset M$ und $N' \subset N$ mit $\operatorname{LAnn} \mathscr{L}(M, N) = \operatorname{Ann} N'$ und $\operatorname{RAnn} \mathscr{L}(M, N) = \operatorname{Ann}(M/M')$. Aus Satz 10.3 folgt nun

$$d(U(\mathfrak{g})/\operatorname{Ann} N') = d(U(\mathfrak{g})/\operatorname{Ann}(M/M')).$$

Corollar. a) *Für einfache* $\mathfrak{g}$*-Moduln* M *und* N *mit* $\mathscr{L}(M, N) \neq 0$ *gilt* $d(U(\mathfrak{g})/\operatorname{Ann} M) = d(U(\mathfrak{g})/\operatorname{Ann} N)$.
b) *Für alle* $\mathfrak{g}$*-Moduln* M *endlicher Länge gilt*

$$d(\mathscr{L}(M, M)) = d(U(\mathfrak{g})/\operatorname{Ann} M).$$

Beweis. a) In unserer Vorüberlegung müssen $N' = N$ und $M' = 0$ sein. Daher folgt die Behauptung aus der Formel oben.
b) Wegen $\operatorname{LAnn} \mathscr{L}(M, M) = \operatorname{Ann} M$ ist die Behauptung nach 10.3 klar.

Bemerkung. Offensichtlich kann man in diesem Abschnitt die Voraussetzung, daß M und N endliche Länge haben, durch die Annahme, daß $\mathscr{L}(M, N)$ zu $\mathscr{H}^{ee}$ gehört, ersetzen.

10.5 Die Unterräume $U_n(\mathfrak{g})$ von $U(\mathfrak{g})$ sind unter jedem $\operatorname{ad}(x)$ mit $x \in \mathfrak{g}$ stabil, also auch unter jedem $\operatorname{ad}(u)$ mit $u \in U(\mathfrak{g})$. Es sei $\operatorname{ad}_n(u)$ die Einschränkung von $\operatorname{ad}(u)$ auf $U_n(\mathfrak{g})$.

Für einen endlich dimensionalen $\mathfrak{g}$-Modul E wollen wir die Darstellung von $\mathfrak{g}$ auf dem Tensorprodukt $U_n(\mathfrak{g}) \otimes E$ mit $\phi_E: U(\mathfrak{g}) \to \operatorname{End}(U_n(\mathfrak{g}) \otimes E)$ bezeichnen.

Lemma. *Es gibt eine ganze Zahl* $r \in \mathbf{N}$, *so daß es für alle endlich dimensionalen* $\mathfrak{g}$*-Moduln* E *eine ganze Zahl* $s \in \mathbf{N}$ *mit* $\phi_E(U(\mathfrak{g})) = \phi_E(U_{rn+s}(\mathfrak{g}))$ *gibt.*

Beweis. Nach dem Satz von Poincaré, Birkhoff und Witt wird $\phi(U(\mathfrak{g}))$ für jede Darstellung ϕ als Vektorraum von den $\phi(x_1)^{q_1} \phi(x_2)^{q_2} \ldots \phi(x_m)^{q_m}$ mit $(q_1, q_2, \ldots, q_m) \in \mathbf{N}^m$ erzeugt, wenn $x_1, x_2, \ldots, x_m$ eine Basis von $\mathfrak{g}$ ist. Als Basis wählen wir nun die x_α mit $\alpha \in R$ und die h_β mit $\beta \in B$ (vgl. 2.1). Es gilt dann $\operatorname{ad}(x_\alpha)^{m+1} = 0$, also $\operatorname{ad}_n(x_\alpha)^{nm+1} = 0$ und $\phi_E(x_\alpha)^{nm+\dim E+1} = 0$ für jedes E wie oben. Man kann sich also oben auf die $\phi_E(x_\alpha)^q$ mit $q \leqslant nm + \dim E$ beschränken.

Als $\mathfrak{h}$-Moduln sind $U_n(\mathfrak{g})$ und E direkte Summe ihrer Gewichtsräume; für alle auftretenden Gewichte λ und alle $\beta \in B$ gilt $\lambda(h_\beta) \in \mathbf{Z}$. Die Gewichte von $U_n(\mathfrak{g})$ haben die Form $\lambda = \sum_{\alpha \in R} m_\alpha \alpha$ mit $m_\alpha \in \mathbf{N}$ und $\sum_{\alpha \in R} m_\alpha \leqslant n$, erfüllen also $|\lambda(h_\beta)| \leqslant \sum_{\alpha \in R} m_\alpha |\alpha(h_\beta)| \leqslant 3n$ wegen $|\alpha(h_\beta)| \leqslant 3$ für alle $\beta \in B$. Ist n_β das Maximum der $|\mu(h_\beta)|$ mit $E^\mu \neq 0$, so folgt $|\lambda(h_\beta)| \leqslant 3n + n_\beta$ für alle Gewichte λ von $U_n(\mathfrak{g}) \otimes E$. Daher gilt $\prod_i (\phi_E(h_\beta) - i) = 0$, wobei wir über alle $i \in \mathbf{Z}$ mit $-(3n + n_\beta) \leqslant i \leqslant 3n + n_\beta$ multiplizieren. Oben können wir uns also auf die $\phi_E(h_\beta)^q$ mit $q \leqslant 6n + 2n_\beta$ beschränken.

Die Behauptung folgt nun mit $r = 6\dim\mathfrak{h} + (\# R)\dim\mathfrak{g}$ und $s = (\# R)\dim E + \sum_{\beta\in B} n_\beta$.

10.6 Im folgenden Satz sei r wie in Lemma 10.5.

Satz. *Für alle endlich erzeugbaren $\mathfrak{g}$-Moduln M und N und alle Unterbimoduln X von $\mathscr{L}(M,N)$, die endlich erzeugbar über $U(\mathfrak{g})\otimes U(\mathfrak{g})$ sind, gilt $d(X) \leqslant d(M) + d(N)$ und*

$$e_{d(M)+d(N)}(X) \leqslant \binom{d(M)+d(N)}{d(M)} r^{d(M)}(r+1)^{d(N)} e(M)\, e(N).$$

Beweis. Wir wählen endlich dimensionale Teilräume $M_0 \subset M$ und $N_0 \subset N$ sowie $V \subset X$ mit $M = U(\mathfrak{g})M_0$ und $N = U(\mathfrak{g})N_0$ sowie $X = U(\mathfrak{g})\,V\,U(\mathfrak{g})$. Wir können annehmen, daß V unter $\mathfrak{k}$ stabil ist. Für alle $n\in\mathbf{N}$ gilt $U_n(\mathfrak{g})V = V U_n(\mathfrak{g})$; dieser Teilraum ist ein $\mathfrak{g}$-Modul über den Isomorphismus $j\colon \mathfrak{g} \xrightarrow{\sim} \mathfrak{k}$ aus 6.4, und zwar ist er ein homomorphes Bild von $U_n(\mathfrak{g})\otimes V$. Wenden wir 10.5 auf $E = V$ an, so erhalten wir ein $s\in\mathbf{N}$ mit

(1) $\qquad j(U(\mathfrak{g}))\phi = j(U_{rn+s}(\mathfrak{g}))\phi \quad$ für alle $n\in\mathbf{N}$ und $\phi\in U_n(\mathfrak{g})V$.

Für alle $n\in\mathbf{N}$ setzen wir $M_n = U_n(\mathfrak{g})M_0$ und $N_n = U_n(\mathfrak{g})N_0$. Wir behaupten nun für alle $n\in\mathbf{N}$:

(2) $\qquad$ Für ein $\phi\in U_n(\mathfrak{g})V$ mit $\phi(M_{rn+s}) = 0$ gilt $\phi = 0$.

Weil M die Vereinigung der $M_m = U_m(\mathfrak{g})M_0$ ist, müssen wir $\phi(U_m(\mathfrak{g})M_0) = 0$ für alle $m\in\mathbf{N}$ zeigen. Aus

$$\phi(U_m(\mathfrak{g})M_0) \subset (j(U(\mathfrak{g}))\phi)M_0 + U(\mathfrak{g})(\phi(U_{m-1}(\mathfrak{g})M_0))$$

folgt durch Induktion und dann nach (1)

$$\begin{aligned}\phi(U_m(\mathfrak{g})M_0) &\subset (j(U(\mathfrak{g}))\phi)M_0 + U(\mathfrak{g})(\phi(M_0)) = (j(U_{rn+s}(\mathfrak{g}))\phi)M_0\\ &\subset U(\mathfrak{g})(\phi(U_{rn+s}(\mathfrak{g})M_0)) = U(\mathfrak{g})(\phi(M_{rn+s})) = 0,\end{aligned}$$

also (2).

Da V und M_0 endlich dimensional sind und N die Vereinigung der N_q ist, gibt es ein $l\in\mathbf{N}$ mit $VM_0\subset N_l$. Für alle $n, m\in\mathbf{N}$ folgt daraus

$$\begin{aligned}(U_n(\mathfrak{g})V)M_m &= U_n(\mathfrak{g})\,V\,U_m(\mathfrak{g})M_0 = U_n(\mathfrak{g})\,U_m(\mathfrak{g})\,VM_0\\ &\subset U_{n+m}(\mathfrak{g})N_l \subset N_{l+n+m}.\end{aligned}$$

Nach (2) haben wir nun für alle $n\in\mathbf{N}$ eine Einbettung

$$U_n(\mathfrak{g})V \to \operatorname{Hom}(M_{rn+s}, N_{(r+1)n+s+l}),$$

es gilt also

(3) $\dim U_n(\mathfrak{g})\, V \leqslant \dim(M_{rn+s}) \dim(N_{(r+1)n+s+l})$.

Die rechte Seite wächst bis auf Terme kleinerer Ordnung als Funktion von n wie

$$\frac{e(M)\, e(N)}{d(M)!\, d(N)!} (rn+s)^{d(M)} ((r+1)n+s+l)^{d(N)},$$

also wie

$$\frac{e(M)\, e(N)}{d(M)!\, d(N)!} r^{d(M)} (r+1)^{d(N)} n^{d(M)+d(N)}.$$

Da die linke Seite wie $e(X) n^{d(X)}/d(X)!$ wächst, erhalten wir die Behauptung.

10.7 Corollar. *Für alle endlich erzeugbaren $\mathfrak{g}$-Moduln M gilt*

$$d(U(\mathfrak{g})/\operatorname{Ann} M) \leqslant 2\, d(M).$$

Da sich $U(\mathfrak{g})/\operatorname{Ann} M$ als Unterbimodul in $\mathscr{L}(M, M)$ einbetten läßt und dann von $1 + \operatorname{Ann} M$ erzeugt wird, ist dies klar.

10.8 Es sei $h \in \mathfrak{h}^*$ mit $\alpha(h) = 1$ für alle $\alpha \in B$. Wie in 9.9 können wir $\mathfrak{g}$-Moduln in $\mathcal{O}$ graduieren und dann $\tilde{e}$ relativ h definieren. Für alle $\lambda \in \mathfrak{h}^*$ und $n \in \mathbf{N}$ setzen wir insbesondere

$$L(\lambda)^n = \bigoplus_{\nu(h)=n} L(\lambda)^{\lambda-\nu} \text{ und } L(\lambda)_n = \bigoplus_{r=0}^{n} L(\lambda)^r.$$

Für einen Gewichtsraum $U(\mathfrak{n}^+)^\nu$ relativ der adjungierten Darstellung gilt $U(\mathfrak{n}^+)^\nu \subset U_{\nu(h)}(\mathfrak{n}^+)$. Außerdem ist $L(\lambda)^{\lambda-\nu}$ im $U_{\nu(h)}(\mathfrak{n}^-) L(\lambda)^\lambda = U_{\nu(h)}(\mathfrak{n}^-)\bar{v}_\lambda$ enthalten.

Lemma. *Für alle $\lambda \in \mathfrak{h}^*$ gilt $d(U(\mathfrak{g})/I(\lambda)) = 2\, d(L(\lambda))$ und*

$$\tilde{e}(L(\lambda))^2 \leqslant \binom{2\, d(L(\lambda))}{d(L(\lambda))}^{-1} 2^{2d(L(\lambda))} e(U(\mathfrak{g})/I(\lambda)).$$

Beweis. Wir zeigen zunächst:

(1) Für alle $\phi \in L(\lambda)_n^*$ gibt es ein $u \in U_n(\mathfrak{b}^+)$ mit $uv = \phi(v)\bar{v}_\lambda$ für alle $v \in L(\lambda)_n$.

Offenbar reicht es, ϕ eine Basis von $L(\lambda)_n^*$ durchlaufen zu lassen. Wir können also annehmen, daß es ein $\mu \in \mathfrak{h}^*$ mit $\mu \leqslant \lambda$ und $r = \lambda(h) - \mu(h) \leqslant n$ sowie eine Basis $v_1, v_2, \ldots, v_m$ von $L(\lambda)^\mu$ gibt, so daß $\phi(v_1) = 1$ und $\phi(v_i) = 0$ für $1 < i \leqslant m$ sowie $\phi(L(\lambda)^\nu) = 0$ für $\nu \neq \mu$ und $\nu(h) \geqslant \lambda(h) - n$ gilt. Nach dem Dichtesatz gibt es ein $u_1 \in U(\mathfrak{g})$ mit $u_1 v_1 = \bar{v}_\lambda$ und $u_1 v_i = 0$ für $1 < i \leqslant m$. Wir können ohne Beschränkung der Allgemeinheit zunächst annehmen, daß u_1 zu $U(\mathfrak{g})^{\lambda-\mu}$ gehört, wegen $\bar{v}_\lambda \notin \mathfrak{n}^- L(\lambda)$ dann auch $u_1 \in U(\mathfrak{b}^+)^{\lambda-\mu}$, da $U(\mathfrak{h})$ auf $L(\lambda)^\lambda$ durch einen Skalar operiert schließlich $u_1 \in U(\mathfrak{n}^+)^{\lambda-\mu}$. Daraus folgt einerseits $u_1 \in U_r(\mathfrak{n}^+)$, andererseits $u_1 L(\lambda)^\nu = 0$ für alle ν mit $r \geqslant (\lambda-\nu)(h)$ und $\nu \neq \mu$. Nun erfüllt

$$u = \frac{1}{(n-r)!} u_1 (h-(r+1))(h-(r+2))\dots(h-n)$$

die Behauptung unter (1).

Als nächstes behaupten wir:

(2) Für alle $\psi \in \operatorname{End}(L(\lambda)_n)$ gibt es ein $u \in U_{2n}(\mathfrak{g})$ mit $uv = \psi(v)$ für alle $v \in L(\lambda)_n$.

Es reicht offenbar, für ψ Elemente zu nehmen, die $\operatorname{End}(L(\lambda)_n)$ als Vektorraum erzeugen. Wir können also annehmen, daß es ein $v_0 \in L(\lambda)_n$ und ein $\phi \in L(\lambda)_n^*$ mit $\psi(v) = \varphi(v) v_0$ für alle $v \in L(\lambda)_n$ gibt. Nun können wir ein $u_1 \in U_n(\mathfrak{n}^-)$ mit $v_0 = u_1 \bar{v}_\lambda$ und nach (1) ein $u_2 \in U_n(\mathfrak{b}^+)$ mit $u_2 v = \phi(v)\bar{v}_\lambda$ für alle $v \in L(\lambda)_n$ finden. Dann nehmen wir $u = u_1 u_2$ in (2).

Nun wird $U(\mathfrak{g})/I(\lambda)$ als $U(\mathfrak{g}) \otimes U(\mathfrak{g})$-Modul von dem eindimensionalen Teilraum $k(1+I(\lambda))$ erzeugt. Da dieser Teilraum $\mathfrak{k}$-stabil ist, gilt $(U(\mathfrak{g})/I(\lambda))_r = (U_r(\mathfrak{g}) + I(\lambda))/I(\lambda)$ für alle $r \in \mathbf{N}$. Aus (2) folgt

(3) $$(\dim L(\lambda)_n)^2 \leqslant \dim (U(\mathfrak{g})/I(\lambda))_{2n} \text{ für alle } n \in \mathbf{N}.$$

Bis auf Terme kleinerer Ordnung wächst in (3) die linke Seite als Funktion von n wie

$$\tilde{e}(L(\lambda))^2 n^{2d(L(\lambda))}/(d(L(\lambda))!)^2,$$

die rechte wie

$$e(U(\mathfrak{g})/I(\lambda))(2n)^{d(U(\mathfrak{g})/I(\lambda))}/d(U(\mathfrak{g})/I(\lambda))!.$$

Daraus folgt zunächst $2d(L(\lambda)) \leqslant d(U(\mathfrak{g})/I(\lambda))$, nach 10.7 also $d(U(\mathfrak{g})/I(\lambda) = 2d(L(\lambda))$, und dann die Abschätzung für $\tilde{e}(L(\lambda))^2$ durch Vergleich der Koeffizienten.

10.9 Im folgenden Satz sei r wie in Lemma 10.5 und Satz 10.6, außerdem werde das Maximum der $\alpha(h)$ mit $\alpha \in R^+$ für h wie in 10.8 mit s bezeichnet.

Satz. *Für alle $\mathfrak{g}$-Moduln M in der Kategorie $\mathcal{O}$ gilt*

$$d(U(\mathfrak{g})/\operatorname{Ann} M) = d(\mathcal{L}(M,M)) = 2d(M)$$

und

$$e(\mathcal{L}(M,M)) \leqslant (4r(r+1)s)^{d(M)} l^2 e(U(\mathfrak{g})/\operatorname{Ann} M),$$

wobei l die Länge des $\mathfrak{g}$-Moduls M ist.

Beweis. Es seien $L(\lambda_1), L(\lambda_2), \ldots, L(\lambda_l)$ die Kompositionsfaktoren von M. Nach 8.7 (2) gilt

$$d(M) = \max\{d(L(\lambda_j)) \mid 1 \leq j \leq l\}.$$

Aus den Corollaren 10.4.b und 10.7 sowie aus Lemma 10.8 folgt

$$\begin{aligned}(1)\qquad d(U(\mathfrak{g})/\operatorname{Ann} M) &= d(\mathcal{L}(M, M)) \leq 2\,d(M)\\ &= 2\max\{d(L(\lambda_j)) \mid 1 \leq j \leq l\}\\ &= \max\{d(U(\mathfrak{g})/I(\lambda_j)) \mid 1 \leq j \leq l\}.\end{aligned}$$

Nun ist $\operatorname{Ann} M$ in jedem $I(\lambda_j)$ enthalten, also $U(\mathfrak{g})/I(\lambda_j)$ ein homomorphes Bild von $U(\mathfrak{g})/\operatorname{Ann} M$ als Algebra, aber auch als $(U(\mathfrak{g}), U(\mathfrak{g}))$-Bimodul. Daher gilt

$$d(U(\mathfrak{g})/I(\lambda_j)) \leq d(U(\mathfrak{g})/\operatorname{Ann} M) \quad \text{für alle } j,$$

mithin muß in (1) Gleichheit gelten. Damit ist die erste Behauptung bewiesen.

Es gibt ein j mit $d(L(\lambda_j)) = d(M)$, so daß $e(L(\lambda_j))$ mit dieser Bedingung maximal ist. Nach 8.7 (2) gilt dann $e(M) \leq l\,e(L(\lambda_j))$. Aus Satz 10.6 folgt nun

$$e(\mathcal{L}(M, M)) \leq \binom{2\,d(M)}{d(M)} (r(r+1))^{d(M)} l^2 e(L(\lambda_j))^2.$$

Nach 10.8 und 8.4 wissen wir

$$e(L(\lambda_j))^2 \leq (4s)^{d(M)} e(U(\mathfrak{g})/I(\lambda_j)) \binom{2\,d(M)}{d(M)}^{-1}.$$

Da $U(\mathfrak{g})/I(\lambda_j)$ ein homomorphes Bild von $U(\mathfrak{g})/\operatorname{Ann} M$ mit $d(U(\mathfrak{g})/I(\lambda_j)) = d(U(\mathfrak{g})/\operatorname{Ann} M)$ ist, gilt

$$e(U(\mathfrak{g})/I(\lambda_j)) \leq d(U(\mathfrak{g})/\operatorname{Ann} M).$$

Aus diesen drei Ungleichungen folgt nun die zweite Behauptung des Satzes.

10.10 Corollar. *Es seien $\Lambda \in \mathfrak{h}^*/P(R)$ und $\lambda \in \Lambda^{++}$.*

a) *Für alle $\mu \in \Lambda^+$ und $w \in W_\Lambda$ mit $B_\mu^0 \subset \tau_\Lambda(w)$ gilt*

$$d(U(\mathfrak{g})/I(w \cdot \mu)) = d(U(\mathfrak{g})/I(w \cdot \lambda))$$

b) *Für alle $w \in W_\Lambda$ gilt $d(L(w \cdot \lambda)) = d(L(w^{-1} \cdot \lambda))$.*

c) *Für alle $\alpha, \beta \in B_\Lambda$ mit $\langle \alpha, \beta^\vee \rangle = -1 = \langle \beta, \alpha^\vee \rangle$ und alle $w \in W_\Lambda$ mit $\{\alpha, \beta\} \cap \tau_\Lambda(w) = \emptyset$ gilt*

$$d(U(\mathfrak{g})/I(w s_\alpha \cdot \lambda)) = d(U(\mathfrak{g})/I(w s_\alpha s_\beta \cdot \lambda)).$$

Beweis. Die Teile a) und c) sind nach Satz 10.9 offensichtliche Folgerungen aus 9.2 (1), (2).

Nach 7.9 gilt $I(w\cdot\lambda)=\mathrm{LAnn}\,\mathscr{L}(M(\lambda), L(w\cdot\lambda))$ und $I(w^{-1}\cdot\lambda) = \mathrm{RAnn}\,\mathscr{L}(M(\lambda), L(w\cdot\lambda))$. Aus Satz 10.3 können wir nun schließen

(1) $$d(U(\mathfrak{g})/I(w\cdot\lambda))=d(U(\mathfrak{g})/I(w^{-1}\cdot\lambda))\,;$$

danach ist nun auch der Teil b) des Corollars klar.

10.11 Es sei $\Lambda\in\mathfrak{h}^*/P(R)$, so daß R_Λ vom Typ A_{n-1} ist. Wir übernehmen die Notationen von 5.25, insbesondere ordnen wir jedem $w\in W_\Lambda$ zwei Standardtableaus $A(w)$ und $B(w)$ zu. Der Typ von w sei dann die Partition π von n, so daß $A(w)$ und $B(w)$ Standardtableaus vom Typ π sind. Haben $w_1, w_2\in W_\Lambda$ denselben Typ, so gibt es nach 5.24 ein $w\in W_\Lambda$ mit $A(w)=A(w_1)$ und $B(w)=B(w_2)$. Aus $A(w)=A(w_1)$ folgt $I(w\cdot\lambda)=I(w_1\cdot\lambda)$ für alle $\lambda\in\Lambda^{++}$ nach 5.25, also auch $d(L(w\cdot\lambda))=d(L(w_1\cdot\lambda))$ nach 10.9. Wegen $B(w)=B(w_2)$ ist $A(w^{-1})=A(w_2^{-1})$; daraus erhält man wie eben $d(L(w^{-1}\cdot\lambda))=d(L(w_2^{-1}\cdot\lambda))$, nach 10.10.b also auch $d(L(w\cdot\lambda))=d(L(w_2\cdot\lambda))$ für alle $\lambda\in\Lambda^{++}$. Damit ist gezeigt:

(1) *Aus* $\mathrm{Typ}(w_1)=\mathrm{Typ}(w_2)$ *folgt* $d(L(w_1\cdot\lambda))=d(L(w_2\cdot\lambda))$ *für alle* $\lambda\in\Lambda^{++}$.

Numerieren wir $B_\Lambda=\{\alpha_1, \alpha_2, \dots, \alpha_{n-1}\}$ wie in 5.25 und setzen $S(\pi)=\{\alpha_1, \alpha_2, \dots, \alpha_{\pi_1-1}, \alpha_{\pi_1+1}, \dots, \alpha_{\pi_1+\pi_2-1}, \alpha_{\pi_1+\pi_2+1}, \dots\}$ für eine Partition $\pi=(\pi_1\geqslant\pi_2\geqslant\dots\geqslant\pi_r>0)$ von n, so ist $S(\pi)$ vom Typ $A_{\pi_1-1}\times A_{\pi_2-1}\times\dots\times A_{\pi_r-1}$. Man sieht leicht, daß der Typ vom $w_\Lambda w_{S(\pi)}$ gleich π ist. Aus (1) und 9.15 folgt nun für alle $\lambda\in\Lambda^{++}$ und $w\in W_\Lambda$

(2) $$d(L(w\cdot\lambda))=\#R^+\setminus(R_\Lambda\cap\mathbf{N}S(\mathrm{Typ}(w)))$$

sowie

(3) $$d(U(\mathfrak{g})/I(w\cdot\lambda))=\#R\setminus(R_\Lambda\cap\mathbf{Z}S(\mathrm{Typ}(w))).$$

10.12 Lemma. *Es seien M und N Moduln in $\mathscr{O}$ mit $\mathscr{L}(M, N)\neq 0$.*

a) *Ist N homogen, so ist auch $\mathscr{L}(M, N)$ homogen mit $d(\mathscr{L}(M, N))=2d(N)$.*

b) *Ist M kohomogen, so ist $\mathscr{L}(M, N)$ homogen mit $d(\mathscr{L}(M, N))=2d(M)$.*

Beweis. Es sei $X\subset\mathscr{L}(M, N)$ ein Unterbimodul ungleich 0.

a) Wegen $X\neq 0$ ist $XM=N'$ ein Untermodul ungleich 0 von N. Aus der Homogenität von N folgt $d(N')=d(N)$. Nach 7.8 gilt $\mathrm{LAnn}\,X=\mathrm{Ann}\,N'$, nach 10.3 und 10.9 also

$$d(X)=d(U(\mathfrak{g})/\mathrm{LAnn}\,X)=d(U(\mathfrak{g})/\mathrm{Ann}\,N')=2d(N')=2d(N).$$

Daher ist $\mathscr{L}(M, N)$ homogen und hat die Gel'fand-Kirillov-Dimension $2d(N)$.

b) Nach 7.8 gilt $\operatorname{RAnn} X = \operatorname{Ann} M/M'$ mit $M' = \bigcap_{\phi \in X} \operatorname{Kern} \phi \neq M$. Ist M kohomogen, so folgt $d(M/M') = d(M)$, also wie eben

$$d(X) = d(U(\mathfrak{g})/\operatorname{RAnn} X) = d(U(\mathfrak{g})/\operatorname{Ann} M/M') = 2d(M/M') = 2d(M).$$

Bemerkung. Dieses Lemma läßt sich offensichtlich von $\mathcal{O}$ auf andere Kategorien von $\mathfrak{g}$-Moduln verallgemeinern, auf denen $d(U(\mathfrak{g})/\operatorname{Ann} M)\, d(M)^{-1}$ konstant ist.

10.13 Lemma. *Es seien M und N Moduln in $\mathcal{O}$, für die $\mathcal{L}(M, N)$ homogen und ungleich 0 ist.*

a) *Ist $d(\mathcal{L}(M, N)) = 2d(N)$, so gilt für alle Untermoduln N' von N, daß $d(N') = d(N)$ oder daß $\mathcal{L}(M, N') = 0$ ist.*

b) *Ist $d(\mathcal{L}(M, N)) = 2d(M)$, so gilt für alle Untermoduln M' von M, daß $d(M/M') = d(M)$ oder daß $\mathcal{L}(M/M', N) = 0$ ist.*

Beweis. Es seien $N' \subset N$ im Fall a) bzw. $M' \subset M$ im Fall b) Untermoduln mit $\mathcal{L}(M, N') \neq 0$ bzw. $\mathcal{L}(M/M', N) \neq 0$. Weil $\mathcal{L}(M, N)$ homogen ist, gilt

$$d(\mathcal{L}(M, N')) = 2d(N) \quad \text{bzw.} \quad d(\mathcal{L}(M/M', N)) = 2d(M).$$

Aus der trivialen Ungleichung

$$d(\mathcal{L}(M, N')) \leqslant d(U(\mathfrak{g})/\operatorname{Ann} N') = 2d(N')$$

bzw. $d(\mathcal{L}(M/M', N)) \leqslant d(U(\mathfrak{g})/\operatorname{Ann}(M/M')) = 2d(M/M')$

folgt nun $d(N) \leqslant d(N')$ bzw. $d(M) \leqslant d(M/M')$, also jeweils die Gleichheit.

10.14 Lemma. *Es seien $\Lambda \in \mathfrak{h}^*/P(R)$ und $\lambda \in \Lambda^{++}$.*

a) *Für alle Moduln M in $\mathcal{O}_\Lambda$ gilt $d(\mathcal{L}(M(\lambda), M)) = 2d(M)$.*

b) *Ein Modul M in $\mathcal{O}_\Lambda$ ist genau dann homogen (bzw. kritisch), wenn $\mathcal{L}(M(\lambda), M)$ homogen (bzw. kritisch) ist.*

Beweis. a) Nach 6.27 (2) gilt $\mathcal{L}(M(\lambda), M)\, M(\lambda) = M$, nach Lemma 7.8 also $\operatorname{LAnn} \mathcal{L}(M(\lambda), M) = \operatorname{Ann} M$. Nun folgt die Behauptung aus Satz 10.3 und Satz 10.9.

b) Aus 6.27 (2) folgt insbesondere $\mathcal{L}(M(\lambda), N) \neq 0$ für alle Moduln $N \neq 0$ in $\mathcal{O}_\Lambda$. Daß $\mathcal{L}(M(\lambda), M)$ genau dann homogen ist, wenn M dies ist, erhalten wir nun einerseits aus 10.12, andererseits aus a) und 10.13.a.

Ist $M' \neq 0$ ein Untermodul von M, so ist $\mathcal{L}(M(\lambda), M')$ ein Unterbimodul ungleich 0 von $\mathcal{L}(M(\lambda), M)$ mit

$$\mathcal{L}(M(\lambda), M/M') \simeq \mathcal{L}(M(\lambda), M)/\mathcal{L}(M(\lambda), M')$$

wegen der Exaktheit von $\mathcal{L}_{M(\lambda)}$ (vgl. 6.9 (9)).

Ist $\mathcal{L}(M(\lambda), M)$ kritisch, so folgt $d(M/M') < d(M)$ aus a); daher muß auch M kritisch sein.

Da nach 6.27 jeder Unterbimodul X von $\mathscr{L}(M(\lambda), M)$ die Gestalt $\mathscr{L}(M(\lambda), M')$ für einen Untermodul M' von M hat und dann $d(\mathscr{L}(M(\lambda), M)/X) = 2d(M/M')$ gilt, ist offensichtlich $\mathscr{L}(M(\lambda), M)$ kritisch, wenn M es ist.

10.15 Wir brauchen noch einige Eigenschaften von $d(U(\mathfrak{g})/I)$ für Ideale I von $U(\mathfrak{g})$. Nach 8.7(5) gilt

(1) $$d(U(\mathfrak{g})/\bigcap_{j=1}^{r} I_j) = \max\{d(U(\mathfrak{g})/I_j) \mid 1 \leqslant j \leqslant r\}$$

für alle Ideale $I_1, I_2, \ldots, I_r$ von $U(\mathfrak{g})$. Weiter behaupten wir

(2) $$d(U(\mathfrak{g})/I) = d(U(\mathfrak{g})/I^n)$$

für alle Ideale I von $U(\mathfrak{g})$ und alle $n \in \mathbf{N}$, $n > 0$. Da $I \subset \operatorname{LAnn}(I^r/I^{r+1})$ für alle $r \in \mathbf{N}$ gilt, also $d(I^r/I^{r+1}) \leqslant d(U(\mathfrak{g})/I)$ nach 10.3, folgt (2) aus $d(U(\mathfrak{g})/I^n) = \max\{d(I^r/I^{r+1}) \mid 0 \leqslant r < n\}$.

Da es für alle Ideale I von $U(\mathfrak{g})$ ein $n \in \mathbf{N}$ mit $(\sqrt{I})^n \subset I \subset \sqrt{I}$ gibt, ist nach (2) die Gleichung

(3) $$d(U(\mathfrak{g})/I) = d(U(\mathfrak{g})/\sqrt{I})$$

klar.

Lemma. *Ein Ideal I von $U(\mathfrak{g})$ ist genau dann ein Primideal, wenn $U(\mathfrak{g})/I$ ein kritischer $(\mathfrak{g} \times \mathfrak{g})$-Modul ungleich 0 ist.*

Beweis. Die $(\mathfrak{g} \times \mathfrak{g})$-Untermoduln von $U(\mathfrak{g})/I$ haben die Gestalt J/I, wobei J die Ideale von $U(\mathfrak{g})$ mit $J \supset I$ durchläuft; es gilt $d((U(\mathfrak{g})/I)/(J/I)) = d(U(\mathfrak{g})/J)$.

Da $\sqrt{I}$ ein endlicher Durchschnitt von Primidealen ist, gibt es nach (1) und (3) zu I ein Primideal P von $U(\mathfrak{g})$ mit $P \supset I$ und $d(U(\mathfrak{g})/P) = d(U(\mathfrak{g})/I)$. Ist $U(\mathfrak{g})/I$ kritisch, so folgt $I = P$, also ist I ein Primideal.

Es sei umgekehrt I ein Primideal; dann ist $U(\mathfrak{g})/I$ prim und noethersch. Nach [BGR], 2.10 und 2.6 gibt es zu jedem Ideal $J \supsetneqq I$ von $U(\mathfrak{g})$ ein $s \in J/I$, das in $U(\mathfrak{g})/I$ weder ein Rechts- noch ein Linksnullteiler ist. Die Abbildung $a \mapsto as$ ist nun ein injektiver Endomorphismus des $U(\mathfrak{g})$-Linksmoduls $U(\mathfrak{g})/I$, dessen Bild in J/I enthalten ist. Aus 8.7(6) folgt daher

$$d(U(\mathfrak{g})/J) = d((U(\mathfrak{g})/I)/(J/I)) \leqslant d((U(\mathfrak{g})/I)/(U(\mathfrak{g})/I)s) < d(U(\mathfrak{g})/I).$$

Mithin ist $U(\mathfrak{g})/I$ kritisch.

10.16 Es seien $\Lambda \in \mathfrak{h}^*/P(R)$ und $\lambda \in \Lambda^+$. Für jedes Ideal I von $U(\mathfrak{g})$ mit $I \supset I_\lambda^{\min}$ sei M_I wie in 7.6. Nach 10.9 und 7.1 gilt

(1) $$d(U(\mathfrak{g})/I) = 2d(M(\lambda)/IM(\lambda)) = 2d(M(\lambda)/M_I).$$

Für jeden Untermodul M von $M(\lambda)$ mit $I = \operatorname{Ann} M(\lambda)/M$ ist M in M_I enthalten, also $M(\lambda)/M_I$ ein homomorphes Bild von $M(\lambda)/M$ gleicher Gel'fand-Kirillov-Dimension. Für $M \neq M_I$ kann $M(\lambda)/M$ daher nicht kritisch sein.

Ist $M(\lambda)/M_I$ kritisch, so ist $I = \operatorname{Ann} M(\lambda)/M_I$ nach 8.14.a ein Primideal. Es sei umgekehrt I ein Primideal, also ein Element von $\mathscr{X}_\lambda$. Für jeden Untermodul M von $M(\lambda)$, der M_I echt umfaßt, gilt $I \subsetneq \operatorname{Ann} M(\lambda)/M$ nach Wahl von M_I, also $d(U(\mathfrak{g})/\operatorname{Ann} M(\lambda)/M) < d(U(\mathfrak{g})/I)$ nach 10.15 und somit $d(M(\lambda)/M) < d(M(\lambda)/M_I)$ nach 10.9. Daher ist $M(\lambda)/M_I$ kritisch.

Wir haben damit gezeigt (vgl. 7.6):

Satz. *Die Abbildung $I \mapsto M_I$ ist ein Isomorphismus geordneter Mengen von $\mathscr{X}_\lambda$ auf die Menge der Untermoduln M von $M(\lambda)$, für die $M(\lambda)/M$ kritisch ist.*

(Für $\lambda \in \Lambda^{++}$ gilt natürlich $M_I = I M(\lambda)$ für alle I.)

Anhang

10A.1 Im Rahmen der allgemeinen Untersuchung der Gel'fand-Kirillov-Dimension wurden 10.15(1) und der schwierige Teil von Lemma 10.15 in [Borho/Kraft 1], 3.1.e und 3.6 bewiesen. Dagegen wird 10.15(3) so explizit erst in [Borho 7], 1.7 ausgesprochen. Dort (in 2.2/2, 3.3 vor allem) werden für Bimoduln über beliebigen Algebren die Aussagen von 10.1 bis 10.3 betrachtet und unter sehr allgemeinen Voraussetzungen bewiesen. In unserem Fall stammt Satz 10.3 aus [Joseph 11], 2.4 (vgl. [Joseph 10], 3.6) und Lemma 10.2 aus [Joseph/Small], 3.3; zur Bemerkung vergleiche man auch [Joseph 17], 4.1.

10A.2 Direkt, ohne den Umweg über die $d(L(w \cdot \lambda))$ wurde 10.10.a in [Borho/Jantzen], 2.12 bewiesen. Ebenso könnte man 10.10.c erhalten, doch wurde schon in [MHG], 3.11(2) so wie hier vorgegangen. Dort findet man auch die nach 9A.1 offensichtliche Verallgemeinerung auf den Fall, daß $\alpha, \beta \in B_\Lambda$ ein Wurzelsystem vom Typ B_2 erzeugen. Für alle $w \in W_\Lambda$ mit $\{\alpha, \beta\} \cap \tau_\Lambda(w) = \emptyset$ und $\lambda \in \Lambda^{++}$ gilt dann

$$d(U(\mathfrak{g})/I(w s_\alpha \cdot \lambda)) = d(U(\mathfrak{g})/I(w s_\alpha s_\beta \cdot \lambda)) = d(U(\mathfrak{g})/I(w s_\alpha s_\beta s_\alpha \cdot \lambda)).$$

Eine einfache Folgerung aus dieser Formel und aus 10.10.c ist: Gehören $\alpha, \beta \in B_\Lambda$ zu derselben Zusammenhangskomponente, so gilt (vgl. [Vogan 3], 5.4)

$$d(U(\mathfrak{g})/I(s_\alpha \cdot \lambda)) = d(U(\mathfrak{g})/I(s_\beta \cdot \lambda)).$$

10A.3 Die wichtige Formel $d(U(\mathfrak{g})/\operatorname{Ann} M) = 2d(M)$ für Moduln in der Kategorie $\mathcal{O}$ wurde von Joseph bewiesen (vgl. [Joseph 10], 2.7/8). Dies wurde in [Vogan 1], 4.7 auf Harish-Chandra-Moduln ausgedehnt.

Beide Fälle sind in einem Beweis dieser Formel für eine große Klasse von Moduln durch Gabber enthalten (vgl. [Joseph 22], 6.3.13), der auch die Ungleichung in 10.7 allgemein bewies ([Joseph 22], 6.1.4). Aus [Joseph 22], 6.1.2 stammt das Lemma 10.5, während die Abschätzungen für die Multiplizitäten in

10.6/8/9 im wesentlichen aus [Joseph 12], 2.1–2.3 stammen. Ein Spezialfall von 10.6 war schon in [Joseph 11], 6.4 betrachtet worden.

Corollar 10.10.b findet sich in [Joseph 10], 3.1 und 10.11 in [Joseph], 4.1 und unabhängig davon in [MHG], 3.11.

10A.4 Die Lemmata 10.12–10.14 stehen mehr oder weniger explizit in den Arbeiten Josephs, Satz 10.16 in [Joseph 17], 3.3.

Kapitel 11. Lokalisierungen von Harish-Chandra-Moduln

In diesem Kapitel stellen wir zunächst Tatsachen über die Lokalisierung von (im allgemeinen nicht kommutativen) Ringen nach Oreschen Teilmengen zusammen. Insbesondere erwähnen wir die Sätze von Goldie und führen den Goldie-Rang eines primen, noetherschen Rings ein. Daneben werden auch Lokalisierungen von Moduln betrachtet.

Dann untersuchen wir Harish-Chandra-Moduln X, die endlich erzeugbar über $U(\mathfrak{g}\times\mathfrak{g})$ sind und die als $\mathfrak{g}\times\mathfrak{g}$-Moduln homogen sind. Dazu konstruieren wir in $U(\mathfrak{g})/\mathrm{LAnn}(X)$ und $U(\mathfrak{g})/\mathrm{RAnn}(X)$ Oresche Teilmengen (die Small-Mengen), und lokalisieren X nach ihnen. Bei dieser Lokalisierung gehen zum Beispiel kritische in einfache Bimoduln über. Dies alles wenden wir insbesondere auf den Fall an, daß X ein homomorphes Bild $U(\mathfrak{g})/I$ von $U(\mathfrak{g})$ ist oder daß X eine geeignete Erweiterungsalgebra eines solchen $U(\mathfrak{g})/I$ ist. Bei diesen Untersuchungen werden vor allem Zusammenhänge mit Daten vor Lokalisierung (wie Gel'fand-Kirillov-Dimension oder Multiplizität) mit solchen nach Lokalisierung (wie Goldie-Rang) hergestellt.

11.1 Ein Element s eines Rings A heißt *regulär*, wenn es in A weder ein Rechts- noch ein Linksnullteiler ist.

Eine Teilmenge S eines Rings A heißt *Oresch*, wenn sie die folgenden Bedingungen erfüllt:

(a) $1\in S$.

(b) *Für alle* $s_1, s_2\in S$ *gilt* $s_1 s_2\in S$.

(c) *Jedes Element von* S *ist regulär in* A.

(d) *Für alle* $s\in S$ *und* $a\in A$ *gilt* $As\cap Sa\neq\emptyset$.

(e) *Für alle* $s\in S$ *und* $a\in A$ *gilt* $sA\cap aS\neq\emptyset$.

Für jede Oresche Teilmenge S eines Rings A kann man den Quotientenring $S^{-1}A=AS^{-1}$ von A relativ S bilden (vgl. [DIX], 3.6.2 oder [BGR], 2.2); dies ist ein Ring, der A als Teilring enthält, in dem jedes Element von S invertierbar ist und in dem sich jedes Element x sowohl in der Form $s^{-1}a$ mit $s\in S$ und $a\in A$ als auch in der Form bt^{-1} mit $b\in A$ und $t\in S$ schreiben läßt. Man kann $S^{-1}A$ auch durch eine universelle Eigenschaft charakterisieren (vgl. [DIX], 3.6.5 oder [BGR], 2.2).

11.2 Ist S eine Oresche Teilmenge eines Ringes A, so ist $S\,1$ für alle $r\in\mathbb{N}$ eine Oresche Teilmenge des Matrixringes $M_r(A)$, wie man leicht nachrechnet. Man hat einen kanonischen Isomorphismus

(1) $$(S\,1)^{-1}M_r(A)\xrightarrow{\sim}M_r(S^{-1}A).$$

Ist S eine Teilmenge des Zentrums Z von A, so sind die Bedingungen (d) und (e) in 11.1 automatisch erfüllt. Ist S Oresch in A, so kann man $S^{-1}A$ mit $A \otimes_Z S^{-1}Z$ identifizieren, wobei $S^{-1}Z$ der Quotientenring im Sinn der kommutativen Algebra ist. Daher ordnet sich die Konstruktion von 3.6 der allgemeineren in 11.1 unter.

Ist für einen Ring A und für ein $s \in A$ die Menge $S = \{s^n \mid n \in \mathbf{N}\}$ Oresch in A, so bezeichnen wir den Quotientenring $S^{-1}A$ auch mit A_s.

Ein Element x eines Ringes A heißt *lokal ad-nilpotent,* wenn es für alle $a \in A$ ein $r \in \mathbf{N}$ mit $\mathrm{ad}(x)^r(a) = 0$ gibt. (Dabei ist $\mathrm{ad}(x)$ die Abbildung $b \mapsto xb - bx$ von A in sich.)

Lemma. *Es sei A ein Ring. Für ein reguläres und lokal ad-nilpotentes Element x von A ist $S = \{x^n \mid n \in \mathbf{N}\}$ Oresch in A.*

Beweis. In 11.1 sind (a) und (b) offensichtlich erfüllt, und (c) folgt einfach aus der Regularität von x. Um (d) zu erhalten, wollen wir $Ax^n \cap Sa \neq \emptyset$ für alle $n \in \mathbf{N}$ und $a \in A$ durch Induktion über n zeigen. Für $n = 0$ ist diese Behauptung trivial. Es sei nun $n > 0$. Weil x lokal ad-nilpotent ist, gibt es zu jedem $a \in A$ ein r mit $\mathrm{ad}(x)^r(a) = 0$, also auch ein $b \in A$ mit $x^r a = bx$. Nach Induktionsannahme gibt es ein $c \in A$ und ein $m \in \mathbf{N}$ mit $cx^{n-1} = x^m b$, folglich mit $cx^n = x^m bx = x^{m+r} a$. Damit ist (d) bewiesen; analog erhält man (e).

11.3 Wenn die Menge aller regulären Elemente eines Rings A eine Oresche Teilmenge ist, so bezeichnen wir den entsprechenden Quotientenring mit $Q(A)$ und nennen ihn den *totalen Quotientenring* von A.

Nach Goldie existiert $Q(A)$ sicher, wenn A halbprim und noethersch ist, und ist dann ein halbeinfacher artinscher Ring. Ist A prim und noethersch, so ist $Q(A)$ sogar ein einfacher artinscher Ring. (Vgl. [DIX], 3.6.12 und [BGR], 2.6). Daher gibt es in diesem Fall ein $n \in \mathbf{N}$ und einen Schiefkörper D mit $Q(A) \simeq M_n(D)$. Dabei sind D und n eindeutig bestimmt. (Ist L ein einfacher $Q(A)$-Modul, so ist $Q(A)$ als Modul über sich selbst zu L^n isomorph; außerdem ist $\mathrm{End}_{Q(A)} L$ zu dem zu D opponierten Ring D^{opp} isomorph). Wir nennen D den *Goldie-Körper* von A und n den *Goldie-Rang* $rk(A)$ von A. Offensichtlich ist $rk(A)$ genau dann gleich 1, wenn A nullteilerfrei ist.

Lemma. *Ist P ein Primideal von $U(\mathfrak{g})$, so ist der Goldie-Körper von $U(\mathfrak{g})/P$ zu seinem opponierten Schiefkörper isomorph.*

Beweis. Nach 7.5 gilt ${}^t P = P$. Daher induziert die Abbildung $u \mapsto {}^t u$ von $U(\mathfrak{g})$ einen involutorischen Antiautomorphismus von $U(\mathfrak{g})/P$, der sich auf $Q(U(\mathfrak{g})/P)$ fortsetzen läßt. Sind nun n und D wie oben mit $Q(U(\mathfrak{g})/P) \simeq M_n(D)$, so folgt

$$M_n(D) \simeq M_n(D)^{\mathrm{opp}} \simeq M_n(D^{\mathrm{opp}}),$$

also $D \simeq D^{\mathrm{opp}}$, was zu beweisen war.

11.4 Es seien A ein Ring und S eine Oresche Teilmenge von A. Zu jedem Linksmodul M über A kann man einen Quotientenmodul $S^{-1}M$ konstruieren. Dazu definiert man auf $S \times M$ eine Äquivalenzrelation: Es gelte $(s,m) \sim (s',m')$ für $s, s' \in S$ und $m, m' \in M$ genau dann, wenn es $a, b \in R$ mit $as = bs' \in S$ und

$am = bm'$ gibt. Dann ist $S^{-1}M$ die Menge aller Äquivalenzklassen; wir wollen die Äquivalenzklasse von (s, m) mit $s^{-1}m$ bezeichnen. Es ist nun leicht, auf $S^{-1}M$ eine Struktur als $S^{-1}A$-Modul einzuführen, so daß die Abbildung $m \mapsto 1^{-1}m$ von M nach $S^{-1}M$ ein Homomorphismus von A-Moduln ist und so daß $s^{-1}(1^{-1}m) = s^{-1}m$ für alle $s \in S$ und $m \in M$ gilt.

Man kann $S^{-1}M$ auch mit $S^{-1}A \otimes_A M$ identifizieren. Mit der expliziten Konstruktion oben zeigt man einfach (vgl. [BGR], 2.4):

(1) *Die Zuordnung $M \mapsto S^{-1}M$ ergibt einen exakten Funktor.*

Insbesondere kann man also $S^{-1}N$ mit einem Untermodul von $S^{-1}M$ identifizieren, wenn N ein Untermodul von M ist.

(2) *Der Kern von ϕ: $M \to S^{-1}M$ mit $\phi(m) = 1^{-1}m$ ist die Menge der $m \in M$, für die es ein $s \in S$ mit $sm = 0$ gibt.*

Daher ist $S^{-1}M$ genau dann gleich 0, wenn es für alle $m \in M$ ein $s \in S$ mit $sm = 0$ gibt. Wegen der Exaktheit in (1) gilt nun für einen Untermodul N von M:

(3) $S^{-1}N = S^{-1}M \Leftrightarrow$ *Für alle $m \in M$ gibt es $s \in S$ mit $sm \in N$.*

Für jeden Untermodul M' von $S^{-1}M$ gilt $M' = S^{-1}(\phi^{-1}(M'))$, wobei ϕ wie in (2) ist. Insbesondere folgt:

(4) *M noethersch $\Rightarrow S^{-1}M$ noethersch.*

Ist M ein A-Rechtsmodul, so können wir ganz analog einen Quotientenmodul MS^{-1} definieren, entweder durch explizite Konstruktion oder als $M \otimes_A S^{-1}A$. Die Eigenschaften oben, insbesondere (1) bis (4), übertragen sich.

11.5 Es seien weiterhin A ein Ring und $S \subset A$ eine Oresche Teilmenge. Nach 11.4 (1) kann man $S^{-1}I$ für ein Linksideal I von A mit einem Linksideal von $S^{-1}A$ identifizieren, ebenso JS^{-1} mit einem Rechtsideal von $S^{-1}A = AS^{-1}$, wenn J ein Rechtsideal von A ist. Aus 11.4 (4) folgt:

(1) *A noethersch $\Rightarrow S^{-1}A$ noethersch.*

Nach 11.4 (3) gilt für ein Linksideal I von A:

(2) $S^{-1}I = S^{-1}A \Leftrightarrow I \cap S \neq \emptyset$.

Ist I ein Ideal von A, so ist $S^{-1}I$ genau dann ein Ideal von $S^{-1}A$, wenn $A \cap IS^{-1} \subset A \cap S^{-1}I$ gilt (vgl. [BGR], 2.5).

Es sei nun A noethersch. Dann ist die Abbildung $P \mapsto S^{-1}P$ eine Bijektion von der Menge aller Primideale P von A mit $P \cap S = \emptyset$ auf die Menge aller Primideale von $S^{-1}A$ (vgl. [DIX], 3.6.17 oder [BGR], 2.10). Die Injektivität dieser Abbildung folgt aus $(S^{-1}P) \cap A = P$. In dieser Situation sind R/P und $S^{-1}R/S^{-1}P$ prim und noethersch, haben also totale Quotientenringe, die kanonisch isomorph sind:

(3) $$Q(S^{-1}R/S^{-1}P) \simeq Q(R/P).$$

11.6 Es seien A ein noetherscher und halbprimer Ring sowie S die Menge der regulären Elemente von A. Beim Beweis der Sätze von Goldie (11.3) zeigt man in der Regel zuerst (vgl. [DIX], 3.6.9, 3.6.11 oder [BGR], 2.7):

(1) *Für ein $s \in A$ sind äquivalent:*
(i) $s \in S$,
(ii) *s ist kein Rechtsnullteiler in A,*
(iii) *s ist kein Linksnullteiler in A.*

Für ein Linksideal (oder Rechtsideal) I von A gilt:

(2) *I wesentlich* $\Leftrightarrow$ $I \cap S \neq \emptyset$.

Eng damit verwandt ist:

(3) *Es seien I ein Linksideal von A und $I' = \{a \in A \mid Ia = 0\}$. Aus $I' = 0$ folgt, daß I ein wesentliches Linksideal von A ist.*

(Dies können wir mit Hilfe der Sätze von Goldie so beweisen: Weil $S^{-1}A$ ein halbeinfacher artinscher Ring ist, gibt es ein idempotentes Element $e \in S^{-1}A$ mit $S^{-1}I = (S^{-1}A)e$, also $(S^{-1}I)(1-e) = 0$. Nun gilt aber

$$\{x \in S^{-1}A = AS^{-1} \mid (S^{-1}I)x = 0\} = I'S^{-1},$$

weil die Multiplikation mit einem Element aus $S \cup S^{-1}$ im $S^{-1}A$ bijektiv ist. Aus $I' = 0$ folgt nun $1 - e = 0$, mithin $S^{-1}I = S^{-1}A$, also $I \cap S \neq 0$ nach 11.5 (2). Wegen (2) muß I nun wesentlich sein.)

Außerdem gilt:

(4) *Ist A prim, so ist jedes Ideal $I \neq 0$ von A ein wesentliches Links- und Rechtsideal von A.*

Um dies einzusehen, nehme man ein Linksideal L von A mit $I \cap L = 0$. Dann folgt $IL = 0$, also $I(LA) = 0$. Weil A prim ist, muß $LA = 0$ sein und somit auch $L = 0$ gelten. Ebenso argumentiert man mit Rechtsidealen. (Hier ist unsere zu Anfang von 11.6 gemachte Voraussetzung, daß A noethersch ist, natürlich überflüssig.)

11.7 Es seien A_1 und A_2 Ringe und M ein (A_1, A_2)-Bimodul. Wir sagen, daß eine Teilmenge $S_1 \subset A_1$ (bzw. $S_2 \subset A_2$) *linksregulär* (bzw. *rechtsregulär*) auf

M operiert, wenn für alle $s \in S_1$ (bzw. $s \in S_2$) die Abbildung $m \mapsto sm$ (bzw. $m \mapsto ms$) von M in sich injektiv ist.

Nun seien $S_1 \subset A_1$ und $S_2 \subset A_2$ Oresche Teilmengen. Wir können dann die Quotientenmoduln $S_1^{-1}M$ und MS_2^{-1} bilden; in natürlicher Weise sind nun $S_1^{-1}M$ ein $(S_1^{-1}A_1, A_2)$-Bimodul und MS_2^{-1} ein $(A_1, S_2^{-1}A_2)$-Bimodul. Jetzt lassen sich die Quotientenmoduln $(S_1^{-1}M)S_2^{-1} = (S_1^{-1}A_1 \underset{A_1}{\otimes} M) \underset{A_2}{\otimes} S_2^{-1}A_2$ und $S_1^{-1}(MS_2^{-1}) = S_1^{-1}A_1 \underset{A_1}{\otimes} (M \underset{A_2}{\otimes} S^{-1}A_2)$ bilden. Beide sind in natürlicher Weise $(S_1^{-1}A_1, S_2^{-1}A_2)$-Bimoduln und wegen der Assoziativität des Tensorprodukts als solche isomorph. Wir identifizieren sie und bezeichnen diesen Bimodul mit $S_1^{-1}MS_2^{-1}$.

Wir wollen nun annehmen, daß S_1 und S_2 links- bzw. rechtsregulär auf M operieren. Nach 11.4(2) können wir dann M mit seinen Bildern in $S_1^{-1}M$ und MS_2^{-1} identifizieren. Außerdem operieren offensichtlich S_1 linksregulär auf MS_2^{-1} und S_2 rechtsregulär auf $S_1^{-1}M$. Daher können wir uns $S_1^{-1}M$ sowie MS_2^{-1} und schließlich auch M alle in $S_1^{-1}MS_2^{-1}$ eingebettet denken.

Unter diesen Voraussetzungen gilt (in $S_1^{-1}MS_2^{-1}$):

(1) $$S_1^{-1}M \subset MS_2^{-1} \Leftrightarrow MS_2^{-1} = S_1^{-1}MS_2^{-1}$$
$$\Leftrightarrow \textit{Für alle } s_1 \in S_1 \textit{ und } m \in M \textit{ ist } mS_2 \cap s_1 M \neq \emptyset.$$

Dabei ist die erste Äquivalenz offensichtlich. Gilt $S_1^{-1}M \subset MS_2^{-1}$, so gibt es für alle $s_1 \in S_1$ und $m \in M$ ein $m' \in M$ und $s_2 \in S_2$ mit $s_1^{-1}m = m's_2^{-1}$, also $ms_2 = s_1 m'$, und daher ist $mS_2 \cap s_1 M \neq \emptyset$. Die Umkehrung zeigt man analog.

Ebenso gilt:

(2) $$MS_2^{-1} \subset S_1^{-1}M \Leftrightarrow S_1^{-1}M = S_1^{-1}MS_2^{-1}$$
$$\Leftrightarrow \textit{Für alle } s_2 \in S_2 \textit{ und } m \in M \textit{ ist } S_1 m \cap M s_2 \neq \emptyset.$$

11.8 Es seien A_1, A_2, S_1, S_2 und M wie in 11.7, so daß S_1 und S_2 auf M links- bzw. rechtsregulär operieren. Die Operation von A_1 auf M induziert in natürlicher Weise einen Homomorphismus $A_1 \to \mathrm{End}_{A_2}(M)$, der wegen unserer Annahme S_1 injektiv abbildet. Jedes $\phi \in \mathrm{End}_{A_2}(M)$ induziert eine Abbildung $\bar{\phi}: MS_2^{-1} \to MS_2^{-1}$ mit $\bar{\phi}(ms_2^{-1}) = \phi(m)s_2^{-1}$ für $m \in M$ und $s_2 \in S_2$. Da M in MS_2^{-1} eingebettet ist und $\bar{\phi}|_M = \phi$ gilt, ist die Zuordnung $\phi \mapsto \bar{\phi}$ injektiv; sie ist offensichtlich ein Homomorphismus

$$\mathrm{End}_{A_2}(M) \to \mathrm{End}_{S_2^{-1}A_2}(MS_2^{-1}).$$

Wir identifizieren $\mathrm{End}_{A_2}(M)$ mit seinem Bild, also mit

$$\{\psi \in \mathrm{End}_{S_2^{-1}A_2}(MS_2^{-1}) \mid \psi(M) \subset M\}.$$

Lemma. *Ist M als A_2-Rechtsmodul endlich erzeugbar und gilt $S_1^{-1}M = MS_2^{-1}$, so gibt es zu jedem $\psi \in \mathrm{End}_{S_2^{-1}A_2}(MS_2^{-1})$ ein $s \in S_1$ mit $s\psi \in \mathrm{End}_{A_2}(M)$.*

Beweis. Es seien $m_1, \ldots, m_r \in M$ mit

$$M = m_1 A_2 + m_2 A_2 + \ldots + m_r A_2.$$

Für alle i gilt $\psi(m_i) \in M S_2^{-1} = S_1^{-1} M$; es gibt also ein $s_i \in S_1$ mit $s_i(\psi(m_i)) \in M$. Mit Hilfe der Bedingung 11.1(d) findet man nun ein $s \in S_1$ mit $s(\psi(m_i)) \in M$ für alle i.

Wir fassen nun s auch als Element von $\mathrm{End}_{A_2}(M)$ und damit auch von $\mathrm{End}_{S_2^{-1}A_2}(M S_2^{-1})$ auf. Dann ist $s\psi$ ein Element von $\mathrm{End}_{S_2^{-1}A_2}(M S_2^{-1})$ mit

$$(s\psi)(M) = \sum_{i=1}^{r} (s\psi)(m_i A_2) = \sum_{i=1}^{r} (s\psi(m_i)) A_2 \subset M,$$

also mit $s\psi \in \mathrm{End}_{A_2}(M)$.

Bemerkungen. 1) Wir haben hier nur zweiseitige Oresche Teilmengen und dementsprechend zweiseitige Quotientenringe eingeführt. Läßt man in 11.1 von den Bedingungen (d) und (e) eine fort, so erhält man einseitige Oresche Teilmengen und dazu dann auch einseitige Quotientenringe.

In der Situation des Lemmas ist nun S_1^{-1} in $\mathrm{End}_{S_2^{-1}A_2}(M S_2^{-1})$ eingebettet, und man kann das Lemma in der Form

(1) $$\mathrm{End}_{S_2^{-1}A_2}(M S_2^{-1}) = S_1^{-1}\,\mathrm{End}_{A_2}(M)$$

schreiben, wenn man die rechte Seite als linken Quotientenring auffaßt. Ist S_1 (zweiseitig) Oresch in $\mathrm{End}_{A_2}(M)$, so ist $S_1^{-1}\,\mathrm{End}_{A_2}(M)$ ein Quotientenring in der hier eingeführten Bedeutung.

2) Ebenso zeigt man, wenn M als A_1-Modul endlich erzeugbar ist und $S_1^{-1} M = M S_2^{-1}$ gilt, daß

(2) $$\mathrm{End}_{S_1^{-1}A_1}(S_1^{-1} M) = \mathrm{End}_{A_1}(M) S_2^{-1}$$

ist. Diese Gleichung ist ähnlich wie die oben zu interpretieren.

11.9 Ist A ein noetherscher Ring, so nennen wir

$$Sm(A) = \{s \in A \mid s + \sqrt{0} \text{ ist regulär in } A/\sqrt{0}\}$$

die *Small-Menge* von A. Da $A/\sqrt{0}$ halbprim ist, gehört nach 11.6(1) ein $s \in A$ schon dann zu $Sm(A)$, wenn $s + \sqrt{0}$ kein Rechtsnullteiler (oder kein Linksnullteiler) in $A/\sqrt{0}$ ist. Offensichtlich enthält $Sm(A)$ die 1 und ist unter der Multiplikation abgeschlossen.

Wir werden nun $Sm(A)$ insbesondere für homomorphe Bilder A der Einhüllenden $U(\mathfrak{g})$ unserer zerfallenden halbeinfachen Lie-Algebra $\mathfrak{g}$ untersuchen. Dazu betrachten wir die folgende Situation: Es sei X ein (A_1, A_2)-Bimodul, wobei A_1 und A_2 homomorphe Bilder von $U(\mathfrak{g})$ sind. Dann ist X in natürlicher Weise auch ein $(U(\mathfrak{g}), U(\mathfrak{g}))$-Bimodul; wir wollen annehmen, daß er als solcher endlich erzeugbar und ein Harish-Chandra-Modul ist. Nach der Bemerkung zu

10.2 ist X genau dann homogen als $(\mathfrak{g}\times\mathfrak{g})$-Modul, wenn X es als $U(\mathfrak{g})$-Linksmodul oder als $U(\mathfrak{g})$-Rechtsmodul ist.

Lemma. *Ist X homogen als $(\mathfrak{g}\times\mathfrak{g})$-Modul mit $d(X)=d(A_1)=d(A_2)$, so operieren $Sm(A_1)$ und $Sm(A_2)$ links- bzw. rechtsregulär auf X.*

Beweis. Wegen der Homogenität von X kann man eine Kette von Unterbimoduln wie in Lemma 8.12.a finden. Jeder Faktor dieser Kette erfüllt die Voraussetzungen des Lemmas. Daher reicht es, die Behauptung für diese Faktoren zu beweisen. Deshalb wollen wir annehmen, daß X kritisch ist.

Nach Lemma 8.14.a ist nun der Annullator von X in $U(\mathfrak{g}\times\mathfrak{g})\simeq U(\mathfrak{g})\otimes U(\mathfrak{g})^{\mathrm{opp}}$ ein Primideal, also auch derjenige in $A_1\otimes A_2^{\mathrm{opp}}$. Da $\sqrt{0}\otimes A_2^{\mathrm{opp}}+A_1\otimes\sqrt{0}$ ein nilpotentes Ideal in $A_1\otimes A_2^{\mathrm{opp}}$ ist, operiert es trivial auf X. Daher kommt die Struktur von X als (A_1, A_2)-Bimodul von einer als $(A_1/\sqrt{0}, A_2/\sqrt{0})$-Bimodul her. Nun gilt $d(X)\leqslant d(A_i/\sqrt{0})\leqslant d(A_i)$, also $d(X)=d(A_i/\sqrt{0})$ für $i=1,2$ nach 10.3; außerdem ändert sich die Menge der Abbildungen von X in sich der Form $x\mapsto sx$ mit $s\in Sm(A_1)$ oder $x\mapsto xs$ mit $s\in Sm(A_2)$ bei dem Übergang von A_1 und A_2 zu $A_1/\sqrt{0}$ und $A_2/\sqrt{0}$ nicht. Daher können und wollen wir annehmen, daß A_1 und A_2 halbprim sind.

Es seien nun $s\in Sm(A_1)$ und $x\in X$ mit $sx=0$. Dann ist $U(\mathfrak{g})x=A_1x$ ein homomorphes Bild von A_1/A_1s. Daraus folgt

$$d_{\mathfrak{g}}(U(\mathfrak{g})x)\leqslant d_{\mathfrak{g}}(A_1/A_1s)<d(A_1)=d(X),$$

wobei man die echte Ungleichung aus 8.7(6) und der Regularität von s in $A_1=A_1/\sqrt{0}$ erhält. Weil X auch als $U(\mathfrak{g})$-Linksmodul homogen ist, muß $U(\mathfrak{g})x=0$, also $x=0$ sein. Daher operiert $Sm(A_1)$ linksregulär auf X. Ebenso zeigt man die Behauptung über $Sm(A_2)$.

Folgerung. Ist I ein Ideal von $U(\mathfrak{g})$, für das $U(\mathfrak{g})/I$ als $(\mathfrak{g}\times\mathfrak{g})$-Modul homogen ist, so besteht $Sm(U(\mathfrak{g})/I)$ aus regulären Elementen von $U(\mathfrak{g})/I$. (Man wende das Lemma auf $X=A_1=A_2=U(\mathfrak{g})/I$ an).

11.10 Wie in 11.9 seien A_1 und A_2 homomorphe Bilder von $U(\mathfrak{g})$ und X ein (A_1, A_2)-Bimodul, der dann als $(U(\mathfrak{g}), U(\mathfrak{g}))$-Bimodul endlich erzeugbar und ein Harish-Chandra-Modul ist.

Satz. *Es sei X homogen als $(\mathfrak{g}\times\mathfrak{g})$-Modul mit $d(X)=d(A_1)=d(A_2)$.*
a) *Ist V ein $U(\mathfrak{g})$-Linksuntermodul von X mit $d_{\mathfrak{g}}(X/V)<d(X)$, so gilt:*

(1) *Für alle $s\in Sm(A_2)$ ist $d_{\mathfrak{g}}(X/Vs)<d(X)$.*

(2) *V ist ein wesentlicher $U(\mathfrak{g})$-Linksuntermodul von X.*

(3) *Für alle $s\in Sm(A_2)$ und $x\in X$ gilt $Sm(A_1)x\cap Vs\neq\emptyset$.*

b) *Ist V ein $U(\mathfrak{g})$-Rechtsuntermodul von X mit $d_{\mathfrak{g}}(X/V)<d(X)$, so gilt*

(1′) *Für alle $s\in Sm(A_1)$ ist $d_{\mathfrak{g}}(X/sV)<d(X)$.*

(2′) *V ist ein wesentlicher $U(\mathfrak{g})$-Rechtsuntermodul von X.*

(3′) *Für alle $s\in Sm(A_1)$ und $x\in X$ gilt $xSm(A_2)\cap sV\neq\emptyset$.*

Beweis. Die Behauptungen unter b) werden analog zu denen unter a) bewiesen; wir beschränken uns auf diese.

(1) Nach Lemma 11.9 operiert s rechtsregulär auf X; daher ist Vs zu V als Linksmodul isomorph. Daraus folgt $e_{\mathfrak{g}}(Vs)=e_{\mathfrak{g}}(V)$ und $d_{\mathfrak{g}}(Vs)=d_{\mathfrak{g}}(V)$. Wegen $d_{\mathfrak{g}}(X/V)<d(X)=d_{\mathfrak{g}}(X)$ gilt $d_{\mathfrak{g}}(Vs)=d_{\mathfrak{g}}(V)=d_{\mathfrak{g}}(X)$ und $e_{\mathfrak{g}}(Vs)=e_{\mathfrak{g}}(V)=e_{\mathfrak{g}}(X)$, also $d_{\mathfrak{g}}(X/Vs)<d(X)$.

(2) Es sei V' ein $U(\mathfrak{g})$-Linksuntermodul von X mit $V\cap V'=0$. Dann ist V' zu einem Untermodul von X/V isomorph, erfüllt also $d(V')\leqslant d(X/V)<d(X)$. Da X auch als $U(\mathfrak{g})$-Linksmodul homogen ist, folgt $V'=0$. Daher ist V wesentlich.

(3) *Fall 1: X* ist kritisch.

Wie beim Beweis von Lemma 11.9 faktorisiert die Operation von A_1 auf X über $A_1/\sqrt{0}$. Da $Sm(A_1)x=Sm(A_1/\sqrt{0})x$ gilt, können wir annehmen, daß A_1 halbprim ist. Nun ist

$$I=\{a\in A_1\,|\,ax\in Vs\}$$

ein Linksideal von A_1. Wir müssen zeigen, daß $I\cap Sm(A_1)\neq\emptyset$ ist. Da A_1 halbprim ist und somit $Sm(A_1)$ die Menge aller regulären Elemente von A_1, folgt die Behauptung aus 11.6(2), wenn wir wissen, daß I wesentlich ist, daß also $I\cap A_1b\neq 0$ für alle $b\in A_1, b\neq 0$ gilt. Ist für ein solches b aber $bx=0$, so folgt $b\in I\cap A_1b$, und nichts ist zu zeigen. Es sei also $bx\neq 0$, mithin A_1bx ein $U(\mathfrak{g})$-Linksuntermodul ungleich 0 von X. Nach (1) und (2) ist Vs ein wesentlicher Linksuntermodul von X, also gilt $A_1bx\cap Vs\neq 0$. Daher gibt es ein $a\in A_1$ mit $abx\in Vs$ und $abx\neq 0$, folglich $ab\neq 0$ und $ab\in I\cap A_1b$; insbesondere ist $A_1b\cap I\neq 0$, was zu zeigen war.

Fall 2: X ist nicht kritisch.

Nach Lemma 8.12 gibt es ein $r\geqslant 2$ und eine Kette

$$X=X_1\supset X_2\supset\ldots\supset X_r\supset X_{r+1}=0$$

von Unterbimoduln, so daß jedes X_i/X_{i+1} kritisch mit $d(X_i/X_{i+1})=d(X)$ ist. Wir benutzen Induktion über r, können also den Satz für X_2 voraussetzen. Für X/X_2 gilt er nach Fall 1.

Nun sind $X/(V+X_2)$ ein homomorphes Bild und $(X_2+V)/V\simeq X_2/(V\cap X_2)$ ein Untermodul von X/V, also gilt

$$d_{\mathfrak{g}}(X/(V+X_2))\leqslant d_{\mathfrak{g}}(X/V)<d_{\mathfrak{g}}(X)=d_{\mathfrak{g}}(X/X_2)$$

und

$$d_{\mathfrak{g}}(X_2/(V\cap X_2))\leqslant d_{\mathfrak{g}}(X/V)<d_{\mathfrak{g}}(X)=d_{\mathfrak{g}}(X_2).$$

Wir können also die Behauptung auf die Paare $(X/X_2, (V+X_2)/X_2)$ und $(X_2, V\cap X_2)$ statt (X, V) anwenden. Es gibt daher $v\in V$ und $s_1\in Sm(A_1)$ mit $s_1(x+X_2)=(v+X_2)s$, mithin $s_1x-vs\in X_2$, und es gibt $s_1'\in Sm(A_1)$ und $v'\in V\cap X_2$ mit $s_1'(s_1x-vs)=v's$, mithin $(s_1's_1)x=(s_1'v+v')s$. Wegen $s_1's_1\in Sm(A_1)$ und $s_1'v+v'\in V$ ist damit $Sm(A_1)x\cap Vs\neq\emptyset$ gezeigt.

11.11 Corollar. *Es sei I ein Ideal von $U(\mathfrak{g})$, so daß $U(\mathfrak{g})/I$ als $(\mathfrak{g}\times\mathfrak{g})$-Modul homogen ist.*
a) *$Sm(U(\mathfrak{g})/I)$ ist eine Oresche Teilmenge von $U(\mathfrak{g})/I$.*
b) *Für jedes einseitige Ideal J von $U(\mathfrak{g})/I$ gilt*

$$J\cap Sm(U(\mathfrak{g})/I)\neq\emptyset \Leftrightarrow d_{\mathfrak{g}}((U(\mathfrak{g})/I)/J)<d(U(\mathfrak{g})/I).$$

Beweis. a) Von den Bedingungen in 11.1 werden (a) und (b) von jedem $Sm(A)$ erfüllt. Hier gilt nun (c) nach der Folgerung aus Lemma 11.9, und (d), (e) folgen aus Satz 11.10 (3), (3′), wenn man ihn auf $X=A_1=A_2=V=U(\mathfrak{g})/I$ anwendet.

b) Es sei J zum Beispiel ein Linksideal. Gibt es ein $s\in J\cap Sm(U(\mathfrak{g})/I)$, so gilt $J\supset(U(\mathfrak{g})/I)s$ und daher

$$d_{\mathfrak{g}}((U(\mathfrak{g})/I)/J)\leqslant d_{\mathfrak{g}}((U(\mathfrak{g})/I)/(U(\mathfrak{g})/I)s)<d(U(\mathfrak{g})/I),$$

weil s nach Lemma 11.9 rechtsregulär auf $U(\mathfrak{g})/I$ operiert.

Es gelte umgekehrt $d_{\mathfrak{g}}((U(\mathfrak{g})/I)/J)<d(U(\mathfrak{g})/I)$. Nun sind die Voraussetzungen von Satz 11.10.a mit $X=A_1=A_2=U(\mathfrak{g})/I$ und $V=J$ erfüllt. Wenden wir (3) dort auf $s=1\in Sm(A_2)$ und $x=1+I\in X$ an, so erhalten wir $J\cap Sm(U(\mathfrak{g})/I)\neq\emptyset$.

11.12 Es seien A_1, A_2 und X wie in 11.10. Weiter wollen wir annehmen, daß A_1, A_2 und X homogene $(\mathfrak{g}\times\mathfrak{g})$-Moduln mit $d(X)=d(A_1)=d(A_2)$ sind. (Ist X homogen und gilt $A_1=U(\mathfrak{g})/\mathrm{LAnn}(X)$ sowie $A_2=U(\mathfrak{g})/\mathrm{RAnn}(X)$, so sind diese Annahmen nach Satz 10.3 und der Bemerkung dazu automatisch erfüllt.)

Nun sind $S_1=Sm(A_1)$ und $S_2=Sm(A_2)$ nach Corollar 11.11 Oresche Teilmengen von A_1 bzw. A_2, die nach Lemma 11.9 links- bzw. rechtsregulär auf X operieren. Wir können nun die Überlegungen von 11.7 anwenden. Für jeden $U(\mathfrak{g})$-Linksuntermodul (bzw. Rechtsuntermodul) V von X ist die kanonische Abbildung $V\to S_1^{-1}V$ (bzw. $V\to VS_2^{-1}$) injektiv. Wir wollen uns $S_1^{-1}V$ in $S_1^{-1}X$ (bzw. VS_2^{-1} in XS_2^{-1}) eingebettet denken.

Unter diesen Voraussetzungen und mit diesen Notationen gilt nun:

Satz. a) *Für einen Unterbimodul Y von X ist $S_1^{-1}Y=YS_2^{-1}$.*
b) *Für $U(\mathfrak{g})$-Linksuntermoduln $V\subset V'$ von X gilt:*

$$S_1^{-1}V=S_1^{-1}V' \Leftrightarrow d_{\mathfrak{g}}(V'/V)<d(X) \Leftrightarrow e_{\mathfrak{g}}(V)=e_{\mathfrak{g}}(V').$$

c) *Für einen $U(\mathfrak{g})$-Linksuntermodul $V\neq X$ von X gilt:*

$$S_1^{-1}V\cap X=V \Leftrightarrow X/V \text{ ist homogen mit } d_{\mathfrak{g}}(X/V)=d(X).$$

b′) *Für $U(\mathfrak{g})$-Rechtsuntermoduln $V\subset V'$ von X gilt:*

$$VS_2^{-1}=V'S_2^{-1} \Leftrightarrow d_{\mathfrak{g}}(V'/V)<d(X) \Leftrightarrow e_{\mathfrak{g}}(V)=e_{\mathfrak{g}}(V').$$

c′) *Für einen $U(\mathfrak{g})$-Rechtsuntermodul $V\neq X$ von X gilt:*

$$VS_2^{-1}\cap X=V \Leftrightarrow X/V \text{ ist homogen mit } d_{\mathfrak{g}}(X/V)=d(X).$$

Beweis. a) Da Y als Unterbimodul von X homogen ist und $d(Y)=d(X)=d(A_1)=d(A_2)$ außer im trivialen Fall $Y=0$ gilt, reicht es, den Fall $Y=X$ zu betrachten. Für alle $x\in X$ und $s\in S_1$ gilt nun $xS_2\cap sX\neq 0$ nach Satz 11.10 (3'); also folgt $S_1^{-1}X\subset XS_2^{-1}$ aus 11.7 (1). Ebenso erhält man $XS_2^{-1}\subset S_1^{-1}X$ aus 11.7 (2) und Satz 11.10 (3).

b) Für $V=0$ sind alle drei Bedingungen zu $V'=0$ äquivalent. (Bei der zweiten benutzt man, daß X auch als $U(\mathfrak{g})$-Linksmodul homogen ist.)

Es sei nun $V\neq 0$; wegen der Homogenität von X gilt $d_{\mathfrak{g}}(V)=d_{\mathfrak{g}}(V')=d(X)$. Daher ist die Äquivalenz von $d_{\mathfrak{g}}(V'/V)<d(X)$ zu $e_{\mathfrak{g}}(V)=e_{\mathfrak{g}}(V')$ klar. Nun gilt $S_1^{-1}V=S_1^{-1}V'$ nach 11.4 (3) genau dann, wenn es zu jedem $v'\in V'$ ein $s\in S_1$ mit $sv'\in V$ gibt, also für alle $v\in V'/V$ gilt:

$$S_1\cap \mathrm{Ann}_{A_1}(v)\neq\emptyset.$$

Nach Corollar 11.11.b ist diese Bedingung zu

$$d_{\mathfrak{g}}(U(\mathfrak{g})v)=d_{\mathfrak{g}}(A_1/\mathrm{Ann}_{A_1}(v))<d(A_1)=d(X)$$

äquivalent, gilt also genau dann, wenn

$$d_{\mathfrak{g}}(V'/V)=\sup\{d_{\mathfrak{g}}(U(\mathfrak{g})v)\,|\,v\in V'/V\}<d(X)$$

ist (vgl. 8.7 (4)).

c) Offensichtlich ist $V'=S_1^{-1}V\cap X$ ein $U(\mathfrak{g})$-Linksuntermodul von X mit $V\subset V'$ und $S_1^{-1}V=S_1^{-1}V'$. Ist $V\neq V'$, so muß $d_{\mathfrak{g}}(V'/V)<d(X)$ nach b) gelten. Gibt es umgekehrt einen $U(\mathfrak{g})$-Linksuntermodul V'' von V mit $V\subset V''$ und $d_{\mathfrak{g}}(V''/V)<d(X)$, so folgt $V''\subset S_1^{-1}V''\cap X=S_1^{-1}V\cap X=V'$.

Daher ist $V=S_1^{-1}V\cap X$ dazu äquivalent, daß für alle $\mathfrak{g}$-Untermoduln $M\neq 0$ von X/V die Gleichung $d_{\mathfrak{g}}(M)=d(X)$ gilt, daß also X/V homogen mit $d_{\mathfrak{g}}(X/V)=d(X)$ ist.

Die Behauptungen unter b') und c') werden ähnlich wie die unter b) und c) bewiesen.

11.13 Es seien A_1, A_2, S_1, S_2 und X wie in 11.12.

Corollar. a) *Es ist X genau dann als $(\mathfrak{g}\times\mathfrak{g})$-Modul kritisch, wenn $S_1^{-1}X$ als $(S_1^{-1}A_1, S_2^{-1}A_2)$-Bimodul einfach ist.*

b) *Die Zuordnung $Y\mapsto S_1^{-1}Y$ induziert eine Bijektion von der Menge der Ketten von Unterbimoduln von X wie in Lemma 8.12.a auf die Menge der Kompositionsreihen von $S_1^{-1}X$ als $(S_1^{-1}A_1, S_2^{-1}A_2)$-Bimodul.*

Beweis. Jeder Unterbimodul von $S_1^{-1}X$ hat die Gestalt $S_1^{-1}Y$ mit einem Unterbimodul Y von X.

a) Demnach ist $S_1^{-1}X$ genau dann einfach, wenn $S_1^{-1}Y=S_1^{-1}X$ für alle Unterbimoduln $Y\neq 0$ von X gilt. Nach Satz 11.12.b ist dies zu $d(X/Y)<d(X)$ für alle solche Y äquivalent. Dies bedeutet aber gerade, daß X kritisch ist.

b) Jede Kompositionsreihe von $S_1^{-1}X$ hat die Gestalt

$$S_1^{-1}X=S_1^{-1}X_1\supset S_1^{-1}X_2\supset\ldots\supset S_1^{-1}X_r\supset S_1^{-1}X_{r+1}=0,$$

wobei die $X=X_1 \supset X_2 \supset \ldots \supset X_r \supset X_{r+1}=0$ Unterbimoduln von X mit $S_1^{-1} X_i \cap X = X_i$ sind. Nach Satz 11.12.c sind alle X/X_i homogen mit $d(X/X_i)=d(X)$, also ist auch jedes X_i/X_{i+1} als Unterbimodul $\neq 0$ von X/X_{i+1} homogen mit $d(X_i/X_{i+1})=d(X)$. Schließlich ist $S_1^{-1}(X_i/X_{i+1})$ zu $S_1^{-1}X_i/S_1^{-1}X_{i+1}$ isomorph, also einfach. Nach a) ist daher X_i/X_{i+1} kritisch, und die Kette der X_i hat die Eigenschaften wie in Lemma 8.12.a.

Es sei umgekehrt eine Kette $X=X_1 \supset X_2 \supset \ldots \supset X_r \supset X_{r+1}=0$ wie in Lemma 8.12.a gegeben. Jedes X_i/X_{i+1} ist kritisch mit $d(X_i/X_{i+1})=d(X)=d(A_1)=d(A_2)$, also ist $S_1^{-1}X_i/S_1^{-1}X_{i+1} \simeq S_1^{-1}(X_i/X_{i+1})$ nach a) einfach. Daher muß

$$S_1^{-1}X=S_1^{-1}X_1 \supset S_1^{-1}X_2 \supset \ldots \supset S_1^{-1}X_r \supset S_1^{-1}X_{r+1}=0$$

eine Kompositionsreihe von $S_1^{-1}X$ sein. Nach Lemma 8.12.a ist jedes X/X_i homogen mit $d(X/X_i)=d(X)$, also gilt $X_i=S_1^{-1}X_i \cap X$ nach Satz 11.12.c. Daraus folgt die Behauptung.

Bemerkung. Der Beweis zeigt, daß in b) die Umkehrabbildung von $Y' \mapsto Y' \cap X$ für Unterbimoduln Y' von $S_1^{-1}X$ induziert wird.

11.14 Es seien A ein homomorphes Bild von $U(\mathfrak{g})$ und $A' \supset A$ eine Erweiterungsalgebra von A. Dann ist A' in natürlicher Weise ein $(U(\mathfrak{g}), U(\mathfrak{g}))$-Bimodul; wir wollen annehmen, daß A' ein endlich erzeugbarer Harish-Chandra-Modul ist. Dann ist A' auch als $U(\mathfrak{g})$-Links- oder Rechtsmodul endlich erzeugbar, also insbesondere noethersch.

Nun gilt offensichtlich $\mathrm{LAnn}\,A'=\mathrm{LAnn}\,A=\mathrm{RAnn}\,A=\mathrm{RAnn}\,A'$, nach 10.3 also $d(A)=d(A')$.

Da A' ein endlich erzeugbarer Harish-Chandra-Modul ist, gibt es $a_1, \ldots, a_r \in A'$ mit

$$A'=A a_1+A a_2+\ldots+A a_r=a_1 A+a_2 A+\ldots+a_r A.$$

Für einen Unterbimodul V von A' gilt nun $A'V=\sum_{i=1}^{r} a_i A V=\sum_{i=1}^{r} a_i V$. Jedes $a_i V$ ist ein $U(\mathfrak{g})$-Rechtsuntermodul von A' und zwar als solcher ein homomorphes Bild von V. Daher folgt $d_{\mathfrak{g}}(a_i V) \leqslant d(V)$, mithin

$$d(A'V)=d_{\mathfrak{g}}(A'V)=\sup\{d_{\mathfrak{g}}(a_i V) \mid 1 \leqslant i \leqslant r\} \leqslant d(V) \leqslant d(A'V)$$

wegen $V \subset A'V$, also $d(A'V)=d(V)$. Ebenso zeigt man $d(VA')=d(V)$ und schließlich $d(A'VA')=d(V)$. Aus Lemma 10.2 folgt nun, daß auch für alle $U(\mathfrak{g})$-Links- oder Rechtsuntermoduln V von A' gilt:

(1) $\quad d_{\mathfrak{g}}(V)=d(A'VA')$.

Lemma. *Ist A' prim, so sind A' und A homogene $(\mathfrak{g} \times \mathfrak{g})$-Moduln.*

Beweis. Da A ein Unterbimodul von A' ist, reicht es, die Behauptung für A' zu beweisen. Wegen (1) müssen wir nur $d(I)=d(A')$ für alle (zweiseitigen) Ideale $I \neq 0$ von A' zeigen. Weil A' prim und noethersch ist, enthält I nach 11.6

(4) und (2)) ein reguläres Element s von A'. Aus $A's \subset I$ folgt nun $d(A'I) \leq d_{\mathfrak{g}}(A'/As) < d(A')$, also $d(A') = d(I)$.

11.15 Es seien A und A' wie in 11.14.

Satz. *Ist A' homogen als $(\mathfrak{g} \times \mathfrak{g})$-Modul, so gilt:*
a) *$Sm(A)$ ist eine Oresche Teilmenge von A'.*
b) *Für ein einseitiges Ideal I von A' gilt*

$$d_{\mathfrak{g}}(A'/I) < d(A') \Leftrightarrow I \cap Sm(A) \neq \emptyset.$$

c) *Ist I ein Linksideal (oder Rechtsideal) von A' mit $d_{\mathfrak{g}}(A'/I) < d(A')$, so ist I ein wesentlicher $U(\mathfrak{g})$-Linksuntermodul (bzw. -Rechtsuntermodul) von A'.*
d) *Ist I ein wesentliches Linksideal (oder Rechtsideal) von A', und ist A' halbprim, so gilt $d_{\mathfrak{g}}(A'/I) < d(A')$.*
e) *Ist A' halbprim, so gilt $Q(A') = Sm(A)^{-1}A'$.*

Beweis. a) Von den Bedingungen in 11.1 sind (a) und (b) automatisch erfüllt, und (c) folgt, wenn wir Lemma 11.9 auf $X = A'$ und $A_1 = A_2 = A$ anwenden. Schließlich erhalten wir (d) und (e) aus Satz 11.10(3) und (3') für $X = V = A'$ und $A_1 = A_2 = A$.

b) Ist $I \cap Sm(A) \neq \emptyset$, so nehmen wir ein $s \in I \cap Sm(A)$ und schließen nun $d_{\mathfrak{g}}(A'/I) \leq d_{\mathfrak{g}}(A'/A's) < d(A')$ im Fall eines Linksideal, weil s nach a) rechtsregulär auf A' operiert. Analog argumentiert man, wenn I ein Rechtsideal ist.

Gilt umgekehrt $d_{\mathfrak{g}}(A'/I) < d(A')$, so wenden wir Satz 11.10(3) oder (3') auf $X = A'$ und $A_1 = A_2 = A$, auf $V = I$ und $x = s = 1$ an.

c) Es sei I ein Linksideal. Ist $V \subset X$ ein $U(\mathfrak{g})$-Linksuntermodul mit $I \cap V = 0$, so läßt sich V in A'/I einbetten, erfüllt also $d(V) \leq d(A'/I) < d(A')$. Da A' auch als $U(\mathfrak{g})$-Linksmodul homogen ist, folgt $V = 0$.

d) Ist I ein wesentliches Linksideal von A', und ist A' halbprim, so enthält I nach 11.6(2) ein reguläres Element s von A'. Nun folgt $d_{\mathfrak{g}}(A'/I) \leq d_{\mathfrak{g}}(A'/A's) < d(A')$. Analog argumentiert man für ein Rechtsideal.

e) Nach a) können wir $Sm(A)^{-1}A'$ mit einem Teilring von $Q(A')$ identifizieren. Ist ein $s \in A'$ regulär, so ist $A's$ nach 11.6(2) ein wesentliches Linksideal von A'. Aus d) und b) folgt nun $A's \cap Sm(A) \neq \emptyset$. Es gibt also ein $a \in A'$ mit $as \in Sm(A)$; dann ist as, also recht s in $Sm(A)^{-1}A'$ invertierbar. Deshalb muß $Q(A') = Sm(A)^{-1}A'$ sein.

11.16 Es sei weiter A ein homomorphes Bild von $U(\mathfrak{g})$, und es seien $A'' \supset A' \supset A$ Erweiterungsalgebren, die bei der induzierten Struktur als $(\mathfrak{g} \times \mathfrak{g})$-Moduln endlich erzeugbare Harish-Chandra-Moduln sind. Wie in 11.14 gilt nun, daß A' und A'' noethersch sind und $d(A') = d(A'') = d(A)$ erfüllen.

Corollar. *Sind A' und A'' homogen und halbprim, so ist $Q(A')$ in natürlicher Weise in $Q(A'')$ eingebettet; es gilt:*

$$Q(A') = Q(A'') \Leftrightarrow e(A') = e(A'') \Leftrightarrow d(A''/A') < d(A).$$

Beweis. Aus Satz 11.15.e folgt

$$Q(A') = Sm(A)^{-1}A' \subset Sm(A)^{-1}A'' = Q(A'');$$

diese Einbettung von Moduln ist offensichtlich auch eine von Algebren. Die zweite Behauptung folgt aus Satz 11.12.b.

11.17 Es seien A_1 und A_2 homomorphe Bilder von $U(\mathfrak{g})$, es seien $A'_1 \supset A_1$ und $A'_2 \supset A_2$ Erweiterungsalgebren, die als $(U(\mathfrak{g}), U(\mathfrak{g}))$-Bimoduln endlich erzeugbare Harish-Chandra-Moduln sind. Wie in 11.14 sind A'_1 und A'_2 noethersch und erfüllen $d(A'_i) = d(A_i)$ für $i = 1, 2$. Auch sei $S_i = Sm(A_i)$ für $i = 1, 2$. Ferner sei X ein (A'_1, A'_2)-Bimodul, der als $(U(\mathfrak{g}), U(\mathfrak{g}))$-Bimodul ein endlich erzeugbarer Harish-Chandra-Modul mit $d(X) = d(A_1) = d(A_2)$ ist.

Wir wollen nun zusätzlich annehmen, daß A'_1, A'_2 und X homogen als $(\mathfrak{g} \times \mathfrak{g})$-Moduln sind. Dann ist S_i Oresch in A'_i für $i = 1, 2$ nach 11.15.a, es gilt $S_1^{-1} X = X S_2^{-1}$ nach 11.12.a, und X ist wegen 11.9 in $S_1^{-1} X = X S_2^{-1}$ eingebettet.

Nehmen wir nun an, daß A'_1 prim ist. Dann gilt $S_1^{-1} A'_1 = Q(A'_1)$ nach 11.15.e, und $Q(A'_1)$ ist zu einem Matrixring über einem Schiefkörper D isomorph, hat also bis auf Isomorphie nur einen einfachen Modul L. Nun ist $S_1^{-1} X$ ein endlich erzeugbarer $Q(A'_1)$-Modul, also zu einem L^n mit $n \in \mathbf{N}$ isomorph. Dann gilt $\mathrm{End}_{Q(A'_1)}(S_1^{-1} X) \simeq M_n(D^{\mathrm{opp}})$, also

$$n = rk(\mathrm{End}_{Q(A'_1)}(S_1^{-1} X)).$$

Lemma. *Für alle $m \in L$, $m \neq 0$ gilt*

$$e(X) = e_{\mathfrak{g}}(A'_1 m)\, rk(\mathrm{End}_{Q(A'_1)}(S_1^{-1} X)).$$

Beweis. Da $S_1^{-1} X$ als $Q(A'_1)$-Modul zu L^n isomorph ist, gibt es $x_1, x_2, \ldots, x_n \in S_1^{-1} X$, so daß $S_1^{-1} X$ die direkte Summe der $Q(A'_1) x_i$ ist und so daß es für $1 \leq i \leq n$ einen Isomorphismus von $Q(A'_1)$-Moduln $L \xrightarrow{\sim} Q(A'_1) x_i$ gibt, der m auf x_i abbildet. Weil S_2 Oresch in A_2 ist und weil $S_1^{-1} X = X S_2^{-1}$ gilt, können wir ein $s \in S_2$ mit $x_i s \in X$ für alle i finden. Da auf $X S_2^{-1}$ die Multiplikation mit einem Element aus S_2 bijektiv ist und da diese mit der Operation von $Q(A'_1)$ vertauscht, ist $S_1^{-1} X$ auch die direkte Summe der $Q(A'_1) x_i s$, und es gibt Isomorphismen von $Q(A'_1)$-Moduln $L \xrightarrow{\sim} Q(A'_1) x_i s$, die jeweils m auf $x_i s$ abbilden. Wir können daher ohne Beschränkung der Allgemeinheit annehmen, daß $x_i \in X$ für alle i gilt.

Nun ist jedes $A'_1 x_i$ ein $U(\mathfrak{g})$-Linksuntermodul von X, der zu $A'_1 m$ isomorph ist; insbesondere gilt $e_{\mathfrak{g}}(A'_1 x_i) = e_{\mathfrak{g}}(A'_1 m)$. Außerdem ist die Summe $V = A'_1 x_1 + A'_1 x_2 + \ldots + A'_1 x_n$ direkt, mithin gilt $e_{\mathfrak{g}}(V) = n\, e_{\mathfrak{g}}(A'_1 m)$. Da $S_1^{-1} V = \sum_{i=1}^{n} S_1^{-1} A'_1 x_i = S_1^{-1} X$ ist, folgt $e_{\mathfrak{g}}(V) = e(X)$ aus Satz 11.12.b. Damit ist die Behauptung bewiesen.

Bemerkung. Nehmen wir an, daß A'_2 prim ist und A'_1 nicht unbedingt. Ist L nun ein einfacher $Q(A'_2)$-Rechtsmodul, so zeigt man analog für alle $m \in L, m \neq 0$

$$e(X) = e_{\mathfrak{g}}(m A'_2)\, rk(\mathrm{End}_{Q(A'_2)}(X S_2^{-1})).$$

11.18 Es seien A und A' wie in 11.14. Ist A' prim, so ist es nach Lemma 11.14 auch homogen als $(\mathfrak{g}\times\mathfrak{g})$-Modul, und wir können 11.17 auf $X=A_1'=A_2'=A'$ und $A_1=A_2=A$ anwenden. Wegen $\mathrm{End}_{Q(A')}Q(A')\simeq Q(A')^{\mathrm{opp}}$ gilt für ein Element $m\neq 0$ eines einfachen $Q(A')$-Linksmoduls (bzw. -Rechtsmoduls)

(1) $$e_{\mathfrak{g}}(A'm)=\frac{e(A')}{rk(A')}$$

bzw.

(1') $$e_{\mathfrak{g}}(mA')=\frac{e(A')}{rk(A')}.$$

Insbesondere folgt daraus

(2) $$e(A')/rk(A')\in\mathbf{N}.$$

Unter den Voraussetzungen und mit den Notationen von 11.17 folgt nun, wenn A_1' prim ist:

(3) $$e(X)=e(A_1')\,rk(\mathrm{End}_{Q(A_1')}(S_1^{-1}X))/rk(A_1'),$$

und wenn A_2' prim ist:

(3') $$e(X)=e(A_2')\,rk(\mathrm{End}_{Q(A_2')}(XS_2^{-1}))/rk(A_2').$$

11.19 Es seien Q ein einfacher, artinscher Ring und $Q'\supset Q$ ein Erweiterungsring von Q, der ebenfalls einfach und artinsch sein soll. Nach [Bourbaki 1], ch. VIII, § 5, cor. de la prop. 13 ist Q' ein freier Q-Linksmodul; die Kardinalität einer Basis von Q' über Q ist eindeutig bestimmt und werde mit $[Q':Q]$ bezeichnet. Es ist Q' auch ein freier Q-Rechtsmodul; jede Basis in diesem Fall enthält $[Q'^{\mathrm{opp}}:Q^{\mathrm{opp}}]$ Elemente.

Ferner bezeichnen wir die Länge eines einfachen Q'-Linksmoduls aufgefaßt als Modul über Q mit $h(Q',Q)$ und die Länge des Q'-Moduls $Q'\otimes_Q L$ mit $i(Q',Q)$ wobei L ein einfacher Q-Linksmodul ist. Nach [Bourbaki 1], ch. VIII, § 5, n° 6, (2) und (4) gilt nun,

(1) $$i(Q',Q)=\frac{rk\,Q'}{rk\,Q}$$

und

(2) $$[Q':Q]=i(Q',Q)\,h(Q',Q).$$

Aus (1) und $rk\,Q^{\mathrm{opp}}=rk\,Q$ folgt übrigens

(3) $$i(Q'^{\mathrm{opp}},Q^{\mathrm{opp}})=i(Q',Q).$$

11.20 Es seien $A \subset A' \subset A''$ wie in 11.16.

Lemma. *Sind A' und A'' prim, so ist $Q(A'')$ in natürlicher Weise eine Erweiterungsalgebra von $Q(A')$ mit:*

a) $i(Q(A''), Q(A')) = \dfrac{rk(A'')}{rk(A')}$,

b) $[Q(A''): Q(A')] = \dfrac{e(A'')}{e(A')} = [Q(A'')^{\text{opp}}: Q(A')^{\text{opp}}]$.

Beweis. Daß wir $Q(A')$ in $Q(A'')$ einbetten können, haben wir in 11.16 gesehen. Die Behauptung unter a) ist nun gerade die Formel 11.19(1). Da die Länge von $Q(A'')$ als $Q(A')$-Modul gerade $[Q(A''): Q(A')]rk(A')$ ist, folgt der erste Teil von b) aus 11.18(3), wenn wir dort $X = A''$ und $A_1' = A_2' = A'$ sowie $A_1 = A_2 = A$ nehmen. Der zweite Teil folgt aus

$$e(A') = e_{\mathfrak{g}}^{l}(A') = e_{\mathfrak{g}}^{r}(A') = e_{\mathfrak{g}}^{l}(A'^{\text{opp}}) = e(A'^{\text{opp}})$$

und der entsprechenden Formel für A''.

Anhang

11A.1 In den ersten Abschnitten haben wir die wichtigsten Aussagen über Lokalisierungen von Ringen und Moduln zusammengestellt. Beweise werden für allgemein bekannte Aussagen nur dort gegeben, wo nicht auf [DIX] oder [BGR] verwiesen werden konnte.

Die wichtigsten hier auftretenden Oreschen-Teilmengen sind zunächst (in den Kapiteln 11 und 12) die Small-Mengen, später aber die von Lemma 11.2, das aus [Borho/Rentschler], 2.2 stammt. Es sei A eine Algebra. Man nennt ein $x \in A$ lokal ad-trigonalisierbar, wenn für alle $a \in A$ der Vektorraum $\sum_{r \geq 0} k\,\mathrm{ad}(x)^r a$ endlich dimensional ist und wenn die Einschränkung von $\mathrm{ad}(x)$ darauf sich auf obere Dreiecksgestalt bringen läßt. Es sei nun $x \in A$ lokal ad-trigonalisierbar und es sei E eine Untergruppe von $(k, +)$, die alle Eigenwerte von $\mathrm{ad}(x)$ enthält. Die von den $x - e$ mit $e \in E$ erzeugte multiplikative Teilmenge S von A erfüllt (nach [Borho/Rentschler], 1.4) dann 11.1(d), (e). Sind alle Elemente von S regulär (zum Beispiel, weil A nullteilerfrei und $x \notin k1$ ist), so ist S also Oresch.

Es seien $\mathfrak{g}$ eine Lie-Algebra und $\mathfrak{b}$ eine Unteralgebra von $\mathfrak{g}$. Dann ist $S = U(\mathfrak{b}) \setminus \{0\}$ Oresch in $U(\mathfrak{g})$ ([Borho/Rentschler], 3.3). Eine hinreichende Bedingung für eine Oresche Teilmenge S von $U(\mathfrak{b})$, auch Oresch in $U(\mathfrak{g})$ zu sein, findet sich in [Borho/Rentschler], 4.4.

11A.2 Für die Gel'fand-Kirillov-Dimension (wie in 8A.1) gilt in der Situation von 11.2, wenn A eine Algebra ist

$$d(A_x)=d(A).$$

Im allgemeinen bleibt die Gel'fand-Kirillov-Dimension bei Lokalisierung nicht erhalten. Ist zum Beispiel $\mathfrak{s}$ eine Lie-Algebra und ist $\mathrm{ad}_{\mathfrak{s}}(\mathfrak{h})$ für ein $h\in\mathfrak{s}$ diagonalisierbar, setzt man E für die von den Eigenwerten von $\mathrm{ad}_{\mathfrak{s}}(h)$ Untergruppe von $(k,+)$ und S für die von den $h-e$ mit $e\in E$ erzeugte multiplikative Menge, so ist S nach 11A.1 Oresch in $U(\mathfrak{s})$, und zwar sogar die kleinste multiplikative Teilmenge, die h enthält; dann gilt weiter ([Borho/Kraft 1], 6.3):

$$d(S^{-1}U(\mathfrak{s}))=\dim\mathfrak{s}+\mathrm{rang}_{\mathbf{Z}}E.$$

Sucht man einen Dimensionsbegriff, der sich beim Lokalisieren nicht ändert, so kann man den Transzendenzgrad nehmen (vgl. [Borho/Kraft 1], 6.4/5).

11A.3 Für einen primen, noetherschen Ring A haben wir den Goldie-Rang $\mathrm{rk}(A)$ in 11.3 eingeführt. Ist $\mathrm{rk}(A)=n$, so zeigt der Beweis von Lemma 11.17, daß es Linksideale $I_1, I_2, \ldots, I_n$ (alle ungleich 0) von A gibt, deren Summe in A direkt ist. Gibt es umgekehrt solche Linksideale, so ist wegen der Exaktheit des Lokalisierens auch die Summe der $S^{-1}I_1, \ldots, S^{-1}I_n$ direkt (wobei S die Menge der regulären Elemente von A ist) und alle $S^{-1}I_j$ ungleich 0, da S regulär auf A operiert. Daraus folgt $n\leqslant\mathrm{rk}(A)$. Also kann man $\mathrm{rk}(A)$ auch als Maximum aller $n\in\mathbf{N}$ definieren, für die es Linksideale $I_1, \ldots, I_n$ (alle ungleich 0) gibt, deren Summe direkt ist. Diese Definition kann man nun für beliebige Ringe machen.

Es sei A weiter prim und noethersch, es seien S und $n=\mathrm{rk}(A)$ wie oben. Ist $x\in A$ nilpotent, so folgt $x^n=0$, weil A injektiv in $S^{-1}A\simeq M_n(D)$ für einen Schiefkörper D eingebettet ist. Umgekehrt gibt es natürlich ein $x\in S^{-1}A$ mit $x^n=0$, aber $x^{n-1}\neq 0$. Man kann zeigen, daß solch ein x sogar in A existiert (vgl. [Faith], 10.15.1), und erhält so eine Charakterisierung von $\mathrm{rk}(A)$ mit Hilfe der nilpotenten Elemente von A.

11A.4 Mit der Bezeichnung Small-Menge in 11.9 folgen wir [Borho 7], 4.1. Es sei S die Menge der regulären Elemente in einem noetherschen Ring A. Ist S Oresch in A, so ist S in $Sm(A)$ enthalten (vgl. [Joseph 22], 5.1.3), ist nun sogar $S^{-1}A$ artinsch, so ist $S=Sm(A)$. Gilt umgekehrt $Sm(A)\subset S$, so ist S Oresch und $S^{-1}A$ artinsch. Dies ist der Satz von Small, der diese Bezeichnung motiviert ([Small], 2.11/12). Aus ihm und 11.9 folgt 11.11.a unmittelbar; wir folgen hier dem Beweis in [Borho 7], 5.8.

Für die Theorie der Abschnitte 11.7 bis 11.16 überhaupt sei auf [Borho/Kraft 1], 6.7.c, [Joseph/Small], [Joseph 11], 5.2, [Joseph 14], 4.3, [Joseph 17], 4.2–4.4, 5.3 verwiesen. In [Borho 7] und [Borho 8] wird dann allgemein untersucht, wann für Bimoduln und Erweiterungsalgebren ähnliche Aussagen wie hier gelten. So ist Lemma 11.9 ein Spezialfall von [Borho 7], 4.5 und 11.10(3) einer von [Borho 7], 5.1.

11A.5 Zu 11.17 bis 11.20 vergleiche man [Joseph 20]), 2.8/9; insbesondere Lemma 2.9 dort zu 11.20.b.

Kapitel 12. Goldie-Rang und Kostants Problem

Die im letzten Kapitel für allgemeine Harish-Chandra-Moduln bewiesenen Sätze über Lokalisierungen werden nun speziell auf Bimoduln der Gestalt $\mathscr{L}(M, N)$ und $U(\mathfrak{g})/\operatorname{Ann} M$ mit M und N in der Kategorie $\mathscr{O}$ angewendet. Insbesondere werden für $\Lambda \in \mathfrak{h}^*/P(R)$ und $w \in W_\Lambda$ die Funktionen betrachtet, die jedem $\lambda \in \Lambda^{++}$ die Zahl $\operatorname{rk} U(\mathfrak{g})/I(w \cdot \lambda)$ oder $\operatorname{rk} \mathscr{L}(L(w \cdot \lambda), L(w \cdot \lambda))$ oder $e(U(\mathfrak{g})/I(w \cdot \lambda))$ oder $e(\mathscr{L}(L(w \cdot \lambda), L(w \cdot \lambda)))$ zuordnen. Es wird gezeigt, daß alle diese Funktionen durch Polynome induziert werden, und zwar die beiden ersten durch proportionale, während die beiden anderen proportional zum Quadrat des ersten Polynoms sind.

Kostants Problem ist die Frage, wann für einen einfachen $\mathfrak{g}$-Modul L die kanonische Abbildung $U(\mathfrak{g})/\operatorname{Ann} L \to \mathscr{L}(L, L)$ ein Isomorphismus ist. Hier können wir etwas schwächere Aussagen machen, nämlich in einigen Fällen zeigen, daß die kanonische Abbildung einen Isomorphismus

$$Q(U(\mathfrak{g})/\operatorname{Ann} L) \xrightarrow{\sim} Q(\mathscr{L}(L, L))$$

induziert.

12.1 Ist L ein einfacher $\mathfrak{g}$-Modul, so kann man das Corollar 11.16 auf $A = A' = U(\mathfrak{g})/\operatorname{Ann} L$ und $A'' = \mathscr{L}(L, L)$ anwenden. Weil L ein einfacher und treuer Modul für A' und A'' ist, sind A' und A'' nämlich beide primitiv, also erst recht prim. Außerdem sind sie endlich erzeugbare Harish-Chandra-Moduln (nach Satz 8.17.c). Homogen sind beide nach 11.14. Aus dem Corollar 11.16 folgt also:

(1) $$Q(U(\mathfrak{g})/\operatorname{Ann} L) = Q(\mathscr{L}(L, L)) \Leftrightarrow e(U(\mathfrak{g})/\operatorname{Ann} L) = e(\mathscr{L}(L, L)).$$

Satz. *Es seien M ein kritischer $\mathfrak{g}$-Modul in $\mathscr{O}$ und $N = \operatorname{soc} M$.*

a) *Die Restriktion definiert einen injektiven Homomorphismus*

$$\phi: \mathscr{L}(M, M) \to \mathscr{L}(N, N).$$

b) *Der Ring $\mathscr{L}(M, M)$ ist prim und noethersch.*

c) *Das Bild von ϕ umfaßt ein wesentliches Linksideal von $\mathscr{L}(N, N)$.*

d) *Es ist $d(\mathscr{L}(M, M)) = d(\mathscr{L}(N, N))$ und $e(\mathscr{L}(M, M)) = e(\mathscr{L}(N, N))$.*

e) *Es induziert ϕ einen Isomorphismus $Q(\mathscr{L}(M, M)) \simeq Q(\mathscr{L}(N, N))$.*

Beweis. a) Dies haben wir schon in Lemma 8.16.c gesehen.

b) Nach a) ist N ein treuer $\mathscr{L}(M, M)$-Modul. Nach 8.15 (5) ist N ein einfacher $U(\mathfrak{g})$-Modul, außerdem ist $U(\mathfrak{g})/\operatorname{Ann} M = U(\mathfrak{g})/\operatorname{Ann} N$ in $\mathscr{L}(M, M)$ eingebettet, mithin muß N auch für $\mathscr{L}(M, M)$ einfach sein. Daher ist $\mathscr{L}(M, M)$ primitiv, also erst recht prim. Noethersch ist $\mathscr{L}(M, M)$ nach 8.18.

c) Offensichtlich ist $I=\phi(\mathscr{L}(M, N))$ ein Linksideal in $\mathscr{L}(N, N)$ und gleichzeitig ein $(U(\mathfrak{g}), U(\mathfrak{g}))$-Unterbimodul. Wir setzen

$$J=\{a\in\mathscr{L}(N, N)\,|\,Ia=0\}.$$

Dies ist ein Rechtsideal in $\mathscr{L}(N, N)$ und auch ein $(U(\mathfrak{g}), U(\mathfrak{g}))$-Unterbimodul. Wir wollen zeigen, daß $J=0$ ist, und nehmen zunächst an, daß $J\neq 0$ wäre. Dann folgte $JN\neq 0$. Wegen $U(\mathfrak{g})J\subset J$ ist JN ein Untermodul von N. Da N einfach ist, erhielten wir $JN=N$, also $0=(IJ)N=I(JN)=IN$. Weil I in $\mathscr{L}(N, N)$ enthalten ist, müßte $I=0$ sein; aus der Injektivität von ϕ folgte nun $\mathscr{L}(M/N)=0$. Nun induziert jedes $u\in\operatorname{Ann}(M/N)$ eine $\mathfrak{k}$-endliche Abbildung von M nach N, also ein Element von $\mathscr{L}(M, N)$. Bei unserer Annahme wäre daher $\operatorname{Ann}(M/N)=\operatorname{Ann}M=\operatorname{Ann}N$, nach 10.9 demnach $d(M/N)=d(N)$ im Widerspruch dazu, daß M kritisch ist. Mithin ist $J=0$; aus 11.6 (3) folgt nun, daß I ein wesentliches Linksideal von $\mathscr{L}(N, N)$ ist, also auch die Behauptung.

d) Nach c) gibt es ein wesentliches Linksideal I von $\mathscr{L}(N, N)$ mit $I\subset\phi(\mathscr{L}(M, M))$. Wir wenden Satz 11.15.d auf $A'=\mathscr{L}(N, N)$ und $A=U(\mathfrak{g})/\operatorname{Ann}N$ an; danach gilt $d(\mathscr{L}(N, N)/I)<d(\mathscr{L}(N, N))$, also erst recht

$$d(\mathscr{L}(N, N)/\phi(\mathscr{L}(M, M)))<d(\mathscr{L}(N, N)).$$

Da $\phi(\mathscr{L}(M, M))$ zu $\mathscr{L}(M, M)$ als Bimodul (und Algebra) isomorph ist, folgt die Behauptung aus dieser Ungleichung.

e) Dies folgt nun sofort aus d) und Corollar 11.16, das wir auf $A=U(\mathfrak{g})/\operatorname{Ann}N$ und $A'=\phi(\mathscr{L}(M, M))$ sowie $A''=\mathscr{L}(N, N)$ anwenden.

Bemerkung. Offensichtlich gilt der Satz nicht nur in der Kategorie $\mathscr{O}$, sondern in jeder Kategorie von $\mathfrak{g}$-Moduln endlicher Länge, in der $d(M_1)=d(M_2)$ aus $\operatorname{Ann}M_1=\operatorname{Ann}M_2$ folgt.

12.2 Es seien $\Lambda\in\mathfrak{h}^*/P(R)$ und $\lambda\in\Lambda^+$. *Für alle* $I\in\mathscr{X}_\lambda$ bezeichnen wir das Element w von Satz 7.11 mit w_I.

Corollar. *Für alle* $I\in\mathscr{X}_\lambda$ *gilt* $Q(U(\mathfrak{g})/I)\simeq Q(\mathscr{L}(L(w_I\cdot\lambda), L(w_I\cdot\lambda)))$.

Beweis. Nach 7.11 und 10.16 gibt es einen Untermodul M_I von $M(\lambda)$, so daß $M=M(\lambda)/M_I$ kritisch mit $\operatorname{soc}M\simeq L(w_I\cdot\lambda)$ ist. Aus 12.1 folgt

$$Q(\mathscr{L}(M, M))\simeq Q(\mathscr{L}(L(w_I\cdot\lambda), L(w_I\cdot\lambda))).$$

Wegen $I=\operatorname{Ann}M(\lambda)/M_I$ erhalten wir die Behauptung aus

$$U(\mathfrak{g})/I\simeq\mathscr{L}(M(\lambda)/M_I, M(\lambda)/M_I),$$

also aus 6.9 (10).

12.3 Es seien $\Lambda \in \mathfrak{h}^*/P(R)$ und $\lambda \in \Lambda^+$. Wir betrachten einen homogenen $\mathfrak{g}$-Modul $M \neq 0$ in $\mathcal{O}_\Lambda$. Nach Lemma 10.12 ist nun $X = \mathcal{L}(M(\lambda), M)$ ein homogener Harish-Chandra-Modul; nach der Bemerkung zu 10.3 sind auch $A_1 = U(\mathfrak{g})/\mathrm{LAnn}\, X$ und $A_2 = U(\mathfrak{g})/\mathrm{RAnn}\, X$ homogen. Weiter wissen wir, daß $S_i = Sm(A_i)$ für $i = 1, 2$ Oresch in A_i ist, daß es links- bzw. rechtsregulär auf X operiert und daß $S_1^{-1} X = X S_2^{-1}$ ist (vgl. 11.11.a, 11.9 und 11.12.a).

Nach 10.12.a ist auch $A_1' = \mathcal{L}(M, M)$ homogen, und nach Satz 11.15.a ist S_1 Oresch in A_1'. Aus Satz 6.37 folgt $A_1' = \mathrm{End}_{A_2}(X)$, aus Lemma 11.8 also

$$\text{(1)} \qquad \mathrm{End}_{S_2^{-1}A_2}(X S_2^{-1}) = S_1^{-1} A_1'.$$

Satz. *Es seien $\Lambda \in \mathfrak{h}^*/P(R)$ und $\lambda \in \Lambda^{++}$ sowie M ein homogener $\mathfrak{g}$-Modul in $\mathcal{O}_\Lambda$ und $I = \mathrm{RAnn}\, \mathcal{L}(M(\lambda), M)$. Ist I primitiv, so gilt:*

a) *Der Ring $\mathcal{L}(M, M)$ ist prim und noethersch; sein Goldie-Körper ist zu dem von $U(\mathfrak{g})/I$ isomorph.*

b) *Für jeden Kompositionsfaktor L von M mit $d(M) = d(L)$ ist der Goldie-Körper von $\mathcal{L}(L, L)$ zu dem von $U(\mathfrak{g})/I$ isomorph.*

c) *Der Goldie-Rang von $\mathcal{L}(M, M)$ ist die Summe der Goldie-Ränge der $\mathcal{L}(L, L)$ über alle Kompositionsfaktoren L von M mit $d(M) = d(L)$, jeweils $[M : L]$-mal genommen.*

Beweis. Wir übernehmen die Notationen X, A_1, A_2, S_1, S_2 und A_1' von oben. Nun ist $A_2 = U(\mathfrak{g})/I$ prim, also S_2 die Menge aller regulären Elemente von A_2; ferner ist $Q(A_2) = S_2^{-1} A_2$ ein Matrixring $M_n(D)$ über einem Schiefkörper D mit $D^{\mathrm{opp}} \simeq D$ nach Lemma 11.3. Der $Q(A_2)$-Modul $X S_2^{-1}$ ist endlich erzeugbar, hat also endliche Länge. Bezeichnen wir diese mit l, so ist $\mathrm{End}_{S_2^{-1}A_2}(X S_2^{-1})$ zu $M_l(D^{\mathrm{opp}}) \simeq M_l(D)$ isomorph. Aus (1) folgt nun $S_1^{-1} A_1' \simeq M_l(D)$, also sind in $S_1^{-1} A_1'$ alle regulären Elemente von A_1' invertierbar. Daher ist $S_1^{-1} A_1'$ der totale Quotientenring von A_1'. Da A_1' nach 8.18 noethersch ist, folgt aus den Sätzen von Goldie (vgl. [BGR], 2.6), daß A_1' prim ist, daß $A_1' = \mathcal{L}(M, M)$ und $A_2 = U(\mathfrak{g})/I$ denselben Goldie-Körper haben, also a), und die Formel:

$$\text{(2)} \qquad \mathrm{rk}\, A_1' = \text{Länge von } X S_2^{-1} \text{ über } Q(A_2).$$

Nach Lemma 8.12.a können wir eine Kette $M = M_1 \supset M_2 \supset \ldots \supset M_r \supset M_{r+1} = 0$ von Untermoduln wählen, so daß M_i/M_{i+1} für $1 \leqslant i \leqslant r$ kritisch mit $d(M_i/M_{i+1}) = d(M)$ ist. Setzen wir $X_i = \mathcal{L}(M(\lambda), M_i)$, so ist $X = X_1 \supset X_2 \supset \ldots \supset X_r \supset X_{r+1} = 0$ eine Kette von Unterbimoduln von X. Aus 6.9 (9) folgt

$$X_i / X_{i+1} \simeq \mathcal{L}(M(\lambda), M_i/M_{i+1})$$

für $1 \leqslant i \leqslant r$. Nach 10.3 und 10.12.a gilt

$$\begin{aligned} d(U(\mathfrak{g})/I) &= d(X) = 2\,d(M) = 2\,d(M_i/M_{i+1}) = d(X_i/X_{i+1}) \\ &= d(U(\mathfrak{g})/\mathrm{RAnn}(X_i/X_{i+1})). \end{aligned}$$

Da $I = \mathrm{RAnn}\, X$ in $\mathrm{RAnn}(X_i/X_{i+1})$ enthalten ist und nach unserer Annahme primitiv ist, folgt nun $\mathrm{RAnn}(X_i/X_{i+1}) = I$ aus Lemma 10.15.

Es sei L_i der Sockel von M_i/M_{i+1}. Dieser Modul ist nach 8.15 (5) einfach; außerdem gilt $d(L_i) = d(M)$. Es sind $L_1, L_2, \ldots, L_r$ alle Kompositionsfaktoren L von M mit $d(L) = d(M)$; jedes solche L kommt [M : L]-mal vor. Nach Satz 12.1 ist $\mathscr{L}(M_i/M_{i+1}, M_i/M_{i+1})$ prim mit

$$Q(\mathscr{L}(M_i/M_{i+1}, M_i/M_{i+1})) \simeq Q(\mathscr{L}(L_i, L_i)).$$

Wenden wir a) und (2) auf M_i/M_{i+1} statt M an, so folgt daß der Goldie-Körper jedes $\mathscr{L}(L_i/L_i)$ gleich dem von $U(\mathfrak{g})/\mathrm{RAnn}(X_i/X_{i+1}) = U(\mathfrak{g})/I$ ist, also b), und die Formel

$$\text{(3)} \qquad \mathrm{rk}\, \mathscr{L}(L_i, L_i) = \text{Länge von } (X_i/X_{i+1}) S_2^{-1} \text{ über } Q(A_2).$$

Weil das Lokalisieren exakt ist, können wir $(X_i/X_{i+1}) S_2^{-1}$ in (3) durch $X_i S_2^{-1}/X_{i+1} S_2^{-1}$ ersetzen. Faßt man (3) und (2) dann zusammen, so folgt

$$\text{(4)} \qquad \sum_{i=1}^{r} \mathrm{rk}\, \mathscr{L}(L_i, L_i) = \mathrm{rk}\, \mathscr{L}(M, M),$$

mithin c).

12.4 Satz. *Es seien $\Lambda \in \mathfrak{h}^*/P(R)$ und $\lambda \in \Lambda^{++}$ sowie $w \in W_\Lambda$.*

a) *Für alle $\mu \in \Lambda^+$ mit $B_\mu^0 \subset \tau_\Lambda(w)$ ist der Goldie-Körper von $\mathscr{L}(L(w \cdot \mu), L(w \cdot \mu))$ zu dem von $\mathscr{L}(L(w \cdot \lambda), L(w \cdot \lambda))$ und der von $U(\mathfrak{g})/I(w \cdot \mu)$ zu dem von $U(\mathfrak{g})/I(w \cdot \lambda)$ isomorph.*

b) *Der Goldie-Körper von $\mathscr{L}(L(w \cdot \lambda), L(w \cdot \lambda))$ ist zu dem von $U(\mathfrak{g})/I(w^{-1} \cdot \lambda)$ isomorph.*

Beweis. Wir wenden 12.3 auf den einfachen, also erst recht homogenen Modul $M = L(w \cdot \mu)$ für ein $\mu \in \Lambda^+$ mit $B_\mu^0 \subset \tau_\Lambda(w)$ an. Nach 7.9 gilt $\mathrm{RAnn}\, X = I(w^{-1} \cdot \lambda)$ und $\mathrm{LAnn}\, X = I(w \cdot \mu)$ für $X = \mathscr{L}(M(\lambda), M)$. Es sind also $A_1 = U(\mathfrak{g})/I(w \cdot \mu)$ und $A_2 = U(\mathfrak{g})/I(w^{-1} \cdot \lambda)$ sowie $A_1' = \mathscr{L}(L(w \cdot \mu), L(w \cdot \mu))$ prim. Aus Satz 12.3.a folgen nun b) und die erste Behauptung in a).

Es sei $w_1 \in W_\Lambda$ mit $\mathrm{soc}\, U(\mathfrak{g})/I(w \cdot \lambda) \simeq \mathscr{L}(M(\lambda), L(w_1 \cdot \lambda))$. Nach 7.11 (1) gilt $w_1 = w_{I(w \cdot \mu)}$ in der Notation von 12.2 für alle $\mu \in \Lambda^+$ mit $B_\mu^0 \subset \tau_\Lambda(w)$. Aus 12.2 folgt nun

$$Q(U(\mathfrak{g})/I(w \cdot \mu)) = Q(\mathscr{L}(L(w_1 \cdot \mu), L(w_1 \cdot \mu)))$$

für alle μ wie oben. Daher erhält man die zweite Behauptung in a) aus der ersten, angewandt auf w_1.

12.5 Lemma. *Es seien $\Lambda \in \mathfrak{h}^*/P(R)$, $w \in W_\Lambda$ und $\lambda, \mu \in \Lambda^+$ mit $B_\lambda^0 \subset \tau_\Lambda(w^{-1})$ und $B_\mu^0 \subset \tau_\Lambda(w)$. Dann gilt:*

$$e(\mathscr{L}(M(\lambda), L(w \cdot \mu))) = \frac{e(U(\mathfrak{g})/I(w^{-1} \cdot \lambda))}{\mathrm{rk}\, U(\mathfrak{g})/I(w^{-1} \cdot \lambda)}\, \mathrm{rk}\, \mathscr{L}(L(w \cdot \mu), L(w \cdot \mu))$$

$$= \frac{e(U(\mathfrak{g})/I(w \cdot \mu))}{\mathrm{rk}\, U(\mathfrak{g})/I(w \cdot \mu)}\, \mathrm{rk}\, \mathscr{L}(L(w^{-1} \cdot \lambda), L(w^{-1} \cdot \lambda)).$$

Beweis. Wir setzen $X = \mathscr{L}(M(\lambda), L(w \cdot \mu))$ und übernehmen die Notationen von 12.3. Wie der Beweis von Satz 12.3 zeigt, gilt

$$\mathrm{End}_{Q(A_2)} X S_2^{-1} = Q(A_1') = Q(\mathscr{L}(L(w \cdot \mu), L(w \cdot \mu))).$$

Nun folgt die erste Gleichung aus 11.18(3′). Die zweite erhalten wir nun aus Satz 6.34, aus $e({}^s X) = e(X)$ und aus der ersten Gleichung, angewendet auf ${}^s X$.

12.6 Wir definieren für alle $d \in \mathbb{N}$ einen Homomorphismus abelscher Gruppen $g_d : \mathscr{C}_d(\mathcal{O}) \to \mathbb{Z}$ (vgl. 9.3), indem wir $g_d(\mathrm{ch}\, L(\nu)) = 0$ für ein $\nu \in \mathfrak{h}^*$ mit $d(L(\nu)) < d$ und $g_d(\mathrm{ch}\, L(\nu)) = \mathrm{rk}\, \mathscr{L}(L(\nu), L(\nu))$ für $d(L(\nu)) = d$ setzen. Unter den Voraussetzungen von Satz 12.3 gilt nach Teil c) jenes Satzes $g_{d(M)}(\mathrm{ch}\, M) = \mathrm{rk}\, \mathscr{L}(M, M)$.

Es seien $\Lambda \in \mathfrak{h}^*/P(R)$ und $\lambda \in \Lambda^{++}$. Für alle $\nu \in \Lambda$ ist $\mathscr{L}(M(\lambda), L(\nu))$ einfach, also $\mathrm{RAnn}\, \mathscr{L}(M(\lambda), L(\nu))$ primitiv. Ist nun E ein endlich dimensionaler $\mathfrak{g}$-Modul, so gilt $\mathscr{L}(M(\lambda), L(\nu) \otimes E) \simeq \mathscr{L}(M(\lambda), L(\nu)) \otimes E^l$ nach 6.8(2′), also ist $\mathrm{RAnn}\, \mathscr{L}(M(\lambda), L(\nu) \otimes E) = \mathrm{RAnn}\, \mathscr{L}(M(\lambda), L(\nu))$ primitiv. (Vgl. auch den Beweis von 7.12.) Nun ist $M = L(\nu) \otimes E$ nach Lemma 8.13.a homogen; daher erfüllt M die Voraussetzungen von Satz 12.3. Weiter gilt

$$\mathscr{L}(M, M) \simeq \mathscr{L}(L(\nu), L(\nu)) \otimes (E^{(t)})^r \otimes E^l$$

$$\simeq \mathscr{L}(L(\nu), L(\nu)) \otimes \mathrm{End}(E)$$

nach 6.8(2), (2′) und 6.2(7), und zwar ist dieser Isomorphismus von Bimoduln auch mit der Struktur als Ring verträglich. Ist S die Menge der regulären Elemente in dem primen und noetherschen Ring $\mathscr{L}(L(\nu), L(\nu))$, so ist $S \otimes 1$ eine Oresche Teilmenge von $\mathscr{L}(L(\nu), L(\nu)) \otimes \mathrm{End}\, E$, und zwar gilt

$$(S \otimes 1)^{-1} \mathscr{L}(L(\nu), L(\nu)) \otimes \mathrm{End}\, E \simeq Q(\mathscr{L}(L(\nu), L(\nu))) \otimes \mathrm{End}\, E.$$

Sind nun D der Goldie-Körper von $\mathscr{L}(L(\nu), L(\nu))$ und $r = \mathrm{rk}\, \mathscr{L}(L(\nu), L(\nu))$ sowie $n = \dim E$, so haben wir einen Quotientenring von $\mathscr{L}(M, M)$ konstruiert, der zu $M_r(D) \otimes M_n(k)$, also zu $M_{rn}(D)$ isomorph ist. Daher ist dies der totale Quotientenring von $\mathscr{L}(M, M)$, es ist D der Goldie-Körper von $\mathscr{L}(M, M)$, und es gilt $\mathrm{rk}\, \mathscr{L}(M, M) = rn$. Nach der Bemerkung oben bedeutet dies mit $d = d(L(\nu)) = d(M)$:

$$g_d(\mathrm{ch}\, M) = g_d(\mathrm{ch}\, L(\nu) \cdot \mathrm{ch}\, E) = g_d(\mathrm{ch}\, L(\nu)) \dim E.$$

Diese Gleichung gilt sicher auch für alle $d > d(L(\nu))$, weil dann alle Terme gleich 0 sind. Daraus folgt

(1) $\quad g_d(\chi\,\mathrm{ch}\,E)=g_d(\chi)\dim E$

für alle $\chi\in\mathscr{C}_d(\mathscr{O})$ und alle endlich dimensionalen $\mathfrak{g}$-Moduln E.

Satz. *Es seien $\Lambda\in\mathfrak{h}^*/P(R)$ und $w\in W_\Lambda$. Es gibt dann polynomiale Funktionen q_w^Λ und p_w^Λ auf $\mathfrak{h}^*$, so daß für alle $\mu\in\Lambda^+$ mit $B_\mu^0\subset\tau_\Lambda(w)$ gilt:*

(2) $\quad q_w^\Lambda(\mu+\rho)=\mathrm{rk}\,\mathscr{L}(L(w\cdot\mu),L(w\cdot\mu)),$

(3) $\quad p_w^\Lambda(\mu+\rho)=\mathrm{rk}\,U(\mathfrak{g})/I(w\cdot\mu).$

Beweis. Es seien $\lambda\in\Lambda^{++}$ und $d=d(L(w\cdot\lambda))$. Wir definieren eine Funktion q_w^Λ auf Λ durch $q_w^\Lambda(\mu')=g_d(\chi_w(\mu'-\rho))$ für alle $\mu'\in\Lambda$ mit χ_w wie in 4.14 (vgl. 9.4(1)). Da $\chi_w(\mu)=\mathrm{ch}\,L(w\cdot\mu)$ für alle μ wie im Satz gilt, erfüllt q_w^Λ die Formel (2). Aus (1) folgt wie in 9.4 für alle $\mu'\in\Lambda$ und $\nu\in P(R)$

$$\sum_{w'\in W} q_w^\Lambda(\mu'+w'\nu)=(\#W)\,q_w^\Lambda(\mu'),$$

und wie in 9.8 folgt daraus, daß q_w^Λ die Einschränkung auf Λ einer polynomialen Funktion auf $\mathfrak{h}^*$ ist. Damit ist der erste Teil bewiesen. Um den zweiten zu erhalten, benutzen wir, daß es ein $w'\in W_\Lambda$ mit

$$\mathrm{rk}\,U(\mathfrak{g})/I(w\cdot\mu)=\mathrm{rk}\,\mathscr{L}(L(w'\cdot\mu),L(w'\cdot\mu))$$

für alle μ wie oben gibt (vgl. 12.2 und 7.11(1)).

Beispiel. Für $\Lambda=P(R)$ und $w=1$ ist $L(w\cdot\mu)$ endlich dimensional für alle $\mu\in\Lambda^{++}$, also ist der Goldie-Rang von $U(\mathfrak{g})/I(w\cdot\mu)\simeq\mathrm{End}\,L(w\cdot\mu)$ $\simeq\mathscr{L}(L(w\cdot\mu),L(w\cdot\mu))$ gleich $\dim L(w\cdot\mu)$. Nach der Dimensionsformel von H. Weyl gilt also

$$p_1^{P(R)}=q_1^{P(R)}=\prod_{\alpha\in R^+}\frac{\alpha^\vee}{\langle\rho,\alpha^\vee\rangle}.$$

12.7 Es seien $\Lambda\in\mathfrak{h}^*/P(R)$ und $w\in W_\Lambda$. Für alle $\mu\in\Lambda^+$ mit $B_\mu^0\subset\tau_\Lambda(w)$ können wir 11.20 auf $A=A'=U(\mathfrak{g})/I(w\cdot\mu)$ und $A''=\mathscr{L}(L(w\cdot\mu),L(w\cdot\mu))$ anwenden. Danach ist $q_w^\Lambda(\mu+\rho)p_w^\Lambda(\mu+\rho)^{-1}=i(Q(A''),Q(A'))$ eine natürliche Zahl, die nach 11.19(2) ein Teiler von $[Q(A''):Q(A')]$, also nach 11.20 einer von $e(A'')/e(A')$ ist. Nach Satz 10.9 gibt es für $e(A'')/e(A')$ eine obere Schranke, die nur von $\mathfrak{g}$ abhängt. Daher kann $q_w^\Lambda(\mu)p_w^\Lambda(\mu)^{-1}$ auf $\Lambda^{++}+\rho$ nur endlich viele Werte annehmen. Es gibt daher ein $n\in\mathbf{N}$, $n\neq 0$, so daß $q_w^\Lambda(\mu)=np_w^\Lambda(\mu)$ für alle μ aus einer in $\mathfrak{h}^*$ Zariski-dichten Teilmenge von $\Lambda^{++}+\rho$ gilt. Daher gilt diese Gleichung überhaupt, das heißt:

(1) $\quad$ *Es gibt ein $n_1(\Lambda,w)\in\mathbf{N}\setminus 0$ mit $q_w^\Lambda=n_1(\Lambda,w)p_w^\Lambda$.*

Es sei $\lambda\in\Lambda^+$ mit $B_\lambda^0\subset\tau_\Lambda(w^{-1})$. Für alle μ wie oben gilt nach Lemma 12.5

$$e(U(\mathfrak{g})/I(w\cdot\mu))\,\mathrm{rk}\,U(\mathfrak{g})/I(w\cdot\mu)^{-1}\,\mathrm{rk}\,\mathscr{L}(L(w\cdot\mu),L(w\cdot\mu))^{-1}$$
$$=e(U(\mathfrak{g})/I(w^{-1}\cdot\lambda))\,\mathrm{rk}\,U(\mathfrak{g})/I(w^{-1}\cdot\lambda)^{-1}\,\mathrm{rk}\,\mathscr{L}(L(w^{-1}\cdot\lambda),L(w^{-1}\cdot\lambda))^{-1}.$$

Insbesondere ist die linke Seite unabhängig von μ, es gibt also ein $n_2(\Lambda,w)\in\mathbf{N}\setminus 0$ mit

(2) $$e(U(\mathfrak{g})/I(w\cdot\mu))=n_2(\Lambda,w)\,q_w^\Lambda(\mu+\rho)\,p_w^\Lambda(\mu+\rho)$$
$$=n_2(\Lambda,w)\,n_1(\Lambda,w)\,p_w^\Lambda(\mu+\rho)^2$$

für alle $\mu\in\Lambda^+$ mit $B_\mu^0\subset\tau_\Lambda(w)$. Außerdem folgt aus der Gleichung oben

(3) $$n_2(\Lambda,w^{-1})=n_2(\Lambda,w) \quad \textit{für alle } w\in W_\Lambda.$$

Setzen wir dies wieder in 12.5 ein, so erhalten wir

(4) $$e(\mathscr{L}(M(\lambda),L(w\cdot\mu)))=n_2(\Lambda,w)\,q_w^\Lambda(\mu+\rho)\,q_{w^{-1}}^\Lambda(\lambda+\rho)$$

für alle $\lambda,\mu\in\Lambda^+$ mit $B_\mu^0\subset\tau_\Lambda(w)$ und $B_\lambda^0\subset\tau_\Lambda(w^{-1})$.

Aus (2), Satz 10.6 und Lemma 10.8 folgt, daß es nur von Λ und w abhängende Konstanten $c_1,c_2\in\mathbf{Q}$, $c_1>0$, $c_2>0$ mit

$$\tilde{e}(L(w\cdot\mu))^2\leqslant c_1\,p_w^\Lambda(\mu+\rho)^2\leqslant c_2\,e(L(w\cdot\mu))^2$$

für alle $\mu\in\Lambda^+$ mit $B_\mu^0\subset\tau_\Lambda(w)$ gibt. Mit den selben Argumenten wie beim Beweis von Satz 9.13 zeigt man nun

(5) $$\mathrm{grad}\,p_w^\Lambda=\mathrm{grad}\,f_w^\Lambda=\mathrm{grad}\,\tilde{f}_w^\Lambda.$$

12.8 Es seien $\Lambda\in\mathfrak{h}^*/P(R)$ und $w\in W_\Lambda$. Wir betrachten $\lambda,\mu\in\Lambda^+$ mit $B_\mu^0\subset\tau_\Lambda(w)$ und $B_\lambda^0\subset\tau_\Lambda(w^{-1})$. Wie beim Beweis von 12.4 betrachten wir den Bimodul $X=\mathscr{L}(M(\lambda),L(w\cdot\mu))$ und können wie dort 12.3 anwenden. In den Notationen von 12.3 ist $A_1=U(\mathfrak{g})/I(w\cdot\mu)$, $A_2=U(\mathfrak{g})/I(w^{-1}\cdot\lambda)$ und $A_1'=\mathscr{L}(L(w\cdot\mu),L(w\cdot\mu))$. Außerdem setzen wir $A_2'=\mathscr{L}(L(w^{-1}\cdot\lambda),L(w^{-1}\cdot\lambda))$. Wie in 12.3 sei auch $S_i=Sm(A_i)$ für $i=1,2$; dann gilt $Q(A_1)=S_1^{-1}A_1$, $Q(A_2)=S_2^{-1}A_2$, $Q(A_1')=S_1^{-1}A_1'$ und $Q(A_2')=S_2^{-1}A_2'$. Ferner ist $S_1^{-1}X=XS_2^{-1}$, dies ist ein $(Q(A_1'),Q(A_2))$-Bimodul mit

(1) $$Q(A_1')\simeq\mathrm{End}_{Q(A_2)}(XS_2^{-1}).$$

Nach 6.34 ist ${}^sX$ zu $\mathscr{L}(M(\mu),L(w^{-1}\cdot\lambda))$ isomorph. Alles, was wir oben für X gesagt haben, gilt nun mutatis mutandis auch für ${}^sX$. Insbesondere gilt $S_2^{-1}({}^sX)=({}^sX)S_1^{-1}$, und dies ist ein $(Q(A_2'),Q(A_1))$-Bimodul mit

(2) $$Q(A_2')\simeq\mathrm{End}_{Q(A_1)}(S_2^{-1}({}^sX)).$$

Nach Definition von ${}^sX$ gibt es einen Isomorphismus $\phi\colon X \to {}^sX$ von Vektorräumen mit $\phi(u_1 x u_2) = {}^t u_2 \phi(x) u_1$ für alle $u_1, u_2 \in U(\mathfrak{g})$ und $x \in X$. Wie in 11.3 induziert t Antiautomorphismen von A_1 und A_2 sowie von $Q(A_1)$ und $Q(A_2)$, die wir auch mit t bezeichnen; es gilt dann ${}^t S_i = S_i$ für $i = 1, 2$. Daher induziert ϕ eine lineare Bijektion $\phi\colon X S_2^{-1} \to S_2^{-1}({}^sX)$ mit $\phi(u_1 x u_2) = {}^t u_2 \phi(x) {}^t u_1$ nun für alle $x \in X S_2^{-1}$ und $u_i \in Q(A_i)$ für $i = 1, 2$.

Nach 6.9 (3) hat man einen involutorischen Antiautomorphismus $a \mapsto {}^t a$ von $A_2' = \mathscr{L}(L(w^{-1} \cdot \lambda), L(w^{-1} \cdot \lambda))$, der $u \mapsto {}^t u$ auf $U(\mathfrak{g})/I(w^{-1} \cdot \lambda)$ induziert und sich auf $Q(A_2') = S_2^{-1} A_2'$ fortsetzen läßt. Daher können wir $X S_2^{-1}$ zu einem $(Q(A_1), Q(A_2'))$-Bimodul machen, so daß nun $\phi(u_1 x u_2) = {}^t u_2 \phi(x) {}^t u_1$ für alle $x \in X S_2^{-1}$ und $u_1 \in Q(A_1)$ sowie $a_2 \in Q(A_2')$ gilt. Aus (2) folgt nun

$$Q(A_2') \simeq \mathrm{End}_{Q(A_1)}(X S_2^{-1}),$$

aus [Bourbaki 1], ch. VIII, § 5, n° 4, cor. 2 du th. 2 also

$$(3) \qquad Q(A_1) \simeq \mathrm{End}_{Q(A_2')}(X S_2^{-1}).$$

Wegen (1) und (3) gilt nach [Bourbaki 1], ch. VIII, § 5, n° 6, prop. 16 in den Notationen von 11.19:

$$(4) \qquad i(Q(A_1'), Q(A_1)) = h(Q(A_2'), Q(A_2)),$$

$$(5) \qquad i(Q(A_2'), Q(A_2)) = h(Q(A_1'), Q(A_1)),$$

$$(6) \qquad [Q(A_1') : Q(A_1)] = [Q(A_2') : Q(A_2)].$$

In den Notationen von 12.7 ist $i(Q(A_1'), Q(A_1)) = n_1(\Lambda, w)$ und $i(Q(A_2'), Q(A_2)) = n_1(\Lambda, w^{-1})$; nach 11.20.b und 11.19 (2) gilt also

$$(7) \qquad e(\mathscr{L}(L(w \cdot \mu), L(w \cdot \mu))) = n_2(\Lambda, w) n_1(\Lambda, w)^2 n_1(\Lambda, w^{-1}) p_w^\Lambda(\mu + \rho)^2$$

für alle $\mu \in \Lambda^+$ mit $B_\mu^0 \subset \tau_\Lambda(w)$.

12.9 Es seien A eine Algebra und D eine Unteralgebra von A. Wir setzen

$$\mathfrak{n}_A(D) = \{a \in A \mid [a, D] \subset D\}.$$

Offensichtlich ist $\mathfrak{n}_A(D)$ einer Lie-Unteralgebra von A, die D und $\mathfrak{z}_A(D) = \{a \in A \mid [a, D] = 0\}$ umfaßt. Durch Induktion über n sieht man leicht für alle $a \in \mathfrak{n}_A(D)$:

$$(1) \qquad \sum_{i=0}^{n} D a^i = \sum_{i=0}^{n} a^i D \quad \textit{für alle } n \in \mathbf{N},$$

$$(2) \qquad [d, a^n] - n[d, a] a^{n-1} \in \sum_{i=0}^{n-2} D a^i \quad \textit{für alle } d \in D, n \in \mathbf{N}, n > 0.$$

Aus (2) folgt natürlich (weiter für $a \in \mathfrak{n}_A(D)$):

(3) $$[d, a^n] \in \sum_{i=0}^{n-1} D a^i \quad \textit{für alle } d \in D \textit{ und } n \in \mathbf{N}.$$

Ebenfalls durch Induktion über n zeigt man leicht für alle $a \in \mathfrak{n}_A(D)$ und $d \in D$:

(4) $$\sum_{i=0}^{n} D a^i = \sum_{i=0}^{n} D(a-d)^i \quad \textit{für alle } n \in \mathbf{N}$$

und

(5) $$a^n - (a-d)^n \in \sum_{i=0}^{n-1} D a^i \quad \textit{für alle } n \in \mathbf{N}.$$

Jetzt kann man einfach für alle $a \in \mathfrak{n}_A(D)$ beweisen:

(6) $$\mathrm{Ann}_D\left(\sum_{i=0}^{n} D a^i \Big/ \sum_{i=0}^{n-1} D a^i\right) = \left\{d \in D \,\middle|\, d a^n \in \sum_{i=0}^{n-1} D a^i\right\}.$$

Hier ist eine Inklusion trivial. Für die andere sei $d \in D$ mit $d a^n \in \sum_{i=0}^{n-1} D a^i$.

Für alle $d_1 \in D$ gilt nun $d d_1 a^n = d a^n d_1 + d[d_1, a^n] \in \left(\sum_{i=0}^{n-1} D a^i\right) d_1 + d \sum_{i=0}^{n-1} D a^i$ $= \sum_{i=0}^{n-1} a^i D d_1 + \sum_{i=0}^{n-1} D a^i = \sum_{i=0}^{n-1} D a^i$ nach (3) und (1).

Schließlich zeigen wir noch für alle $a \in \mathfrak{n}_A(D)$ und $d_1 \in D$:

(7) *Ist* $a^n + d_1 a^{n-1} \in \sum_{i=0}^{n-2} D a^i$, *so gilt* $[d, n a + d_1] a^{n-1} \in \sum_{i=0}^{n-2} D a^i$ *für alle* $d \in D$.

Man benutzt dazu, daß $[d, a^n + d_1 a^{n-1}]$ nach (1) zu $\sum_{i=0}^{n-2} D a^i$ gehört, und wendet (2) an.

12.10 Lemma. *Es seien A eine Algebra und D eine Unteralgebra von A, so daß in A die aufsteigende Kettenbedingung für D-Unterbimoduln gilt. Ist D als Ring einfach, so gilt*

$$\{a \in A \mid [a, D] \subset D\} = D + \{a \in A \mid [a, D] = 0\}.$$

Beweis. Hier gilt eine Inklusion allgemein, wie zu Anfang von 12.9 bemerkt. Wir müssen also nur $\mathfrak{n}_A(D) \subset D + \mathfrak{z}_A(D)$ in den Notationen von dort zeigen.

Dazu sei $a \in \mathfrak{n}_A(D)$; für alle $n \in \mathbf{N}$ sei $I_n(a) = \mathrm{Ann}_D \sum_{i=0}^{n} D a^i \Big/ \sum_{i=0}^{n-1} D a^i$. Dies ist ein zweiseitiges Ideal von D, also entweder 0 oder D. Offensichtlich ist $I_0(a) = 0$. Die $\sum_{i=0}^{n} D a^i$ mit $n \in \mathbf{N}$ sind nach 12.9 (1) D-Unterbimoduln von A; nach Voraussetzung gibt es daher ein $n > 0$ mit $\sum_{i=0}^{n} D a^i = \sum_{i=0}^{n-1} D a^i$, also $I_n(a) = D$. Es sei $n \in \mathbf{N}$ minimal für $I_n(a) = D$; es gilt demnach $I_{n-1}(a) = \ldots = I_0(a) = 0$. Nun gibt es wegen $I_n(a) = D$ ein $d_1 \in D$ mit $a^n + d_1 a^{n-1} \in \sum_{i=0}^{n-2} D a^i$. Aus 12.9 (7), (6) folgt $[d, na + d_1] \in I_{n-1}(a) = 0$ für alle $d \in D$, also $na + d_1 \in \mathfrak{z}_A(D)$. Wegen $n \neq 0$ und $\mathrm{char}(k) = 0$ folgt nun $a \in D + \mathfrak{z}_A(D)$, was zu beweisen war.

12.11 Ist L ein einfacher $\mathfrak{g}$-Modul, so sind $U(\mathfrak{g})/\mathrm{Ann}\, L$ und $\mathscr{L}(L, L)$ prime noethersche Ringe (vgl. 12.1); weiter ist $S = Sm(U(\mathfrak{g})/\mathrm{Ann}\, L)$ Oresch in beiden Ringen mit $Q(U(\mathfrak{g})/\mathrm{Ann}\, L) = S^{-1}\ (U(\mathfrak{g})/\mathrm{Ann}\, L)$ und $Q(\mathscr{L}(L, L)) = S^{-1} \mathscr{L}(L, L)$. Beide totalen Quotientenringe sind auch $(\mathfrak{g} \times \mathfrak{g})$-Moduln; der erste ist in den zweiten eingebettet.

Lemma. *Ist L ein absolut einfacher* $\mathfrak{g}$*-Modul, so gilt:*

a) *Der Zentralisator von* $Q(U(\mathfrak{g})/\mathrm{Ann}\, L)$ *in* $Q(\mathscr{L}(L, L))$ *ist gleich k.*

b) *Es ist* $\mathrm{Hom}_{\mathfrak{g} \times \mathfrak{g}}(Q(U(\mathfrak{g})/\mathrm{Ann}\, L), Q(\mathscr{L}(L, L))/Q(U(\mathfrak{g})/\mathrm{Ann}\, L)) = 0$.

Beweis. a) Es seien $s \in S$ und $a \in \mathscr{L}(L, L)$ mit $s^{-1}a$ im Zentralisator von $Q(U(\mathfrak{g})/\mathrm{Ann}\, L)$. Für alle $b \in U(\mathfrak{g})/\mathrm{Ann}\, L$ gilt nun $(s^{-1}a)(bs) = (bs)(s^{-1}a) = ba$, also $abs = sba$.

Wären s und a linear unabhängig in $\mathrm{End}(L)$, so gäbe es ein $m \in L$, für welches sm und am linear unabhängig wären. Man könnte nun eine lineare Abbildung von L in sich finden, die sm auf m und am auf 0 abbildete. Da L absolut einfach ist, gilt $\mathrm{End}_{\mathfrak{g}} L = k$; nach dem Dichtesatz gäbe es nun ein $b \in U(\mathfrak{g})\mathrm{Ann}\, L$ mit $bsm = m$ und $bam = 0$. Aus der allgemein bewiesenen Gleichung $abs = sba$ folgte nun $am = s0 = 0$ im Widerspruch zur linearen Unabhängigkeit von am und sm. Daher müssen a und s proportional sein, also $s^{-1}a \in k$.

b) Es sei

$$\phi: S^{-1}(U(\mathfrak{g})/\mathrm{Ann}\, L) \to S^{-1} \mathscr{L}(L, L)/S^{-1}(U(\mathfrak{g})/\mathrm{Ann}\, L)$$

ein Homomorphismus von $(\mathfrak{g} \times \mathfrak{g})$-Moduln. Wir wählen ein $x \in S^{-1} \mathscr{L}(L, L)$ mit $\phi(1) = x + S^{-1}(U(\mathfrak{g})/\mathrm{Ann}\, L)$. Für alle $a \in U(\mathfrak{g})/\mathrm{Ann}\, L$ gilt nun

$$\begin{aligned} \phi(a) &= \phi(1)a = xa + S^{-1}(U(\mathfrak{g})/\mathrm{Ann}\, L) \\ &= a\phi(1) = ax + S^{-1}(U(\mathfrak{g})/\mathrm{Ann}\, L), \end{aligned}$$

also $[x, a] \in S^{-1}(U(\mathfrak{g})/\mathrm{Ann}\, L)$. Daraus folgt

$$[x, Q(U(\mathfrak{g})/\mathrm{Ann}\, L)] \subset Q(U(\mathfrak{g})/\mathrm{Ann}\, L).$$

Nun ist $Q(U(\mathfrak{g})/\operatorname{Ann} L)$ zu einem Matrixring $M_n(D)$ über einer Divisionsalgebra D über k isomorph. Da $\mathscr{L}(L, L)$ endlich erzeugbar als $U(\mathfrak{g})$-Linksmodul ist, muß $Q(\mathscr{L}(L, L))$ endlich dimensional über D sein. Aus Lemma 12.10 folgt nun, daß es ein $y \in Q(U(\mathfrak{g})/\operatorname{Ann} L)$ mit $[x-y, Q(U(\mathfrak{g})/\operatorname{Ann} L)]=0$ gibt. Nach a) gilt nun $x-y \in k$, mithin $x \in Q(U(\mathfrak{g})/\operatorname{Ann} L)$, also ohne Beschränkung der Allgemeinheit $x=0$. Dann folgt aber $\phi(a)=0$ für alle $a \in U(\mathfrak{g})/\operatorname{Ann} L$ und dann auch für alle $a \in Q(U(\mathfrak{g})/\operatorname{Ann} L)$, also $\phi=0$.

12.12 Für einen einfachen $\mathfrak{g}$-Modul L ist $I=\operatorname{Ann} L$ primitiv, also $U(\mathfrak{g})/I$ kritisch nach 10.15. Da dieser Bimodul endliche Länge hat, ist sein Sockel $\operatorname{soc} U(\mathfrak{g})/I$ einfach mit $e(\operatorname{soc} U(\mathfrak{g})/I)=e(U(\mathfrak{g})/I)$.

Satz. *Es sei L ein absolut einfacher $\mathfrak{g}$-Modul. Es gilt genau dann $Q(\mathscr{L}(L, L)) \neq Q(U(\mathfrak{g})/\operatorname{Ann} L)$, wenn $\mathscr{L}(L, L)$ als $(\mathfrak{g} \times \mathfrak{g})$-Modul einen Kompositionsfaktor X hat, der nicht zu $\operatorname{soc} U(\mathfrak{g})/\operatorname{Ann} L$ isomorph ist, für den aber $\operatorname{Ann}_{U(\mathfrak{g}\times\mathfrak{g})} X=\operatorname{Ann}_{U(\mathfrak{g}\times\mathfrak{g})}(\operatorname{soc} U(\mathfrak{g})/\operatorname{Ann} L)$ gilt.*

Beweis. Es ist $U(\mathfrak{g})/I$ mit $I=\operatorname{Ann} L$ ein Unterbimodul von $\mathscr{L}(L, L)$; nach 11.16 gilt $Q(U(\mathfrak{g})/I)=Q(\mathscr{L}(L, L))$ genau dann, wenn $d(\mathscr{L}(L, L)/U(\mathfrak{g})/I)) < d(\mathscr{L}(L, L))$ ist, wenn also $\operatorname{soc} U(\mathfrak{g})/I$ der einzige Kompositionsfaktor Y von $\mathscr{L}(L, L)$ mit $d(Y)=d(U(\mathfrak{g})/I)$ ist.

Ist X ein Kompositionsfaktor von $\mathscr{L}(L, L)$ mit $\operatorname{Ann}_{U(\mathfrak{g}\times\mathfrak{g})} X =\operatorname{Ann}_{U(\mathfrak{g}\times\mathfrak{g})}(\operatorname{soc} U(\mathfrak{g})/I)$, so gilt insbesondere $\operatorname{LAnn} X=\operatorname{LAnn}(\operatorname{soc} U(\mathfrak{g})/I)$, also $d(X)=d(\operatorname{soc} U(\mathfrak{g})/I)=d(U(\mathfrak{g})/I)$ nach 10.3. Wenn X nicht zu $\operatorname{soc} U(\mathfrak{g})/I$ isomorph ist, so folgt nun $Q(U(\mathfrak{g})/I) \neq Q(\mathscr{L}(L, L))$ sofort aus den Überlegungen oben.

Nehmen wir nun an, es sei $Q(\mathscr{L}(L, L)) \neq Q(U(\mathfrak{g})/I)$. Dann kann man Unterbimoduln X_1, X_2 von $\mathscr{L}(L, L)$ mit $U(\mathfrak{g})/I \subset X_1 \subset X_2$ finden, so daß X_2/X_1 einfach mit $d(X_2/X_1)=d(U(\mathfrak{g})/I)$ ist und $e(X_1)=e(U(\mathfrak{g})/I)$ gilt. Offensichtlich ist $I=\operatorname{LAnn} \mathscr{L}(L, L)$ in $\operatorname{LAnn} X_2/X_1$ enthalten; weil $d(X_2/X_1)=d(U(\mathfrak{g})/I)$ gilt und weil $U(\mathfrak{g})/I$ kritisch ist, muß $I=\operatorname{LAnn} X_2/X_1$ sein. Ebenso folgt $I=\operatorname{RAnn} X_2/X_1$, also

$$\begin{aligned}\operatorname{Ann}_{U(\mathfrak{g}\times\mathfrak{g})} X_2/X_1 &= I \otimes U(\mathfrak{g}) + U(\mathfrak{g}) \otimes I = \operatorname{Ann}_{U(\mathfrak{g}\times\mathfrak{g})} U(\mathfrak{g})/I \\ &= \operatorname{Ann}_{U(\mathfrak{g}\times\mathfrak{g})}(\operatorname{soc} U(\mathfrak{g})/I).\end{aligned}$$

Zum Beweis der Behauptung müssen wir demnach nur noch zeigen, daß X_2/X_1 und $\operatorname{soc} U(\mathfrak{g})/I$ nicht isomorph sind. Nach 11.12.b gilt $S^{-1}(\operatorname{soc} U(\mathfrak{g})/I) = S^{-1}(U(\mathfrak{g})/I)=S^{-1} X_1$ mit $S=Sm(U(\mathfrak{g})/I)$. Wären nun $\operatorname{soc} U(\mathfrak{g})/I$ und X_2/X_1 isomorph, so auch $S^{-1}(U(\mathfrak{g})/I)$ und $S^{-1}(X_2/X_1) \simeq S^{-1} X_2/S^{-1} X_1=S^{-1} X_2/ S^{-1}(U(\mathfrak{g})/I)$, wobei wir noch die Exaktheit des Lokalisierens benutzen. Es gäbe dann einen Homomorphismus ungleich 0 von $(\mathfrak{g} \times \mathfrak{g})$-Moduln

$$S^{-1}(U(\mathfrak{g})/I) \to S^{-1} X_2/S^{-1}(U(\mathfrak{g})/I) \subset S^{-1} \mathscr{L}(L, L)/S^{-1}(U(\mathfrak{g})/I),$$

im Widerspruch zu Lemma 12.11.b.

12.13 Corollar. *Es seien $\Lambda \in \mathfrak{h}^*/P(R)$ und $\lambda \in \Lambda^+$ sowie $w \in W_\Lambda$.*

a) *Für jeden Kompositionsfaktor X von $\mathscr{L}(L(w\cdot\lambda), L(w\cdot\lambda))$ gibt es ein $w' \in W_\Lambda$ mit $X \simeq \mathscr{L}(M(\lambda), L(w'\cdot\lambda))$.*

b) *Ist R_Λ vom* Typ A_{n-1} *für ein $n \in \mathbf{N}$, so gilt*

$$Q(U(\mathfrak{g})/I(w\cdot\lambda)) = Q(\mathscr{L}(L(w\cdot\lambda), L(w\cdot\lambda))).$$

Beweis. a) Es sei E ein einfacher, endlich dimensionaler $\mathfrak{g}$-Modul mit $[X: E]_\mathfrak{k} \neq 0$. Daraus folgt (mit 6.8(3)):

$$0 \neq [\mathscr{L}(L(w\cdot\lambda), L(w\cdot\lambda)): E]_\mathfrak{k} = \dim \operatorname{Hom}_\mathfrak{g}(L(w\cdot\lambda)\otimes E, L(w\cdot\lambda)).$$

Ist $v \in P(R)^{++}$ das höchste Gewicht von E, so folgt nun $w\cdot\lambda \leqslant w\cdot\lambda + v$, also insbesondere $v \in Q(R)$. Andererseits gibt es nach 6.23 ein $\mu \in \Lambda$ mit $X \simeq \mathscr{L}(M(\lambda), L(\mu))$. Aus $[X: E]_\mathfrak{k} \neq 0$ folgt wie oben $\mu \leqslant \lambda + v$, also nun $\mu \in \lambda + Q(R)$. Da $\chi_\lambda \otimes \chi_\lambda$ der zentrale Charakter von $\mathscr{L}(L(w\cdot\lambda), L(w\cdot\lambda))$ und damit auch von X ist, muß $\mu \in W\cdot\lambda$ sein, mithin $\mu \in (\lambda + Q(R)) \cap W\cdot\lambda = W_\Lambda\cdot\lambda$.

b) Wir wollen annehmen, daß $B^0_\lambda \subset \tau_\Lambda(w)$ gilt, und wählen ein $\mu \in \Lambda^{++}$. Nach a) haben die Kompositionsfaktoren von $\mathscr{L}(L', L')$ mit $L' = L(w\cdot\mu)$ die Gestalt $\mathscr{L}(M(\mu), L(w'\cdot\mu))$ mit $w' \in W_\Lambda$. Nach 7.10 haben diese einfachen Bimoduln verschiedene Annullatoren in $U(\mathfrak{g}\times\mathfrak{g})$. Aus Satz 12.12 folgt daher $Q(\mathscr{L}(L', L')) = Q(A')$ mit $A' = U(\mathfrak{g})/I(w\cdot\mu)$. Nach 11.16 gilt also

$$(1) \qquad d(\mathscr{L}(L', L')/A') < d(A').$$

Aus 6.35 folgt für $L = L(w\cdot\lambda)$ und $A = U(\mathfrak{g})/I(w\cdot\lambda)$:

$$T^{(\lambda,\lambda)}_{(\mu,\mu)} \mathscr{L}(L', L') \simeq \mathscr{L}(L, L)$$

und

$$T^{(\lambda,\lambda)}_{(\mu,\mu)} A' \simeq A.$$

Da diese Isomorphismen mit den Einbettungen von A' in $\mathscr{L}(L', L')$ und von A in $\mathscr{L}(L, L)$ verträglich sind und $T^{(\lambda,\lambda)}_{(\mu,\mu)}$ exakt ist, muß

$$\mathscr{L}(L, L)/A \simeq T^{(\lambda,\lambda)}_{(\mu,\mu)}(\mathscr{L}(L', L')/A')$$

sein. Wegen 8.8, wegen (1) oben und wegen 10.10.a gilt nun

$$d(\mathscr{L}(L, L)/A) \leqslant d(\mathscr{L}(L', L')/A') < d(A') = d(A),$$

woraus wieder nach 11.16 die Behauptung folgt.

Bemerkungen. 1) Wie in 7.10 läßt sich Teil b) des Satzes auf den Fall verallgemeinern, daß R_Λ vom Typ $A_{m_1} \times A_{m_2-1} \times \ldots \times A_{m_r-1}$ ist. Es gilt dann auch $q^\Lambda_w = p^\Lambda_w$, also $n_1(\Lambda, w) = 1$ für alle $w \in W_\Lambda$ in den Notationen von 12.7. (Insbesondere sind diese Aussagen für alle Λ richtig, wenn $\mathfrak{g}$ zu $\mathfrak{sl}_n$ isomorph ist.)

2) Es seien $\Lambda \in \mathfrak{h}^*/P(R)$ und $\lambda \in \Lambda^+$. Wir wollen einen einfachen $\mathfrak{g}$-Modul L betrachten, der zentralen Charakter χ_λ hat. Gehört für alle einfachen, end-

lich dimensionalen $\mathfrak{g}$-Moduln E mit $[\mathscr{L}(L, L): E]_{\mathfrak{k}} \neq 0$ das höchste Gewicht von E zu $Q(R)$, so gilt die Behauptung von Teil a) des Satzes für $\mathscr{L}(L, L)$ anstelle von $\mathscr{L}(L(w\cdot\lambda), L(w\cdot\lambda))$. Ist R_Λ vom Typ A_{n-1} und $\lambda \in \Lambda^{++}$, so kann man nun wie beim Beweis des Satzes $Q(\mathscr{L}(L, L)) = Q(U(\mathfrak{g})/\mathrm{Ann}\, L)$ schließen.

Im allgemeinen erfüllt ein einfacher $\mathfrak{g}$-Modul L unsere Annahme nicht (vgl. [Joseph 21], 2.3).

12.14 Satz. *Es sei L ein einfacher $\mathfrak{g}$-Modul. Wir setzen $A = U(\mathfrak{g})/\mathrm{Ann}\, L$ und $A' = \mathscr{L}(L, L)$. Es sei I der Sockel von A als Bimodul.*
a) *Es gilt*

$$Q(A) \cap A' = \{x \in A' \mid xI \subset A\} = \{x \in A' \mid xI \subset I\}$$
$$= \{x \in A' \mid Ix \subset A\} = \{x \in A' \mid Ix \subset I\}.$$

b) *Ist* $\mathrm{Ann}\, L$ *ein maximales Ideal von* $U(\mathfrak{g})$, *so gilt:*

$$Q(A) = Q(A') \Leftrightarrow A = A'.$$

Beweis. a) Es ist I auch das einzige minimale Ideal ungleich 0 von A, das nach 1.13 existiert. Insbesondere ist I einfach als Bimodul. Nach 11.6(4), (2) schneidet I die Menge S der regulären Elemente von A.

Zu einem $x \in A'$ mit $xI \subset A$ gibt es ein $s \in S$ mit $xs \in A$, also folgt $x \in AS^{-1} = Q(A)$ und $x \in Q(A) \cap A'$.

Es sei umgekehrt $x \in Q(A) \cap A'$. Da $Q(A) \cap A'$ ein Unterbimodul von A' ist, gibt es einen endlich dimensionalen, $\mathfrak{k}$-stabilen Teilraum $V \subset Q(A) \cap A'$ mit $x \in V$. Es sei nun $J = \{a \in A \mid Va \subset A\}$. Es sei $v_1, \ldots, v_r$ eine Basis von V; wegen $V \subset Q(A)$ gibt es $s_i \in S$ mit $v_i s_i \in A$ für $1 \leqslant i \leqslant r$. Da S Oresch ist, können wir ein $s \in S$ mit $v_i s \in A$ für alle i, also $Vs \subset A$ finden. Dies zeigt $J \neq 0$. Daß J ein Rechtsideal von A ist, sieht man sofort. Da für alle $x \in \mathfrak{g}$ und $a \in J$ aber $Vxa \subset xVa + j(x)Va \subset xA + Va \subset A$ gilt, ist J ein Ideal und umfaßt daher I. Dies zeigt $xI \subset A$.

Damit haben wir die erste Gleichung bewiesen. Da A prim ist, gilt $I^2 \neq 0$; da I minimal ist, folgt aus $I^2 \subset I$ nun $I^2 = I$. Daher impliziert $xI \subset A$, daß $xI = xI^2 \subset I$ gilt. So erhalten wir die zweite Gleichung. Die übrigen zeigt man symmetrisch.

b) Ist $\mathrm{Ann}\, L$ ein maximales Ideal, so gilt $I = A$, also $Q(A) \cap A' = \{x \in A' \mid xA \subset A\} = A$. Daher ist die Behauptung klar.

Bemerkung. Es sei $\mu \in \mathfrak{h}^*$ mit R_μ vom Typ A_{n-1} für ein $n \in \mathbf{N}$. Aus Satz 12.14.b und Satz 12.13.b folgt nun: Ist $I(\mu)$ ein maximales Ideal von $U(\mathfrak{g})$, so ist die kanonische Abbildung

$$U(\mathfrak{g})/I(\mu) \xrightarrow{\sim} \mathscr{L}(L(\mu), L(\mu))$$

ein Isomorphismus. (Für μ mit $\mathrm{Stab}_W \mu = 1$ ist dies in Satz 7.32.b enthalten.)

12.15 Satz. *Es seien M und N zwei $\mathfrak{g}$-Moduln endlicher Länge, für die $\mathscr{L}(M,N)$ homogen ist. Ferner sei $X \subset \mathscr{L}(M,N)$ ein Teilraum mit $\mathscr{L}(N,N)X\mathscr{L}(M,M) \subset X$.*

a) *Ist $\mathscr{L}(N,N)$ prim und gilt $X\mathscr{L}(N,M) \neq 0$, so ist*

$$d(\mathscr{L}(M,N)/X) < d(\mathscr{L}(M,N)).$$

b) *Ist $\mathscr{L}(M,M)$ prim und gilt $\mathscr{L}(N,M)X \neq 0$, so ist*

$$d(\mathscr{L}(M,N)/X) < d(\mathscr{L}(M,N)).$$

Beweis. a) Es ist $X\mathscr{L}(N,M)$ ein Ideal ungleich 0 von $\mathscr{L}(N,N)$. Da $\mathscr{L}(N,N)$ prim und noethersch ist, muß $X\mathscr{L}(N,M)$ nach 11.6(4) ein wesentliches Linksideal von $\mathscr{L}(N,N)$ sein. Nach 11.15.d, b gibt es daher ein $s \in X\mathscr{L}(N,M)$, das zur Small-Menge von $U(\mathfrak{g})/\operatorname{Ann} N$ gehört. Für alle $a \in \mathscr{L}(M,N)$ gilt nun

$$s\,a \in X\mathscr{L}(N,M)\mathscr{L}(M,N) \subset X\mathscr{L}(M,M) \subset X;$$

daraus folgt $s\mathscr{L}(M,N) \subset X$. Nach 11.9 operiert s linksregulär auf $\mathscr{L}(M,N)$; man beachte dabei, daß nach 10.3(1) auch $U(\mathfrak{g})/\operatorname{RAnn}\mathscr{L}(M,N)$ homogen ist. Nun erhalten wir

$$d(\mathscr{L}(M,N)/X) \leq d_{\mathfrak{g}}(\mathscr{L}(M,N)/s\mathscr{L}(M,N)) < d(\mathscr{L}(M,N)),$$

was zu beweisen war.

b) Dies zeigt man analog.

12.16 Es seien M und N kritische $\mathfrak{g}$-Moduln in der Kategorie $\mathscr{O}$. Dann sind $U(\mathfrak{g})/\operatorname{Ann} N$ und $U(\mathfrak{g})/\operatorname{Ann} M$ sowie $\mathscr{L}(M,M)$ und $\mathscr{L}(N,N)$ alle prim und noethersch (nach 8.14.a und 12.1.b). Es sind $S_1 = Sm(U(\mathfrak{g})/\operatorname{Ann} N)$ und $S_2 = Sm(U(\mathfrak{g})/\operatorname{Ann} M)$ Oresch in $\mathscr{L}(N,N)$ bzw. $\mathscr{L}(M,M)$ mit $Q(\mathscr{L}(N,N)) = S_1^{-1}\mathscr{L}(N,N)$ und $Q(\mathscr{L}(M,M)) = S_2^{-1}\mathscr{L}(M,M)$. Weiter sind $\mathscr{L}(M,N)$ und $\mathscr{L}(N,M)$ homogene $(\mathfrak{g}\times\mathfrak{g})$-Moduln (nach 10.12). Ist $\mathscr{L}(M,N) \neq 0$, so gilt $\operatorname{LAnn}\mathscr{L}(M,N) = \operatorname{Ann} N$ nach 7.8(1) und 8.14.a und $d(\mathscr{L}(M,N)) = 2d(N)$ nach 10.12.a. Ebenso folgt aus $\mathscr{L}(N,M) \neq 0$, daß $\operatorname{LAnn}\mathscr{L}(N,M) = \operatorname{Ann} M$ und $d(\mathscr{L}(N,M)) = 2d(M)$ gilt. Sind nun $\mathscr{L}(N,M)$ und $\mathscr{L}(M,N)$ beide ungleich 0, so folgt $d(N) = d(M)$ aus 8.16(1). Dann gilt $d(U(\mathfrak{g})/\operatorname{RAnn}\mathscr{L}(M,N)) = d(\mathscr{L}(M,N)) = 2d(N) = 2d(M) = d(U(\mathfrak{g})/\operatorname{Ann} M)$, also $\operatorname{RAnn}\mathscr{L}(M,N) = \operatorname{Ann} M$, weil $\operatorname{Ann} M \subset \operatorname{RAnn}\mathscr{L}(M,N)$ und weil $U(\mathfrak{g})\operatorname{Ann} M$ kritisch ist (vgl. 10.15). Ebenso folgt $\operatorname{RAnn}\mathscr{L}(N,M) = \operatorname{Ann} N$. Nun operieren S_1 und S_2 nach 11.9 links- bzw. rechtsregulär auf $\mathscr{L}(M,N)$, es gilt $S_1^{-1}\mathscr{L}(M,N) = \mathscr{L}(M,N)S_2^{-1}$ und dies ist in natürlicher Weise ein $(Q(\mathscr{L}(N,N)), Q(\mathscr{L}(M,M)))$-Bimodul.

Corollar. *Es seien M und N kritische $\mathfrak{g}$-Moduln in $\mathscr{O}$ mit $\mathscr{L}(M,N) \neq 0$ und $\mathscr{L}(N,M) \neq 0$. Dann ist $S_1^{-1}\mathscr{L}(M,N)$ mit $S_1 = Sm(U(\mathfrak{g})/\operatorname{Ann} N)$ in natürlicher Weise ein einfacher $(Q(\mathscr{L}(N,N)), Q(\mathscr{L}(M,M)))$-Bimodul.*

Beweis. Wir müssen nach den Überlegungen oben nur die Einfachheit beweisen. Jeder Unterbimodul ungleich 0 von $S_1^{-1}\mathscr{L}(M,N)$ hat die Gestalt

$S_1^{-1}X$, wobei X ein $(\mathscr{L}(N,N), \mathscr{L}(M,M))$-Unterbimodul ungleich 0 von $\mathscr{L}(M,N)$ ist. Wir müssen nun $S_1^{-1}X = S_1^{-1}\mathscr{L}(M,N)$ zeigen, nach 11.12.b also $d(\mathscr{L}(M,N)/X) < d(\mathscr{L}(M,N))$. Wegen $X \neq 0$ ist XM ein Untermodul ungleich 0 von N, insbesondere gilt daher $XM \supset \operatorname{soc} N$. Wäre $\mathscr{L}(N,M)X = 0$, so folgte $\mathscr{L}(N,M)XM = 0$ und $\mathscr{L}(N,M)\operatorname{soc} N = 0$. Daher ließe sich $\mathscr{L}(N,M) \neq 0$ in $\mathscr{L}(N/\operatorname{soc} N, M)$ einbetten, was unmöglich ist, da $\mathscr{L}(N/\operatorname{soc} N, M) = 0$ nach 8.16(1) und wegen $d(N/\operatorname{soc} N) < d(N) = d(M)$ gilt. Folglich ist $\mathscr{L}(N,M)X \neq 0$. Nun sind die Voraussetzungen von Satz 12.15.b erfüllt; daraus folgt dann die Behauptung.

12.17 Wir benutzen hier die Notation w_I von 12.2.

Satz. *Es seien* $\Lambda \in \mathfrak{h}^*/P(R)$ *und* $\lambda \in \Lambda^{++}$ *sowie* $I \in \mathscr{X}_\lambda$. *Für alle* $w \in W_\Lambda$ *mit* $I = I(w^{-1}\cdot\lambda)$ *sind* $\mathscr{L}(L(w_I\cdot\lambda), L(w\cdot\lambda))$ *und* $\mathscr{L}(L(w\cdot\lambda), L(w_I\cdot\lambda))$ *kritische* $(\mathfrak{g}\times\mathfrak{g})$*-Moduln mit*

$$\operatorname{soc}\mathscr{L}(L(w_I\cdot\lambda), L(w\cdot\lambda)) \simeq \mathscr{L}(M(\lambda), L(w\cdot\lambda))$$

und

$$\operatorname{soc}\mathscr{L}(L(w\cdot\lambda), L(w_I\cdot\lambda)) \simeq \mathscr{L}(M(\lambda), L(w^{-1}\cdot\lambda)).$$

Beweis. Wir betrachten hier nur $X = \mathscr{L}(L(w_I\cdot\lambda), L(w\cdot\lambda))$; der andere Fall folgt dann aus 6.9(5), 10.2(1) und 6.34.

Nun gilt $I = I(w^{-1}\cdot\lambda) = \operatorname{RAnn}\mathscr{L}(M(\lambda), L(w\cdot\lambda))$ nach 7.9, also

$$\mathscr{L}(M(\lambda), L(w\cdot\lambda)) \simeq \mathscr{L}(M(\lambda)/IM(\lambda), L(w\cdot\lambda)).$$

Da $M(\lambda)/IM(\lambda)$ kritisch mit $\operatorname{soc} M(\lambda)/IM(\lambda) \simeq L(w_I\cdot\lambda)$ ist (vgl. 7.11), folgt aus 8.16(7), daß die Restriktion von $M(\lambda)/IM(\lambda)$ auf den Sockel eine injektive Abbildung

$$\mathscr{L}(M(\lambda)/IM(\lambda), L(w\cdot\lambda)) \to \mathscr{L}(L(w_I\cdot\lambda), L(w\cdot\lambda)) = X$$

induziert. Insbesondere hat X einen zu $\mathscr{L}(M(\lambda), L(w_I\cdot\lambda))$ isomorphen, einfachen Unterbimodul Y.

Da X nach 10.12 homogen ist, erhalten wir die Behauptung, wenn wir $e(X) = e(Y)$ zeigen. Wir setzen $S_1 = Sm(U(\mathfrak{g})/I(w\cdot\lambda))$ und $S_2 = Sm(U(\mathfrak{g})/I)$; nach 11.12.b ist $e(X) = e(Y)$ zu $S_1^{-1}X = S_1^{-1}Y$ äquivalent. Nun ist Y ein $(\mathscr{L}(L(w\cdot\lambda), L(w\cdot\lambda)), U(\mathfrak{g})/I)$-Unterbimodul ungleich 0 von X, also $S_1^{-1}Y = YS_2^{-1}$ ein $(S_1^{-1}\mathscr{L}(L(w\cdot\lambda), L(w\cdot\lambda)), S_2^{-1}(U(\mathfrak{g})/I))$-Unterbimodul ungleich 0 von $S_1^{-1}X$. Nach 12.2 gilt $S_2^{-1}(U(\mathfrak{g})/I) = S_2^{-1}\mathscr{L}(L(w_I\cdot\lambda), L(w_I\cdot\lambda))$. Daher ist $S_1^{-1}Y$ sogar ein $(S_1^{-1}\mathscr{L}(L(w\cdot\lambda), L(w\cdot\lambda)), S_2^{-1}\mathscr{L}(L(w_I\cdot\lambda), L(w_I\cdot\lambda)))$-Unterbimodul von $S_1^{-1}X$. Nach Corollar 12.16 ist $S_1^{-1}X$ als solcher Bimodul einfach. Daher muß $S_1^{-1}Y = S_1^{-1}X$ sein.

12.18 Es seien $\Lambda \in \mathfrak{h}^*/P(R)$ und $\lambda \in \Lambda^{++}$ mit R_Λ vom Typ A_{n-1}. Wir benutzen die Notationen $A(w)$ und $B(w)$ für $w \in W_\Lambda$ wie in 5.25. Nach 7.14 gilt

$$\mathscr{L}(L(w'\cdot\lambda), L(w\cdot\lambda)) \neq 0 \Leftrightarrow I(w^{-1}\cdot\lambda) = I(w'^{-1}\cdot\lambda) \Leftrightarrow B(w) = B(w')$$

für alle $w, w' \in W$. Wir bezeichnen für alle $w, w' \in W$ mit $B(w)=B(w')$ das Element $w'' \in W_\Lambda$ mit $A(w'')=A(w)$ und $B(w'')=A(w')$ mit $\Psi(w, w')$.

Satz. *Für alle $w, w' \in W_\Lambda$ mit $B(w)=B(w')$ ist $\mathscr{L}(L(w'\cdot\lambda), L(w\cdot\lambda))$ ein kritischer $(\mathfrak{g}\times\mathfrak{g})$-Modul, dessen Sockel zu $\mathscr{L}(M(\lambda), L(\Psi(w, w')\cdot\lambda))$ isomorph ist.*

Beweis. Es sei $S=Sm(U(\mathfrak{g})/I(w\cdot\lambda))$; nach Corollar 12.16 ist $S^{-1}X$ mit $X=\mathscr{L}(L(w'\cdot\lambda), L(w\cdot\lambda))$ ein einfacher $(Q(\mathscr{L}(L(w\cdot\lambda), L(w\cdot\lambda))), Q(\mathscr{L}(L(w'\cdot\lambda), L(w'\cdot\lambda))))$-Bimodul, nach Corollar 12.13 also auch ein einfacher $(Q(U(\mathfrak{g})/I(w\cdot\lambda)), Q(U(\mathfrak{g})/I(w'\cdot\lambda)))$-Bimodul. Nach 11.13.a ist X deshalb kritisch.

Nun muß $\operatorname{soc} X$ einfach sein und $\operatorname{Ann}_{U(\mathfrak{g}\times\mathfrak{g})} X=\operatorname{Ann}_{U(\mathfrak{g}\times\mathfrak{g})} \operatorname{soc} X$ erfüllen. Wegen des zentralen Charakters gibt es daher ein $w'' \in W_\Lambda$ mit $\operatorname{soc} X \simeq \mathscr{L}(M(\lambda), L(w''\cdot\lambda))$. Nun gilt $\operatorname{LAnn}\operatorname{soc} X=I(w''\cdot\lambda)=\operatorname{LAnn} X=I(w\cdot\lambda)$ und $\operatorname{RAnn}\operatorname{soc} X=I(w''^{-1}\cdot\lambda)=\operatorname{RAnn} X=I(w'\cdot\lambda)$, also $A(w)=A(w'')$ und $B(w'')=A(w''^{-1})=A(w')$, mithin $w''=\Psi(w, w')$, was zu zeigen war.

Anhang

12A.1 Die Ergebnisse dieses Kapitels stammen im wesentlichen aus [Joseph 14], [Joseph 17] und [Joseph 20]. Zu 12.12 vergleiche man auch [Gabber/Joseph 1], 4.5 und [Joseph 21], 2.2.

12A.2 Von Satz 12.3 finden sich bei Joseph zwei Spezialfälle in [Joseph 14], 8.1 und [Joseph 17], 5.11. Dies sind auch die Fälle, in denen hier 12.3 angewendet wird, und zwar in 15.8 und 12.6.

12A.3 Es seien A ein homomorphes Bild von $U(\mathfrak{g})$ und A' eine Erweiterungsalgebra, die als $(U(\mathfrak{g}), U(\mathfrak{g}))$-Bimodul ein endlich erzeugbarer Harish-Chandra-Modul ist. Wir wollen annehmen, daß A' prim ist, und die minimalen Primideale von A mit $P_1, P_2, \ldots, P_r$ bezeichnen. Nach [Joseph/Small], 3.9 gilt nun:

(a) $d(A/P_i)=d(A)$ für $1 \leqslant i \leqslant r$.

(b) Es gibt $n_i \in \mathbf{N}$, $n_i>0$ mit

$$\operatorname{rk} A'=\sum_{i=0}^{r} n_i \operatorname{rk}(A/P_i).$$

(Dies ist das Additivitätsprinzip von Joseph und Small; bei ihnen kann man $\mathfrak{g}$ noch durch eine beliebige Lie-Algebra $\mathfrak{s}$ ersetzen und muß dann „Harish-Chandra-Modul" geeignet definieren.)

In der Situation von Satz 12.3 sieht man (a) und (b) so: Es ist $\sqrt{\operatorname{Ann} M}$ nach 8.12.a und 8.14.a der Durchschnitt der $\operatorname{Ann} L$ mit L wie in 12.3.c, es gilt $d(U(\mathfrak{g})/\operatorname{Ann} L)=2d(L)=2d(M)=d(U(\mathfrak{g})/\operatorname{Ann} M)$ für alle diese L, und es ist $\operatorname{rk}\mathscr{L}(L, L)$ ein ganzzahliges Vielfaches von $\operatorname{rk} U(\mathfrak{g})/\operatorname{Ann} L$.

Man kann überhaupt für einen homogenen Bimodul X in $\mathscr{H}^{ee}$ leicht zeigen, daß für alle minimalen Primideale P von $A=U(\mathfrak{g})/\mathrm{LAnn}\,X$ (oder von $U(\mathfrak{g})/\mathrm{RAnn}\,X$) die Gleichung $d(A/P)=d(X)$ gilt: Mit Hilfe von 8.14 kann man sich auf den Fall beschränken, daß X kritisch ist. Dann muß aber $P=\mathrm{LAnn}\,X$ nach 8A.5 gelten; man kann also Satz 10.3 anwenden.

In Satz 12.3 konnten wir für die n_i von (b) oben genauere Angaben machen: Es war n_i die Summe der $[M: L]\,\mathrm{rk}\,\mathscr{L}(L, L)/\mathrm{rk}(U(\mathfrak{g})/P_i)$ über alle einfachen L mit $P_i=\mathrm{Ann}\,L$. Im allgemeinen kann man die n_i nicht so ausdrücken, auch wenn $A=U(\mathfrak{g})/\mathrm{Ann}\,M$ und $A'=\mathscr{L}(M, M)$ für einen Modul M in $\mathscr{O}$ ist. Ein Gegenbeispiel findet man in [Joseph 14], 8.10. Man vergleiche auch [Joseph 12], 4.4.

12A.4 In [Borho 7] und [Borho 8] wird allgemein für eine prime noethersche Algebra A' und eine noethersche Unteralgebra A untersucht, wann die Aussagen (a) und (b) von 12A.3 gelten und wann andere schöne Eigenschaften auftreten, die hier in unserer Situation in Kapitel 11 bewiesen wurden (ob A' homogen ist, ob $Sm(A)$ Oresch in A' und A ist, vgl. 11.14 und 11.15).

Kapitel 13. Schiefpolynomringe und der Übergang zu den $\mathfrak{m}$-Invarianten

Es sei $\mathfrak{m}$ das Nilradikal einer parabolischen Unteralgebra von $\mathfrak{g}$. Dann ist $U(\mathfrak{g})^{\mathfrak{m}}$ ein noetherscher Ring. Für jedes Primideal I von $U(\mathfrak{g})$ mit $I \cap U(\mathfrak{m})=0$ ist $I^{\mathfrak{m}}$ ein Primideal von $U(\mathfrak{g})^{\mathfrak{m}}$. Der Goldie-Rang von $U(\mathfrak{g})/I$ ist gleich demjenigen von $U(\mathfrak{g})^{\mathfrak{m}}/I^{\mathfrak{m}} \simeq (U(\mathfrak{g})/I)^{\mathfrak{m}}$ und für die totalen Quotientenringe gilt $Q((U(\mathfrak{g})/I)^{\mathfrak{m}})=Q(U(\mathfrak{g})/I)^{\mathfrak{m}}$. Es gibt für ein Primideal I von $U(\mathfrak{g})$ genau dann ein Nilradikal $\mathfrak{m}$ wie oben mit $I \cap U(\mathfrak{m})=0$ und $\mathfrak{m} \neq 0$, wenn $U(\mathfrak{g})/I$ unendlich dimensional ist.

Das wichtigste neue Hilfsmittel beim Beweis der oben skizzierten Sätze ist die Konstruktion der verallgemeinerten Schiefpolynomringe. Mit ihnen beschäftigen wir uns zunächst.

13.1 Es seien A eine Algebra und $\mathfrak{s}$ eine Lie-Algebra sowie $\partial\colon \mathfrak{s} \to \operatorname{Der}(A)$ ein Homomorphismus von Lie-Algebren; für ein $x \in \mathfrak{s}$ schreiben wir in der Regel ∂_x statt $\partial(x)$. Wie in [BGR], 4.2 gezeigt wird, kann man nun $A \otimes U(\mathfrak{s})$ auf genau eine Weise zu einer Algebra machen, so daß die Abbildungen $a \mapsto a \otimes 1$ und $u \mapsto 1 \otimes u$ von A bzw. $U(\mathfrak{s})$ in $A \otimes U(\mathfrak{s})$ Homomorphismen von Algebren sind und so, daß

$$(1) \qquad (1 \otimes x)(a \otimes 1)-(a \otimes 1)(1 \otimes x)=(\partial_x a) \otimes 1$$

für alle $x \in \mathfrak{s}$ und $a \in A$ gilt. Wir bezeichnen $A \otimes U(\mathfrak{s})$ versehen mit dieser Struktur mit $A[\mathfrak{s}]_\partial$ oder auch kurz mit $A[\mathfrak{s}]$, wenn klar ist, um welches ∂ es sich handelt. Außerdem identifizieren wir A und $U(\mathfrak{s})$ mit den Unteralgebren $A \otimes k$ und $k \otimes U(\mathfrak{s})$ von $A[\mathfrak{s}]_\partial$, so daß sich die Formel (1) so liest:

$$(2) \qquad xa-ax=\partial_x a \quad \text{für alle } x \in \mathfrak{s} \quad \text{und} \quad a \in A.$$

Die Algebra $A[\mathfrak{s}]_\partial$ nennen wir einen *verallgemeinerten Schiefpolynomring* über A.

Die Algebra $A[\mathfrak{s}]_\partial$ hat die folgende universelle Eigenschaft. Für alle Paare $\phi_1\colon A \to A'$ und $\phi_2\colon U(\mathfrak{s}) \to A'$ von Homomorphismen von Algebren mit $\phi_2(x)\phi_1(a)-\phi_1(a)\phi_2(x)=\phi_1(\partial_x a)$ für alle $x \in \mathfrak{s}$ und $a \in A$ gibt es genau einen Homomorphismus $\phi\colon A[\mathfrak{s}]_\partial \to A$ von Algebren mit $\phi|_A=\phi_1$ und $\phi|_{U(\mathfrak{s})}=\phi_2$.

Sind A und $U(\mathfrak{s})$ beide als Unteralgebren in einer Algebra A' enthalten, so daß $\operatorname{ad}(x)(a)=xa-ax \in A$ für alle $a \in A$ und $x \in \mathfrak{s}$ gilt, so wird durch $\partial_x=\operatorname{ad}(x)|_A$ ein Homomorphismus $\partial\colon \mathfrak{s} \to \operatorname{Der}(A)$ definiert, und wegen der universellen Eigenschaft hat man einen Homomorphismus $A[\mathfrak{s}]_\partial \to A'$, der auf A und $U(\mathfrak{s})$ die Inklusion induziert. Ist er bijektiv, ist also A' als Vektorraum zu $A \otimes U(\mathfrak{s})$ unter $a \otimes u \mapsto au$ isomorph, so schreiben wir kurz $A'=A[\mathfrak{s}]$.

13.2 Es seien $A, \mathfrak{s}$ und ∂ wie in 13.1. Für eine Unteralgebra $\mathfrak{s}'$ von $\mathfrak{s}$ kann man $U(\mathfrak{s}')$ mit einer Unteralgebra von $U(\mathfrak{s})$ identifizieren. Auf Grund der universellen Eigenschaft von $A[\mathfrak{s}']_\partial$ kann man nun $A[\mathfrak{s}']_\partial$ mit einer Unteralgebra von $A[\mathfrak{s}]_\partial$ identifizieren. (Wir schreiben hier kurz ∂ auch für $\partial|_{\mathfrak{s}'}$.)

Sind $\mathfrak{s}'$ eine Unteralgebra und $\mathfrak{a}$ ein Ideal von $\mathfrak{s}$ mit $\mathfrak{s}=\mathfrak{a}\oplus\mathfrak{s}'$, so gilt nach dem Satz von Poincaré, Birkhoff und Witt:

(1) $$A[\mathfrak{s}]_\partial=(A[\mathfrak{a}]_\partial)[\mathfrak{s}']_{\partial'},$$

wobei ∂'_x für ein $x\in\mathfrak{s}'$ die Derivation $\partial_x\otimes\mathrm{id}+\mathrm{id}\otimes\mathrm{ad}_\mathfrak{a}(x)$ von $A[\mathfrak{a}]_\partial\simeq A\otimes U(\mathfrak{a})$ ist. Wendet man dies auf $A=k$ und $\partial=0$ an, so erhält man

(2) $$U(\mathfrak{s})=U(\mathfrak{a})[\mathfrak{s}'].$$

13.3 Es seien A eine Algebra und d eine Derivation von A. Wir können die Konstruktion von 13.1 auf eine eindimensionale Lie-Algebra $\mathfrak{s}=kx$ und die lineare Abbildung $\partial\colon kx\to\mathrm{Der}(A)$ mit $\partial(x)=d$ anwenden. In diesem Fall bezeichnen wir $A[\mathfrak{s}]_\partial$ mit $A[x]_d$ und nennen diesen Ring einen *Schiefpolynomring* über A. (Für $d=0$ erhält man den üblichen Polynomring.) Man kann jedes Element ungleich 0 von $A[x]_d$ eindeutig in der Form $\sum_{i=0}^{n} a_i x^i$ mit $a_i\in A$ und $a_n\neq 0$ schreiben.

Es sei $a\in A$; mit d ist auch $d'=d-\mathrm{ad}(a)$ eine Derivation von A. Man rechnet leicht nach, daß die Abbildung $\phi\colon A[x]_d\to A[x]_{d'}$ mit $\phi\left(\sum_{i=0}^{n} a_i x^i\right) = \sum_{i=0}^{n} a_i(x-a)^i$ für alle $a_i\in A$ ein Isomorphismus

(1) $$A[x]_d \xrightarrow{\sim} A[x]_{d-\mathrm{ad}(a)}$$

von Algebren ist.

Bemerkung. Jeder Schiefpolynomring $M_r(A)[x]_{d'}$ über einem $M_r(A)$ mit $r\in\mathbf{N}$ ist zu einer Matrixalgebra $M_r(A[x]_d)$ für eine geeignete Derivation d von A isomorph. (Ist A ein Schiefkörper mit Zentrum k, so findet sich dieses Ergebnis in [Joseph 22], 1.9.2. Um den allgemeinen Fall zu erhalten, verallgemeinert man sein Lemme 1.9.1, was leicht möglich ist.)

13.4 Es sei $A[x]_d$ ein Schiefpolynomring wie in 13.3. Dann wird durch $d'\left(\sum_{i=0}^{n} a_i x^i\right)=\sum_{i=1}^{n} i a_i x^{i-1}$ für alle $a_i\in A$ eine Derivation von $A[x]_d$ mit

$$A=\{y\in A[x]_d \mid d'(y)=0\}=(A[x]_d)^{d'}$$

definiert; für sie gilt $d'(x)=1$, und sie ist lokal nilpotent (vgl. 1.7).

Es sei umgekehrt eine Algebra A' mit einer lokal nilpotenten Derivation d' gegeben, so daß es ein $y\in A'$ mit $d'(y)=1$ gibt. Dann ist $A=\{a\in A' \mid d'(a)=0\}$ eine Unteralgebra von A'. Eine einfache Rechnung zeigt $(\mathrm{ad}\,y)(A)\subset A$; folglich ist $d=\mathrm{ad}(y)|_A$ eine Derivation von A. Wegen der universellen Eigenschaft in 13.1 hat man einen Homomorphismus $\phi: A[x]_d \to A'$ von Algebren mit $\phi|_A = \mathrm{id}_A$ und $\phi(x)=y$. Da $a_n(n!)=(d')^n \sum_{i=0}^{n} a_i y^i$ gilt, kann man die a_i aus $\sum_{i=0}^{n} a_i y^i$ sukzessiv berechnen. Daher ist ϕ injektiv. Wir wollen zeigen, daß ϕ auch surjektiv ist. Für ein $b\in A'$ mit $b\neq 0$ gibt es ein $n\in\mathbf{N}$ mit $(d')^n(b)\neq 0=(d')^{n+1}(b)$; dann ist $a=(d')^n(b)\in A$ und $(d')^n(b-(n!)^{-1}ay^n)=0$. Durch Induktion über n folgt nun $b\in \sum_{i=0}^{n} Ay^i \subset \mathrm{Bild}\,\phi$. Damit haben wir bewiesen, daß wir einen Isomorphismus

(1) $$A[x]_d \xrightarrow{\sim} A'$$

haben. In dieser Situation schreiben wir auch (analog zur Konvention in 13.1) $A'=A[y]$. Bei Anwendungen findet man häufig zunächst nur ein $y'\in A'$, für daß $d'(y')$ ein invertierbares Element von A ist; man setzt dann $y=d'(y')^{-1}y'$.

13.5 Es seien A, $\mathfrak{s}$ und ∂ wie in 13.1. Aus 13.1 (2) folgt durch Induktion über $n\in\mathbf{N}$

(1) $$ua-au\in A\,U_{n-1}(\mathfrak{s}) \quad \text{für alle } u\in U_n(\mathfrak{s}) \text{ und } a\in A.$$

Daher muß die lineare Abbildung

(2) $$U(\mathfrak{s})\otimes A \to A[\mathfrak{s}]_\partial = A[\mathfrak{s}]$$

mit $u\otimes a\mapsto ua$ bijektiv sein und jeweils $U_n(\mathfrak{s})\otimes A$ in $A\,U_n(\mathfrak{s})\simeq A\otimes U_n(\mathfrak{s})$ überführen. Insbesondere gilt in $A[\mathfrak{s}]$:

(3) $$U_n(\mathfrak{s})A = A\,U_n(\mathfrak{s}) \quad \text{für alle } n\in\mathbf{N}.$$

Für alle $n, m\in\mathbf{N}$ sieht man nun sofort

$$A\,U_n(\mathfrak{s})A\,U_m(\mathfrak{s}) = A\,A\,U_n(\mathfrak{s})\,U_m(\mathfrak{s}) = A\,U_{n+m}(\mathfrak{s});$$

die Algebra $A[\mathfrak{s}]$ ist also durch die $A\,U_n(\mathfrak{s})$ mit $n\in\mathbf{N}$ aufsteigend filtriert. Für die sukzessiven Faktoren hat man Isomorphismen zunächst von Vektorräumen

$$A\,U_{n+1}(\mathfrak{s})/A\,U_n(\mathfrak{s}) \simeq A\otimes(U_{n+1}(\mathfrak{s})/U_n(\mathfrak{s})).$$

Aus (1) folgt nun, daß die assoziierte graduierte Algebra $\mathrm{gr}\,A[\mathfrak{s}]$ zu $A\otimes \mathrm{gr}\,U(\mathfrak{s})$, nach 1.4 also zu $A\otimes S(\mathfrak{s})$ isomorph ist:

(4) $$\mathrm{gr}\,A[\mathfrak{s}] \simeq A\otimes S(\mathfrak{s}).$$

Es sei $e \in A$ idempotent. Für alle $n \in \mathbf{N}$ sieht man mit (1) leicht $eA[\mathfrak{s}]e \cap A\,U_n(\mathfrak{s}) = eA\,U_n(\mathfrak{s})e$ und $eA\,U_n(\mathfrak{s})e + A\,U_{n-1}(\mathfrak{s}) = (eAe)\,U_n(\mathfrak{s}) + A\,U_{n-1}(\mathfrak{s})$. Daher wird die Algebra $eA[\mathfrak{s}]e$ durch die $eA\,U_n(\mathfrak{s})e$ filtriert; für die assoziierte graduierte Algebra gilt

(5) $\quad \mathrm{gr}\, eA[\mathfrak{s}]e \simeq eAe \otimes S(\mathfrak{s})$.

Ist $eA[\mathfrak{s}]e$ nullteilerfrei, so auch eAe als Unteralgebra von $eA[\mathfrak{s}]e$. Wenn dagegen eAe nullteilerfrei ist, so ist es auch $eAe \otimes S(\mathfrak{s})$ als Polynomring über eAe. Nach [Bourbaki 2], ch. III, § 2, n° 3, cor. de la prop. 1 kann nun auch $eA[\mathfrak{s}]e$ keine Nullteiler haben. Damit ist gezeigt:

(6) $\quad$ *eAe nullteilerfrei $\Leftrightarrow$ $eA[\mathfrak{s}]e$ nullteilerfrei.*

Für $e = 1$ insbesondere erhalten wir

(6′) $\quad$ *A nullteilerfrei $\Leftrightarrow$ $A[\mathfrak{s}]$ nullteilerfrei.*

Es sei e wieder beliebig. Ist eAe noethersch, so auch $eAe \otimes S(\mathfrak{s})$ nach Hilberts Basissatz. Aus (5) und [Bourbaki 2], ch. III, § 2, n° 9, cor. 2 de la prop. 12 folgt nun:

(7) $\quad$ *eAe noethersch $\Rightarrow$ $eA[\mathfrak{s}]e$ noethersch.*

Für ein Linksideal I von A gilt $A[\mathfrak{s}]\,U(\mathfrak{s})I = A\,U(\mathfrak{s})I = U(\mathfrak{s})AI \subset U(\mathfrak{s})I$, also ist $U(\mathfrak{s})I$ ein Linksideal von $A[\mathfrak{s}]$; ferner gilt $A \cap U(\mathfrak{s})I = I$, weil $U(\mathfrak{s})I$ bei der Bijektion in (2) das Bild von $U(\mathfrak{s}) \otimes I$ ist, während A dasjenige von $k \otimes A$ ist. Ebenso ist $J\,U(\mathfrak{s})$ ein Rechtsideal von $A[\mathfrak{s}]$ mit $J\,U(\mathfrak{s}) \cap A = J$, wenn J ein Rechtsideal von A ist. Daraus folgt sofort, daß A noethersch ist, wenn $A[\mathfrak{s}]$ dies ist. Wenden wir (7) auf $e = 1$ an, so erhalten wir die Umkehrung, also:

(8) $\quad$ *A noethersch $\Leftrightarrow$ $A[\mathfrak{s}]$ noethersch.*

13.6 Es seien A, $\mathfrak{s}$ und ∂ wie in 13.1. Eine Teilmenge $M \subset A$ möge $\mathfrak{s}$-stabil heißen, wenn $\partial_x M \subset M$ für alle $x \in \mathfrak{s}$ gilt.

Es sei I ein $\mathfrak{s}$-stabiles Ideal von A; dann ist $U(\mathfrak{s})I$ ein Ideal von $A[\mathfrak{s}] = A[\mathfrak{s}]_\partial$ mit $U(\mathfrak{s})I \cap A = I$. Nach den Bemerkungen im letzten Absatz von 13.5 müssen wir nur noch $I\,U(\mathfrak{s}) \subset U(\mathfrak{s})I$, also $Ix \subset U(\mathfrak{s})I$ für alle $x \in \mathfrak{s}$ zeigen, um dies einzusehen. Für ein solches x gilt aber $Ix \subset xI + \partial_x I \subset xI + I \subset U(\mathfrak{s})I$ wegen der $\mathfrak{s}$-Stabilität von I. So sehen wir übrigens genauer $U(\mathfrak{s})I = I\,U(\mathfrak{s})$. Für alle $x \in \mathfrak{s}$ ist durch $\partial'_x(a+I) = \partial_x(a) + I$ für $a \in A$ eine Derivation ∂'_x von A/I wohldefiniert; offensichtlich ist $\partial' \colon \mathfrak{s} \to \mathrm{Der}(A/I)$ ein Homomorphismus von Lie-Algebren. Man sieht nun leicht:

(1) $\quad A[\mathfrak{s}]/U(\mathfrak{s})I = (A/I)[\mathfrak{s}]_{\partial'}$.

Wie üblich bezeichnen wir die Menge aller Primideale eines Rings A' mit $\operatorname{Spec} A'$. Hier bezeichnen wir die Menge der $\mathfrak{s}$-stabilen Primideale von A mit $(\operatorname{Spec} A)^{\mathfrak{s}}$. Wenn A *noethersch* ist, gilt (vgl. [BGR], 4.5):

(2) $\quad J \in \operatorname{Spec} A[\mathfrak{s}] \Rightarrow J \cap A \in (\operatorname{Spec} A)^{\mathfrak{s}}$

und

(3) $\quad I \in (\operatorname{Spec} A)^{\mathfrak{s}} \Rightarrow U(\mathfrak{s}) I \in \operatorname{Spec} A[\mathfrak{s}]$.

Wegen $I = A \cap U(\mathfrak{s}) I$ für alle $\mathfrak{s}$-stabilen Ideale I von A ist die Abbildung $\operatorname{Spec} A[\mathfrak{s}] \to (\operatorname{Spec} A)^{\mathfrak{s}}$ mit $J \mapsto J \cap A$ surjektiv und hat einen Schnitt in $I \mapsto U(\mathfrak{s}) I$. Beide Abbildungen respektieren Inklusionen.

Wir nennen $A[\mathfrak{s}]$ *starr* über A, wenn jedes Ideal von $A[\mathfrak{s}]$ von seinem Durchschnitt mit A erzeugt wird. Ist dies der Fall und ist A noethersch, so ist oben die Abbildung $\operatorname{Spec} A[\mathfrak{s}] \to (\operatorname{Spec} A)^{\mathfrak{s}}$ ein Isomorphismus geordneter Mengen.

Für einen Schiefpolynomring $A[x]_d$ wird in [BGR], 4.8 gezeigt:

(4) *Gibt es ein $a \in Z(A)$ mit invertierbarem $d(a)$, so ist $A[x]_d$ starr über A.*

13.7 Es sei S eine Oresche Teilmenge einer Algebra A. Dann läßt sich jede Derivation d von A auf genau eine Weise zu einer Derivation von $S^{-1}A$ fortsetzen (vgl. [BGR], 4.1.c). Dabei gilt $d(s^{-1}a) = -s^{-1}d(s)s^{-1}a + s^{-1}d(a)$ für alle $a \in A$ und $s \in S$. So erhält man eine Einbettung $\operatorname{Der}(A) \to \operatorname{Der}(S^{-1}A)$ von Lie-Algebren.

Es seien $A, \mathfrak{s}, \partial$ wie in 13.1 und $S \subset A$ Oresch. Nun können wir ∂ auch als Homomorphismus $\partial: \mathfrak{s} \to \operatorname{Der}(S^{-1}A)$ auffassen und $(S^{-1}A)[\mathfrak{s}]_\partial$ bilden. Andererseits kann man zeigen (vgl. [BGR], 4.4), daß S auch in $A[\mathfrak{s}]_\partial$ Oresch ist und daß kanonisch

(1) $\quad S^{-1}(A[\mathfrak{s}]_\partial) \simeq (S^{-1}A)[\mathfrak{s}]_\partial$

gilt.

Lemma. *Ist A eine prime und noethersche Algebra, so ist auch $A[\mathfrak{s}]_\partial$ prim und noethersch, und es gilt* $\operatorname{rk} A = \operatorname{rk} A[\mathfrak{s}]_\partial$.

Beweis. Nach 13.5(8) ist $A[\mathfrak{s}]$ noethersch, nach 13.6(3), angewendet auf $I = 0$, auch prim. Es bleibt die Behauptung über die Goldie-Ränge zu beweisen. Da sich beim Lokalisieren der Goldie-Rang nicht ändert, können wir A wegen (1) durch $Q(A)$ ersetzen, also annehmen, daß $A \simeq M_r(D)$ für einen Schiefkörper D und $r = \operatorname{rk} A$ gilt.

Es sei nun e primitiv idempotent in A. Dann ist $A[\mathfrak{s}]$ als Linksideal über sich zu $(A[\mathfrak{s}]e)^r$ isomorph. Daraus folgt

$$A[\mathfrak{s}] \simeq (\operatorname{End}_{A[\mathfrak{s}]} A[\mathfrak{s}])^{\mathrm{opp}} \simeq M_r(\operatorname{End}_{A[\mathfrak{s}]} A[\mathfrak{s}]e)^{\mathrm{opp}} \simeq M_r(eA[\mathfrak{s}]e).$$

Nach 13.5(6), (7) ist $eA[\mathfrak{s}]e$ nullteilerfrei und noethersch, hat also einen Schiefkörper D' als Quotientenring. Jetzt ist $Q(A[\mathfrak{s}])$ nach 11.2(1) zu $M_r(D')$ isomorph, also $\operatorname{rk} A[\mathfrak{s}]=r=\operatorname{rk} A$, was zu zeigen war.

Bemerkung. Ist A eine noethersche Algebra, so gilt nach dem Lemma und nach 13.6(1) für alle $I\in(\operatorname{Spec} A)^{\mathfrak{s}}$:

(2) $\quad \operatorname{rk} A/I=\operatorname{rk} A[\mathfrak{s}]/U(\mathfrak{s})I.$

13.8 Dem Übergang von A zu $A[\mathfrak{s}]$ im starren Fall ähnelt der Übergang von A zu $A\otimes\mathbf{A}_n$, wobei $\mathbf{A}_n$ die n-te Weyl-Algebra (vgl. 3.10) ist. Wir identifizieren dabei A stets mit $A\otimes k\subset A\otimes\mathbf{A}_n$.

Da $\mathbf{A}_n$ zum n-fachen Tensorprodukt von $\mathbf{A}_1$ mit sich isomorph ist, kann man sich beim Beweis der Formeln unten auf den Fall $n=1$ beschränken. Weil $A\otimes\mathbf{A}_1$ zu $(A\otimes k[x])[y]_d$ isomorph ist, wobei d die Derivation mit $d(a\otimes x^m)=m\,a\otimes x^{m-1}$ für alle $m\in\mathbf{N}$ und $a\in A$ ist, können wir die Theorie von 13.1 bis 13.7 anwenden. Wegen $d(1\otimes x)=1$ ist $A\otimes\mathbf{A}_1$ nach 13.6(4) ein starrer Schiefpolynomring über $A\otimes k[x]$. Nun ist ein Ideal von $A\otimes k[x]$ genau dann d-stabil, wenn es die Gestalt $I\otimes k[x]$ für ein Ideal I von A hat.

Aus 13.6 folgt daher: Die Abbildung $I\mapsto I\otimes\mathbf{A}_n$ ist eine Bijektion von der Menge aller Ideale von A auf die Menge aller Ideale von $A\otimes\mathbf{A}_n$; ihre Umkehrabbildung ist $J\mapsto J\cap A$. Sie induziert einen für noethersches A Isomorphismus geordneter Mengen

(1) $\quad \operatorname{Spec} A\xrightarrow{\sim}\operatorname{Spec} A\otimes\mathbf{A}_n,\qquad I\mapsto I\otimes\mathbf{A}_n.$

(Soweit vergleiche man [DIX], 4.6.5, 4.6.6, 4.5.1.).

Weiter folgt aus 13.5(8), (6'):

(2) $\quad$ *A noethersch $\Leftrightarrow$ $A\otimes\mathbf{A}_n$ noethersch.*

(3) $\quad$ *A nullteilerfrei $\Leftrightarrow$ $A\otimes\mathbf{A}_n$ nullteilerfrei.*

Es sei A noethersch; für ein $I\in\operatorname{Spec} A$ folgt aus 13.7(2):

(4) $\quad \operatorname{rk} A/I=\operatorname{rk}(A\otimes\mathbf{A}_n)/(I\otimes\mathbf{A}_n).$

13.9 Wir kehren zu unserer halbeinfachen, zerfallenden Lie-Algebra $\mathfrak{g}$ zurück und kommen zu Anwendungen der in den Abschnitten 3.6 bis 3.21 entwickelten Theorie. Es sei $\mathfrak{p}\supset\mathfrak{b}^+$ eine parabolische Unteralgebra von $\mathfrak{g}$ mit Nilradikal $\mathfrak{m}$, und es sei $\mathfrak{c}=\hat{\mathfrak{m}}\oplus\mathfrak{l}$ die ergänzte optimale Hülle von $\mathfrak{m}$ wie in 3.18. Nach 3.17.a gilt $U(\mathfrak{m})^{\mathfrak{n}^+}=Z(\hat{\mathfrak{m}})$.

Wir wählen x_i, $\mathfrak{m}_i$ und a_i für $1\leqslant i\leqslant r=\dim\mathfrak{m}$ wie in Satz 3.19. Danach gilt $[x_i,a_i]\in U(\mathfrak{m})^{\mathfrak{n}^+}=Z(\hat{\mathfrak{m}})\subset Z(\mathfrak{m})$ und $[x_i,a_i]\neq 0$. Wir können ein $x\in Z(\hat{\mathfrak{m}})$, $x\neq 0$ finden, so daß alle $[x_i,a_i]$ in $Z(\hat{\mathfrak{m}})_x$ invertierbar sind, zum Beispiel das Produkt aller $[x_i,a_i]$. Für die $a_i'=[x_i,a_i]^{-1}a_i$ gilt nun $a_i'\in U(\mathfrak{c})^{\mathfrak{m}_{i-1}}$ und $[x_i,a_i']=1$ wegen $x_i\in\mathfrak{m}\subset\hat{\mathfrak{m}}$ und $[x_i,a_i]\in Z(\hat{\mathfrak{m}})$.

Lemma. *Es sei A eine Erweiterungsalgebra von $U(\mathfrak{c})$, in der jedes Element von $\mathfrak{m}$ lokal ad-nilpotent und in der x regulär ist. Dann gilt*

$$(1) \qquad A_x = A_x^{\mathfrak{m}}[a'_r][a'_{r-1}]\ldots[a'_1].$$

Ist A_x prim und noethersch, so auch $A_x^{\mathfrak{m}}$, und es gilt $\operatorname{rk} A_x^{\mathfrak{m}} = \operatorname{rk} A_x$.

Beweis. Zunächst ist $\{x^n \mid n \in \mathbf{N}\}$ nach 11.2 Oresch in A, so daß wir A_x und auch $A_x^{\mathfrak{m}_i} \subset A_x$ für alle i bilden können. Es gilt $a'_i \in A_x^{\mathfrak{m}_{i-1}}$ und $\operatorname{ad}(x_i)$ ist lokal nilpotent auf A_x. Aus 13.4(1) folgt deshalb $A_x^{\mathfrak{m}_{i-1}} = A_x^{\mathfrak{m}_i}[a'_i]$. Daraus erhalten wir (1) durch Induktion. Ist $A_x^{\mathfrak{m}_{i-1}}$ prim und noethersch, so auch $A_x^{\mathfrak{m}_i}$ nach 13.5(6) und 13.6(2). Außerdem gilt $\operatorname{rk} A_x^{\mathfrak{m}_{i-1}} = \operatorname{rk} A_x^{\mathfrak{m}_i}$ nach Lemma 13.7. Durch Induktion folgt nun die Behauptung.

Bemerkung. Besitzt ein Ring A einen Quotientenring A', der einfach und artinsch ist, so ist A prim (vgl. [BGR], 2.9). Ringe mit dieser Eigenschaft heißen prime *Goldie-Ringe.* Für sie ist oben $A' = Q(A)$ der totale Quotientenring von A; wir definieren wie früher den Goldie-Rang $\operatorname{rk} A = \operatorname{rk} A'$ von A. (Nach den Sätzen von Goldie ist jeder prime und noethersche Ring ein primer Goldie-Ring.)

Es sei im Lemma nun A prim und noethersch. Dann ist (vgl. 11.5) auch A_x prim und noethersch mit $\operatorname{rk} A_x = \operatorname{rk} A$. Nach dem Lemma hat $A^{\mathfrak{m}}$ einen Quotientenring $Q(A_x^{\mathfrak{m}})$, der einfach und artinsch ist. Daher muß $A^{\mathfrak{m}}$ ein primer Goldie-Ring mit $\operatorname{rk} A^{\mathfrak{m}} = \operatorname{rk}(A_x^{\mathfrak{m}}) = \operatorname{rk} A$ sein.

13.10 Es seien $\mathfrak{m}$ und $\mathfrak{c} = \hat{\mathfrak{m}} + \mathfrak{l}$ wie in 13.9.

Für einen $\operatorname{ad}(\mathfrak{n}^+)$-stabilen Teilraum $V \neq 0$ von $U(\mathfrak{g})$ gilt $V^{\mathfrak{n}^+} \neq 0$, weil $\mathfrak{n}^+$ lokal ad-nilpotent auf $U(\mathfrak{g})$ operiert. Für ein Ideal I von $U(\mathfrak{g})$ folgt daraus

$$(1) \qquad I \cap U(\mathfrak{m}) = 0 \Leftrightarrow I \cap U(\mathfrak{m})^{\mathfrak{n}^+} = 0 \Leftrightarrow I \cap Z(\hat{\mathfrak{m}}) = 0.$$

Da auch $\mathfrak{m}$ lokal ad-nilpotent auf $U(\mathfrak{g})$ operiert, erhält man ebenso und nach Satz 3.18:

$$(2) \qquad I \cap U(\mathfrak{c}) = 0 \Leftrightarrow I \cap U(\mathfrak{c})^{\mathfrak{m}} = 0 \Leftrightarrow I \cap Z(\mathfrak{m}) = 0.$$

Die trivialen Inklusionen $Z(\mathfrak{m}) \subset U(\mathfrak{m}) \subset U(\mathfrak{c})$ implizieren nun

$$(3) \qquad I \cap U(\mathfrak{c}) = 0 \Leftrightarrow I \cap U(\mathfrak{m}) = 0.$$

Satz. *Für jedes Primideal I von $U(\mathfrak{g})$ mit $I \cap U(\mathfrak{m}) = 0$ ist $I^{\mathfrak{m}}$ ein Primideal im noetherschen Ring $U(\mathfrak{g})^{\mathfrak{m}}$ mit*

$$(4) \qquad \operatorname{rk} U(\mathfrak{g})^{\mathfrak{m}}/I^{\mathfrak{m}} = \operatorname{rk}(U(\mathfrak{g})/I)^{\mathfrak{m}} = \operatorname{rk} U(\mathfrak{g})/I.$$

Beweis. Nach (3) können wir $U(\mathfrak{c})$ mit einer Unteralgebra von $A = U(\mathfrak{g})/I$ identifizieren. Die adjungierte Operation von $\mathfrak{g}$ auf A ist lokal endlich, also die von $\mathfrak{m}$ lokal nilpotent. Nach 11.2 ist $S = \{x^n \mid n \in \mathbf{N}\}$ mit x wie in 13.9 Oresch im nullteilerfreien Ring $U(\mathfrak{g})$. Wegen $I \cap S = \emptyset$ ist $\{(x+I)^n \mid n \in \mathbf{N}\}$ nach [DIX], 3.6.17(i) und 3.6.15 Oresch in $U(\mathfrak{g})/I = A$. Insbesondere ist $x+I$ regulär in A.

Daher erfüllt A die Voraussetzungen von Lemma 13.9, also ist $(U(\mathfrak{g})/I)^{\mathfrak{m}} \simeq U(\mathfrak{g})^{\mathfrak{m}}/I^{\mathfrak{m}}$ ein primer Goldie-Ring, dessen Goldie-Rang gleich dem von $U(\mathfrak{g})/I$ ist. Da $U(\mathfrak{g})^{\mathfrak{m}}$ nach 3.3 noethersch ist, folgt die Behauptung.

Bemerkung. Für die Gleichheit der Goldie-Ränge geben wir einen anderen Beweis in 13.18/19. Jene Abschnitte sind unabhängig von dem, was vorher (in 13.11–17) geschieht.

13.11 Es seien $\mathfrak{m}$ und $\mathfrak{c} = \hat{\mathfrak{m}} \oplus \mathfrak{l}$ sowie x und A wie in 13.9. Nach (1) dort bilden die Monome $(a_r')^{n_r} \ldots (a_1')^{n_1}$ eine Basis von A_x als Linksmodul über $A_x^{\mathfrak{m}}$. Wir können das Lemma auch auf $U(\mathfrak{c})$ statt A anwenden. Demnach ist $U(\mathfrak{c})_x$ ein freier Modul über $U(\mathfrak{c})_x^{\mathfrak{m}} = Z(\mathfrak{m})_x$ (vgl. 3.18) mit derselben Basis wie oben. Daher induziert die Multiplikation einen Isomorphismus von Vektorräumen

(1) $$A_x^{\mathfrak{m}} \otimes_{Z(\mathfrak{m})_x} U(\mathfrak{c})_x \xrightarrow{\sim} A_x,$$

nach [Bourbaki 2], ch. II, § 2, n° 7, prop. 18 also auch

(2) $$A_x^{\mathfrak{m}} \otimes_{Z(\mathfrak{m})} U(\mathfrak{c}) \xrightarrow{\sim} A_x.$$

Wegen $\mathfrak{c} = \hat{\mathfrak{m}} \oplus \mathfrak{l}$ induziert die Multiplikation auch einen Isomorphismus $U(\hat{\mathfrak{m}}) \otimes U(\mathfrak{l}) \to U(\mathfrak{c})$, also auch

(3) $$(A_x^{\mathfrak{m}} \otimes_{Z(\mathfrak{m})} U(\hat{\mathfrak{m}})) \otimes U(\mathfrak{l}) \xrightarrow{\sim} A_x.$$

Da $\mathfrak{m}$ und $\hat{\mathfrak{m}}$ Ideale von $\mathfrak{c}$ sind, können wir nun A_x als verallgemeinerten Schiefpolynomring über der Unteralgebra $A_x^{\mathfrak{m}}\, U(\hat{\mathfrak{m}})$ auffassen:

(4) $$(A_x^{\mathfrak{m}}\, U(\hat{\mathfrak{m}}))[\mathfrak{l}] = A_x.$$

Nehmen wir nun an, daß A prim und noethersch ist, mithin $A^{\mathfrak{m}}$ nach 13.9 ein primer Goldie-Ring. Die Menge S der regulären Elemente von $A^{\mathfrak{m}}$ ist daher Oresch in $A^{\mathfrak{m}}$ und enthält x. Daher ist S auch in $A_x^{\mathfrak{m}}$ Oresch mit $Q(A^{\mathfrak{m}}) = S^{-1} A_x^{\mathfrak{m}}$. Nach 13.7 und 13.9(1) ist S Oresch in A_x und damit auch in A, weil S mit x kommutiert. Nach (2) haben wir daher einen Isomorphismus von Vektorräumen, induziert von der Multiplikation:

(5) $$Q(A^{\mathfrak{m}}) \otimes_{Z(\mathfrak{m})} U(\mathfrak{c}) \xrightarrow{\sim} S^{-1} A.$$

13.12 Es seien $\mathfrak{m}$ und $\mathfrak{c} = \hat{\mathfrak{m}} \oplus \mathfrak{l}$ wie in 13.9. Wir wählen f wie in Satz 3.20 für $\mathfrak{L} = \mathfrak{L}(\mathfrak{m}) = \mathfrak{L}(\hat{\mathfrak{m}})$. Nach Satz 3.20.b sind alle $[x_i, a_i]$ in $Z(\hat{\mathfrak{m}})_f$ invertierbar; daher können wir in 13.9 und 13.11 stets $x = f$ nehmen.

Lemma. *Für ein Ideal I von $U(\mathfrak{g})$ gilt:*

$$I \cap U(\mathfrak{m}) = 0 \Leftrightarrow f^n \notin I \quad \textit{für alle } n \in \mathbf{N}.$$

Beweis. Wegen $f \in Z(\hat{\mathfrak{m}}) = U(\mathfrak{m})^{\mathfrak{n}^+}$ ist eine Richtung trivial. Es gelte umgekehrt $I \cap U(\mathfrak{m}) \neq 0$. Aus 13.10(1) folgt $I \cap Z(\hat{\mathfrak{m}}) \neq 0$, also gibt es einen Gewichtsvektor $y \neq 0$ in $I \cap Z(\hat{\mathfrak{m}})$. Nach Satz 3.20.b ist y in $Z(\hat{\mathfrak{m}})_f$ invertierbar. Wir können daher $z \in Z(\hat{\mathfrak{m}})$ und $n \in \mathbf{N}$ mit $f^{-n} xy = 1$, also $f^n = zy \in I$ finden.

13.13 Es seien $\mathfrak{m}$ und $\mathfrak{c} = \mathfrak{m} \oplus \mathfrak{l}$ wie in 13.9. Nach 13.10 induziert $I \mapsto I^{\mathfrak{m}}$ eine Abbildung

(1) $$\{I \in \operatorname{Spec} U(\mathfrak{g}) \mid I \cap U(\mathfrak{m}) = 0\} \to \{J \in \operatorname{Spec} U(\mathfrak{g})^{\mathfrak{m}} \mid J \cap Z(\mathfrak{m}) = 0, [\mathfrak{l}, J] \subset J\}.$$

Ist $\mathfrak{m}$ optimal, gilt also $\mathfrak{m} = \hat{\mathfrak{m}}$, so ist diese Abbildung ein Isomorphismus geordneter Mengen. Den Beweis dieses Satzes von Joseph will ich hier nur skizzieren.

Es sei f wie in 13.12 gewählt. Nach dem Lemma dort und 11.5 haben wir (noch für beliebiges $\mathfrak{m}$) eine Bijektion $\{I \in \operatorname{Spec} U(\mathfrak{g}) \mid I \cap U(\mathfrak{m}) = 0\} \to \operatorname{Spec} U(\mathfrak{g})_f$. Nach 13.11(4) ist $U(\mathfrak{g})_f$ ein verallgemeinerter Schiefpolynomring über $U(\mathfrak{g})_f^{\mathfrak{m}}\, U(\hat{\mathfrak{m}})$, und man kann nun zeigen, daß $U(\mathfrak{g})_f$ starr darüber ist. Dazu benutzt man Gewichtsvektoren zum Gewicht $\tilde{\alpha}_L$ in $Z(\hat{\mathfrak{m}})_f$ für alle $L \in \mathfrak{L}(\mathfrak{m})$ (vgl. 3.20) und wendet 13.6(4) an. Danach erhalten wir nun eine Bijektion $\operatorname{Spec} U(\mathfrak{g})_f \to (\operatorname{Spec} U(\mathfrak{g})_f^{\mathfrak{m}}\, U(\hat{\mathfrak{m}}))^{\mathfrak{l}}$.

Ist $\mathfrak{m}$ optimal, so kommutieren $U(\mathfrak{g})_f^{\mathfrak{m}}$ und $U(\hat{\mathfrak{m}}) = U(\mathfrak{m})$, also ist die Multiplikation sogar ein Isomorphismus von Algebren (vgl. 13.11(3))

(2) $$U(\mathfrak{g})_f^{\mathfrak{m}} \bigotimes_{Z(\mathfrak{m})} U(\mathfrak{m}) \xrightarrow{\sim} U(\mathfrak{g})_f^{\mathfrak{m}}\, U(\mathfrak{m}).$$

Die Menge $T = Z(\mathfrak{m}) \setminus 0$ ist Oresch in $U(\mathfrak{g})_f^{\mathfrak{m}}\, U(\mathfrak{m})$ sowie in $U(\mathfrak{g})_f^{\mathfrak{m}}$ und $U(\mathfrak{m})$; aus (2) erhält man einen weiteren Isomorphismus von Algebren

(3) $$T^{-1} U(\mathfrak{g})^{\mathfrak{m}} \bigotimes_{Q(Z(\mathfrak{m}))} T^{-1} U(\mathfrak{m}) \xrightarrow{\sim} T^{-1}(U(\mathfrak{g})_f^{\mathfrak{m}}\, U(\mathfrak{m})).$$

Weil $\mathfrak{m}$ nilpotent ist, gibt es (vgl. [DIX], 4.7.9, 4.7.17) ein $n \in \mathbf{N}$ mit $T^{-1} U(\mathfrak{m}) \simeq Q(Z(\mathfrak{m})) \otimes \mathbf{A}_m$. So erhält man einen Isomorphismus von Algebren

(4) $$T^{-1} U(\mathfrak{g})^{\mathfrak{m}} \otimes \mathbf{A}_n \xrightarrow{\sim} T^{-1}(U(\mathfrak{g})_f^{\mathfrak{m}}\, U(\mathfrak{m})).$$

Nach 13.8 (1) und 11.5 hat man nun eine Bijektion zwischen $\{I \in \operatorname{Spec} U(\mathfrak{g})^{\mathfrak{m}} \mid I \cap Z(\mathfrak{m}) = 0\}$ und $\{J \in \operatorname{Spec} U(\mathfrak{g})_f^{\mathfrak{m}}\, U(\mathfrak{m}) \mid J \cap Z(\mathfrak{m}) = 0\}$ und zeigt leicht, daß dabei gerade $\mathfrak{l}$-stabile Ideal ebensolchen entsprechen. Ähnlich wie in 13.12 zeigt man nun, daß jedes echte Ideal J von $U(\mathfrak{g})_f^{\mathfrak{m}}\, U(\mathfrak{m})$ mit $[\mathfrak{l}, J] \subset J$ die Eigenschaft $J \cap Z(\mathfrak{m}) = 0$ erfüllt. Damit hat man die Bijektivität von (1) erhalten.

13.14 Es seien A eine Algebra und $S \subset A$ eine Oresche Teilmenge sowie $A' \subset A$ eine Unteralgebra mit $sA' \subset A's$ für alle $s \in S$.

Lemma. *Es sei L ein einfacher A-Modul, der endlich erzeugbar über A' ist. Dann sind äquivalent:*
(i) $S \cap \operatorname{Ann}_A L = \emptyset$.
(ii) *Für alle $s \in S$ und $x \in L, x \neq 0$ gilt $sx \neq 0$.*

Beweis. (ii) $\Rightarrow$ (i) Dies ist trivial.

(i) $\Rightarrow$ (ii) Die Menge $L' = \{x \in L \mid \text{es gibt } s \in S \text{ mit } sx = 0\}$ ist ein Untermodul von L, nämlich der Kern der natürlichen Abbildung $L \to S^{-1}L$. Es reicht also, wenn wir $L' \neq L$ zeigen. Nach Voraussetzung gibt es einen endlich dimensionalen Teilraum $V \subset L$ mit $L = A'V$. Ist V in L' enthalten, so folgt aus den Ore-Bedingungen, daß es ein $s \in S$ mit $sV = 0$ gibt. Dann ist $sL = sA'V \subset A'sV = 0$, also $s \in S \cap \operatorname{Ann}_A L = \emptyset$. Daher kann V nicht in L' enthalten sein, so daß $L' \neq L$, mithin $L' = 0$ folgt.

13.15 Lemma. *Es sei L ein einfacher $\mathfrak{g}$-Modul, der endlich erzeugbar über $U(\mathfrak{n}^+)$ ist. Für ein $f \in Z(\mathfrak{n}^+)$ sind dann äquivalent:*
(i) *Für alle $n \in \mathbf{N}$ gilt $f^n \notin \operatorname{Ann} L$.*
(ii) *Für alle $x \in L, x \neq 0$ gilt $fx \neq 0$.*

Beweis. Da $S = \{f^n \mid n \in \mathbf{N}\}$ nach 11.2 Oresch in $U(\mathfrak{g})$ ist, folgt dies aus Lemma 13.14 mit $A = U(\mathfrak{g})$ und $A' = U(\mathfrak{n}^+)$.

13.16 Für jedes $K \in \mathfrak{K}(B)$ ist $\mathfrak{L} = \{L \in \mathfrak{K}(B) \mid L \supset K\}$ eine abgeschlossene Teilmenge von $\mathfrak{K}(B)$. Wir setzen dann $\mathfrak{m}^K = \mathfrak{m}_{\mathfrak{L}}$. In den Notationen von 3.16 ist $\mathfrak{m}^K$ die direkte Summe der $\mathfrak{a}_L$ mit $L \in \mathfrak{K}(B)$ und $L \supset K$. So erkennt man, daß $\mathfrak{m}^K \supset \mathfrak{m}^{K'}$ für $K, K' \in \mathfrak{K}(B)$ mit $K \subset K'$ gilt. Für ein Ideal I von $U(\mathfrak{g})$ setzen wir

(1) $$\mathfrak{L}(I) = \{K \in \mathfrak{K}(B) \mid I \cap U(\mathfrak{m}^K) = 0\}.$$

Aus der Bemerkung oben folgt nun:

(2) $\mathfrak{L}(I)$ *ist abgeschlossen in* $\mathfrak{K}(B)$.

Nach Lemma 13.12 gilt

(3) $$\mathfrak{L}(I) = \{K \in \mathfrak{K}(B) \mid f_K^n \notin I \textit{ für alle } n \in \mathbf{N}\},$$

wobei die f_K wie in der Bemerkung zu 3.20 zu nehmen sind.

Satz. *Es sei k algebraisch abgeschlossen. Für jedes primitive Ideal I von $U(\mathfrak{g})$ und jedes Nilradikal $\mathfrak{m}$ einer parabolischen Unteralgebra $\mathfrak{p} \supset \mathfrak{b}^+$ von $\mathfrak{g}$ gilt*

$$I \cap U(\mathfrak{m}) = 0 \Leftrightarrow \mathfrak{L}(\mathfrak{m}) \subset \mathfrak{L}(I).$$

Beweis. Es sei f das Produkt der f_K mit $K \in \mathfrak{L}(\mathfrak{m})$. Nach der Bemerkung zu 3.20 und nach 13.12 müssen wir zeigen:

(4) $$f^n \notin I \text{ für alle } n \in \mathbf{N} \Leftrightarrow f_K^n \notin I \text{ für alle } n \in \mathbf{N} \text{ und } K \in \mathfrak{L}(\mathfrak{m}).$$

Da wir bisher im ganzen Buch statt mit $\mathfrak{n}^+$ auch mit $'\mathfrak{n}^+$ hätten arbeiten können, gibt es nach Corollar 7.4 einen einfachen $\mathfrak{g}$-Modul L mit $I = \operatorname{Ann} L$, so daß L endlich erzeugbar über $U(\mathfrak{n}^+)$ ist. Da alle f_K zu $Z(\mathfrak{n}^+)$ gehören, müssen wir wegen Lemma 13.14 zeigen, daß f genau dann injektiv auf L operiert, wenn jedes f_K es tut. Dies ist aber klar, weil f das Produkt der f_K ist.

13.17 Es sei $\mathfrak{g}$ nun einfach. Nach 13.16 (2) ist $\mathfrak{L}(I)$ für ein Ideal I von $U(\mathfrak{g})$ genau dann leer, wenn $B \notin \mathfrak{L}(I)$ gilt. Wegen $f_B = x_{\tilde{\alpha}}$, wobei $\tilde{\alpha}$ die größte Wurzel ist, bedeutet dies:

(1) $\quad \mathfrak{L}(I) = \emptyset \Leftrightarrow$ *Es gibt* $n \in \mathbf{N}$ *mit* $x_{\tilde{\alpha}}^n \in I$.

Da die Restklasse von $x_{\tilde{\alpha}}^n$ modulo I zum $n\tilde{\alpha}$-Gewichtsraum von $U(\mathfrak{g})/I$ gehört, die Restklassen ungleich 0 der $x_{\tilde{\alpha}}^n$ also linear unabhängig sind, folgt

(2) $\quad \dim U(\mathfrak{g})/I < \infty \Rightarrow \mathfrak{L}(I) = \emptyset$.

Hier gilt aber auch die Umkehrung, wie das folgende Lemma zeigt.

Lemma. *Es seien* $\mathfrak{g}$ *einfach und* I *ein Ideal von* $U(\mathfrak{g})$. *Gibt es ein* $x \in \mathfrak{g}$ *mit* $k[x] \cap I \neq 0$, *so gilt* $\dim U(\mathfrak{g})/I < \infty$.

Beweis. Es sei also $x \in \mathfrak{g}$ mit $k[x] \cap I \neq 0$; offensichtlich muß $x \neq 0$ sein. Nun ist

$$\operatorname{gr} I = \bigoplus_{n \in \mathbf{N}} (I \cap U_n(\mathfrak{g}))/(I \cap U_{n-1}(\mathfrak{g}))$$

ein Ideal von $\operatorname{gr} U(\mathfrak{g}) \simeq S(\mathfrak{g})$, das stabil unter der adjungierten Operation von $\mathfrak{g}$ ist. Dann muß auch $\sqrt{\operatorname{gr} I}$ unter dieser Operation stabil sein. Aus $k[x] \cap I = 0$ folgt $x^m \in \operatorname{gr} I$ für ein $m \in \mathbf{N}$ mit $m > 0$, also $x \in \sqrt{\operatorname{gr} I}$. Da $\mathfrak{g}$ einfach ist und $\operatorname{ad}(\mathfrak{g})\sqrt{\operatorname{gr} I} \subset \sqrt{\operatorname{gr} I}$ gilt, muß $\mathfrak{g} \subset \sqrt{\operatorname{gr} I}$ sein. Ist $x_1, \ldots, x_r$ eine Basis von $\mathfrak{g}$, so gibt es ein $n \in \mathbf{N}$ mit $x_i^n \in \operatorname{gr} I$ für alle i, also $x_i^n \in I + U_{n-1}(\mathfrak{g})$. Für alle $s > nr$ folgt dann $U_s(\mathfrak{g}) \subset I + U_{s-1}(\mathfrak{g})$ aus dem Satz von Poincaré, Birkhoff und Witt. Induktion zeigt nun $U(\mathfrak{g}) = I + U_{nr}(\mathfrak{g})$, also $\dim U(\mathfrak{g})/I < \infty$.

13.18 Satz. *Es seien* A *eine Algebra und* d *eine lokal nilpotente Derivation von* A. *Ist* A^d *ein primer Goldie-Ring, so ist dies auch* A; *es gilt dann* $\operatorname{rk} A = \operatorname{rk} A^d$ *und* $Q(A^d) = Q(A)^d$.

Beweis. Zur Formulierung sei daran erinnert, daß man d eindeutig zu einer Derivation von $Q(A)$ fortsetzen kann (vgl. 13.7).

Es sei S (bzw. $\tilde{S}$) die Menge aller regulären Elemente von A^d (bzw. A). Offensichtlich ist $\tilde{S} \cap A^d$ in S enthalten; wir behaupten, daß sogar

(1) $\quad S = \tilde{S} \cap A^d$

gilt. Dazu seien $s \in S$ und $a \in A$ mit $sa = 0$ oder $as = 0$. Ist $a \neq 0$, so gibt es ein $n \in \mathbf{N}$ mit $d^n(a) \neq 0 = d^{n+1}(a)$. Nun gilt $d^n(a) \in A^d$ und

$0=d^n(0)=d^n(sa)=sd^n(a)$ oder $0=d^n(a)s$, also $d^n(a)=0$, weil s regulär in A^d ist. Dies ist aber ein Widerspruch zur Wahl von n.

Wir können uns auf den Fall beschränken, daß $A \neq A^d$, also $d \neq 0$ ist. Nun ist $d(A) \cap A^d$ ein Ideal in A^d, und es ist ungleich 0, weil d lokal nilpotent ist. Da A^d ein primer Goldie-Ring ist, folgt $d(A) \cap S \neq 0$, das heißt

(2) $\quad C=\{c \in A \mid d(c) \in S\} \neq \emptyset.$

Es sei nun A' der von A^d und C erzeugte Teilring von A; wir behaupten nun

(3) $\quad S$ ist Oresch in A'.

Da S Oresch in A^d ist und nach (1) aus regulären Elementen von A, also auch von A' besteht, sind nur die Bedingungen (d) und (e) in 11.1 nachzuprüfen. Wir beschränken uns hier auf (d); es ist (e) dazu symmetrisch. Weil S schon Oresch in A^d ist, überlegt man sich leicht, daß man nur

(4) $\quad Cs \cap Sc \neq \emptyset$ für alle $c \in C$ und $s \in S$

zeigen muß. Wegen $d(c) \in S$ wissen wir nun schon $A^d d(c) \cap Ss \neq \emptyset$, es gibt also $b \in A^d$ und $s_1 \in S$ mit $b\,d(c)=s_1 s$. Nun gilt $s_1 s \in S$, also ist auch b regulär in A^d, also $b \in S$. Weiter sieht man

$$d(cs_1 s - d(c)bc) = d(c)s_1 s - d(c)b\,d(c) = d(c)s_1 s - d(c)s_1 s = 0,$$

also $cs_1 s - d(c)bc \in A^d$. Nutzt man wieder aus, daß S Oresch in A^d ist, so erhält man ein $s_2 \in S$ mit $s_2(cs_1 s - d(c)bc) \in A^d s \subset As$, also auch $s_2 d(c)bc \in As$. Für ein $a \in A$ mit $as = s_2 d(c)bc$ gilt nun $d(as)=d(a)s=s_2 d(c)b\,d(c)=s_2 d(c)s_1 s$, also $d(a)=s_2 d(c)s_1 \in S$, da $s \in S$ nach (1) regulär in A ist. Daher ist $a \in C$, also $as = s_2 d(c)bc \in Cs \cap Sc$.

Für ein $c \in C$ gilt $d(d(c)^{-1}c)=1$, wenn wir d wie in 13.7 auf $S^{-1}A'$ fortsetzen. Wegen (2) können wir also ein $x \in S^{-1}A'$ mit $d(x)=1$ wählen. Nach 13.4 (1) gilt nun

(5) $\quad S^{-1}A' = S^{-1}A^d[x] = Q(A^d)[x];$

man beachte, daß $(S^{-1}A')^d = S^{-1}(A^d)$ wegen $S \subset A^d \subset A'$ offensichtlich ist. Mit einer leichten Modifikation des Beweises von 13.4 (1) zeigt man nun

(6) $\quad Sa \cap A' \neq \emptyset \neq aS \cap A'$ für alle $a \in A$.

Dazu müssen wir nur ein $a \neq 0$ betrachten; dann gibt es ein $n \in \mathbf{N}$ mit $d^n(a) \neq 0 = d^{n+1}(a)$. Wir benutzen Induktion über n. Es ist $d^n(x^n d^n(a) - n!a) = 0$, also auch $d^n(sx^n d^n(a) - n!sa)$ für jedes $s \in S$ mit $sx^n \in A'$. Nach Induktion gibt es ein $s' \in S$ mit $s'(sx^n d^n(a) - n!sa) \in A'$, woraus $(s's)a \in A'$ folgt, wegen $s's \in S$ mithin $Sa \cap A' \neq \emptyset$. Ebenso zeigt man $aS \cap A' \neq \emptyset$.

Aus (1), (3) und (6) folgt nun leicht:

(7) Es ist S Oresch in A mit $S^{-1}A = S^{-1}A'$.

Es ist $Q(A^d)$ einfach und artinsch; aus (5) und (7) folgt nach Lemma 13.7, daß $S^{-1}A = Q(A^d)[x]$ prim und noethersch mit $\operatorname{rk} S^{-1}A = \operatorname{rk} Q(A^d) = \operatorname{rk} A^d$ ist. Mit $S^{-1}A$ hat aber auch A einen Quotientenring Q, der einfach und artinsch ist. Daher ist A ein primer Goldie-Ring mit $Q(A) = Q(S^{-1}A) = Q$; ferner gilt $\operatorname{rk} A = \operatorname{rk} S^{-1}A = \operatorname{rk} A^d$.

Es sei nun $b \in Q(A)^d$. Wegen $Q(A) = Q(S^{-1}A)$ enthält das Linksideal $L = \{a \in S^{-1}A \mid ab \in S^{-1}A\}$ von $S^{-1}A$ ein reguläres Element von $S^{-1}A$, ist nach 11.5 (2) also wesentlich. Außerdem ist L offensichtlich d-stabil. Wir behaupten nun, daß $L \cap Q(A^d)$ ein wesentliches Linksideal von $Q(A^d)$ ist, und müssen dazu $L \cap M \neq 0$ für jedes Linksideal $M \neq 0$ von $Q(A^d)$ zeigen. Nun ist $(S^{-1}A)M = Q(A^d)[x]M = \sum_{i \geqslant 0} x^i M$ ein Linksideal ungleich 0 von $S^{-1}A$, hat also mit L einen nichttrivialen Durchschnitt. Daher gibt es $n \in \mathbf{N}$ und $a_0, a_1, \ldots, a_n \in M$ mit $a_n \neq 0$ und $c = \sum_{i=0}^{n} x^i a_i \in L$. Dann gilt $d^n(c) = (n!) a_n \in L$, also $a_n \in L \cap M$ und $L \cap M \neq 0$. Nun ist das einzige wesentliche Linksideal in dem einfachen und artinschen Ring $Q(A^d)$ gleich $Q(A^d)$, also gilt $1 \in Q(A^d) \subset L$ und $b \in S^{-1}A$. Da man $(S^{-1}A)^d = (Q(A^d)[x])^d = Q(A^d)$ sofort sieht, erhält man nun $b \in Q(A^d)$ und daher $Q(A)^d = Q(A^d)$, was noch zu beweisen war.

13.19 Corollar. *Es sei $\mathfrak{m}$ eine nilpotente Lie-Algebra von lokal nilpotenten Derivationen einer Algebra A. Ist $A^{\mathfrak{m}}$ ein primer Goldie-Ring, so auch A, und es gilt* $\operatorname{rk} A = \operatorname{rk} A^{\mathfrak{m}}$ *sowie* $Q(A^{\mathfrak{m}}) = Q(A)^{\mathfrak{m}}$.

Wir benutzen Induktion über $\dim \mathfrak{m}$; für $\mathfrak{m} = 0$ ist nichts zu zeigen. Sonst gibt es ein Ideal $\mathfrak{m}'$ von $\mathfrak{m}$ der Kodimension 1. Dann ist $\mathfrak{m}'$ selbst nilpotent, und es gibt ein $d \in \mathfrak{m}$ mit $\mathfrak{m} = \mathfrak{m}' \oplus k d$. Nun gilt $d(A^{\mathfrak{m}'}) \subset A^{\mathfrak{m}'}$ und $A^{\mathfrak{m}} = (A^{\mathfrak{m}'})^d$. Nach dem Satz ist nun $A^{\mathfrak{m}'}$ ein primer Goldie-Ring mit $\operatorname{rk} A^{\mathfrak{m}'} = \operatorname{rk} A^{\mathfrak{m}}$ und $Q(A^{\mathfrak{m}}) = Q(A^{\mathfrak{m}'})^d$. Durch Induktion folgt jetzt die Behauptung.

Bemerkung. Die Voraussetzung, daß $\mathfrak{m}$ nilpotent sein soll, ist hier überflüssig. Nach dem Lemma 2.3 in [Joseph 1] ist nämlich jede (wie immer: endlich dimensionale) Lie-Algebra von lokal nilpotenten Abbildungen eines Vektorraums in sich eine nilpotente Lie-Algebra.

13.20 Nach 13.10 und 13.19 ist nun klar

Corollar. *Es sei $\mathfrak{m}$ das Nilradikal einer parabolischen Unteralgebra von $\mathfrak{g}$. Für jedes Primideal I* von $U(\mathfrak{g})$ *mit $I \cap U(\mathfrak{m}) = 0$ gilt $Q(U(\mathfrak{g})/I)^{\mathfrak{m}} = Q((U(\mathfrak{g})/I)^{\mathfrak{m}})$.*

Anhang

13A.1 Bis auf die allgemeinen Tatsachen über verallgemeinerte Polynomringe in den ersten Abschnitten geht der Inhalt dieses Kapitels auf [Joseph 4] (insbesondere 3.2–3.4 und 6.1–6.7) sowie auf [Joseph 7], 2.1–2.6 zurück, man vergleiche auch [Joseph 22], 1.1 und 1.9. Das Lemma 13.17 stammt jedoch von Borho, ebenso 13.7 für vollständig auflösbares $\mathfrak{s}$ (vgl. [Joseph 4], 6.11 und 6.3); ein Beweis von 13.7 für beliebiges $\mathfrak{s}$ wurde mir von Lorenz mitgeteilt.

13A.2 Nach 13.13 gibt es (in den Notationen von dort) einen Isomorphismus geordneter Mengen $(\operatorname{Spec} T^{-1} U(\mathfrak{g})^{\mathfrak{m}})^{\mathfrak{l}} \to (\operatorname{Spec} U(\mathfrak{g})_f)$, bei dem der Goldie-Rang erhalten bleibt. In [Joseph 4], 6.8 wird nun noch eine Erweiterungsalgebra A von $T^{-1} U(\mathfrak{g})^{\mathfrak{m}}$ konstruiert, auf der $\mathfrak{l}$ durch Derivationen operiert, so daß man einen Isomorphismus $\operatorname{Spec}(A^{\mathfrak{l}}) \to (\operatorname{Spec} T^{-1} U(\mathfrak{g})^{\mathfrak{m}})^{\mathfrak{l}}$ hat, bei dem wieder der Goldie-Rang erhalten bleibt. Die Äquivalenzklassen irreduzibler Darstellungen der Dimension n von $A^{\mathfrak{l}}$ entsprechen dann bijektiv den Primidealen $I \in (\operatorname{Spec} U(\mathfrak{g}))_f$ mit $d(U(\mathfrak{g})/I) = \dim \mathfrak{c}$ und $\operatorname{rk}(U(\mathfrak{g})/I) = n$; diese I sind alle primitiv (vgl. [Joseph 4], 6.10). Für $\mathfrak{g} = \mathfrak{sl}(3, \mathbf{C})$ und $\mathfrak{g} = \mathfrak{sp}(4, \mathbf{C})$ lassen sich die möglichen $A^{\mathfrak{l}}$ explizit beschreiben, und so konnte Joseph in diesen Fällen alle primitiven Ideale von $U(\mathfrak{g})$ klassifizieren (in [Joseph 5]), bevor Duflo den Satz 7.3 bewiesen hatte.

Kapitel 14. Goldie-Rang-Polynome und Darstellungen der Weylgruppe

Für alle $\Lambda \in \mathfrak{h}^*/P(R)$ und $w \in W_\Lambda$ haben wir in den früheren Kapiteln homogene Polynome p_w^Λ, f_w^Λ und $\tilde{f}_w^\Lambda$ auf $\mathfrak{h}^*$ definiert. Die p_w^Λ beschreiben den Goldie-Rang, sind also die Goldie-Rang-Polynome. Zunächst zeigen wir, daß für festes w und Λ alle diese Polynome proportional sind. Dann sehen wir, daß der von p_w^Λ erzeugte $k[W_\Lambda]$-Modul einfach ist. Ist $k[W_\Lambda]p_w^\Lambda$ zu einem $k[W_\Lambda]p_{w'}^\Lambda$ als Modul isomorph, so gilt $k[W_\Lambda]p_w^\Lambda = k[W_\Lambda]p_{w'}^\Lambda$. Für ein $\lambda \in \Lambda^{++}$ und $I \in \mathscr{X}_\lambda$ mit $I = I(w \cdot \lambda)$ setzen wir $p_I = p_w^\Lambda$. Dann bilden die $p_{I'}$ mit $I' \in \mathscr{X}_\lambda$ und $p_{I'} \in k[W_\Lambda]p_I$ eine Basis von $k[W_\Lambda]p_I$. Insbesondere folgt, daß $\# \mathscr{X}_\lambda$ eine Summe von Dimensionen von irreduziblen Darstellungen von W_Λ ist.

14.1 Es sei A eine filtrierte Algebra, deren assoziierte graduierte Algebra zu einer Einhüllenden $U(\mathfrak{a})$ wie in 8.2 isomorph ist. Nach 8.3 sind also $d_A(M)$ und $e_A(M)$ für jeden endlich erzeugbaren A-Modul M definiert.

Wir wollen nun die folgende Situation betrachten: Es seien L ein A-Modul und A' eine Unteralgebra von $\operatorname{End}_A L$ sowie S eine Oresche Teilmenge von A', für die $S^{-1}A' = Q(A')$ einfach und artinsch ist. (Insbesondere ist A' also ein primer Goldie-Ring.) Ferner sei M ein endlich erzeugbarer A-Untermodul von L.

Es sollen nun die folgenden drei Annahmen erfüllt sein:

(a) *Für alle $s \in S$ und $x \in L$, $x \neq 0$ gilt $sx \neq 0$.*

(b) *Für alle $a'_1, \dots, a'_m \in A'$ gibt es ein $s \in S$ mit $s a'_i M \subset M$ für alle i.*

(c) *Für alle $a'_1, \dots, a'_m \in A'$ gibt es ein $s \in S$ mit $a'_i s M \subset M$ für alle i.*

(Man beachte, daß (b) und (c) für $M = L$ trivial sind. Wir interessieren uns aber gerade für Fälle, bei denen $M \neq L$ ist.) Dann gilt:

Es gibt einen endlich erzeugbaren A-Modul N mit $d_A(M) = d_A(N)$ und $e_A(M) = e_A(N)\operatorname{rk}(A')$.

Beweis. Ist $n = \operatorname{rk}(A')$, so gibt es $e_{ij} \in S^{-1}A'$ für $1 \leqslant i, j \leqslant n$ mit $1 = \sum_{i=1}^{n} e_{ii}$ und $e_{ij} e_{lm} = \delta_{jl} e_{im}$ für alle i, j, l, m. Da S Oresch in A' ist, gibt es $s, s' \in S$ mit $s e_{ij}, e_{ij} s' \in A'$ für alle i, j. Wegen (b), (c) können wir annehmen, daß auch $s e_{ij} M \subset M$ und $e_{ij} s' M \subset M$ gilt.

Wegen (a) ist L injektiv in den $S^{-1}A'$-Modul $S^{-1}L$ eingebettet. Die Operation von A auf L läßt sich auf $S^{-1}L$ fortsetzen, so daß $S^{-1}A' \subset \operatorname{End}_A S^{-1}L$ gilt. Nun ist $S^{-1}L$ die direkte Summe der $e_{ii} S^{-1}L$, also auch der $e_{i1} S^{-1}L$ wegen $e_{i1} S^{-1}L = e_{ii} e_{i1} S^{-1}L \subset e_{ii} S^{-1}L = e_{i1} e_{1i} S^{-1}L \subset e_{i1} S^{-1}L$. Dann ist erst recht die Summe der $e_{i1} M$ direkt, da s injektiv auf $S^{-1}L$ operiert, also auch die der $s e_{i1} M$.

Für alle $x \in M$ gilt nun

$$ss'x = \sum_{i=1}^{n} s e_{ii} s' x = \sum_{i=1}^{n} s e_{i1} e_{1i} s' M \in \sum_{i=1}^{n} s e_{i1} M.$$

Man hat also Inklusionen

$$(1) \qquad ss'M \subset s(e_{11}M \oplus e_{21}M \oplus \ldots \oplus e_{n1}M) \subset M.$$

Nun ist für alle i und j die Multiplikation mit e_{ij} ein Isomorphismus $e_{j1}M \to e_{i1}M$ von A-Moduln, dessen inverse Abbildung von e_{ji} herkommt. Dies zeigt $d_A(e_{i1}M) = d_A(e_{11}M)$ und $e_A(e_{i1}M) = e_A(e_{11}M)$ für alle i, also auch $d_A\left(\sum_{i=1}^{n} e_{i1}M\right) = d_A(e_{11}M)$ und $e_A\left(\sum_{i=1}^{n} e_{i1}M\right) = n\, e_A(e_{11}M)$. Da die Multiplikation mit s oder ss' in $S^{-1}L$ ein Isomorphismus von A-Moduln ist, folgt aus (1), daß

$$d_A(M) = d_a(ss'M) = d_A\left(s \sum_{i=1}^{n} e_{i1}M\right) = d_A(e_{11}M)$$

sowie

$$e_A(M) = e_A(ss'M) = e_A\left(s \sum_{i=1}^{n} e_{i1}M\right) = n\, e_A(e_{11}M)$$

gilt. Die Behauptung folgt nun mit $N = e_{11}M$.

14.2 Es sei L ein einfacher $\mathfrak{g}$-Modul, der endlich erzeugbar über $U(\mathfrak{n}^+)$ ist. Wir setzen $I = \operatorname{Ann} L$ und betrachten das Nilradikal $\mathfrak{m}$ einer parabolischen Unteralgebra $\mathfrak{p} \supset \mathfrak{b}^+$ von $\mathfrak{g}$ mit $I \cap U(\mathfrak{m}) = 0$. Wir wollen annehmen, daß $\mathfrak{m}$ optimal ist, und wählen $f \in Z(\mathfrak{m}) \subset Z(\mathfrak{n}^+)$ wie in 13.12. Nach den Lemmata 13.12 und 13.15 operiert f injektiv auf L. Wir können daher L als $U(\mathfrak{g})$-Untermodul des $(U(\mathfrak{g})/I)_f$-Moduls L_f auffassen.

Lemma. *Es seien A eine Unteralgebra von $U(\mathfrak{m})_f$ und M ein endlich erzeugbarer A-Untermodul von L_f mit $L \subset M$. Dann erfüllen $A' = (U(\mathfrak{g})/I)^{\mathfrak{m}}$ und die Menge S der regulären Elemente von A' die Voraussetzungen* (a), (b), (c) *in* 14.1 *mit L_f statt L.*

Beweis. Wie in 13.11 gesehen, ist S Oresch in $(U(\mathfrak{g})/I)_f$ und hat mit $\operatorname{Ann}_{U(\mathfrak{g})/I} L = 0$ leeren Durchschnitt. Nach Voraussetzung gibt es einen endlich dimensionalen Teilraum V von M mit $M = AV$. Daraus folgt

$$L_f = U(\mathfrak{m})_f L = U(\mathfrak{m})_f M = U(\mathfrak{m})_f A V = U(\mathfrak{m})_f V,$$

insbesondere ist L_f endlich erzeugbar über $U(\mathfrak{m})_f$. Weil jedes Element aus S mit $U(\mathfrak{m})_f$ kommutiert, folgt 14.1(a) nun aus Lemma 13.14.

Weil $V \subset L_f$ endlich dimensional ist, gibt es ein $r \in \mathbb{N}$ mit $f^r V \subset L$. Für alle $u \in (U(\mathfrak{g})/I)^{\mathfrak{m}}$ folgt daraus

$$f^r u M = u f^r M = u f^r A V = A u f^r V \subset A L \subset M,$$

also 14.1(b), (c), weil $f \in Z(\mathfrak{m})$ auch zu $(U(\mathfrak{g})/I)^{\mathfrak{m}}$ gehört und darin regulär ist, weil es injektiv auf L operiert.

14.3 Es sei L ein einfacher $\mathfrak{g}$-Modul, erzeugt von einem $\mathfrak{h}$-Gewichtsvektor v mit $\mathfrak{n}^- v = 0$. (Es ist also (L, v) das Analogon zu $(L(\mu), \bar{v}_\mu)$, wenn man mit $\mathfrak{n}^-$ statt $\mathfrak{n}^+$ arbeitet.) Offensichtlich ist $L = U(\mathfrak{n}^+)v$ endlich erzeugbar über $U(\mathfrak{n}^+)$. Wir setzen $I = \operatorname{Ann} L$ und $\mathfrak{m} = \mathfrak{m}_{\mathfrak{L}(I)}$. Es sei $f \in Z(\mathfrak{m}) \subset Z(\mathfrak{n}^+)$ wie in der Bemerkung zu 3.20 gewählt. Wie in 14.2 ist L nun in L_f eingebettet.

Nach 3.21(1)–(3) gibt es einen Homomorphismus $\theta \colon \mathfrak{n}^+ \to U(\mathfrak{m})_f$ von Lie-Algebren mit $\theta|_{\mathfrak{m}} = \mathrm{id}_{\mathfrak{m}}$, so daß θ mit der adjungierten Operation von $\mathfrak{b}^+$ vertauscht. Wir setzen $\mathfrak{n}' = \theta(\mathfrak{n}^+)$. Die Abbildung $\hat{\theta} \colon \mathfrak{n}^+ \to U(\mathfrak{n}^+)_f$ mit $\hat{\theta}(x) = x - \theta(x)$ für alle x ist auch ein Homomorphismus von Lie-Algebren, der mit der adjungierten Operation von $\mathfrak{b}^+$ vertauscht. Es gilt $\hat{\theta}(\mathfrak{m}) = 0$ und $[\mathfrak{n}', \hat{\theta}(\mathfrak{n}^+)] = [\theta(\mathfrak{n}^+), \hat{\theta}(\mathfrak{n}^+)] = 0$. Daher ist $\theta(\mathfrak{n}^+) + \hat{\theta}(\mathfrak{n}^+)$ eine Lie-Unteralgebra von $U(\mathfrak{n}^+)_f$ mit

(1) $$\mathfrak{n}' + \hat{\theta}(\mathfrak{n}^+) = \mathfrak{n}^+ + \hat{\theta}(\mathfrak{n}^+).$$

Wir wollen nun annehmen und später (in 14.5) beweisen, daß

(a) $$\dim U(\hat{\theta}(\mathfrak{n}^+))v < \infty$$

gilt. Insbesondere gibt es ein $r \in \mathbf{N}$ mit $U(\hat{\theta}(\mathfrak{n}^+))v \subset f^{-r}L$. Wir setzen

(2) $$M = U(\mathfrak{n}' + \hat{\theta}(\mathfrak{n}^+))v = U(\mathfrak{n}')\,U(\hat{\theta}(\mathfrak{n}^+))v = U(\mathfrak{n}^+)\,U(\hat{\theta}(\mathfrak{n}^+))v\,;$$

wegen $f \in Z(\mathfrak{n}^+)$ gilt $f^{-r}L \subset M \subset L$.

Wenden wir 8.10 auf $\mathfrak{n}' + \theta(\mathfrak{n}^+)$ und die beiden Unteralgebren $\mathfrak{n}'$ und $\mathfrak{n}^+$ an, so folgt $e_{\mathfrak{n}'}(M) = e_{\mathfrak{n}^+}(M)$ aus (1) und (a). Die Multiplikation mit f^{-r} ist ein Isomorphismus von $\mathfrak{n}^+$-Moduln; wegen $f^{-r}L \subset M \subset L$ muß daher $e_{\mathfrak{n}^+}(M) = e_{\mathfrak{n}^+}(L)$ sein. Wenden wir noch 9.1(1) auf $\mathfrak{n}^+$ statt $\mathfrak{n}^-$ an, so erhalten wir schließlich

(3) $$e_{\mathfrak{n}'}(M) = e_{\mathfrak{g}}(L).$$

14.4 Wir übernehmen die Voraussetzungen und Notationen von 14.3.

Es gibt $h \in \mathfrak{h}$ mit $\alpha(h) = 1$ für alle $\alpha \in B$. Wir graduieren $\mathfrak{n}^+$ und $\mathfrak{n}'$ durch $(\mathfrak{n}^+)^m = \bigoplus_{\alpha(h)=m} \mathfrak{g}^\alpha$ für $m \geq 0$ und $(\mathfrak{n}')^m = \bigoplus_{\alpha(h)=M} (\mathfrak{n}')^\alpha$. Weil θ mit der adjungierten Operation von $\mathfrak{h}$ vertauscht, gilt $(\mathfrak{n}')^m = \theta(\mathfrak{n}^+)^m$. Für endlich erzeugbare $U(\mathfrak{n}^+)$-Moduln N und endlich erzeugbare $U(\mathfrak{n}')$-Moduln N' können wir nun wie in 8.4 Multiplizitäten $\tilde{e}_{\mathfrak{n}^+}(N)$ und $\tilde{e}_{\mathfrak{n}'}(N')$ definieren. Ist N oder N' ein graduierter Modul, so kann man seine Multiplizität nach der Bemerkung zu 8.5 mit Hilfe der Graduierung berechnen.

Weil θ und $\hat{\theta}$ mit der adjungierten Operation von $\mathfrak{h}$ kommutieren, wird $\mathfrak{n}' + \hat{\theta}(\mathfrak{n}^+)$ von $\mathfrak{h}$ normalisiert. Daher ist M direkte Summe seiner Gewichtsräume. Man erhält jetzt eine Graduierung von M sowohl als $\mathfrak{n}^+$- als auch als $\mathfrak{n}'$-Modul, wenn man alle Gewichtsräume M^λ mit festem $\lambda(h)$ zusammenfaßt. Da die Graduierungen gleich sind, folgt $\tilde{e}_{\mathfrak{n}'}(M)=\tilde{e}_{\mathfrak{n}^+}(M)$. Da f ein Gewichtsvektor ist, also die Multiplikation mit f^{-r} mit den Graduierungen verträglich ist, folgt aus den Inklusionen $f^{-r}L\subset M\subset L$ diesmal $\tilde{e}_{\mathfrak{n}^+}(M)=\tilde{e}_{\mathfrak{n}^+}(L)$, also insgesamt

(1) $\tilde{e}_{\mathfrak{n}'}(M)=\tilde{e}_{\mathfrak{n}^+}(L)$.

14.5 Wir übernehmen die Notationen von 14.3 und wollen nun 14.3(a) beweisen.

Nach 3.21 gilt $\hat{\theta}(\mathfrak{n}^+)=\hat{\theta}_{\mathfrak{L}}(\mathfrak{n}^+\cap\mathfrak{g}_{\mathfrak{L}})$ mit $\mathfrak{L}=\mathfrak{L}(I)$ in den Notationen von dort. Verknüpfen wir $\hat{\theta}_{\mathfrak{L}}$ mit dem Homomorphismus $U(\mathfrak{g})_f\to\mathrm{End}(L_f)$, der die Operation von $U(\mathfrak{g})_f$ auf L_f beschreibt, so erhalten wir einen Homomorphismus $\psi\colon U(\mathfrak{g}_{\mathfrak{L}})\to\mathrm{End}(L_f)$. Nun folgt 14.3(a) aus

Lemma. *Es gilt* $\dim\psi(U(\mathfrak{g}_{\mathfrak{L}}))<\infty$.

Beweis. Es gibt $S'\subset B$ mit $\mathfrak{m}=\mathfrak{m}_{S'}$. Offensichtlich, reicht es, wenn wir für jede Zusammenhangskomponente S von S' zeigen, daß $\dim\psi(U(\mathfrak{g}_S))<\infty$ gilt, weil $\mathfrak{g}_{\mathfrak{L}}$ das direkte Produkt solcher $\mathfrak{g}_S$ ist.

Nach Definition von $\mathfrak{K}(B)$ ist $\mathfrak{L}'=\{S\}\cup\mathfrak{L}$ eine abgeschlossene Teilmenge von $\mathfrak{K}(B)$. Nun ist $x=x_{\tilde{\alpha}_S}$ zentral in $\mathfrak{g}_S\cap\mathfrak{n}^+$, also kommutiert $\theta(x)$ mit $(\mathfrak{g}_S\cap\mathfrak{n}^+)+\mathfrak{m}_{\mathfrak{L}}$, gehört also zu $Z(m_{\mathfrak{L}'})_f$. Es gibt daher ein $n\in\mathbf{N}$ mit $f'=f^n\hat{\theta}(x)\in Z(\mathfrak{m}_{\mathfrak{L}'})$. Das Gewicht von $\hat{\theta}(x)$ ist $\tilde{\alpha}_S$, das von f' also aus $\sum_{L\in\mathfrak{L}'}(\mathbf{N}\setminus 0)\tilde{\alpha}_L$. Daher erfüllt f' die Voraussetzungen von Satz 3.20 für $\mathfrak{L}'$ statt $\mathfrak{L}$. Wegen $\mathfrak{L}'\not\subset\mathfrak{L}(I)$ gilt $I\cap U(\mathfrak{m}_{\mathfrak{L}'})\neq 0$ nach 13.16, also $(f')^m\in I$ für ein $m\in\mathbf{N}$ nach 13.12. Da f injektiv auf L_f operiert, aber $(f')^m=\hat{\theta}(x)^m f^{nm}$ diesen Modul annulliert, folgt $\hat{\theta}(x)^m L_f=0$, also $\psi(x^m)=0$. Nun folgt die Behauptung aus Lemma 13.17.

14.6 In der Situation von 14.3 können wir nun, nachdem 14.3(a) bewiesen worden ist, die Lemmata 14.1 und 14.2 anwenden, wobei wir in 14.2 für A das Bild von $U(\mathfrak{n}')$ in $U(\mathfrak{m})_f$ nehmen. Es gibt also einen endlich erzeugbaren $\mathfrak{n}'$-Modul N mit $e_{\mathfrak{g}}(L)=e_{\mathfrak{n}'}(N)\,\mathrm{rk}(U(\mathfrak{g})/I)^{\mathfrak{m}}$ und $\tilde{e}_{\mathfrak{n}^+}(L)=\tilde{e}_{\mathfrak{n}'}(N)\,\mathrm{rk}(U(\mathfrak{g})/I)^{\mathfrak{m}}$. Nach 13.10 gilt $\mathrm{rk}\,U(\mathfrak{g})/I=\mathrm{rk}(U(\mathfrak{g})/I)^{\mathfrak{m}}$, nach der Bemerkung 1 zu 8.1 gehören $e_{\mathfrak{n}'}(N)$ und $\tilde{e}_{\mathfrak{n}'}(N)\,m(\mathfrak{n}')^d$ mit $d=d_{\mathfrak{n}'}(N)$ zu. Wenden wir dies alles nun wieder auf $\mathfrak{n}^-$ statt $\mathfrak{n}^+$ an, so erhalten wir:

Satz. a) *Für alle* $\lambda\in\mathfrak{h}^*$ *gilt*

(1) $e(L(\lambda))/\mathrm{rk}(U(\mathfrak{g})/I(\lambda))\in\mathbf{N}$.

b) *Es gibt eine natürliche Zahl n, so daß für alle* $\lambda\in\mathfrak{h}^*$ *gilt*

(2) $\tilde{e}(L(\lambda))n/\mathrm{rk}(U(\mathfrak{g})/I(\lambda))\in\mathbf{N}$.

14.7 Es sei $\Lambda\in\mathfrak{h}^*/P(R)$. Nach 9.8, 9.10 und 12.6 gibt es für jedes $w\in W_\Lambda$ polynomiale Funktionen f_w^Λ und $\tilde{f}_w^\Lambda$ sowie p_w^Λ mit $f_w^\Lambda(\lambda+\rho)=e(L(w\cdot\lambda))$ und $\tilde{f}_w^\Lambda(\lambda+\rho)=\tilde{e}(L(w\cdot\lambda))$ sowie $p_w^\Lambda(\lambda+\rho)=\mathrm{rk}\,U(\mathfrak{g})/I(w\cdot\lambda)$ für alle $\lambda\in\Lambda^{++}$.

Es sei nun $w \in W_\Lambda$, es sei $d = d(L(w \cdot \lambda))$ für alle $\lambda \in \Lambda^{++}$, und es sei $h \in \mathfrak{h}$ mit $\alpha(h) = 1$ für alle $\alpha \in B$.

Satz. *Es gibt Zahlen* $m_1(\Lambda, w) \in \mathbf{N}$ *und* $m_2(\Lambda, w) \in \mathbf{Q}$ *größer als* 0 *mit*

(1) $$f_w^\Lambda = m_1(\Lambda, w) p_w^\Lambda$$

und

(2) $$\tilde{f}_w^\Lambda = m_2(\Lambda, w) p_w^\Lambda.$$

Beweis. Aus 14.6 folgt für alle $\lambda \in \Lambda^{++}$

(3) $$f_w^\Lambda(\lambda + \rho) / p_w^\Lambda(\lambda + \rho) \in \mathbf{N}$$

und (mit einem geeigneten $n \in \mathbf{N}$)

(4) $$\tilde{f}_w^\Lambda(\lambda + \rho) n / p_w^\Lambda(\lambda + \rho) \in \mathbf{N}.$$

Nach 12.7 gibt es ein $m \in \mathbf{N}$ mit

$$e(U(\mathfrak{g})/I(w \cdot \lambda)) = m p_w^\Lambda(\lambda + \rho)^2$$

für alle $\lambda \in \Lambda^{++}$, und nach 10.8 gibt es ein $c \in \mathbf{Q}$ mit

$$\tilde{f}_w^\Lambda(\lambda + \rho)^2 \leqslant c e(U(\mathfrak{g})/I(w \cdot \lambda))$$

ebenfalls für alle $\lambda \in \Lambda^{++}$. Insgesamt sehen wir

$$(\tilde{f}_w^\Lambda(\lambda + \rho) / p_w^\Lambda(\lambda + \rho))^2 \leqslant c m;$$

daher kann der Term in (4) nur endlich viele Werte annehmen. Weil er auf einer Zariski-dichten Teilmenge von $\mathfrak{h}^*$ konstant sein muß, gibt es ein $m_2(\Lambda, w)$ wie in (2). Aus Lemma 8.4 folgt, daß auch der Term in (3) beschränkt ist; wie im Fall von (4) erhalten wir daraus seine Konstanz.

Bemerkung. In 9.9 haben wir $\tilde{e}(M)$ für M in $\mathcal{O}_\Lambda$ in Abhängigkeit von einem $h \in \mathfrak{h}$ mit $\alpha(h) \in \mathbf{N} \setminus 0$ für alle $\alpha \in B$ definiert. Oben haben wir nur das h mit $\alpha(h) = 1$ für alle $\alpha \in B$ betrachtet. Für andere h erhalten wir andere Polynome $\tilde{f}_w^\Lambda$, die mit demselben Argument wie oben zu p_w^Λ proportional sein müssen. Insbesondere sind alle denkbaren $\tilde{f}_w^\Lambda$ (für alle h wie oben) untereinander proportional.

14.8 Es sei $\Lambda \in \mathfrak{h}^*/P(R)$; wir halten Λ bis an das Ende des Kapitels fest. Etwas abweichend von 9.6 sei $\mathscr{F}(W_\Lambda)$ der Vektorraum aller Abbildungen $a: W_\Lambda \to k$. Wir machen $\mathscr{F}(W_\Lambda)$ zu einem $(k[W_\Lambda], k[W_\Lambda])$-Bimodul, indem wir für alle $a \in \mathscr{F}(W_\Lambda)$ und $w, w_1, w_2 \in W_\Lambda$ setzen:

(1) $$(w_1 a w_2)(w) = a(w_2 w w_1).$$

Fassen wir $k[W_\Lambda]$ wie üblich als $(k[W_\Lambda], k[W_\Lambda])$-Bimodul (durch Links- und Rechtsmultiplikation) auf, so ist die Abbildung $a \mapsto \sum_{w \in W_\Lambda} a(w) w^{-1}$ ein Isomorphismus $\mathscr{F}(W_\Lambda) \to k[W_\Lambda]$ von Bimoduln.

Die Abbildung $J: \mathscr{F}(W_\Lambda) \to \mathscr{F}(W_\Lambda)$ mit $(Ja)(w) = a(w^{-1})$ für alle $a \in \mathscr{F}(W_\Lambda)$ und $w \in W_\Lambda$ ist eine lineare Involution, die

(2) $$J(w_1 a w_2) = w_2^{-1} J(a) w_1^{-1}$$

für alle $a \in \mathscr{F}(W_\Lambda)$ und $w_1, w_2 \in W_\Lambda$ erfüllt.

Wir lassen Elemente von $\mathscr{F}(W_\Lambda)$ auf $k[W_\Lambda]$-Moduln operieren, und zwar ein $a \in \mathscr{F}(W_\Lambda)$ so wie das Element, auf das es bei dem Isomorphismus $\mathscr{F}(W_\Lambda) \to k[W_\Lambda]$ abgebildet wird, setzen also

(3) $$a x = \sum_{w \in W_\Lambda} a(w) w^{-1}(x)$$

für ein Element x eines $k[W_\Lambda]$-Moduls. Es gilt dann

(4) $$(w_1 a w_2) x = w_1 (a (w_2 x))$$

für alle $w_1, w_2 \in W_\Lambda$ und $a \in \mathscr{F}(W_\Lambda)$.

Es sei $h_0 \in \mathfrak{h}$ mit $\alpha(h_0) = 1$ für alle $\alpha \in B$. Für alle $a \in \mathscr{F}(W_\Lambda), a \neq 0$ gibt es (vgl. 9.7) ein $m(a) \in \mathbf{N}$ mit $a h_0^{m(a)} \neq 0$, aber $a h_0^r = 0$ für alle $r < m(a)$. Wir setzen noch $m(0) = \infty$. Aus (4) folgt

(5) $$m(w_1 a) = m(a) \quad \textit{für alle } w_1 \in W_\Lambda \textit{ und } a \in \mathscr{F}(W_\Lambda).$$

Daher sind alle

(6) $$\mathscr{F}(W_\Lambda)_m = \{a \in \mathscr{F}(W_\Lambda) \mid m(a) \geqslant m\}$$

mit $m \in \mathbf{N}$ unter der Operation von W_Λ von links stabil, und alle

(7) $$\mathscr{F}(W_\Lambda)^m = \mathscr{F}(W_\Lambda)_m / \mathscr{F}(W_\Lambda)_{m+1}$$

sind in natürlicher Weise $k[W_\Lambda]$-Moduln. Wegen der Halbeinfachheit dieser Algebra ist $\mathscr{F}(W_\Lambda)_m$ zu $\mathscr{F}(W_\Lambda)^m \oplus \mathscr{F}(W_\Lambda)_{m+1}$ isomorph, insgesamt gilt also

(8) $$k[W_\Lambda] \simeq \mathscr{F}(W_\Lambda) \simeq \bigoplus_{m \geqslant 0} \mathscr{F}(W_\Lambda)^m.$$

Die Abbildung $a \mapsto a h_0^m$ von $\mathscr{F}(W_\Lambda)_m$ in $S^m(\mathfrak{h})$ induziert nach (4) einen Isomorphismus von $k[W_\Lambda]$-Moduln von $\mathscr{F}(W_\Lambda)^m$ auf einen Untermodul von $S^m(\mathfrak{h})$.

14.9 Für alle $w \in W_\Lambda$ definieren wir $\mathbf{a}_w^\Lambda \in \mathscr{F}(W_\Lambda)$ durch $\mathbf{a}_w^\Lambda(w') = a_\Lambda(w, w')$ für alle $w' \in W_\Lambda$ (in den Notationen von 4.14). Aus 7.28 (3) folgt

(1) $\quad J\mathbf{a}_w^\Lambda = \mathbf{a}_{w^{-1}}^\Lambda$ für alle $w \in W_\Lambda$.

Wegen $\mathbf{a}_w^\Lambda(w)=1$ und $\mathbf{a}_w^\Lambda(w')=0$ für $w' \nleq w$ bilden die $\mathbf{a}_w^\Lambda$ eine Basis von $\mathscr{F}(W_\Lambda)$. Für ein $b \in \mathscr{F}(W_\Lambda)$ definieren wir $[b:\mathbf{a}_w^\Lambda] \in k$ durch $b = \sum_{w \in W_\Lambda} [b:\mathbf{a}_w^\Lambda]\mathbf{a}_w^\Lambda$. Für jede Teilmenge X von $\mathscr{F}(W_\Lambda)$ sei $\langle X \rangle_\mathbf{a}$ der kleinste Teilraum von $\mathscr{F}(W_\Lambda)$, der X umfaßt und von einer Teilmenge von $\{\mathbf{a}_w^\Lambda \mid w \in W_\Lambda\}$ aufgespannt wird. Es ist $\langle X \rangle_\mathbf{a}$ also das Erzeugnis der $\mathbf{a}_w^\Lambda$, für die es ein $x \in X$ mit $[x:\mathbf{a}_w^\Lambda] \neq 0$ gibt. Aus (1) folgt

(2) $\quad \langle J(X) \rangle_\mathbf{a} = J(\langle X \rangle_\mathbf{a})$.

Lemma. *Für alle* $\lambda \in \Lambda^{++}$ *und* $w, w' \in W_\Lambda$ *gilt*

(3) $\quad I(w^{-1}\cdot\lambda) \subset I(w'^{-1}\cdot\lambda) \Leftrightarrow \mathbf{a}_{w'}^\Lambda \in \langle W_\Lambda \mathbf{a}_w^\Lambda \rangle_\mathbf{a}$

und

(4) $\quad I(w\cdot\lambda) \subset I(w'\cdot\lambda) \Leftrightarrow \mathbf{a}_{w'}^\Lambda \in \langle \mathbf{a}_w^\Lambda W_\Lambda \rangle_\mathbf{a}$.

Beweis. Wir nehmen zunächst an, daß $I(w^{-1}\cdot\lambda) \subset I(w'^{-1}\cdot\lambda)$ gilt. Nach 7.13 gibt es einen endlich dimensionalen $\mathfrak{g}$-Modul E mit $[L(w\cdot\lambda)\otimes E : L(w'\cdot\lambda)] \neq 0$. Nun ist $\mathrm{ch}(L(w\cdot\lambda)\otimes E)_\lambda$ nach 4.14 (5) eine Linearkombination der $\chi_w(w_1\cdot\lambda)$ mit $w_1 \in W_\Lambda$, und es gilt

(5) $\quad \chi_w(w_1\cdot\lambda) = \sum_{w_2 \in W_\Lambda} [w_1^{-1}\mathbf{a}_w^\Lambda : \mathbf{a}_{w_2}^\Lambda]\,\mathrm{ch}\,L(w_2\cdot\lambda)$.

Aus $[L(w\cdot\lambda)\otimes E : L(w'\cdot\lambda)] \neq 0$ folgt also $[w_1^{-1}\mathbf{a}_w^\Lambda : \mathbf{a}_{w'}^\Lambda] \neq 0$ für ein $w_1 \in W_\Lambda$, mithin $\mathbf{a}_{w'}^\Lambda \in \langle W_\Lambda \mathbf{a}_w^\Lambda \rangle_\mathbf{a}$.

Es gelte umgekehrt $\mathbf{a}_{w'}^\Lambda \in \langle W_\Lambda \mathbf{a}_w^\Lambda \rangle_\mathbf{a}$; es gibt also ein $w_1 \in W_\Lambda$ mit $[w_1^{-1}\mathbf{a}_w^\Lambda : \mathbf{a}_{w'}^\Lambda] \neq 0$. Demnach ist $[\chi_w(w_1\cdot\lambda) : L(w'\cdot\lambda)] \neq 0$. Wir wählen ein $\mu \in \Lambda^{++}$ mit $\mu - w_2\cdot\lambda \in P(R)^{++}$ für alle $w_2 \in W_\Lambda$ und wissen dann nach 4.14 (6), daß es einen endlich dimensionalen $\mathfrak{g}$-Modul E mit $[L(w\cdot\mu)\otimes E : L(w'\cdot\lambda)] \neq 0$ gibt. Aus 7.13 folgt nun $I(w^{-1}\cdot\lambda) \subset I(w'^{-1}\cdot\lambda)$. Damit ist (3) bewiesen.

Jetzt folgt aus (1), 14.8 (2) und aus (2) oben:

$$\begin{aligned} I(w\cdot\lambda) \subset I(w'\cdot\lambda) &\Leftrightarrow \mathbf{a}_{w'^{-1}}^\Lambda \in \langle W_\Lambda \mathbf{a}_{w^{-1}}^\Lambda \rangle_\mathbf{a} \\ &\Leftrightarrow J\mathbf{a}_{w'}^\Lambda \in \langle W_\Lambda J(\mathbf{a}_w^\Lambda) \rangle_\mathbf{a} = \langle J(\mathbf{a}_w^\Lambda W_\Lambda) \rangle_\mathbf{a} = J\langle \mathbf{a}_w^\Lambda W_\Lambda \rangle_\mathbf{a} \\ &\Leftrightarrow \mathbf{a}_{w'}^\Lambda \in \langle \mathbf{a}_w^\Lambda W_\Lambda \rangle_\mathbf{a}, \end{aligned}$$

also (4).

14.10 Für ein $w \in W_\Lambda$ sei $d(w)$ der gemeinsame Wert aller $d(L(w\cdot\lambda))$ mit $\lambda \in \Lambda^{++}$. Nach 9.12, 9.13 (1) und der Bemerkung zu 14.7 gilt $\mathbf{a}_w^\Lambda h^r = 0$ für alle $h \in \mathfrak{h}$ mit $\alpha(h) \in \mathbf{N}+1$ für alle $\alpha \in B$ und alle $r < \# R^+ - d(w)$, während $\mathrm{a}_w^\Lambda h^{\# R^+ - d(w)}$ zu p_w^Λ proportional ist; insbesondere gilt $m(\mathbf{a}_w^\Lambda) = \# R^+ - d(w)$.

Da die Abbildungen $h \mapsto \mathbf{a}_w^\Lambda h^r$ mit $r \in \mathbf{N}$ polynomial sind und die h wie oben Zariski-dicht in $\mathfrak{h}$ liegen, folgt $\mathbf{a}_w^\Lambda h^r = 0$ für $r < m(\mathbf{a}_w^\Lambda)$ und $\mathbf{a}_w^\Lambda h^r \in k p_w^\Lambda$ für $r = m(\mathbf{a}_w^\Lambda)$ für alle $h \in \mathfrak{h}$. Nun erzeugen die h^r mit $h \in \mathfrak{h}$ als Vektorraum ganz $S^r(\mathfrak{h})$ (vgl. [Bourbaki 1], ch. III, § 6, n° 1, remarque 3); dies zeigt

$$(1) \qquad \mathbf{a}_w^\Lambda S^r(\mathfrak{h}) = \begin{cases} 0 & \text{für } r < m(\mathbf{a}_w^\Lambda), \\ k p_w^\Lambda & \text{für } r = m(\mathbf{a}_w^\Lambda). \end{cases}$$

Lemma. *Für alle* $w \in W_\Lambda$ *ist* $k[W_\Lambda] p_w^\Lambda$ *ein einfacher* $k[W_\Lambda]$*-Modul, dessen Multiplizität in* $S^r(\mathfrak{h})$ *gleich* 0 *für* $r < m(\mathbf{a}_w^\Lambda)$ *und gleich* 1 *für* $r = m(\mathbf{a}_w^\Lambda)$ *ist.*

Beweis. Zur Abkürzung sei $m = m(\mathbf{a}_w^\Lambda)$. Weil $k[W_\Lambda]$ halbeinfach ist, gibt es in $S^m(\mathfrak{h})$ Untermoduln $V, E_1, E_2, \ldots, E_s$, wobei die E_i einfach sind, so daß $S^m(\mathfrak{h}) = k[W_\Lambda] p_w^\Lambda \oplus V$ und $k[W_\Lambda] p_w^\Lambda = E_1 \oplus E_2 \oplus \ldots \oplus E_s$ gilt. Nun erhalten wir

$$k p_w^\Lambda = \mathbf{a}_w^\Lambda S^m(\mathfrak{h}) = \mathbf{a}_w^\Lambda k[W_\Lambda] p_w^\Lambda \oplus \mathbf{a}_w^\Lambda V,$$

also $\mathbf{a}_w^\Lambda V = 0$ und

$$k p_w^\Lambda = \mathbf{a}_w^\Lambda k[W_\Lambda] p_w^\Lambda = \mathbf{a}_w^\Lambda E_1 \oplus \mathbf{a}_w^\Lambda E_2 \oplus \ldots \oplus \mathbf{a}_w^\Lambda E_s.$$

Daher gibt es ein j mit $p_w^\Lambda \in \mathbf{a}_w^\Lambda E_j \subset E_j$, so daß $k[W_\Lambda] p_w^\Lambda = E_j$ sein muß. Es folgt $s = 1$ und die Einfachheit von $k[W_\Lambda] p_w^\Lambda$. Wegen $\mathbf{a}_w^\Lambda k[W_\Lambda] p_w^\Lambda = k p_w^\Lambda \neq 0$ kann nach (1) der einfache $k[W_\Lambda]$-Modul $k[W_\Lambda] p_w^\Lambda$ nicht in $S^r(\mathfrak{h})$ mit $r < m$ vorkommen und in $S^m(\mathfrak{h})$ auch nur einmal. Wegen $p_w^\Lambda \in S^m(\mathfrak{h})$ folgt die Behauptung.

Bemerkungen. 1) Das Lemma bleibt richtig, wenn man $S^r(\mathfrak{h})$ durch $\mathscr{F}(W_\Lambda)^r$ ersetzt, da $\mathscr{F}(W_\Lambda)^r$ sich in $S^r(\mathfrak{h})$ einbetten läßt und p_w^Λ dabei zum Bild von $S^m(\mathfrak{h})$ gehört.

2) Für ein $B' \subset B_\Lambda$ ist $p_{w_{\Lambda} w_{B'}}^\Lambda$ nach 9.15 proportional zu $\prod_{\alpha \in R'} h_\alpha$ mit $R' = R_\Lambda \cap \mathbf{N} B'$, es ist also $k[W_\Lambda] \prod_{\alpha \in R'} h_\alpha$ ein einfacher $k[W_\Lambda]$-Modul. Dies ist ein Spezialfall einer allgemeinen Konstruktion in [Macdonald 1]. Für $B' = B_\Lambda$ erhält man p_1^Λ proportional zu $\prod_{\alpha \in R_\Lambda^+} h_\alpha$ und $k[W_\Lambda] p_1^\Lambda$ ist ein eindimensionaler Modul, weil jedes $w \in W_\Lambda$ auf p_1^Λ durch Multiplikation mit $\det(w)$ operiert.

14.11 Es sei $\lambda \in \Lambda^{++}$. Für jedes Ideal I von $U(\mathfrak{g})$ mit $I_\lambda^{\min} \subset I$ setzen wir

$$(1) \qquad V_I = \sum_{I \subset I(w \cdot \lambda)} k \mathbf{a}_w^\Lambda \subset \mathscr{F}(W_\Lambda).$$

Aus 14.9 (4) folgt, daß V_I ein $k[W_\Lambda]$-Rechtsuntermodul von $\mathscr{F}(W_\Lambda)$ ist. Offensichtlich gilt

$$(2) \qquad V_I = V_{\sqrt{I}}.$$

Ist I' ein weiteres Ideal von $U(\mathfrak{g})$ mit $I_\lambda^{\min} \subset I'$, so sieht man leicht, wenn man die lineare Unabhängigkeit der $\mathbf{a}_w^\Lambda$ benutzt,

(3) $\quad I \subset I' \Rightarrow V_I \supset V_{I'},$

(4) $\quad V_{I+I'} = V_I \cap V_{I'}$

und

(5) $\quad V_{I \cap I'} = V_I + V_{I'}.$

Unter dem Isomorphismus $\mathscr{F}(W_\Lambda) \xrightarrow{\sim} k[W_\Lambda]$ geht V_I in ein Rechtsideal über. Wir können insbesondere die Wirkung von V_I auf W_Λ-Moduln betrachten. Aus 14.10 (1) folgt zum Beispiel für alle $w \in W_\Lambda$

(6) $$V_{I(w\cdot\lambda)} S^r(\mathfrak{h}) = \begin{cases} 0 & \text{für } r < m(\mathbf{a}_w^\Lambda), \\ k p_w^\Lambda & \text{für } r = m(\mathbf{a}_w^\Lambda). \end{cases}$$

Ist nämlich $I(w\cdot\lambda)$ echt in einem $I(w'\cdot\lambda)$ enthalten, so gilt $d(U(\mathfrak{g})/I(w'\cdot\lambda)) < d(U(\mathfrak{g})/I(w\cdot\lambda))$, also $m(\mathbf{a}_{w'}^\Lambda) > m(\mathbf{a}_w^\Lambda)$. Ist dagegen $I(w\cdot\lambda) = I(w'\cdot\lambda)$ für $w, w' \in W_\Lambda$, so folgt $I(w\cdot\mu) = I(w'\cdot\mu)$ und damit auch $p_w^\Lambda(\mu+\rho) = \operatorname{rk} U(\mathfrak{g})/I(w\cdot\mu) = \operatorname{rk} U(\mathfrak{g})/I(w'\cdot\mu) = p_{w'}^\Lambda(\mu+\rho)$ für alle $\mu \in \Lambda^{++}$, also $p_w^\Lambda = p_{w'}^\Lambda$. Daher ist p_I für ein $I \in \mathscr{X}_\lambda$ durch $p_I = p_w^\Lambda$ für ein $w \in W_\Lambda$ mit $I = I(w\cdot\lambda)$ wohldefiniert.

Für ein $I \in \mathscr{X}_\lambda$ gibt es genau ein Ideal $\hat{I}$ von $U(\mathfrak{g})$, das I echt umfaßt und minimal dafür ist (vgl. 1.13). Es gilt dann $V_{\hat{I}} \subset V_I$; wir setzen $\bar{V}_I = V_I / V_{\hat{I}}$. Dies ist dann ein $k[W_\Lambda]$-Rechtsmodul, der die Restklassen der $\mathbf{a}_w^\Lambda$ mit $I = I(w\cdot\lambda)$ als Basis hat. Aus der Halbeinfachheit von $k[W_\Lambda]$ folgt nun leicht für jedes Ideal I' von $U(\mathfrak{g})$ mit $I' \supset I_\lambda^{\min}$, daß $V_{I'}$ zur direkten Summe der $\bar{V}_I$ mit $I \in \mathscr{X}_\lambda$ und $I \supset I'$ isomorph ist. Nimmt man $I' = I_\Lambda^{\min}$, so ist $V_{I'} = \mathscr{F}(W_\Lambda) \simeq k[W_\Lambda]$; also haben wir gezeigt

Lemma. *Man kann jedem $I \in \mathscr{X}_\lambda$ einen $k[W_\Lambda]$-Modul $\bar{V}_I$ mit*

$$\dim \bar{V}_I = \# \{ w \in W_\Lambda \mid I = I(w\cdot\lambda) \}$$

zuordnen, so daß gilt:

$$k[W_\Lambda] \simeq \bigoplus_{I \in \mathscr{X}_\lambda} \bar{V}_I.$$

14.12 Es sei daran erinnert, daß für Rechtsideale I_1, I_2 eines halbeinfachen Ringes A und für einen A-Modul M gilt:

(1) $\quad I_1 M + I_2 M = (I_1 + I_2) M$ und $(I_1 \cap I_2) M = I_1 M \cap I_2 M.$

(Man benutze, daß es paarweise orthogonale idempotente Elemente $e_1, e_2, e_3 \in A$ mit $I_1 = (e_1 + e_3) A$ und $I_2 = (e_2 + e_3) A$ sowie $I_1 \cap I_2 = e_3 A$ und $I_1 + I_2 = (e_1 + e_2 + e_3) A$ gibt.)

Lemma. *Für ein $\lambda \in \Lambda^{++}$ sind die p_I mit $I \in \mathscr{X}_\lambda$ linear unabhängig.*

Beweis. Wegen $p_I \in S^m(\mathfrak{h})$ mit $m = \# R^+ - \frac{1}{2} d(U(\mathfrak{g})/I)$ braucht man nur alle I mit einem festen Wert von $d(U(\mathfrak{g})/I)$ zu betrachten. Es seien demnach

$I_1, I_2, \ldots, I_l$ für ein m die paarweise verschiedenen Elemente von $\mathscr{X}_\lambda$ mit $d(U(\mathfrak{g})/I_j) = \# R - 2m$. Wir betrachten für ein j mit $1 < j \leqslant l$ das Ideal $I = (I_1 \cap I_2 \cap \ldots \cap I_{j-1}) + I_j$. Dieses umfaßt I_j echt, so daß $d(U(\mathfrak{g})/I) < d(U(\mathfrak{g})/I_j) = \# R - 2m$ gelten muß. Daraus folgt $V_I S^m(\mathfrak{h}) = 0$. Nach 14.11 (4), (5) wissen wir

$$V_I = (V_{I_1} + V_{I_2} + \ldots + V_{I_{j-1}}) \cap V_{I_j},$$

nach (1) und 14.11 (6) also

$$0 = V_I S^m(\mathfrak{h}) = \left(\sum_{i=1}^{j-1} V_{I_i} S^m(\mathfrak{h}) \right) \cap V_{I_j} S^m(\mathfrak{h})$$

$$= \left(\sum_{i=1}^{j-1} k p_{I_i} \right) \cap k p_{I_j}.$$

Durch Induktion über j folgt daraus die lineare Unabhängigkeit von $p_{I_1}, p_{I_2}, \ldots, p_{I_j}$.

14.13 Es sei $\hat{W}_\Lambda$ die Menge der Isomorphieklassen einfacher $k[W_\Lambda]$-Moduln. Für einen $k[W_\Lambda]$-Modul V und ein $\sigma \in \hat{W}_\Lambda$ bezeichnen wir die Multiplizität von σ in V mit $[V : \sigma]$. Für alle $\sigma \in \hat{W}_\Lambda$ sei $m(\sigma)$ das Minimum aller m mit $[S^m(\mathfrak{h}) : \sigma] \neq 0$. (Dies existiert wegen $[k[W_\Lambda] : \sigma] = \dim \sigma \neq 0$, wegen 14.8 (8) und, weil sich $\mathscr{F}(W_\Lambda)^m$ in $S^m(\mathfrak{h})$ einbetten läßt.)

Für alle $w \in W_\Lambda$ sei $\sigma(w) \in \hat{W}_\Lambda$ gemäß Lemma 14.10 die Klasse des $k[W_\Lambda]$-Moduls $k[W_\Lambda] p_w^\Lambda$. Für ein $\lambda \in \Lambda^{++}$ schreiben wir $\sigma(I(w \cdot \lambda))$ statt $\sigma(w)$ und setzen für ein $\sigma \in \hat{W}_\Lambda$:

$$\mathscr{X}_\lambda^\sigma = \{ I \in \mathscr{X}_\lambda \mid \sigma(I) = \sigma \}.$$

Es sei dann $\hat{W}_\Lambda^s = \{ \sigma \in \hat{W}_\Lambda \mid \mathscr{X}_\lambda^\sigma \neq \emptyset \}$.

Satz. *Es sei $\lambda \in \Lambda^{++}$. Für alle $\sigma \in \hat{W}_\Lambda^s$ gilt $[S^{m(\sigma)}(\mathfrak{h}) : \sigma] = 1$. Die p_I mit $I \in \mathscr{X}_\lambda^\sigma$ bilden eine Basis der σ-isotypischen Komponente von $S^{m(\sigma)}(\mathfrak{h})$. Es gilt $\# \mathscr{X}_\lambda^\sigma = \dim \sigma$.*

Beweis. Wir wählen ein $w \in W_\Lambda$ mit $\sigma(w) = \sigma$ und setzen $m = m(\sigma)$. Nach Lemma 14.10 ist $k[W_\Lambda] p_w^\Lambda$ die σ-isotypische Komponente von $S^m(\mathfrak{h})$. Insbesondere gilt $[S^{m(\sigma)}(\mathfrak{h}) : \sigma] = 1$ und $p_I \in k[W_\Lambda] p_w^\Lambda$ für alle $I \in \mathscr{X}_\lambda^\sigma$. Aus 14.8 (4) und 14.9 (3) folgt

$$k[W_\Lambda] p_w^\Lambda = k[W_\Lambda] \mathbf{a}_w^\Lambda h_0^m \subset \langle W_\Lambda \mathbf{a}_w^\Lambda \rangle_{\mathbf{a}} h_0^m = \sum_{w'} k \mathbf{a}_{w'}^\Lambda h_0^m,$$

wobei über alle $w' \in W_\Lambda$ mit $I(w^{-1} \cdot \lambda) \subset I(w'^{-1} \cdot \lambda)$ summiert wird. Ist diese Inklusion echt, so gilt

$$d(U(\mathfrak{g})/I(w'^{-1} \cdot \lambda)) < d(U(\mathfrak{g})/I(w^{-1} \cdot \lambda)),$$

also nach 10.10(1)

$$d(U(\mathfrak{g})/I(w'\cdot\lambda))<d(U(\mathfrak{g})/I(w\cdot\lambda)),$$

mithin $m(\mathbf{a}_{w'}^{\Lambda})>m(\mathbf{a}_{w}^{\Lambda})=m$ und $\mathbf{a}_{w'}^{\Lambda}h_0^m=0$. Für $I(w^{-1}\cdot\lambda)=I(w'^{-1}\cdot\lambda)$ erhalten wir dagegen $k\mathbf{a}_{w'}^{\Lambda}h_0^m=kp_{w'}^{\Lambda}$. Dies zeigt

$$k[W_\Lambda]p_w^\Lambda\subset\sum_I kp_I,$$

wobei über alle $I\in\mathscr{X}_\lambda$ mit $d(U(\mathfrak{g})/I)=\#R-2m$ summiert wird. Jedes dieser p_I gehört zu einer isotypischen Komponente von $S^m(\mathfrak{h})$, und $k[W_\Lambda]p_w^\Lambda$ ist eine solche, also muß $k[W_\Lambda]p_w^\Lambda$ von den p_I mit $\sigma(I)=\sigma(w)=\sigma$ aufgespannt werden. Nach Lemma 14.12 sind sie linear unabhängig, bilden also eine Basis von $k[W_\Lambda]p_w^\Lambda$. Insbesondere ist $\#\mathscr{X}_\lambda^\sigma=\dim k[W_\Lambda]p_w^\Lambda=\dim\sigma$.

Bemerkungen. 1) Der Beweis zeigt, daß es für $I,I'\in\mathscr{X}_\lambda$ mit $\sigma(I)=\sigma(I')$ Elemente $w,w'\in W_\Lambda$ mit $I=I(w\cdot\lambda)$ und $I'=I(w'\cdot\lambda)$ sowie $I(w^{-1}\cdot\lambda)=I(w'^{-1}\cdot\lambda)$ gibt. (Oben wird $k[W_\Lambda]p_w^\Lambda$ von solchen $p_{w'}^\Lambda$ erzeugt.)

2) Es seien $w,w'\in\mathscr{X}_\lambda$ mit $I(w^{-1}\cdot\lambda)=I(w'^{-1}\cdot\lambda)$. Nach 7.13 gibt es einen endlich dimensionalen $\mathfrak{g}$-Modul E mit $[L(w\cdot\lambda)\otimes E:L(w'\cdot\lambda)]\neq 0$, und es gilt $d(L(w'\cdot\lambda))=d(L(w\cdot\lambda)\otimes E)$. Wie in 12.6 gesehen, können wir Satz 12.3 auf $M=L(w\cdot\lambda)\otimes E$ anwenden. Nun ist der Goldie-Körper von $\mathscr{L}(M,M)$ nach 12.6 zu dem von $\mathscr{L}(L(w\cdot\lambda),L(w\cdot\lambda))$ isomorph und nach 12.3 zu dem von $\mathscr{L}(L(w'\cdot\lambda),L(w'\cdot\lambda))$.

Ist R_Λ vom Typ A_{n-1}, so folgt nun aus 12.13 und der ersten Bemerkung oben, daß für alle $I,I'\in\mathscr{X}_\lambda$ mit $\sigma(I)=\sigma(I')$ die Goldie-Körper von $U(\mathfrak{g})/I$ und $U(\mathfrak{g})/I'$ isomorph sind.

14.14 Corollar. *Für alle $\lambda\in\Lambda^{++}$ gilt*

$$\#\mathscr{X}_\lambda=\sum_{\sigma\in\hat{W}_\Lambda^s}\dim\sigma.$$

Dies ist nun klar.

14.15 Es sei $\lambda\in\Lambda^{++}$. Wir führen auf W_Λ Präordnungen $\underset{L}{\leqslant}$ und $\underset{R}{\leqslant}$ sowie Äquivalenzrelationen $\underset{L}{\sim}$ und $\underset{R}{\sim}$ ein, und zwar gelte für $w,w'\in W_\Lambda$:

$$w\underset{L}{\leqslant}w' \Leftrightarrow I(w\cdot\lambda)\subset I(w'\cdot\lambda),$$

$$w\underset{R}{\leqslant}w' \Leftrightarrow w^{-1}\underset{L}{\leqslant}w'^{-1} \Leftrightarrow I(w^{-1}\cdot\lambda)\subset I(w'^{-1}\cdot\lambda),$$

$$w\underset{L}{\sim}w' \Leftrightarrow w\underset{L}{\leqslant}w'\underset{L}{\leqslant}w \Leftrightarrow I(w\cdot\lambda)=I(w'\cdot\lambda)$$

$$\Leftrightarrow w\underset{L}{\leqslant}w' \quad \textit{und} \quad d(U(\mathfrak{g})/I(w\cdot\lambda))=d(U(\mathfrak{g})/I(w'\cdot\lambda)),$$

$$w\underset{R}{\sim}w' \Leftrightarrow w^{-1}\underset{L}{\sim}w'^{-1} \Leftrightarrow I(w^{-1}\cdot\lambda)=I(w'^{-1}\cdot\lambda)$$

$$\Leftrightarrow w\underset{R}{\leqslant}w' \quad \textit{und} \quad d(U(\mathfrak{g})/I(w\cdot\lambda))=d(U(\mathfrak{g})/I(w'\cdot\lambda)).$$

(Nach Satz 5.25 sind diese Notationen mit den in 5.22 eingeführten verträglich.) Ferner schreiben wir $w \underset{L}{<} w'$ (bzw. $w \underset{R}{<} w'$), wenn $w \underset{L}{\not\sim} w'$ und $w \underset{L}{\leqslant} w'$ (bzw. $w \underset{R}{\not\sim} w'$ und $w \underset{R}{\leqslant} w'$) gelten. Schließlich führen wir noch ein

$$V_w^L = V_{I(w\cdot\lambda)} = \sum_{w \underset{L}{\leqslant} w'} k\mathbf{a}_{w'}^\Lambda \quad \text{und} \quad V_w^R = \sum_{w \underset{R}{\leqslant} w'} k\mathbf{a}_{w'}^\Lambda = J(V_{w^{-1}}^L),$$

$$\hat{V}_w^L = \hat{V}_{I(w\cdot\lambda)} = \sum_{w \underset{L}{<} w'} k\mathbf{a}_{w'}^\Lambda \quad \text{und} \quad \hat{V}_w^R = \sum_{w \underset{R}{<} w'} k\mathbf{a}_{w'}^\Lambda = J(\hat{V}_{w^{-1}}^L),$$

$$\bar{V}_w^L = \bar{V}_{I(w\cdot\lambda)} = V_w^L / \hat{V}_w^L \quad \text{und} \quad \bar{V}_w^R = V_w^R / \hat{V}_w^R.$$

Die Restklassen der $\mathbf{a}_{w'}^\Lambda$ mit $w' \underset{L}{\sim} w$ bzw. $w' \underset{R}{\sim} w$ bilden eine Basis von $\bar{V}_w^L$ bzw. $\bar{V}_w^R$. Es sind V_w^L, $\hat{V}_w^L$ und $\bar{V}_w^L$ in natürlicher Weise $k[W_\Lambda]$-Rechtsmoduln, während V_w^R, $\hat{V}_w^R$ und $\bar{V}_w^R$ Linksmoduln für $k[W_\Lambda]$ sind.

Man erhält aus jedem $k[W_\Lambda]$-Links- oder -Rechtsmodul V einen $k[W_\Lambda]$-Rechts- bzw. -Linksmodul ${}^J V$, indem man denselben Vektorraum zugrunde legt und ein $w \in W_\Lambda$ jetzt wie w^{-1} früher operieren läßt. Offensichtlich gilt dabei stets ${}^J({}^J V) \simeq V$. Für einen einseitigen Untermodul V von $\mathscr{F}(W_\Lambda)$ induziert J nach 14.8(2) einen Isomorphismus von ${}^J V$ auf $J(V)$. Insbesondere folgt daraus

(1) $\qquad \bar{V}_w^R \simeq {}^J(\bar{V}_{w^{-1}}^L)$ *für alle* $w \in W_\Lambda$.

In natürlicher Weise können wir die Menge der Isomorphieklassen einfacher $k[W_\Lambda]$-Rechtsmoduln mit $\{{}^J\sigma \mid \sigma \in \hat{W}_\Lambda\}$ identifizieren.

Für ein $w \in W_\Lambda$ ist die Abbildung $a \mapsto a h_0^m$ mit $m = m(\mathbf{a}_w^\Lambda)$ ein Homomorphismus $V_w^R \to S^m(\mathfrak{h})$, der $\hat{V}_w^R$ im Kern und $k[W_\Lambda] p_w^\Lambda$ im Bild enthält. Insbesondere gilt

(2) $\qquad 0 \neq [\bar{V}_w^R : \sigma(w)] = [\bar{V}_{w^{-1}}^L : {}^J\sigma(w)].$

Für jedes $I \in \mathscr{X}_\lambda$ gibt es nach 7.11 ein $w \in W_\Lambda$ mit $I = I(w\cdot\lambda)$ und $w^2 = 1$. Aus (2) folgt $[\bar{V}_I : {}^J\sigma(I)] \neq 0$. Für alle $\sigma \in \hat{W}_\Lambda^s$ gilt nach 14.13 und 14.11

$$\#\{I \in \mathscr{X}_\lambda \mid \sigma(I) = I\} = \dim \sigma = [k[W_\Lambda] : {}^J\sigma] = \sum_{I \in \mathscr{X}_\lambda} [\bar{V}_I : {}^J\sigma].$$

Daraus enthalten wir nun für alle $I \in \mathscr{X}_\lambda$ und $\sigma \in \hat{W}_\Lambda^s$:

(3) $$[\bar{V}_I : {}^J\sigma] = \begin{cases} 1 & \textit{für } \sigma(I) = \sigma, \\ 0 & \textit{sonst.} \end{cases}$$

Nach (2) gilt $[\bar{V}_{I(w\cdot\lambda)} : {}^J\sigma(w^{-1})] \neq 0$ für alle $w \in W_\Lambda$, nach (3) also

(4) $\sigma(w)=\sigma(w^{-1})$ *für alle* $w\in W_\Lambda$

und

(3′) $$[\bar{V}^R_w:\sigma]=\begin{cases}1 & \text{für } \sigma=\sigma(w),\\ 0 & \text{für } \sigma\in\hat{W}^s_\Lambda,\ \sigma\neq\sigma(w).\end{cases}$$

Es seien $\underset{LR}{\leqslant}$ die von $\underset{L}{\leqslant}$ und $\underset{R}{\leqslant}$ erzeugte Präordnung sowie $\underset{LR}{\sim}$ die von $\underset{L}{\sim}$ und $\underset{R}{\sim}$ erzeugte Äquivalenzrelation. Die Beschreibung von $\underset{L}{\sim}$ und $\underset{R}{\sim}$ mit Hilfe der Gel'fand-Kirillov-Dimension zeigt leicht, daß $w\underset{LR}{\sim}w'$ zu $w\underset{LR}{\leqslant}w'\underset{LR}{\leqslant}w$ äquivalent ist. Wir behaupten nun

(5) $$w\underset{LR}{\sim}w' \Leftrightarrow \sigma(w)=\sigma(w').$$

Für $w\underset{L}{\sim}w'$ gilt $\sigma(w)=\sigma(w')$ nämlich nach Definition und für $w\underset{R}{\sim}w'$ nach (4); dies gibt eine Richtung in (5). Gilt dagegen $\sigma(w)=\sigma(w')$, so folgt $w\underset{LR}{\sim}w'$ aus der Bemerkung 1 zu 14.13. Definieren wir nun V^{LR}_w für ein $w\in W_\Lambda$ als das Erzeugnis aller $\mathbf{a}^\Lambda_{w'}$ mit $w\underset{LR}{\leqslant}w'$, so ist dies ein $(k[W_\Lambda],k[W_\Lambda])$-Unterbimodul von $\mathscr{F}(W_\Lambda)$, ebenso wie das Erzeugnis $\hat{V}^{LR}_w$ der $\mathbf{a}^\Lambda_{w'}$ mit $w\underset{LR}{\leqslant}w'$ und $w\underset{LR}{\not\sim}w'$, also $m(\mathbf{a}^\Lambda_{w'})>m(\mathbf{a}^\Lambda_w)$. Nun ist $\bar{V}^{LR}_w=V^{LR}_w/\hat{V}^{LR}_w$ ein $(k[W_\Lambda],k[W_\Lambda])$-Bimodul, mit den Restklassen der $\mathbf{a}^\Lambda_{w'}$ mit $\sigma(w')=\sigma(w)$ als Basis, und $\mathscr{F}(W_\Lambda)\simeq k[W_\Lambda]$ ist zur direkten Summe der insgesamt $\#\hat{W}^s_\Lambda$ verschiedenen $\bar{V}^{LR}_w$ isomorph. Als Linksmodul ist $\bar{V}^{LR}_w$ direkte Summe von isotypischen Komponenten. Es gilt nun nach 14.10(1)

(6) $$V^{LR}_w S^r(\mathfrak{h})=\begin{cases}0 & \text{für } r<m(\mathbf{a}^\Lambda_w),\\ k[W_\Lambda]p^\Lambda_w & \text{für } r=m(\mathbf{a}^\Lambda_w).\end{cases}$$

Ist $\mathscr{F}(W_\Lambda)_\sigma$ für ein $\sigma\in\hat{W}_\Lambda$ die σ-isotypische Komponente von $\mathscr{F}(W_\Lambda)\simeq k[W_\Lambda]$, so ist $\mathscr{F}(W_\Lambda)_\sigma S^r(\mathfrak{h})$ die σ-isotypische Komponente von $S^r(\mathfrak{h})$; aus (6) folgt

(7) $$\mathscr{F}(W_\Lambda)_\sigma\subset\bar{V}^{LR}_w \Rightarrow [S^r(\mathfrak{h}):\sigma]=\begin{cases}0 & \text{für } r<m(\mathbf{a}^\Lambda_w) \text{ oder}\\ & \quad r=m(\mathbf{a}^\Lambda_w),\ \sigma\neq\sigma(w),\\ 1 & \text{für } r=m(\mathbf{a}^\Lambda_w),\ \sigma=\sigma(w).\end{cases}$$

Wir definieren auf $\hat{W}_\Lambda$ eine Äquivalenzrelation: Es soll $\sigma\sim\sigma'$ genau dann gelten, wenn es ein $w\in W_\Lambda$ mit $\mathscr{F}(W_\Lambda)_\sigma+\mathscr{F}(W_\Lambda)_{\sigma'}\subset\bar{V}^{LR}_w$ gibt. Da $\bar{V}^{LR}_w$ als Linksmodul zur direkten Summe gewisser $\bar{V}^R_{w'}$ mit $\sigma(w')=\sigma(w)$ isomorph ist, folgt aus (3′) und (7):

(8) *$\hat{W}^s_\Lambda$ ist ein Repräsentantensystem für die Äquivalenzklassen relativ $\sim$.*

(9) *Für $\sigma_0 \in \hat{W}^s_\Lambda$ und $\sigma \in \hat{W}_\Lambda$ mit $\sigma_0 \sim \sigma$ und $\sigma_0 \neq \sigma$ gilt $m(\sigma_0) < m(\sigma)$.*

(10) *Für alle $w \in W_\Lambda$ und $\sigma \in \hat{W}_\Lambda$ mit $[\bar{V}^R_w : \sigma] \neq 0$ gilt $\sigma \sim \sigma(w)$.*

14.16 Es seien V ein endlich dimensionaler Vektorraum, G eine endliche Untergruppe von $GL(V)$ und H eine Untergruppe von G. Es sei eine Zerlegung $V = V' \oplus V''$ in H-stabile Teilräume mit $V'' \subset V^H$ gegeben. Wir bezeichnen die Menge der Isomorphieklassen einfacher $k[G]$-Moduln mit $\hat{G}$ und setzen $[M: E]_G$ für einen $k[G]$-Modul M und ein $E \in G$ gleich der Multiplizität von E als Kompositionsfaktor von M. Analog werden $\hat{H}$ und $[\,:\,]_H$ definiert. Nun operiert G in natürlicher Weise auf den $S^n(V)$ und H auf den $S^n(V')$ sowie den $S^n(V)$. Für alle $E \in \hat{G}$ bzw. $E' \in \hat{H}$ sei $m(E)$ bzw. $m'(E')$ das Minimum aller $m \in \mathbf{N}$ mit $[S^m(V): E]_G \neq 0$ bzw. $[S^m(V'): E']_H \neq 0$. Nun ist $S^n(V)$ zur direkten Summe der $S^r(V') \otimes S^{n-r}(V'')$ mit $0 \leqslant r \leqslant n$ isomorph; da H auf den $S^{n-r}(V'')$ trivial operiert, folgt für alle $E' \in \hat{H}$

$$[S^n(V): E']_H = \sum_{r=0}^{n} \dim S^{n-r}(V'')[S^r(V'): E']_H .$$

Insbesondere ist $m'(E')$ auch das kleinste $m \in \mathbf{N}$ mit $[S^m(V): E']_H \neq 0$, also auch das Minimum aller $m(E)$ mit $E \in \hat{G}$ und $[E: E']_H \neq 0$.

Es sei nun $E' \in H$ mit $[S^{m'(E')}(V'): E']_H = 1$. Aus der Formel oben folgt $[S^{m'(E')}(V): E']_G = 1$. Daher gibt es genau ein $E \in \hat{G}$ mit $m'(E') = m(E)$ und $[E: E']_H \neq 0$ (oder, äquivalent $[\operatorname{ind}_H^G E': E]_G \neq 0$). Offensichtlich gilt $[S^{m(E)}(V): E]_G = 1$. Wir bezeichnen dieses E mit $j_H^G(E')$ und erhalten so eine Abbildung

$$j_H^G : \{E' \in \hat{H} \mid [S^{m'(E')}(V'): E']_H = 1\} \to \{E \in \hat{G} \mid [S^{m(E)}(V): E]_G = 1\},$$

die wir *gestutzte* Induktion von H nach G nennen.

Wir wollen diese Konstruktion auf $G = W_\Lambda$ und $V = \mathfrak{h}$ anwenden. Dazu sei $S \subset B$; dann ist $B' = B_\Lambda \cap \mathbf{Z}S$ eine Basis des Wurzelsystems $R_\Lambda \cap \mathbf{Z}S$. Wir nehmen $H = W_{B'}$ und $V' = \mathfrak{h}_S$ sowie $V'' = \mathfrak{h}'_S$. In diesem Fall schreiben wir kurz $j_{B'}$ statt j_H^G. Eine Darstellung, auf die wir nun $j_{B'}$ sicher anwenden können ist $w \mapsto \det(w)$. Aus Lemma 14.10 und der Bemerkung 2 dazu (für Λ_S statt Λ, vgl. 7.15) folgt nämlich $m'(\det) = \#(R_\Lambda \cap \mathbf{N}B')$ und $[S^{m'(\det)}(\mathfrak{h}_S): \det] = 1$.

Betrachten wir insbesondere den Fall, daß R_Λ vom Typ A_{n-1} für ein $n \in \mathbf{N}$ ist, also $W_\Lambda \sim S_n$. Dann gibt es eine Bijektion zwischen $\hat{W}_\Lambda$ und der Menge der Partitionen von n; dabei entspreche einer Partition π die Klasse $\sigma(\pi) \in \hat{W}_\Lambda$. Dabei ist zum Beispiel $\sigma(n)$ die triviale eindimensionale Darstellung und $\sigma(1^n) = \det$. Ist B' vom Typ $A_{\pi_1 - 1} \times A_{\pi_2 - 1} \times \ldots \times A_{\pi_l - 1}$ für eine Partition $\pi = (\pi_1, \pi_2, \ldots, \pi_l)$ von n, so enthält $\operatorname{ind}_{W_{B'}}(\det)$ die Darstellung $\sigma({}^t\pi)$ mit Multiplizität 1 und sonst Darstellungen $\sigma(\pi')$ mit $\pi' < {}^t\pi$ wobei $<$ die übliche Ordnungsrelation auf den Partitionen (mit größtem Element (n)) ist und ${}^t\pi$ die zu π duale Partition bezeichnet. Dies zeigt $m({}^t\pi) \leqslant \#(R_\Lambda \cap \mathbf{N}B')$. Durch Induktion über die Ordnungsrelation sieht man $m(\pi') < \#(R_\Lambda \cap \mathbf{N} B')$ für $\pi' <' \pi$ und daher

(1) $\quad j_{B'}(\det) = \sigma({}^t\pi)$.

14.17 Wir übernehmen die Notationen von 14.16 und schreiben Λ' für das Λ_S von 7.15. Für jedes $w \in W_{B'}$ sei $\sigma'(w) \in \hat{W}_{B'}$ der Typ des einfachen $k[W_{B'}]$-Moduls $k[W_{B'}]p_w^\Lambda$.

Satz. *Für alle* $w \in W_{B'}$ *gilt* $\sigma(w w_{B'} w_\Lambda) = j_{B'}(\sigma'(w))$.

Beweis. In den Notationen von 7.16 gilt für alle $\lambda \in \Lambda^{++}$

$$L(w w_{B'} w_\Lambda \cdot \lambda) = U(\mathfrak{g}) \underset{U(\mathfrak{p}_S)}{\otimes} \hat{L}^S(w w_{B'} w_\Lambda \cdot \lambda),$$

also nach 8.9

$$e(L(w w_{B'} w_\Lambda \cdot \lambda)) = e_{\mathfrak{p}_S} \hat{L}^S(w w_{B'} w_\Lambda \cdot \lambda) = e_{\mathfrak{g}_S} L^S(w \cdot (w_{B'} w_\Lambda \cdot \lambda)_S),$$

wegen $(w_{B'} w_\Lambda \cdot \lambda)_S \in (\Lambda')^{++}$ also

$$f^\Lambda_{w w_{B'} w_\Lambda}(\lambda + \rho) = f^{\Lambda'}_w(w_{B'} w_\Lambda(\lambda + \rho)),$$

wobei wir $f^{\Lambda'}_w \in S(\mathfrak{h}_S)$ mit einem Element aus $S(\mathfrak{h})$ identifiziert haben; dabei gilt $f^{\Lambda'}_w(\mu) = f^{\Lambda'}_w(\mu_S)$ für alle μ. Dies zeigt $f^\Lambda_{w w_{B'} w} = w_\Lambda w_{B'} f^{\Lambda'}_w$ und daher nach 14.7

$$k[W_\Lambda] p^\Lambda_{w w_{B'} w_\Lambda} = k[W_\Lambda] p^{\Lambda'}_w \supset k[W_{B'}] p^{\Lambda'}_w.$$

Es gilt also $m(\sigma(w w_{B'} w_\Lambda)) = \operatorname{grad} p^\Lambda_{w w_{B'} w} = \operatorname{grad} p^{\Lambda'}_w = m'(\sigma'(w))$ und $[\sigma(w w_{B'} w_\Lambda) : \sigma'(w)] \neq 0$, also $\sigma(w w_{B'} w_\Lambda) = j_{B'}(\sigma'(w))$, was zu beweisen war.

Bemerkungen. 1) Es sei R_Λ vom Typ A_{n-1} für ein $n \in \mathbf{N}$. Aus 5.25 folgt (in den Notationen von dort und von 10.11)

$$\sigma(w) = \sigma(w') \Leftrightarrow w \underset{LR}{\sim} w' \Leftrightarrow \operatorname{Typ}(w) = \operatorname{Typ}(w').$$

Zu jeder Partition $\pi = (\pi_1, \pi_2, \ldots, \pi_r)$ von n können wir ein $B' \subset B_\Lambda$ vom Typ $A_{\pi_1 - 1} \times A_{\pi_2 - 1} \times \ldots \times A_{\pi_r - 1}$ finden. Dann gilt $\operatorname{Typ}(w_\Lambda w_{B'}) = \pi$. Aus dem Satz und aus 14.16(1) folgt

$$\sigma(w_\Lambda w_{B'}) = j_{B'}(\sigma'(1)) = j_{B'}(\det) = \sigma({}^t\pi).$$

Dies zeigt für alle $w \in W_\Lambda$

(1) $\quad \sigma(w) = \sigma({}^t\operatorname{Typ}(w))$.

2) Mit Hilfe von 7.17(1) und Satz 7.19 zeigt man für alle $w \in W_{B'}$ ziemlich leicht

$$V^R_{wwB'w_\Lambda} = k[W_\Lambda]\, V^R_{w,B'},$$

wobei $V^R_{w,B'} \subset \mathscr{F}(W_{B'})$ das Analogon zu V^R_w nur in $\mathfrak{g}_S$ statt $\mathfrak{g}$ gebildet ist. Wir haben dabei $\mathscr{F}(W_{B'})$ in $\mathscr{F}(W_\Lambda)$ eingebettet, indem wir die Funktionen durch 0 außerhalb von $W_{B'}$ fortsetzen. Nun sieht man leicht, daß $\mathscr{F}(W_\Lambda)$ der von $\mathscr{F}(W_{B'})$ induzierte $k[W_\Lambda]$-Modul ist, und dann, daß

$$(2) \qquad V^R_{wwB'w_\Lambda} \simeq \operatorname{ind}_{W_{B'}}(V^R_{w,B'})$$

gilt. So erhält man wegen 14.15 einen anderen Zugang zum Satz.

Anhang

14A.1 Der größte Teil dieses Kapitels geht auf die Abschnitte 4 und 5 in [Joseph 18] zurück. Lemma 14.9 war in [Joseph 16], 5.7.c vermutet worden und wurde dann in der Form von Satz 7.12 von Vogan bewiesen. Die Konstruktion der $k[W_\Lambda]$-Moduln V_I geht auf [Joseph 16] zurück; eine gründlichere Betrachtung findet sich auch in [Barbasch/Vogan 2], 2.10–2.16. Zu 14.17 vergleiche man [Barbasch/Vogan 2], 3.25. Die gestutzte Induktion von 14.16 wird in [Lusztig/Spaltenstein] eingeführt.

14A.2 Nach 14.7 und 9.13(1) kann man die Goldie-Rang-Polynome bis auf einen konstanten Faktor berechnen, wenn man die $a_\Lambda(w, w')$ kennt. Die Bestimmung des Faktors ist schwierig und im allgemeinen ungelöst. Für $\mathfrak{g} = \mathfrak{sl}(3, \mathbf{C})$ und $\mathfrak{g} = \mathfrak{sp}(4, \mathbf{C})$ waren alle Goldie-Ränge in [Joseph 5] explizit angegeben worden. Weitere explizite Resultate findet man in [Joseph 14], 11.4 und [Joseph 18], 6.2/3, wobei im letzten Fall noch [Joseph 21], 4.10 zur Ergänzung herangezogen werden muß.

14A.3 Ist L ein einfacher Harish-Chandra-Modul für ein Paar $(\mathfrak{g}', \mathfrak{k}')$ wie in 6A.1, so teilt $\operatorname{rk} U(\mathfrak{g}')/\operatorname{Ann} L$ nach [Joseph 18], 5.6 die Multiplizität $e(L)$. Nun wird auf gewissen Familien von Harish-Chandra-Moduln die Funktion $L \mapsto e(L)$ durch ein Polynom gegeben (vgl. 9A.2), auf ihnen ist dann $L \mapsto \operatorname{rk} U(\mathfrak{g}')/\operatorname{Ann} L$ eines der Goldie-Rang-Polynome von $\mathfrak{g}'$, und man kann in Verallgemeinerung von Satz 14.7 zeigen, daß beide Polynome proportional sind ([Joseph 18], 5.7). Eine entsprechende Aussage gilt für die Funktion $L \mapsto \tilde{e}(L)$ von 9A.4. Man vergleiche hierzu auch [King].

Aus 9.12(1) und 14.7 folgt, daß jedes p_I ein homogenes Polynom vom Grad $(\# R - d(U(\mathfrak{g})/I))/2$ ist. Nach den Bemerkungen oben ist dann auch das Polynom, das $L \mapsto e(L)$ beschreibt, homogen vom Grad $\# R^+ - d(L)$. Dies war in [Vogan 1] vermutet worden. Im Spezialfall $(\mathfrak{g}', \mathfrak{k}') = (\mathfrak{g} \times \mathfrak{g}, \mathfrak{k})$ und $\mathfrak{g} = \mathfrak{sl}(n, \mathbf{C})$

findet sich ein erster Beweis in [Duflo 4]. Die erste Teilbarkeitsaussage in diesem Abschnitt ist für $(\mathfrak{g}', \mathfrak{k}') = (\mathfrak{g} \times \mathfrak{g}, \mathfrak{k})$ in 12.7(4) enthalten.

14A.4 Es seien G und V wie zu Anfang von 14.16. Die Multiplizitäten eines $E \in \hat{G}$ in den $S^n(V)$ lassen sich durch die formale Potenzreihe $\sum_{m \geqslant 0} [S^m(V) : E]_G \, T^m$ in einer Veränderlichen T beschreiben. Ist E absolut einfach und ist χ der Charakter von E, so gilt

$$[S^m(V) : E]_G = \frac{1}{\# G} \sum_{g \in G} \chi(g^{-1}) \operatorname{Spur}(g, S^m(V)).$$

In einem formalen Sinn ist ferner

$$\sum_{m \geqslant 0} \operatorname{Spur}(g, S^m(V)) \, T^m = \det(1 - Tg, V)^{-1},$$

also folgt

$$\sum_{m \geqslant 0} [S^m(V) : E]_G \, T^m = \frac{1}{\# G} \sum_{g \in G} \chi(g^{-1}) \det(1 - Tg, V)^{-1}.$$

Für $V = \mathfrak{h}$ und $G = W$ lassen sich daher die $[S^m(V) : E]_G$ an [Lusztig 1], (2.2.1), (2.4.1), (2.5.3) und (2.5.4) ablesen, falls R vom Typ A_n, B_n, C_n oder D_n ist. Für die Ausnahmegruppen sei auf [Beynon/Lusztig] verwiesen. Man kann $\mathscr{F}(W)_m$ mit dem Raum der harmonischen Polynome auf $\mathfrak{h}^*$ identifizieren, die homogen vom Grad m sind (vgl. 14.8, 9.7, 9A.2). Daher hat man für alle $n \in \mathbf{N}$ einen Isomorphismus von $k[W]$-Moduln

$$S^n(\mathfrak{h}) \simeq \bigoplus_{m=0}^{n} \mathscr{F}(W)_m \otimes S^{n-m}(\mathfrak{h})^W.$$

Daher reicht es, die Multiplizitäten in den $\mathscr{F}(W)_m$ zu kennen.

Die Aussagen über W lassen sich sinngemäß auf W_Λ übertragen. Man zerlegt $\mathfrak{h}$ dazu in die direkte Summe des von den h_α mit $\alpha \in R_\Lambda$ aufgespannten Teilraums und dessen Orthogonalraums. Auf dem zweiten Summanden operiert W_Λ trivial, auf dem ersten als „normale" Weylgruppe.

Man kann nach Satz 14.13 auf jedes $\sigma \in \hat{W}^s_\Lambda$ gestutzte Induktion von W_Λ nach W anwenden; wir wollen sie kurz mit j_Λ bezeichnen. In den Notationen von 14.16 ist nun $V = V'$, daher gilt $j_\Lambda(k[W_\Lambda] p^\Lambda_w) = k[W] k[W_\Lambda] p^\Lambda_w = k[W] p^\Lambda_w$. Dies zeigt insbesondere, daß $k[W] p^\Lambda_w$ ein einfacher $k[W]$-Modul ist, wie zuerst in [Joseph 18], 5.4(ii) bewiesen wurde.

Kapitel 15. Induzierte Ideale und eine Vermutung von Gel'fand und Kirillov

Wir betrachten hier $\mathfrak{g}$-Moduln, die von endlich dimensionalen, einfachen Moduln für eine feste parabolische Unteralgebra induziert sind, deren Annullatoren in $U(\mathfrak{g})$ (die „induzierten Ideale" der Überschrift) und die Bimoduln $\mathscr{L}(M, N)$ für solche induzierten Moduln M, N. Wir zeigen insbesondere, daß $\mathscr{L}(M, M)$ für solche M immer prim ist, daß der Goldie-Rang von $\mathscr{L}(M, M)$ die Dimension des Moduls ist, von dem M induziert wird, und daß für algebraisch abgeschlossenes k der Goldie-Körper von $\mathscr{L}(M, M)$ der Quotienten-Schiefkörper einer Weyl-Algebra (kurz: ein Weyl-Körper) ist. In wichtigen Fällen ist die kanonische Abbildung $U(\mathfrak{g})/\operatorname{Ann} M \to \mathscr{L}(M, M)$ bijektiv, so daß wir analoge Resultate für einige induzierte Ideale erhalten. Für $\mathfrak{g} = \mathfrak{sl}_n(k)$ und algebraisch abgeschlossenes k kann man damit die Vermutung von Gel'fand und Kirillov beweisen, daß der Goldie-Körper von $U(\mathfrak{g})/I$ für jedes primitive Ideal I von $U(\mathfrak{g})$ ein Weyl-Körper ist.

15.1 Wir wollen in diesem Kapitel für einen $(U(\mathfrak{h}), U(\mathfrak{h}))$-Bimodul X den $j(\mathfrak{h})$-Gewichtsraum zum Gewicht $\nu \circ j^{-1}$ für ein $\nu \in \mathfrak{h}^*$ mit X^ν bezeichnen. Ist M ein $\mathfrak{h}$-Modul mit $M = \bigoplus_{\lambda \in \mathfrak{h}^*} M^\lambda$, so gilt dann für alle $\mathfrak{h}$-Moduln N

(1) $$\operatorname{Hom}(M, N)^\nu = \{\phi \in \operatorname{Hom}(M, N) \mid \phi(M^\lambda) \subset N^{\lambda+\nu} \quad \text{für alle } \lambda \in \mathfrak{h}^*\}.$$

Für zwei $\mathfrak{g}$-Moduln M und N setzen wir ferner

(2) $$\mathscr{L}_{\mathfrak{n}^-}(M, N) = \mathscr{L}(M, N)^{j(\mathfrak{n}^-)} = \mathscr{L}(M, N) \cap \operatorname{Hom}_{\mathfrak{n}^-}(M, N).$$

Nach Definition ist $\mathscr{L}(M, N)$ direkte Summe einfacher, endlich dimensionaler $\mathfrak{g}$-Moduln. Von diesen schneidet jeder $\mathscr{L}_{\mathfrak{n}^-}(M, N)$ in einer Gerade, auf der $j(\mathfrak{h})$ durch ein $(-\nu) \circ j^{-1}$ mit $\nu \in P(R)^{++}$ operiert. Insbesondere gilt

(3) $$\mathscr{L}_{\mathfrak{n}^-}(M, N) = \bigoplus_{\nu \in P(R)^{++}} \mathscr{L}_{\mathfrak{n}^-}(M, N)^{-\nu}.$$

Nun ist $\mathscr{L}(M, N)$ die Menge der $\phi \in \operatorname{Hom}(M, N)$ mit $\dim U(j(\mathfrak{g}))\phi < \infty$. Für ein $\phi \in \operatorname{Hom}_{\mathfrak{n}^-}(M, N)^{-\nu}$ mit $\nu \in \mathfrak{h}^*$ ist $U(j(\mathfrak{g}))\phi = U(j(\mathfrak{n}^+))\phi$ ein homomorphes Bild des Verma-Moduls für $j(\mathfrak{g})$ relativ der Borel-Unteralgebra $j(\mathfrak{h} + \mathfrak{n}^-)$ zum niedrigsten Gewicht $(-\nu) \circ j^{-1}$. Aus [DIX], 7.2.5 folgt, daß $U(j(\mathfrak{g}))\phi$ nun genau dann endlich dimensional ist, wenn $\nu \in P(R)^{++}$ ist und wenn $j(x_\alpha)^{\langle \nu+\rho, \alpha^\vee \rangle}\phi = 0$ für alle $\alpha \in B$ gilt. Für alle $\nu \in P(R)^{++}$ haben wir demnach

(4) $\mathscr{L}_{\mathfrak{n}^-}(M, N)^{-\nu} = \{\phi \in \operatorname{Hom}_{\mathfrak{n}^-}(M, N)^{-\nu} \mid j(x_\alpha)^{\langle \nu+\rho, \alpha^\vee \rangle}\phi = 0$ *für alle* $\alpha \in B\}$.

Ist E ein einfacher, endlich dimensionaler $\mathfrak{g}$-Modul, so haben wir nach 6.8 (3) Isomorphismen von $j(\mathfrak{g})$-Moduln

(5) $E \otimes \operatorname{Hom}_{\mathfrak{g}}(M \otimes E, N) \xrightarrow{\sim} E \otimes \operatorname{Hom}_{j(\mathfrak{g})}(E, \operatorname{Hom}(M, N)) \xrightarrow{\sim} \mathscr{L}(M, N)_E$,

wobei wir $j(\mathfrak{g})$ links und in der Mitte nur auf dem ersten E (über j^{-1}) operieren lassen. Hier geht ein $e \otimes \psi$ mit $e \in E$ und $\psi \in \operatorname{Hom}_{\mathfrak{g}}(M \otimes E, N)$ in die Abbildung $m \mapsto \psi(m \otimes e)$ aus $\mathscr{L}(M, N)_E$ über. Durch den Isomorphismus in (5) wird eine Bijektion

$$E^{\mathfrak{n}^-} \otimes \operatorname{Hom}_{\mathfrak{g}}(M \otimes E, N) \xrightarrow{\sim} \mathscr{L}(M, N)_E \cap \mathscr{L}_{\mathfrak{n}^-}(M, N)$$

induziert. Hat E niedrigstes Gewicht $-\nu$ mit $\nu \in P(R)^{++}$ und ist $e_0 \in E^{-\nu} = E^{\mathfrak{n}^-}$ mit $e_0 \neq 0$, so erhalten wir damit einen Isomorphismus

(6) $\operatorname{Hom}_{\mathfrak{g}}(M \otimes E, N) \xrightarrow{\sim} \mathscr{L}_{\mathfrak{n}^-}(M, N)^{-\nu}$,

bei dem einem $\psi \in \operatorname{Hom}_{\mathfrak{g}}(M \otimes E, N)$ die Abbildung $m \mapsto \psi(m \otimes e_0)$ zugeordnet wird.

15.2 Wir wollen 15.1 auf $M = M(\lambda)$ mit $\lambda \in \mathfrak{h}^*$ anwenden. Unter $u \mapsto u v_\lambda$ ist $U(\mathfrak{n}^-)$ zu $M(\lambda)$ als $\mathfrak{n}^-$-Modul isomorph, also $\operatorname{Hom}_{\mathfrak{n}^-}(M(\lambda), N)$ zu N unter $\phi \mapsto \phi(v_\lambda)$. So erhalten wir einen Isomorphismus

(1) $\operatorname{Hom}_{\mathfrak{n}^-}(M(\lambda), N)^\mu \xrightarrow{\sim} N^{\mu+\lambda}$

für alle $\mu \in \mathfrak{h}^*$.

Nun gilt für alle $\phi \in \operatorname{Hom}(M(\lambda), N)$ und $\alpha \in B$ sowie $r \in \mathbf{N}$

$$(j(x_\alpha)^r \phi) v_\lambda = \sum_{i=0}^{r} (-1)^{r-i} \binom{r}{i} x_\alpha^i (\phi(x_\alpha^{r-i} v_\lambda)) = x_\alpha^r \phi(v_\lambda).$$

Für ein $\nu \in P(R)^{++}$ wird daher $\mathscr{L}_{\mathfrak{n}^-}(M(\lambda), N)^{-\nu}$ unter (1) nach 15.1 (4) in $\{m \in N^{\lambda-\nu} \mid x_\alpha^{\langle \nu+\rho, \alpha^\vee \rangle} m = 0$ für alle $\alpha \in B\}$ abgebildet. Wir behaupten, daß wir so sogar einen Isomorphismus

(2) $\mathscr{L}_{\mathfrak{n}^-}(M(\lambda), N)^{-\nu} \xrightarrow{\sim} \{m \in N^{\lambda-\nu} \mid x_\alpha^{\langle \nu+\rho, \alpha^\vee \rangle} m = 0$ *für alle* $\alpha \in B\}$

erhalten. Wählen wir E und e_0 wie am Ende von 15.1, so müssen wir nach 15.1 (6) zeigen, daß es zu jedem m wie in (2) rechts einen Homomorphismus $\psi: M(\lambda) \otimes E \to N$ von $\mathfrak{g}$-Moduln mit $\psi(v_\lambda \otimes e_0) = m$ gibt. Dies folgt aus:

Lemma. *Es sei E ein einfacher, endlich dimensionaler $\mathfrak{g}$-Modul mit niedrigstem Gewicht $-\nu$ für ein $\nu \in P(R)^{++}$, und es sei $e_0 \in E^{-\nu}$, $e_0 \neq 0$. Für alle $\lambda \in \mathfrak{h}^*$ gilt dann $M(\lambda) \otimes E = U(\mathfrak{g})(v_\lambda \otimes e_0)$ und*

(3) $\mathrm{Ann}_{U(\mathfrak{g})}(v_\lambda \otimes e_0) = \sum_{\alpha \in B} U(\mathfrak{g}) x_\alpha^{\langle \nu+\rho, \alpha^\vee \rangle} + \sum_{h \in \mathfrak{h}} U(\mathfrak{g})(h - (\lambda - \nu)(h) 1)$.

Beweis. Die $x_\alpha^{\langle \nu+\rho, \alpha^\vee \rangle}$ mit $\alpha \in B$ erzeugen nach [DIX], 7.2.5 den Annullator von e_0 in $U(\mathfrak{n}^+)$ als Linksideal. Es seien $x_1, x_2, \ldots, x_r$ mit $r = \dim E$ eine Basis aus Gewichtsvektoren eines Komplements von $\mathrm{Ann}(e_0)$ in $U(\mathfrak{n}^+)$. Aus dem Satz von Poincaré, Birkhoff und Witt folgt

$$U(\mathfrak{g}) = U(\mathfrak{n}^-) U(\mathfrak{n}^+) + \sum_{h \in \mathfrak{h}} U(\mathfrak{g})(h - (\lambda - \nu)(h) 1) = \sum_{i=1}^{r} U(\mathfrak{n}^-) x_i + I,$$

wobei I die rechte Seite in (3) bezeichnen soll. Wegen $v_\lambda \otimes e_0 \in (M(\lambda) \otimes E)^{\lambda - \nu}$ und $u(v_\lambda \otimes e_0) = v_\lambda \otimes u e_0$ für alle $u \in U(\mathfrak{n}^+)$ gilt $I \subset \mathrm{Ann}_{U(\mathfrak{g})}(v_\lambda \otimes e_0)$ offensichtlich.

Die Behauptungen folgen nun, wenn wir zeigen, daß die Abbildung $U(\mathfrak{n}^-)^r \to M(\lambda) \otimes E$ mit $(u_1, u_2, \ldots, u_r) \mapsto \sum_{i=1}^{r} u_i x_i (v_\lambda \otimes e_0) = \sum_{i=1}^{r} u_i (v_\lambda \otimes x_i e_0)$ bijektiv ist. Nun bilden die $x_i e_0$ eine Basis von E aus Gewichtsvektoren; daher erhalten wir die Bijektivität aus [MHG], Satz 2.2.

15.3 Es sei $S \subset B$; wir halten S in diesem ganzen Kapitel fest. Wir setzen

$$P_S^{++} = \{\lambda \in \mathfrak{h}^* \mid \langle \lambda, \alpha^\vee \rangle \in \mathbf{N} \quad \text{für alle } \alpha \in S\}$$

und

$$P_S^{\vee} = \{\lambda \in P_S^{++} \mid \langle \lambda + \rho, \beta^\vee \rangle \notin \mathbf{N} \setminus 0 \quad \text{für alle } \alpha \in R^+ \setminus R_S\}.$$

Wir setzen zur Abkürzung $\mathfrak{m} = {}^t\mathfrak{m}_S$.

Für alle $\lambda \in P_S^{++}$ ist $\hat{L}^S(\lambda)$ ein endlich dimensionaler $\mathfrak{p}_S$-Modul (vgl. 5.11); für den induzierten Modul $M_S(\lambda) = U(\mathfrak{g}) \otimes_{U(\mathfrak{p}_S)} \hat{L}^S(\lambda)$ gilt nach Lemma 8.9

(1) $d(M_S(\lambda)) = \dim \mathfrak{m}$ und $e(M_S(\lambda)) = \dim \hat{L}^S(\lambda)$.

Wir wollen $\hat{L}^S(\lambda)$ mit $1 \otimes \hat{L}^S(\lambda) \subset M_S(\lambda)$ identifizieren. Aus dem Satz von Poincaré, Birkhoff und Witt folgt, daß wir einen Isomorphismus von Vektorräumen

(2) $U(\mathfrak{m}) \otimes \hat{L}^S(\lambda) \xrightarrow{\sim} M_S(\lambda), \qquad u \otimes v \mapsto uv$

erhalten, der auch mit der Operation von $\mathfrak{m}$ verträglich ist, wenn wir $\mathfrak{m}$ auf $U(\mathfrak{m})$ durch Linksmultiplikation und auf $\hat{L}^S(\lambda)$ trivial operieren lassen, der aber auch mit der Operation von $\mathfrak{g}_S + \mathfrak{h}$ vertauscht, wenn wir das Tensorprodukt der adjungierten Darstellung auf $U(\mathfrak{m})$ und der gegebenen Darstellung auf $\hat{L}^S(\lambda)$ nehmen. Daraus folgt einerseits, daß $M_S(\lambda)$ ein freier $U(\mathfrak{m})$-Modul ist; setzen wir

$$I_S(\lambda) = \mathrm{Ann}_{U(\mathfrak{g})} M_S(\lambda),$$

so erhalten wir

(3) $\quad I_S(\lambda) \cap U(\mathfrak{m}) = 0$.

Andererseits sehen wir, daß $M_S(\lambda)$ und damit auch alle Kompositionsfaktoren von $M_S(\lambda)$, insbesondere $L(\lambda)$ lokal endliche $(\mathfrak{g}_S + \mathfrak{h})$-Moduln sind. Für ein $\lambda' \notin P_S^{++}$ ist $L(\lambda')$ dagegen nicht lokal endlich für $\mathfrak{g}_S$; es gibt nämlich $\alpha \in S$ mit $\langle \lambda', \alpha^\vee \rangle \notin \mathbf{N}$, und dann sind die $x_{-\alpha}^r \bar{v}_\lambda$, mit $r \in \mathbf{N}$ in $U(\mathfrak{g}_S)\bar{v}_{\lambda'} \subset L(\lambda')$ linear unabhängig, mithin $\dim U(\mathfrak{g}_S)\bar{v}_{\lambda'} = \infty$. (Vgl. [MHG], Beweis von 1.19.). Für ein $\lambda \in P_S^{++}$ und $\lambda' \in \mathfrak{h}^*$ gilt daher

(4) $\quad [M_S(\lambda) : L(\lambda')] \neq 0 \Rightarrow \lambda' \in P_S^{++}$.

Nach [MHG], Satz 1.17 wissen wir ferner

(5) $\quad \lambda \in P_S^\vee \Rightarrow M_S(\lambda) \simeq L(\lambda)$.

15.4 Für alle $\lambda, \lambda' \in P_S^{++}$ erhalten wir einen Isomorphismus

(1) $\quad H_\lambda^{\lambda'}: U(\mathfrak{m}) \otimes \mathrm{Hom}(\hat{L}^S(\lambda), \hat{L}^S(\lambda')) \to \mathrm{Hom}_\mathfrak{m}(M_S((\lambda), M_S(\lambda'))$

von Vektorräumen, wenn wir mit der Identifizierung in 15.3 (2)

$$H_\lambda^{\lambda'}(u \otimes \phi)(u_1 \otimes x) = u_1 \check{u} \otimes \phi(x)$$

für alle $u, u_1 \in U(\mathfrak{m})$ und $\phi \in \mathrm{Hom}(\hat{L}^S(\lambda), \hat{L}^S(\lambda'))$ sowie $x \in \hat{L}^S(\lambda)$ setzen. Für ein weiteres $\lambda'' \in P_S^{++}$ rechnet man nun leicht nach, daß

(2) $\quad H_{\lambda'}^{\lambda''}(u' \otimes \phi') \circ H_\lambda^{\lambda'}(u \otimes \phi) = H_\lambda^{\lambda''}(u'u, \phi' \circ \phi)$

für alle $\phi \in \mathrm{Hom}(\hat{L}^S(\lambda), \hat{L}^S(\lambda'))$ und $\phi' \in \mathrm{Hom}(\hat{L}^S(\lambda'), \hat{L}^S(\lambda''))$ sowie $u, u' \in U(\mathfrak{m})$ gilt. Insbesondere ist H_λ^λ für alle $\lambda \in P_S^{++}$ ein Isomorphismus von Algebren.

Die Lie-Algebra $\mathfrak{g}_S + \mathfrak{h}$ operiert für $\lambda, \lambda' \in P_S^{++}$ in natürlicher Weise auf $U(\mathfrak{m}) \otimes \mathrm{Hom}(\hat{L}^S(\lambda), \hat{L}^S(\lambda'))$ und $\mathrm{Hom}_\mathfrak{m}(M_S(\lambda), M_S(\lambda'))$; im zweiten Fall kommt diese Operation auch von derjenigen von $j(\mathfrak{g}_S + \mathfrak{h})$ auf $\mathrm{Hom}(M_S(\lambda), M_S(\lambda'))$ her. Eine triviale Rechnung zeigt, daß $H_\lambda^{\lambda'}$ ein Homomorphismus von $(\mathfrak{g}_S + \mathfrak{h})$-Moduln ist. Daraus folgt, daß $\mathrm{Hom}_\mathfrak{m}(M_S(\lambda), M_S(\lambda'))$ ein lokal endlicher $(\mathfrak{g}_S + \mathfrak{h})$-Modul ist und als $U(\mathfrak{g}_S)$-Modul von den $'\mathfrak{n}_S$-invarianten Elementen erzeugt wird. Wegen $\mathfrak{m} \oplus {}'\mathfrak{n}_S = \mathfrak{n}^-$ bedeutet dies

(3) $\quad \mathrm{Hom}_\mathfrak{m}(M_S(\lambda), M_S(\lambda')) = U(j(\mathfrak{g}_S))\,\mathrm{Hom}_{\mathfrak{n}^-}(M_S(\lambda), M_S(\lambda'))$.

Außerdem operiert $\mathfrak{h}_S$ auf den $'\mathfrak{n}_S$-invarianten Elementen durch Gewichte, deren negatives für S dominant ist; dies zeigt nun

(4) $\operatorname{Hom}_{\mathfrak{n}^-}(M_S(\lambda), M_S(\lambda')) = \bigoplus_{\mu \in P_S^{++}} \operatorname{Hom}_{\mathfrak{n}^-}(M_S(\lambda), M_S(\lambda'))^{-\mu}$.

Weiter erzeugt ein $\phi \in \operatorname{Hom}_{\mathfrak{n}^-}(M_S(\lambda), M_S(\lambda'))^{-\mu}$ mit $\mu \in P_S^{++}$ einen endlich dimensionalen $\mathfrak{g}_S$-Untermodul; wie bei 15.1 (4) folgt $j(x_\alpha)^{\langle \mu+\rho, \alpha^\vee \rangle}\phi = 0$ für alle $\alpha \in S$.

Wir wählen für alle $\lambda \in P_S^{++}$ ein $v'_\lambda \in M_S(\lambda)^\lambda, v'_\lambda \neq 0$. Es gibt einen surjektiven Homomorphismus $\pi: M(\lambda) \to M_S(\lambda)$, der v_λ auf v'_λ abbildet. Für alle $\mathfrak{g}$-Moduln N induziert die Abbildung $\phi \mapsto \phi \circ \pi$ nun einen Isomorphismus von $\mathscr{L}(M_S(\lambda), N)$ auf $\{\psi \in \mathscr{L}(M(\lambda), N) \mid \psi(\operatorname{Kern} \pi) = 0\}$; für ein $\phi \in \operatorname{Hom}_{\mathfrak{n}^-}(M_S(\lambda), N)^{-\nu}$ mit $\nu \in P(R)^{++}$ gilt daher $\phi \in \mathscr{L}_{\mathfrak{n}^-}(M_S(\lambda), N)^{-\nu}$ nach 15.2 (2) genau dann, wenn $x_\alpha^{\langle \nu+\rho, \alpha^\vee \rangle}\phi(v'_\lambda) = 0$ für alle $\alpha \in B$ gilt. Aus den Überlegungen oben folgt nun für alle $\lambda' \in P_S^{++}$ und $\nu \in P(R)^{++}$

(5) $$\mathscr{L}_{\mathfrak{n}^-}(M_S(\lambda), M_S(\lambda'))^{-\nu} = \{\phi \in \operatorname{Hom}_{\mathfrak{n}^-}(M_S(\lambda), M_S(\lambda'))^{-\nu} \mid x_\alpha^{\langle \nu+\rho, \alpha^\vee \rangle}\phi(v') = 0 \quad \text{für alle } \alpha \in B \setminus S\}.$$

15.5 Wir setzen

$$S^\perp = \{\nu \in \mathfrak{h}^* \mid \nu(\mathfrak{h}_S) = 0\} = \{\nu \in \mathfrak{h}^* \mid \langle \nu, \alpha^\vee \rangle = 0 \quad \text{für alle } \alpha \in S\}.$$

Ein $\lambda \in P_S^{++}$ gehört genau dann zu $S^\perp$, wenn $\hat{L}^S(\lambda)$ eindimensional ist. Die ω_α mit $\alpha \in B \setminus S$ bilden eine Basis von $S^\perp$; daraus folgt:

(1) *Für alle* $\lambda \in P_S^{++}$ *gibt es ein* $\nu \in P(R)^{++} \cap S^\perp$ *mit* $\lambda - \nu \in P_S^\vee$.

Sind $\lambda \in P_S^{++}$ und $\nu \in S^\perp$, so gilt auch $\lambda - \nu \in P_S^{++}$, und wir können $\hat{L}^S(\lambda)$ und $\hat{L}^S(\lambda - \nu)$ als $\mathfrak{g}_S$-Moduln identifizieren. Tun wir dies, so ist $H_\lambda^{\lambda-\nu}(1 \otimes \mathrm{id})$ eine bijektive lineare Abbildung von $M_S(\lambda)$ auf $M_S(\lambda - \nu)$, die mit der Operation von $\mathfrak{g}_S$ vertauscht und zu $\operatorname{Hom}_{\mathfrak{m}}(M_S(\lambda), M_S(\lambda - \nu))^{-\nu}$ gehört. Wenn klar ist, um welches λ es sich handelt, so bezeichnen wir $H_\lambda^{\lambda-\nu}(1 \otimes \mathrm{id})$ mit θ_ν. Gehört θ_ν zu $\mathscr{L}(M_S(\lambda), M_S(\lambda - \nu))$, so muß $\nu \in P(R)^{++}$ nach 15.1 (3) sein. Da $x_\alpha \theta_\nu(v'_\lambda) = x_\alpha v'_{\lambda-\nu} = 0$ für alle $\alpha \in B$ gilt, erhalten wir aus 15.4 (5) auch die Umkehrung, also:

(2) $$\theta_\nu \in \mathscr{L}(M(\lambda), M(\lambda - \nu)) \Leftrightarrow \nu \in P(R)^{++} \cap S^\perp.$$

Für alle $\nu, \nu' \in S$ gilt nach 15.4 (2)

(3) $$\theta_{\nu'} \circ \theta_\nu = \theta_{\nu+\nu'},$$

wobei hier $\theta_{\nu'}$ als Abbildung von $M_S(\lambda - \nu)$ nach $M_S(\lambda - \nu - \nu')$ zu interpretieren ist.

Satz. a) *Für alle* $\lambda \in P_S^{++}$ *ist* $M_S(\lambda)$ *ein homogener* $\mathfrak{g}$-*Modul.*
b) *Für alle* $\lambda \in S^\perp$ *ist* $M_S(\lambda)$ *ein kritischer* $\mathfrak{g}$-*Modul.*

Beweis. a) Es sei ν wie in (1). Für jeden Untermodul $N \neq 0$ von $M_S(\lambda)$ gilt nach (2) dann $\theta_{\nu|N} \in \mathscr{L}(N, M_S(\lambda-\nu))$. Wegen $\lambda-\nu \in P_S^\vee$ ist $M_S(\lambda-\nu) \simeq L(\lambda-\nu)$ homogen mit $d(M_S(\lambda-\nu)) = \dim \mathfrak{m}$. Aus 8.16(1) folgt nun $d(N) \geqslant \dim \mathfrak{m} = d(M_S(\lambda))$, also $d(N) = d(M_S(\lambda))$, da θ_ν bijektiv ist.

b) Für jeden Untermodul $N \neq 0$ von $M_S(\lambda)$ gilt

$$e(N) \leqslant e(M_S(\lambda)) = \dim \hat{L}^S(\lambda) = 1$$

wegen a), ferner $e(N) \in \mathbf{N} \setminus 0$, also $e(N) = 1$. Die Behauptung folgt nun aus 8.11(1).

15.6 Corollar. *Für alle $\lambda \in S^\perp$ ist $I_S(\lambda)$ ein vollprimes primitives Ideal von $U(\mathfrak{g})$.*

Beweis. Aus 15.5.b und 8.14.a folgt, daß $I_S(\lambda)$ primitiv ist. Es gibt ein $\lambda' \in P_S^{++}$ mit $L(\lambda') \simeq \operatorname{soc} M_S(\lambda)$ und $I_S(\lambda) = I(\lambda')$. Nach Satz 14.7 ist $\operatorname{rk} U(\mathfrak{g})/I_S(\lambda) = \operatorname{rk} U(\mathfrak{g})/I(\lambda')$ ein Teiler von $e(L(\lambda')) = e(M_S(\lambda)) = 1$, also selbst gleich 1. Daher muß $I_S(\lambda)$ vollprim sein.

Bemerkung. Man kann auch so argumentieren: Es ist $(U(\mathfrak{g})/I_S(\lambda))^\mathfrak{m} \simeq U(\mathfrak{g})^\mathfrak{m}/I_S(\lambda)^\mathfrak{m}$ noethersch und als Unteralgebra von $\operatorname{End}_\mathfrak{m}(M_S(\lambda)) \simeq U(\mathfrak{m}) \otimes \operatorname{End}(\hat{L}^S(\lambda)) \simeq U(\mathfrak{m})$ nullteilerfrei, also prim mit $\operatorname{rk}(U(\mathfrak{g})/I_S(\lambda))^\mathfrak{m} = 1$. Nun folgt die Behauptung aus Corollar 13.19.

15.7 Es sei $\Lambda \in \mathfrak{h}^*/P(R)$. Ist $\Lambda \cap P_S^{++} \neq \emptyset$, so gilt $S \subset R_\Lambda$, also sogar $S \subset B_\Lambda$. Wir wollen nun annehmen, daß diese Bedingung erfüllt ist. Für ein $\lambda \in \Lambda^+$ und $w \in W_\Lambda$ mit $B_\lambda^0 \subset \tau_\Lambda(w)$ gilt nun

$$\text{(1)} \qquad w \cdot \lambda \in P_S^{++} \Leftrightarrow S \cap \tau_\Lambda(w^{-1}) = \emptyset.$$

(Man beachte, daß für $\alpha \in S$ aus $w^{-1}(\alpha) \in R^+$ genauer $w^{-1}(\alpha) \in R^+ \setminus \mathbf{N} B_\lambda^0$ wegen $B_\lambda^0 \subset \tau_\Lambda(w)$ folgt.)

Lemma. *Es seien $\lambda \in \Lambda^{++}$ und $\lambda' \in \Lambda \cap P_S^{++}$. Dann gilt*

$$\operatorname{RAnn} \mathscr{L}(M(\lambda), M_S(\lambda')) = I(w_\Lambda w_S \cdot \lambda).$$

Beweis. Es sei $\mu \in \Lambda^+ \cap W_\Lambda \cdot \lambda'$. Die Kompositionsfaktoren von $M_S(\lambda')$ haben dann die Gestalt $L(w \cdot \mu)$ mit $w \in W_\Lambda$ und $B_\mu^0 \subset \tau_\Lambda(w)$ sowie $S \cap \tau_\Lambda(w^{-1}) = \emptyset$ nach (1) und 15.3(4). Die entsprechenden $\mathscr{L}(M(\lambda), L(w \cdot \mu))$ sind dann die Kompositionsfaktoren von $\mathscr{L}(M(\lambda), M_S(\lambda'))$, und $\sqrt{\operatorname{RAnn} \mathscr{L}(M(\lambda), M_S(\lambda'))}$ ist dann nach 7.9 der Durchschnitt der $I(w^{-1} \cdot \lambda)$. Aus $S \cap \tau_\Lambda(w^{-1}) = \emptyset$ folgt $I(w^{-1} \cdot \lambda) \supset I(w_\Lambda w_S \cdot \lambda)$ nach 5.20(4). Ferner muß es einen Kompositionsfaktor $L(w \cdot \mu)$ mit $d(L(w \cdot \mu)) = d(M_S(\lambda')) = \dim \mathfrak{m}$ geben; für ihn gilt

$$\begin{aligned} d(U(\mathfrak{g})/I(w^{-1} \cdot \lambda)) &= d(U(\mathfrak{g})/I(w \cdot \lambda)) = d(U(\mathfrak{g})/I(w \cdot \mu)) \\ &= 2 \dim \mathfrak{m} = d(U(\mathfrak{g})/I(w_\Lambda w_S \cdot \lambda)) \end{aligned}$$

nach 10.10, 10.8 und 9.15, also $I(w^{-1}\cdot\lambda)=I(w_\Lambda w_S\cdot\lambda)$ nach 10.15. Dies alles zeigt

$$\sqrt{\mathrm{RAnn}\,\mathscr{L}(M(\lambda), M_S(\lambda'))}=I(w_\Lambda w_S\cdot\lambda).$$

Ferner gilt trivialerweise $\mathrm{RAnn}\,\mathscr{L}(M(\lambda), M_S(\lambda'))\supset I_\lambda^{\min}=\mathrm{Ann}\,M(\lambda)$, also auch

$$\sqrt{\mathrm{RAnn}\,\mathscr{L}(M(\lambda), M_S(\lambda'))/I_\lambda^{\min}}=I(w_\Lambda w_S\cdot\lambda)/I_\lambda^{\min};$$

aus Corollar 7.33.b folgt nun

$$\mathrm{RAnn}\,\mathscr{L}(M(\lambda), M_S(\lambda'))/I_\lambda^{\min}=I(w_\Lambda w_S\cdot\lambda)/I_\lambda^{\min}$$

und damit die Behauptung.

Bemerkung. Man kann auch so argumentieren: Es gibt ein $\nu\in S^\perp\cap P(R)^{++}$ und $\mu\in\Lambda^{++}$ mit $\lambda'-\nu=w_S w_\Lambda\cdot\mu\in P_S^\vee$. Nach 15.3(5) gilt dann $M_S(\lambda'-\nu)=L(w_S w_\Lambda\cdot\mu)$, nach 7.9 also

$$\mathrm{RAnn}\,\mathscr{L}(M(\lambda), M_S(\lambda'-\nu))=I(w_\Lambda w_S\cdot\lambda).$$

Nun ist $M_S(\lambda'-\nu)\otimes L(\nu)$ zu $U(\mathfrak{g})\underset{U(\mathfrak{p}_S)}{\otimes}(\hat{L}^S(\lambda'-\nu)\otimes L(\nu))$ isomorph (vgl. 7.16(1)) und enthält daher $U(\mathfrak{g})\underset{U(\mathfrak{p}_S)}{\otimes}\hat{L}^S(\lambda')=M_S(\lambda')$ als Untermodul. Deshalb ist $\mathscr{L}(M(\lambda), M_S(\lambda'))$ in $\mathscr{L}(M(\lambda), M_S(\lambda'-\nu))\otimes L(\nu)^t$ eingebettet (vgl. 6.8(2')), und aus Satz 7.12 folgt nun

$$I(w_\Lambda w_S\cdot\lambda)\subset\mathrm{RAnn}\,\mathscr{L}(M(\lambda), M_S(\lambda')).$$

Man erhält hier nun die Gleichheit und damit die Behauptung des Lemmas, weil einerseits $U(\mathfrak{g})/I(w_\Lambda w_S\cdot\lambda)$ nach 10.15 kritisch ist und andererseits

$$\begin{aligned} d(U(\mathfrak{g})/\mathrm{RAnn}\,\mathscr{L}(M(\lambda), M_S(\lambda'))) &= d(\mathscr{L}(M(\lambda), M_S(\lambda'))) \\ &= 2d(M_S(\lambda'))=2\dim\mathfrak{m}=d(U(\mathfrak{g})/I(w_\Lambda w_S\cdot\lambda)) \end{aligned}$$

nach 10.3, 10.14.a und 15.3(1) sowie 9.15 und 10.9 gilt.

15.8 Satz. *Für alle $\lambda\in P_S^{++}$ ist $\mathscr{L}(M_S(\lambda), M_S(\lambda))$ prim und noethersch. Es gilt*

$$\mathrm{rk}\,\mathscr{L}(M_S(\lambda), M_S(\lambda))=\sum_\mu[M_S(\lambda): L(\mu)]\,\mathrm{rk}\,\mathscr{L}(L(\mu), L(\mu)),$$

wobei über alle $\mu\in P_S^{++}$ mit $d(L(\mu))=\dim\mathfrak{m}$ summiert wird.

Beweis. Es sei $\Lambda=\lambda+P(R)$; wir wählen $\lambda'\in\Lambda^{++}$. Nach Satz 15.5.a ist $M_S(\lambda)$ homogen, nach Lemma 15.7 ist $\mathrm{RAnn}\,\mathscr{L}(M(\lambda'), M_S(\lambda))$ primitiv. Daher folgt die Behauptung aus Satz 12.3.

Bemerkung. Satz 12.3 impliziert weiter, daß die Goldie-Körper von $\mathscr{L}(M_S(\lambda), M_S(\lambda))$ und der $\mathscr{L}(L(\mu), L(\mu))$ mit μ wie oben alle zu dem Goldie-Körper von $U(\mathfrak{g})/I(w_\Lambda w_S \cdot \lambda')$ isomorph sind.

15.9 Lemma. *Für alle $\lambda, \lambda' \in P_S^{++}$ sind äquivalent:*

(i) $\lambda - \lambda' \in P(R)$,

(ii) $\mathscr{L}(M_S(\lambda), M_S(\lambda')) \neq 0$,

(iii) $\mathscr{L}(M_S(\lambda), M_S(\lambda'))M_S(\lambda) \supset \operatorname{soc} M_S(\lambda')$.

Beweis. (ii) $\Rightarrow$ (i): Dies sieht man wie in 6.22.
(iii) $\Rightarrow$ (ii): Dies ist trivial.
(i) $\Rightarrow$ (iii): Wir betrachten zunächst den Fall $\lambda' \in P_S^\vee$. In $(M_S(\lambda')$ ist $\mathscr{L}(M_S(\lambda), M_S(\lambda'))M_S(\lambda)$ ein Untermodul, also reicht es nach 15.3(5) zu zeigen, daß $\mathscr{L}(M_S(\lambda), M_S(\lambda')) \neq 0$ ist. Wegen $\lambda' \in P_S^\vee$ gilt aber $M_S(\lambda') \simeq L(\lambda') \simeq {}'L(\lambda') \simeq {}'M_S(\lambda')$, also $\mathscr{L}(M_S(\lambda), M_S(\lambda')) \simeq \mathscr{D}(M_S(\lambda'), M_S(\lambda))$ nach 6.9(2). Nun ist $\mathscr{D}(M_S(\lambda'), M_S(\lambda))$ eine koinduzierte Darstellung, und nach [DIX], 5.5.8 und 5.5.7 gilt für ein $E \in \mathfrak{k}^\wedge$ nun $[\mathscr{L}(M_S(\lambda), M_S(\lambda')) : E]_{\mathfrak{k}} = \dim(E^{\lambda'-\lambda})^{\mathfrak{g}_S}$. Wählt man E so, daß sein höchstes Gewicht zu $W(\lambda' - \lambda)$ gehört, so ist diese Multiplizität gleich 1, also $\mathscr{L}(M_S(\lambda), M_S(\lambda')) \neq 0$.

Im allgemeinen Fall wählen wir ein $\nu \in P(R)^{++} \cap S^\perp$ mit $\lambda' - \nu \in P_S^\vee$. Wie wir gerade gezeigt haben, gilt nun

$$\mathscr{L}(M_S(\lambda), M_S(\lambda' - \nu))M_S(\lambda) = M_S(\lambda' - \nu).$$

Für jeden einfachen Untermodul $N \subset M_S(\lambda')$ ist $\theta_{\nu|N} \in \mathscr{L}(N, M_S(\lambda' - \nu))$ nach 15.5(2), insbesondere gilt $\mathscr{L}(N, M_S(\lambda' - \nu)) \neq 0$, also auch $0 \neq {}^s\mathscr{L}(N, M_S(\lambda' - \nu)) \simeq \mathscr{L}({}'M_S(\lambda' - \nu), {}'N) \simeq \mathscr{L}(M_S(\lambda' - \nu), N)$ und somit $N = \mathscr{L}(M_S(\lambda' - \nu), N)M_S(\lambda' - \nu)$. Daraus folgt

$$\begin{aligned}\operatorname{soc} M_S(\lambda') &\subset \mathscr{L}(M_S(\lambda' - \nu), M_S(\lambda'))M_S(\lambda' - \nu)\\ &= \mathscr{L}(M_S(\lambda' - \nu), M_S(\lambda'))\mathscr{L}(M_S(\lambda), M_S(\lambda' - \nu))M_S(\lambda)\\ &\subset \mathscr{L}(M_S(\lambda), M_S(\lambda'))M_S(\lambda),\end{aligned}$$

was zu beweisen war.

Bemerkung. Aus Lemma 10.12.a und Satz 15.5.a folgt, daß $\mathscr{L}(M_S(\lambda), M_S(\lambda'))$ für alle $\lambda, \lambda' \in P_S^{++}$ mit $\lambda - \lambda' \in P(R)$ ein homogener $(\mathfrak{g} \times \mathfrak{g})$-Modul mit $d(\mathscr{L}(M_S(\lambda), M_S(\lambda'))) = 2\dim \mathfrak{m}$ ist. Nach 11.9 gilt nun für alle $x \in \mathscr{L}(M_S(\lambda), M_S(\lambda'))$ mit $x \neq 0$:

(1) $\quad xs \neq 0 \neq s'x \quad$ für alle $s \in Sm(U(\mathfrak{g})/I_S(\lambda))$, $s' \in Sm(U(\mathfrak{g})/I_S(\lambda'))$.

15.10 Lemma. *Es seien $\lambda \in P_S^{++}$ und $\nu \in S^\perp \cap P(R)^{++}$, so daß $M_S(\lambda - \nu)$ einfach ist. Dann gilt für alle $\lambda', \lambda'' \in P_S^{++}$ mit $\lambda - \lambda'' \in P(R)$:*

$$\{a \in \mathscr{L}(M_S(\lambda'), M_S(\lambda)) \mid \mathscr{L}(M_S(\lambda - \nu), M_S(\lambda''))\theta_\nu a = 0\} = 0.$$

Beweis. Es sei $a \in \mathcal{L}(M_S(\lambda'), M_S(\lambda))$ mit $a \neq 0$. Wegen der Injektivität von θ_ν gilt auch $\theta_\nu a M_S(\lambda') \neq 0$, wegen der Einfachheit von $M_S(\lambda-\nu)$ also $M_S(\lambda-\nu) = U(\mathfrak{g})\theta_\nu a M_S(\lambda')$, mithin

$$\begin{aligned} 0 &\neq \mathcal{L}(M_S(\lambda-\nu), M_S(\lambda''))\, M_S(\lambda-\nu) \\ &= \mathcal{L}(M_S(\lambda-\nu), M_S(\lambda''))\, U(\mathfrak{g})\theta_\nu a M_S(\lambda') \\ &= \mathcal{L}(M_S(\lambda-\nu), M_S(\lambda''))\, \theta_\nu a M_S(\lambda') \end{aligned}$$

und folglich $\mathcal{L}(M_S(\lambda-\nu), M_S(\lambda''))\theta_\nu a \neq 0$.

15.11 Lemma. *Es seien $\lambda \in P_S^{++}$ und $\nu \in S^\perp \cap P(R)^{++}$, so daß $M_S(\lambda-\nu)$ einfach ist.*

a) *Es ist $\mathcal{L}(M_S(\lambda-\nu), M_S(\lambda))\theta_\nu$ ein wesentliches Linksideal von $\mathcal{L}(M_S(\lambda), M_S(\lambda))$.*

b) *Es gilt $\mathcal{L}(M_S(\lambda-\nu), M_S(\lambda))\theta_\nu \cap Sm(U(\mathfrak{g})/I_S(\lambda)) \neq \emptyset$.*

c) *Für alle $\lambda' \in P_S^{++}$ gilt*

$$\{a \in \mathcal{L}(M_S(\lambda), M_S(\lambda')) \mid a\,\mathcal{L}(M_S(\lambda-\nu), M_S(\lambda))\theta_\nu = 0\} = 0.$$

Beweis. a) und b) folgen aus 15.10 und 15.8 sowie 11.6(3) und 11.15.d, b.

c) Nach b) gibt es ein $s \in \mathcal{L}(M_S(\lambda-\nu), M_S(\lambda))\theta_\nu \cap Sm(U(\mathfrak{g})/I_S(\lambda))$. Für alle $a \in \mathcal{L}(M_S(\lambda), M_S(\lambda'))$ mit $a \neq 0$ gilt $as \neq 0$ nach 15.9(1).

Bemerkung. Mit einem Beweis ähnlich wie bei 15.10 kann man zeigen, daß $\mathcal{L}(M_S(\lambda-\nu), M_S(\lambda))M_S(\lambda-\nu)$ der einzige einfache $\mathcal{L}(M_S(\lambda), M_S(\lambda))$-Untermodul von $M_S(\lambda)$ ist. (Vgl. [Joseph 11], 4.6.) Wenden wir c) auf $\lambda'=\lambda$ an, so sehen wir, daß dies ein treuer Untermodul ist.

15.12 Lemma. *Es seien $\lambda, \lambda', \lambda'' \in P_S^{++}$ mit $\lambda'-\lambda, \lambda''-\lambda \in P(R)$.*

a) *Es gilt $\{a \in \mathcal{L}(M_S(\lambda'), M_S(\lambda)) \mid \mathcal{L}(M_S(\lambda), M_S(\lambda''))a = 0\} = 0$.*

b) *Es gilt $\{b \in \mathcal{L}(M_S(\lambda), M_S(\lambda'')) \mid b\,\mathcal{L}(M_S(\lambda'), M_S(\lambda)) = 0\} = 0$.*

Beweis. Wir wählen $\nu \in S^\perp \cap P(R)^{++}$, so daß $M_S(\lambda-\nu)$ einfach ist.

a) Wegen $\mathcal{L}(M_S(\lambda), M_S(\lambda'')) \supset \mathcal{L}(M_S(\lambda-\nu), M_S(\lambda''))\theta_\nu$ folgt dies aus 15.10.

b) Aus der Einfachheit von $M_S(\lambda-\nu)$ schließen wir

$$U(\mathfrak{g})\theta_\nu \mathcal{L}(M_S(\lambda'), M_S(\lambda))\, M_S(\lambda') = M_S(\lambda-\nu) = U(\mathfrak{g})\theta_\nu M_S(\lambda),$$

also

$$\begin{aligned} & b\,\mathcal{L}(M_S(\lambda'), M_S(\lambda))\, M_S(\lambda') \\ & \supset b\,\mathcal{L}(M_S(\lambda-\nu), M_S(\lambda))\theta_\nu \mathcal{L}(M_S(\lambda'), M_S(\lambda))\, M_S(\lambda') \\ & = b\,\mathcal{L}(M_S(\lambda-\nu), M_S(\lambda))\, M_S(\lambda-\nu) \\ & = b\,\mathcal{L}(M_S(\lambda-\nu), M_S(\lambda))\theta_\nu M_S(\lambda) \end{aligned}$$

für $b\in\mathscr{L}(M_S(\lambda), M_S(\lambda''))$. Für $b\neq 0$ ist der letzte Term nach Lemma 15.11.c ungleich 0, also erhalten wir die Behauptung.

15.13 Lemma. *Es seien $\lambda\in P_S^{++}$ und $\nu\in S^\perp\cap P(R)^{++}$.*

a) *Es ist $\mathscr{L}(M_S(\lambda-\nu), M_S(\lambda))\theta_\nu$ bzw. $\theta_\nu\mathscr{L}(M_S(\lambda), M_S(\lambda+\nu))$ ein wesentliches Links- bzw. Rechtsideal von $\mathscr{L}(M_S(\lambda), M_S(\lambda))$.*

b) *Es gilt*

$$\mathscr{L}(M_S(\lambda-\nu), M_S(\lambda))\theta_\nu\cap Sm(U(\mathfrak{g})/I_S(\lambda))\neq\emptyset$$

und

$$\theta_\nu\mathscr{L}(M_S(\lambda), M_S(\lambda+\nu))\cap Sm\, U(\mathfrak{g})/I_S(\lambda)\neq\emptyset.$$

c) *Für alle $\lambda'\in P_S^{++}$ gilt*

$$\{a\in\mathscr{L}(M_S(\lambda), M_S(\lambda'))\,|\,a\mathscr{L}(M_S(\lambda-\nu), M_S(\lambda))\theta_\nu=0\}=0,$$

$$\{b\in\mathscr{L}(M_S(\lambda'), M_S(\lambda))\,|\,\mathscr{L}(M_S(\lambda-\nu), M_S(\lambda))\theta_\nu b=0\}=0,$$

$$\{a\in\mathscr{L}(M_S(\lambda), M_S(\lambda'))\,|\,a\theta_\nu\mathscr{L}(M_S(\lambda), M_S(\lambda+\nu))=0\}=0,$$

$$\{b\in\mathscr{L}(M_S(\lambda'), M_S(\lambda))\,|\,\theta_\nu\mathscr{L}(M_S(\lambda), M_S(\lambda+\nu))b=0\}=0.$$

Beweis. c) Diese Formeln folgen aus Lemma 15.12, weil θ_ν bijektiv, also die Multiplikation mit θ_ν injektiv ist.

a), b): Dies folgt aus der ersten bzw. vierten Formel unter c) ebenso, wie man Lemma 15.11.a,b aus Lemma 15.10 erhält. (Im Fall des Rechtsideals muß man 11.6(3) durch die analoge Aussage über Rechtsideale ersetzen.)

15.14 Lemma. *Es seien $\lambda,\lambda',\mu,\mu'\in P_S^{++}$ mit $\lambda'-\lambda,\mu'-\mu\in S^\perp\cap P(R)$. Dann gilt*

$$e(\mathscr{L}(M_S(\lambda), M_S(\mu)))=e(\mathscr{L}(M_S(\lambda'), M_S(\mu'))).$$

Beweis. Wir wollen zunächst für alle $\nu\in P(R)^{++}\cap S^\perp$ zeigen, daß $e(\mathscr{L}(M_S(\lambda), M_S(\mu)))=e(\mathscr{L}(M_S(\lambda+\nu), M_S(\mu)))$ und $e(\mathscr{L}(M_S(\lambda), M_S(\mu)))$ $=e(\mathscr{L}(M_S(\lambda), M_S(\mu-\nu)))$ gelten. Nach Lemma 10.1 reicht es dazu, jeweils injektive Homomorphismen von $\mathfrak{g}$-Links- oder Rechtsmoduln zwischen beiden Bimoduln anzugeben. Einer (der von links nach rechts) ist davon durch $a\mapsto a\theta_\nu$ bzw. $a\mapsto\theta_\nu a$ gegeben. Eine Abbildung in die andere Richtung hat die Gestalt $a\mapsto ab$ bzw. $a\mapsto ba$, wobei $b\in\mathscr{L}(M_S(\lambda), M_S(\lambda+\nu))$ bzw. $b\in\mathscr{L}(M_S(\mu-\nu), M_S(\mu))$ ein Element mit $b\theta_\nu\in Sm(U(\mathfrak{g})/I_S(\lambda+\nu))$ bzw. $\theta_\nu b\in Sm(U(\mathfrak{g})/I_S(\mu-\nu))$ ist, das nach Lemma 15.13.b existiert. Hier ist nach 15.9(1) zunächst die Abbildung $a\mapsto ab\theta_\nu$ bzw. $a\mapsto\theta_\nu ba$ injektiv, also auch die oben.

Zu λ,λ' wie im Lemma gibt es $\nu,\nu'\in S^\perp\cap P(R)^{++}$ mit $\lambda-\nu=\lambda'-\nu'$. Aus dem ersten Teil des Beweises folgt

$$e(\mathscr{L}(M_S(\lambda), M_S(\mu)))=e(\mathscr{L}(M_S(\lambda-\nu), M_S(\mu)))$$
$$=e(\mathscr{L}(M_S(\lambda'-\nu'), M_S(\mu)))=e(\mathscr{L}(M_S(\lambda'), M_S(\mu))).$$

Ebenso zeigt man $e(\mathscr{L}(M_S(\lambda'), M_S(\mu))) = e(\mathscr{L}(M_S(\lambda'), M_S(\mu')))$, und erhält so die Behauptung.

15.15 Es sei $\lambda \in P_S^{++}$. Dann gilt es einen surjektiven Homomorphismus $\pi: M(\lambda) \to M_S(\lambda)$ mit $\pi(v_\lambda) = v'_\lambda$. Wendet man [DIX], 7.2.5 auf $\mathfrak{g}_S$ an, so erhält man

$$\operatorname{Kern}\pi = \sum_{\alpha \in S} U(\mathfrak{g}) x_\alpha^{\langle \lambda+\rho, \alpha^\vee \rangle} v_\lambda .$$

Ein Homomorphismus $\phi: M(\lambda) \to M$ von $\mathfrak{g}$-Moduln faktorisiert daher genau dann über π, wenn $x_\alpha^{\langle \lambda+\rho, \alpha^\vee \rangle} \phi(v_\lambda) = 0$ für alle $\alpha \in S$ gilt. Diese Bedingung ist stets erfüllt, wenn M lokal endlich als $\mathfrak{g}_S$-Modul ist, da $\phi(v_\lambda)$ dann ein homomorphes Bild des Verma-Moduls für $\mathfrak{g}_S$ mit höchstem Gewicht $\lambda|_{\mathfrak{h}_S}$ erzeugt. Wir erhalten also einen Isomorphismus

(1) $\quad \operatorname{Hom}_\mathfrak{g}(M_S(\lambda), M) \to \operatorname{Hom}_\mathfrak{g}(M(\lambda), M) \quad (M \text{ lokal endlich für } \mathfrak{g}_S).$

Da mit M auch $M \otimes E$ für jeden endlich dimensionalen $\mathfrak{g}$-Modul E lokal endlich für $\mathfrak{g}_S$ ist, folgt aus 6.8(3) nun

(2) $\quad \mathscr{L}(M_S(\lambda), M) \xrightarrow{\sim} \mathscr{L}(M(\lambda), M) \quad (M \text{ lokal endlich für } \mathfrak{g}_S).$

Satz. *Es sei $\Lambda \in \mathfrak{h}^*/P(R)$ mit $S \subset B_\Lambda$. Dann gibt es ein $n_3(\Lambda, S) \in \mathbf{N}$ mit*

$$e(\mathscr{L}(M_S(\lambda), M_S(\mu))) = n_3(\Lambda, S) \dim \hat{L}^S(\lambda) \dim \hat{L}^S(\mu)$$

für alle $\lambda, \mu \in \Lambda \cap P_S^{++}$.

Beweis. Nach 15.14 können wir λ und μ durch $\lambda - \nu$ oder $\mu - \nu$ mit $\nu \in S^\perp \cap P(R)$ ersetzen. Daher können wir annehmen, daß $\lambda \in \Lambda^{++}$ und $\mu \in P_S^\vee$ mit $\langle \mu+\rho, \alpha^\vee \rangle \neq 0$ für alle $\alpha \in R$ gilt. Dann ist $\mu' = w_\Lambda w_S \cdot \mu \in \Lambda^{++}$ und

$$\mathscr{L}(M_S(\lambda), M_S(\mu)) \simeq \mathscr{L}(M(\lambda), M_S(\mu)) \simeq \mathscr{L}(M(\lambda), L(w_\Lambda w_S \cdot \mu)).$$

Aus 12.7(4) folgt nun

(3) $\quad e(\mathscr{L}(M_S(\lambda), M_S(\mu))) = n_2(\Lambda, w_S w_\Lambda) q^\Lambda_{w_S w_\Lambda}(\mu'+\rho) q^\Lambda_{w_\Lambda w_S}(\lambda+\rho).$

Nach Lemma 9.15.b und 14.7 sowie 12.7(1) ist $q^\Lambda_{w_S w_\Lambda} = q^\Lambda_{w_\Lambda w_{S'}}$ mit $S' = -w_\Lambda(S)$ bzw. $q^\Lambda_{w_\Lambda w_S}$ proportional zu $\prod_{\alpha \in R_S^+} h_{w_\Lambda w_S(\alpha)}$ bzw. $\prod_{\alpha \in R_S^+} h_\alpha$. Wegen der Weylschen Dimensionsformel gibt es daher $c_1, c_2 \in \mathbf{Q} \setminus 0$ mit

$$q^\Lambda_{w_S w_\Lambda}(\lambda'+\rho) = c_1 \dim \hat{L}^S(w_S w_\Lambda \cdot \lambda')$$

und

$$q^\Lambda_{w_\Lambda w_S}(\lambda'+\rho) = c_2 \dim \hat{L}^S(\lambda')$$

für alle $\lambda' \in \Lambda^{++}$. Wir können $\lambda' \in \Lambda^{++}$ mit $\dim \hat{L}^S(\lambda') = 1$ oder $\dim \hat{L}^S(w_S w_\Lambda \cdot \lambda') = 1$ finden; da q_w^Λ auf $\Lambda^{++} + \rho$ positive ganzzahlige Werte annimmt muß $c_1, c_2 \in \mathbf{N} \setminus 0$ sein. So erhalten wir

$$e(\mathscr{L}(M_S(\lambda), M_S(\mu))) = n_2(\Lambda, w_S w_\Lambda) c_1 c_2 \dim \hat{L}^S(\mu) \dim L^S(\lambda),$$

also die Behauptung mit $n_3(\Lambda, S) = n_2(\Lambda, w_S w_\Lambda) c_1 c_2$.

Bemerkung. Aus dem Satz folgt insbesondere

$$(4) \qquad e(\mathscr{L}(M_S(\lambda), M_S(\mu))) = e(\mathscr{L}(M_S(\mu), M_S(\lambda)))$$

für alle $\lambda, \mu \in P_S^{++}$.

15.16 Lemma. *Es seien* $\lambda, \lambda' \in P_S^{++}$ *und* $\mu \in P(R)$. *Zu jedem* $\phi \in \mathrm{Hom}_{\mathfrak{n}^-}(M_S(\lambda), M_S(\lambda'))^{-\mu}$ *gibt es ein* $\nu \in S^\perp \cap P(R)^{++}$ *mit*

$$\theta_\nu \circ \phi \in \mathscr{L}_{\mathfrak{n}^-}(M_S(\lambda), M_S(\lambda' - \nu))^{-(\mu+\nu)}$$

und

$$\phi \circ \theta_\nu \in \mathscr{L}_{\mathfrak{n}^-}(M_S(\lambda + \nu), M_S(\lambda'))^{-(\mu+\nu)}.$$

Beweis. Wir können $\phi \neq 0$ annehmen; dann muß $\lambda - \lambda' \in P(R)$ sein. Aus 15.4(4) folgt $\mu \in P_S^{++}$, also können wir ein $\nu \in S^\perp \cap P(R)^{++}$ mit $\mu + \nu \in P(R)^{++}$ und $\lambda - \mu + \langle \mu + \rho + \nu, \alpha^\vee \rangle \alpha \not\leq \lambda'$ für alle $\alpha \in B \setminus S$ finden. Nun gehören $\theta_\nu \circ \phi$ zu $\mathrm{Hom}_{\mathfrak{n}^-}(M_S(\lambda), M_S(\lambda' - \nu))^{-(\mu+\nu)}$ und $\phi \circ \theta_\nu$ zu $\mathrm{Hom}_{\mathfrak{n}^-}(M_S(\lambda + \nu), M_S(\lambda'))^{-(\mu+\nu)}$. Nach 15.4(5) müssen wir nur noch zeigen, daß $x_\alpha^{\langle \mu+\rho+\nu, \alpha^\vee \rangle} \theta_\nu(\phi(v'_\lambda)) = 0$ und $x_\alpha^{\langle \mu+\rho+\nu, \alpha^\vee \rangle} \phi(\theta_\nu(v'_{\lambda+\nu})) = 0$ für alle $\alpha \in B \setminus S$ gilt. Diese Vektoren liegen im Gewichtsraum von $M_S(\lambda' - \nu)$ zum Gewicht $\lambda - \mu - \nu + \langle \mu + \rho + \nu, \alpha^\vee \rangle \alpha$ bzw. von $M_S(\lambda')$ zum Gewicht $\lambda - \mu + \langle \mu + \rho + \nu, \alpha^\vee \rangle \alpha$. Wegen $\lambda - \mu + \langle \mu + \rho + \nu, \alpha^\vee \rangle \not\leq \lambda'$ sind diese Gewichtsräume alle gleich 0, woraus die Behauptung folgt.

Bemerkung. Offensichtlich kann man mit einem ν oben auch alle Elemente von $\nu + (S^\perp \cap P(R)^{++})$ nehmen; dies folgt aus 15.5(2),(3). Man kann daher stets erreichen, daß $\lambda - \nu \in P_S^\vee$ ist.

15.17 Lemma. *Es seien* $\lambda, \lambda' \in P_S^{++}$ *mit* $\lambda - \lambda' \in P(R)$. *Für jeden endlich dimensionalen Teilraum* V *von* $\mathrm{Hom}_{\mathfrak{m}}(M_S(\lambda), M_S(\lambda'))$ *gibt es ein* $\nu \in S^\perp \cap P(R)^{++}$ *mit*

$$\theta_\nu V \subset \mathscr{L}(M_S(\lambda), M_S(\lambda' - \nu))$$

und

$$V \theta_\nu \subset \mathscr{L}(M_S(\lambda + \nu), M_S(\lambda')).$$

Beweis. Nach 15.4 ist $\mathrm{Hom}_{\mathfrak{m}}(M_S(\lambda), M_S(\lambda'))$ ein lokal endlicher $(\mathfrak{g}_S + \mathfrak{h})$-Modul. Daher können wir $j(\mathfrak{g}_S + \mathfrak{h}) V \subset V$ annehmen. Nach 15.4(3) gilt nun $V = U(j(\mathfrak{g}_S)) V^{j(\mathfrak{n}^-)}$.

Ist $v_1, v_2, \ldots, v_r$ eine Basis von $V^{j(\mathfrak{n}^-)}$ aus Gewichtsvektoren, so gibt es nach 15.16 $\nu_i \in S^\perp \cap P(R)^{++}$ mit $\theta_{\nu_i} v_i \in \mathscr{L}(M_S(\lambda), M_S(\lambda' - \nu_i))$ und $v_i \theta_{\nu_i} \in \mathscr{L}(M_S(\lambda + \nu_i), M_S(\lambda'))$ für alle i. Wir setzen nun $\nu = \sum_{i=1}^{r} \nu_i \in S^\perp \cap P(R)^{++}$; für alle i gilt dann $\nu - \nu_i \in S^\perp \cap P(R)^{++}$, also $\theta_\nu v_i = \theta_{\nu - \nu_i} \circ \theta_{\nu_i} v_i \in \mathscr{L}(M_S(\lambda), M_S(\lambda' - \nu))$ nach 15.5(2),(3) und ebenso $v_i \theta_\nu \in \mathscr{L}(M_S(\lambda + \nu), M_S(\lambda'))$. Insgesamt erhalten wir damit $\theta_\nu V^{j(\mathfrak{n}^-)} \subset \mathscr{L}(M_S(\lambda), M_S(\lambda' - \nu))$ und $V^{j(\mathfrak{n}^-)} \theta_\nu \subset \mathscr{L}(M_S(\lambda + \nu), M_S(\lambda'))$.

Nun kommutiert θ_ν mit $\mathfrak{g}_S$, also die Multiplikation mit θ_ν von rechts oder links mit der Operation von $j(\mathfrak{g}_S)$. Dies zeigt

$$\begin{aligned}\theta_\nu V = \theta_\nu U(j(\mathfrak{g}_S)) V^{j(\mathfrak{n}^-)} &= U(j(\mathfrak{g}_S)) \theta_\nu V^{j(\mathfrak{n}^-)} \\ &\subset U(j(\mathfrak{g}_S)) \mathscr{L}(M_S(\lambda), M_S(\lambda' - \nu)) = \mathscr{L}(M_S(\lambda), M_S(\lambda' - \nu))\end{aligned}$$

und analog $V \theta_\nu \subset \mathscr{L}(M_S(\lambda + \nu), M_S(\lambda'))$.

Bemerkung. Wie in 15.16 können wir $\lambda - \nu \in P_S^\vee$ annehmen.

15.18 Lemma. *Es seien $\lambda, \lambda' \in P_S^{++}$ mit $\lambda' - \lambda \in P(R)$ und $x \in \mathrm{Hom}_\mathfrak{m}(M_S(\lambda), M_S(\lambda'))$.*

a) *Ist $x \neq 0$, so gilt $s'x \neq 0$ und $xs \neq 0$ für alle $s' \in Sm(U(\mathfrak{g})/I_S(\lambda'))$ und $s \in Sm(U(\mathfrak{g})/I_S(\lambda))$.*

b) *Es gibt ein $s' \in Sm(U(\mathfrak{g})/I_S(\lambda'))$ mit $s'x \in \mathscr{L}(M_S(\lambda), M_S(\lambda'))$ und ein $s \in Sm(U(\mathfrak{g})/I_S(\lambda))$ mit $xs \in \mathscr{L}(M_S(\lambda), M_S(\lambda'))$.*

Beweis. Nach 15.17 gibt es ein $\nu \in S^\perp \cap P(R)^{++}$ mit $\theta_\nu x \in \mathscr{L}(M_S(\lambda), M_S(\lambda' - \nu))$ und $x \theta_\nu \in \mathscr{L}(M_S(\lambda + \nu), M_S(\lambda'))$.

a) Für s, s' wie oben gilt $\theta_\nu xs \neq 0$ und $s'x\theta_\nu \neq 0$ nach 15.9(1), also auch $xs \neq 0$ und $s'x \neq 0$.

b) Nach Lemma 15.13.b können wir $s \in Sm(U(\mathfrak{g})/I_S(\lambda)) \cap \theta_\nu \mathscr{L}(M_S(\lambda), M_S(\lambda + \nu))$ und $s' \in Sm(U(\mathfrak{g})/I_S(\lambda')) \cap \mathscr{L}(M_S(\lambda' - \nu), M_S(\lambda'))\theta_\nu$ finden. Diese erfüllen dann die Behauptung.

Bemerkung. Es sei $\lambda = \lambda'$. Für ein $x \in \mathrm{End}_\mathfrak{m} M_S(\lambda)$ gibt es nach b) nun $s_1, s_2 \in Sm(U(\mathfrak{g})/I_S(\lambda))$ mit $s_1 x, x s_2 \in \mathscr{L}(M_S(\lambda), M_S(\lambda))$. Für $x \neq 0$ gilt $s_1 x \neq 0 \neq x s_2$ nach a). Dann gilt auch $s_1 x s \neq 0 \neq s x s_2$ für alle regulären Elemente $s \in \mathscr{L}(M_S(\lambda), M_S(\lambda))$, also erst recht $xs \neq 0 \neq sx$.

15.19 Lemma. *Für alle $\lambda \in P_S^{++}$ ist $\mathscr{L}(M_S(\lambda), M_S(\lambda))^\mathfrak{m}$ ein primer Goldie-Ring mit*

$$\mathrm{rk}\, \mathscr{L}(M_S(\lambda), M_S(\lambda))^\mathfrak{m} = \mathrm{rk}\, \mathscr{L}(M_S(\lambda), M_S(\lambda))$$

und

$$Q(\mathscr{L}(M_S(\lambda), M_S(\lambda))^\mathfrak{m}) = Q(\mathscr{L}(M_S(\lambda), M_S(\lambda)))^\mathfrak{m}.$$

Beweis. Es seien $\mathfrak{c}$ die ergänzte optimale Hülle von $\mathfrak{m}$ (vgl. 3.18) und $f \in Z(\mathfrak{m})$ wie in der Bemerkung zu 3.20. (Wir wenden die Begriffsbildungen von Kapitel 3 hier auf $\mathfrak{n}^- \oplus \mathfrak{h}$ statt auf $\mathfrak{n}^+ \oplus \mathfrak{h}$ wie dort an.) Nun gilt $I_S(\lambda) \cap U(\mathfrak{c}) = 0$ nach 15.3 (3) und 13.10 (3); wir können also $U(\mathfrak{c})$ mit einer Unteralgebra von $U(\mathfrak{g})/I_S(\lambda)$ und damit auch von $A = \mathscr{L}(M_S(\lambda), M_S(\lambda))$ identifizieren. Da $j(\mathfrak{g})$ lokal endlich auf A' operiert, besteht $U(\mathfrak{m})$ nun aus lokal ad-nilpotenten Elementen von A. Jedes $x \in U(\mathfrak{m})$ mit $x \neq 0$ operiert injektiv auf $M_S(\lambda) \simeq U(\mathfrak{m}) \otimes \hat{L}^S(\lambda)$, ist also ein reguläres Element von A, so daß A die Voraussetzungen von Lemma 13.9 erfüllt. Daher folgt die Behauptung aus jenem Lemma, der Bemerkung dazu und aus 13.19.

15.20. Es sei $\lambda \in P_S^{++}$; wir setzen $A = \mathscr{L}(M_S(\lambda), M_S(\lambda))$ und bezeichnen die Menge der regulären Elemente von A bzw. von $A^{\mathfrak{m}}$ mit T_1 bzw. T. Aus 13.18 (1) folgt $T = T_1 \cap A^{\mathfrak{m}}$.

Lemma. *Für alle $x \in \mathrm{End}_{\mathfrak{m}} M_S(\lambda)$ gibt es ein $t \in T$ mit $tx \in \mathscr{L}(M_S(\lambda), M_S(\lambda))^{\mathfrak{m}}$.*

Beweis. Wir können $Q(A) = T_1^{-1} A$ als Untermodul von $T_1^{-1}\,\mathrm{End}(M_S(\lambda))$ auffassen. Nach der Bemerkung zu 15. 18 ist $\mathrm{End}_{\mathfrak{m}} M_S(\lambda)$ unter $x \mapsto 1^{-1}x$ injektiv in $T_1^{-1}\,\mathrm{End}(M_S(\lambda))$ eingebettet, nach 15.18.b ist das Bild sogar in $Q(A)$ enthalten, da wir $Sm(U(\mathfrak{g})/I_S(\lambda))$ nach 11.15.a als Teilmenge von T_1 auffassen können.

Die adjungierten Operationen von $\mathfrak{m}$ auf A und $\mathrm{End}(M_S(\lambda))$ sind verträglich. Daher können wir $\mathfrak{m}$ auf genau eine Weise auf $T_1^{-1}\mathrm{End}(M_s(\lambda)) \simeq T_1^{-1} A \otimes_A \mathrm{End}(M_S(\lambda))$ operieren lassen, so daß die Abbildung $x \mapsto 1^{-1}x$ ein Homomorphismus von $\mathfrak{m}$-Moduln ist. Daher ist $\mathrm{End}_{\mathfrak{m}} M_S(\lambda)$ sogar in $Q(A)^{\mathfrak{m}}$ eingebettet. Nach 15.19 gilt $Q(A)^{\mathfrak{m}} = Q(A^{\mathfrak{m}}) = T^{-1} A^{\mathfrak{m}}$, also gibt es zu jedem $x \in \mathrm{End}_{\mathfrak{m}} M_S(\lambda)$ ein $t \in T$ und $a \in A^{\mathfrak{m}}$ mit $1^{-1}x = t^{-1}a$, also $1^{-1}(tx - a) = 0$. Wegen der Injektivität von $\mathrm{End}_{\mathfrak{m}} M_S(\lambda) \to T_1^{-1}\,\mathrm{End}(M_S(\lambda))$ folgt $tx = a \in \mathscr{L}(M_S(\lambda), M_S(\lambda))^{\mathfrak{m}}$.

15.21 Satz. *Es sei $\lambda \in P_S^{++}$. Dann gibt es einen Isomorphismus von Algebren*

$$(1) \qquad Q(\mathscr{L}(M_S(\lambda), M_S(\lambda))^{\mathfrak{m}}) \xrightarrow{\sim} Q(U(\mathfrak{m})) \otimes \mathrm{End}\,\hat{L}^S(\lambda),$$

der mit der adjungierten Operation von $\mathfrak{g}_S + \mathfrak{h}$ verträglich ist und bei dem die Multiplikation mit einem $u \in Z(\mathfrak{m})$ in $\check{u} \otimes 1$ übergeht. Es gilt

$$(2) \qquad \mathrm{rk}\,\mathscr{L}(M_S(\lambda), M_S(\lambda)) = \dim \hat{L}^S(\lambda).$$

Beweis. Nach 15.4 ist $\mathrm{End}_{\mathfrak{m}} M_S(\lambda)$ als Algebra und als $\mathfrak{g}_S$-Modul zu $U(\mathfrak{m}) \otimes \mathrm{End}\,\hat{L}^S(\lambda)$ isomorph; dabei geht die Multiplikation mit einem $u \in Z(\mathfrak{m})$ in $\check{u} \otimes 1$ über. Daraus folgt, daß $\mathrm{End}_{\mathfrak{m}} M_S(\lambda)$ prim und noethersch mit

$$Q(\mathrm{End}_{\mathfrak{m}} M_S(\lambda)) \xrightarrow{\sim} Q(U(\mathfrak{m})) \otimes \mathrm{End}\,\hat{L}^S(\lambda)$$

ist.

Wir übernehmen die Notationen von 15.20. Aus $T \subset T_1$ und aus der Bemerkung zu 15.18 folgt, daß T aus regulären Elementen von $\mathrm{End}_{\mathfrak{m}} M_S(\lambda)$ besteht.

Daher ist $Q(A^{\mathfrak{m}})=T^{-1}A^{\mathfrak{m}}$ in $Q(\mathrm{End}_{\mathfrak{m}} M_S(\lambda))$ eingebettet. Nach Lemma 15.20 ist diese Inklusion bijektiv. Damit haben wir den Isomorphismus in (1) erhalten. Da $Q(U(\mathfrak{m}))$ ein Schiefkörper ist, sehen wir $\mathrm{rk}(A^{\mathfrak{m}})=\dim \hat{L}^S(\lambda)$. Nun folgt (2) aus Lemma 15.19.

15.22 Die Weyl-Algebren $\mathbf{A}_m$ (vgl. 3.10 und 13.8) sind nullteilerfrei und noethersch ([DIX], 4.6.4), besitzen also einen totalen Quotientenring $Q(\mathbf{A}_m)$, der ein Schiefkörper ist. Wir nennen einen Schiefkörper, der zu einem $Q(\mathbf{A}_m)$ isomorph ist, einen Weyl-Körper über k.

Satz. *Es sei k algebraisch abgeschlossen. Für alle $\lambda \in P_S^{++}$ ist der Goldie-Körper von $\mathscr{L}(M_S(\lambda), M_S(\lambda))$ ein Weyl-Körper über k.*

Beweis. Wir übernehmen die Notationen von 15.20. Die Multiplikationen induziert nach 13.11 (5) einen Isomorphismus von Vektorräumen $Q(A^{\mathfrak{m}}) \bigotimes_{Z(\mathfrak{m})} U(\mathfrak{c}) \xrightarrow{\sim} T^{-1}A$, nach 15.21 (1) also auch einen solchen Isomorphismus

$$(1) \qquad D=(Q(U(\mathfrak{m}))\otimes \mathrm{End}\,\hat{L}^S(\lambda)) \bigotimes_{Z(\mathfrak{m})} U(\mathfrak{c}) \xrightarrow{\sim} T^{-1}A,$$

wobei die Operation eines $u \in Z(\mathfrak{m})$ auf $Q(U(\mathfrak{m}))\otimes \mathrm{End}\,\hat{L}^S(\lambda)$ durch Multiplikation mit $\check{u}\otimes 1$ gegeben ist.

Wir können unter dem Isomorphismus in (1) die Multiplikation von der rechten auf die linke Seite übertragen; dadurch wird D zu einer primen und noetherschen Algebra mit demselben Goldie-Körper wie A. Es sei $\phi\colon \mathfrak{g}_S+\mathfrak{h}\to \mathrm{End}\,\hat{L}^S(\lambda)$ die gegebene Darstellung. Wir setzen $\mathfrak{c}'=\mathfrak{c}\cap(\mathfrak{g}_S+\mathfrak{h})$; dann gilt $\mathfrak{c}=\mathfrak{c}'\oplus\mathfrak{m}$. Nun läßt sich die Multiplikation auf D so beschreiben: Auf $Q(U(\mathfrak{m}))\otimes \mathrm{End}\,\hat{L}^S(\lambda)\otimes 1$ und auf $1\otimes 1\otimes U(\mathfrak{c})$ erhalten wir die gegebene Struktur, während für alle $x\in\mathfrak{c}'$, $y\in\mathfrak{m}$, $u\in Q(U(\mathfrak{m}))$ und $\psi\in \mathrm{End}\,\hat{L}^S(\lambda)$ gilt:

$$(2) \qquad \begin{aligned}&(1\otimes 1\otimes(x+y))(u\otimes\psi\otimes 1)-(u\otimes\psi\otimes 1)(1\otimes 1\otimes(x+y))\\ &=[x,u]\otimes\psi\otimes 1-u\otimes[\phi(x),\psi]\otimes 1.\end{aligned}$$

Die Abbildung $x+y\mapsto 1\otimes 1\otimes(x+y)+1\otimes\phi(x)\otimes 1$ von $\mathfrak{c}$ in D (mit x und y wie oben) ist ein Homomorphismus von Lie-Algebren, läßt sich also zu einem Homomorphismus τ von Algebren auf $U(\mathfrak{c})$ fortsetzen. Für alle $u_1\in U(\mathfrak{m})$ und $u_2\in U(\mathfrak{c})$ gilt $\tau(u_1u_2)=(1\otimes 1\otimes u_1)\tau(u_2)$; außerdem operiert $Z(\mathfrak{m})$ trivial auf $\mathrm{End}\,\hat{L}^S(\lambda)$. Daher erhalten wir einen Isomorphismus von Vektorräumen $D\xrightarrow{\sim} D'=(Q(U(\mathfrak{m}))\bigotimes_{Z(\mathfrak{m})} U(\mathfrak{c}))\otimes \mathrm{End}\,\hat{L}^S(\lambda)$ mit $u_1\otimes\psi\otimes u_2\to(u_1\otimes 1\otimes\psi)\tau(u_2)$ für alle $u_1\in Q(U(\mathfrak{m}))$ und $u_2\in U(\mathfrak{c})$ sowie $\psi\in \mathrm{End}\,\hat{L}^S(\lambda)$.

Wir können die Struktur als Algebra auch auf D' übertragen. Dann wird $D_1=Q(U(\mathfrak{m}))\bigotimes_{Z(\mathfrak{m})} U(\mathfrak{c})$ zu einer Unteralgebra und das Tensorprodukt mit $\mathrm{End}\,\hat{L}^S(\lambda)\simeq M_r(k)$, wobei $r=\dim\hat{L}^S(\lambda)$ sei, ist ein Tensorprodukt von Algebren. Daher (vgl. [DIX], 4.5.1) ist D_1 prim und noethersch mit demselben Goldie-Körper wie D, also auch wie A. Die Multiplikation in D_1 ist auf den beiden

Faktoren die gegebene, während nach (2) für alle $x \in \mathfrak{c}'$, $y \in \mathfrak{m}$ und $u \in Q(U(\mathfrak{m}))$ gilt:

$$(1 \otimes (x+y)(u \otimes 1)) - (u \otimes 1)(1 \otimes (x+y)) = [x, u] \otimes 1.$$

Nun ist die Abbildung $\mathfrak{c} \to \mathrm{Der}(\mathfrak{m})$ mit $x+y \mapsto \mathrm{ad}_{\mathfrak{m}}(x)$ für alle $x \in \mathfrak{c}'$ und $y \in \mathfrak{m}$ ein Homomorphismus von Lie-Algebren. Wir bilden nun das semi-direkte Produkt $\mathfrak{m} \oplus \mathfrak{c}$ relativ dieser Abbildung. Diese Lie-Algebra ist auflösbar, weil $\mathfrak{m}$ und $\mathfrak{c} \simeq (\mathfrak{m} \oplus \mathfrak{c})/(\mathfrak{m} \oplus 0)$ es sind und sie ist die Lie-Algebra einer algebraischen Gruppe, die man analog als semi-direktes Produkt konstruiert. Die Abbildung $(a, b) \mapsto a \otimes 1 + 1 \otimes b$ für alle $a \in \mathfrak{m}$ und $b \in \mathfrak{c}$ von $\mathfrak{m} \oplus \mathfrak{c}$ in D_1 ist offensichtlich ein Homomorphismus von Lie-Algebren, induziert also einen Homomorphismus $\sigma\colon U(\mathfrak{m} \oplus \mathfrak{c}) \to D_1$ von Algebren. Es sei J der Kern von σ; dann ist D_1 zu einem Quotientenring von $U(\mathfrak{m} \oplus \mathfrak{c})/J$ isomorph. Mit D_1 besitzt nun auch $U(\mathfrak{m} \oplus \mathfrak{c})/J$ einen totalen Quotientenring, der ein Matrixring über einem Schiefkörper ist. Daher ist J prim (vgl. (BGR], 2.9). Der Goldie-Körper von D_1 ist gleich dem von $U(\mathfrak{m} \oplus \mathfrak{c})/J$, nach [BGR], 8.3 also ein Weyl-Körper über k, da das Zentrum von A in $\mathrm{End}_{\mathfrak{g}}(M_S(\lambda)) \simeq k$ (vgl. 4.1 (4)) enthalten ist.

15.23 Satz. *Für alle $\lambda \in P_S^\vee$ ist die kanonische Abbildung $U(\mathfrak{g})/I_S(\lambda) \to \mathscr{L}(M_S(\lambda), M_S(\lambda))$ ein Isomorphismus.*

Beweis. Es sei $\Lambda = \lambda + P(R)$. Wegen $\lambda \in P_S^\vee$ gilt $\lambda' = w_\Lambda w_S \cdot \lambda \in \Lambda^+$, also $\lambda = w_\Lambda w_{S'} \cdot \lambda'$ mit $S' = -w_\Lambda(S)$. Außerdem ist $S' \cap B_{\lambda'}^0 = \emptyset$. Nun folgt die Behauptung aus der Bemerkung zu 7.32 und aus 15.3 (5).

Bemerkungen. 1) Es sei $\Lambda \in \mathfrak{h}^*/P(R)$ mit $S \subset B_\Lambda$. Aus 12.7 (1) und 12.8 (7) folgt, daß in 15.15 gilt:

$$n_3(\Lambda, S) = n_1(\Lambda, w_\Lambda w_S)\, n_2(\Lambda, w_S w_\Lambda).$$

Ist auch $-w_\Lambda(S)$ in B enthalten, so gilt $n_3(\Lambda, S) = n_2(\Lambda, w_S w_\Lambda)$.

2) Ist k algebraisch abgeschlossen, so folgt aus dem Satz und aus 15.22, daß der Goldie-Körper von $U(\mathfrak{g})/I_S(\lambda)$ für alle $\lambda \in P_S^\vee$ ein Weyl-Körper ist. Nimmt man $S = \emptyset$, so folgt, daß für alle $\lambda \in \mathfrak{h}^*$ der Goldie-Körper von $U(\mathfrak{g})/I_\lambda^{\min}$ ein Weyl-Körper ist.

15.24 Satz. *Es sei k algebraisch abgeschlossen. Für ein $\lambda \in \mathfrak{h}^*$, für das R_λ vom Typ A_{n-1} für ein $n \in \mathbf{N}$ ist und für das B_λ unter W zu einer Teilmenge von B konjugiert ist, ist der Goldie-Körper jedes $U(\mathfrak{g})/I$ mit $I \in \mathscr{X}_\lambda$ ein Weyl-Körper über k.*

Beweis. Wir setzen $\Lambda = \lambda + P(R)$. Wegen $\mathscr{X}_{w \cdot \lambda} = \mathscr{X}_\lambda$ für alle $w \in W$ können wir $B_\lambda \subset B$ und $\lambda \in \Lambda^+$ annehmen.

Zunächst betrachten wir den Fall $\lambda \in \Lambda^{++}$. Wir müssen für alle $w \in W_\Lambda$ zeigen, daß der Goldie-Körper von $U(\mathfrak{g})/I(w \cdot \lambda)$ ein Weyl-Körper ist. Hat w die Form $w_S w_\Lambda$ für ein $S \subset B_\Lambda \subset B$, so gilt $w \cdot \lambda \in P_S^\vee$, und die Behauptung folgt aus 15.22 und 15.23. Für ein beliebiges $w \in W_\Lambda$ gibt es nach der Bemerkung 1 zu 14.17 ein $S \subset B_\Lambda$ mit $w \underset{LR}{\sim} w_S w_\Lambda$. Dann hat $U(\mathfrak{g})/I(w \cdot \lambda)$ nach der Bemerkung 2 zu 14.13 denselben Goldie-Körper wie $U(\mathfrak{g})/I(w_S w_\Lambda \cdot \lambda)$, also einen Weyl-Körper.

Im allgemeinen Fall wählt man ein $\mu \in \Lambda^{++}$ und benutzt Satz 12.4.

Bemerkungen. 1) Wie in früheren Situationen läßt sich der Satz auf den Fall verallgemeinern, daß R_λ vom Typ $A_{n_1-1} \times A_{n_2-1} \times \ldots \times A_{n_r-1}$ für geeignete $n_i \in \mathbf{N}$ ist.

2) Unter der Voraussetzung des Satzes (oder auch nur der ersten Bemerkung) ist nach Satz 12.4 auch der Goldie-Körper von $\mathscr{L}(L(\lambda), L(\lambda))$ ein Weyl-Körper.

15.25 Corollar. *Es sei k algebraisch abgeschlossen. Für $\mathfrak{g} = \mathfrak{sl}_n(k)$ ist der Goldie-Körper von $U(\mathfrak{g})/I$ für jedes primitive Ideal I von $U(\mathfrak{g})$ ein Weyl-Körper über k.*

Beweis. Jedes I wie oben hat die Gestalt $I(\lambda)$ für ein $\lambda \in \mathfrak{h}^*$. Die Behauptung folgt nun aus der ersten Bemerkung zu 15.24, weil für $\mathfrak{g} = \mathfrak{sl}_n(k)$ alle B_λ unter W zu einer Teilmenge von B konjugiert sind (vgl. [Bourbaki 3], ch. VI, §4, exerc. 4).

15.26 Es sei $\Lambda \in \mathfrak{h}^*/P(R)$ mit $S \subset B_\Lambda$. Wir wollen für alle $\lambda \in \Lambda^{++}$ die $I \in \mathscr{X}_\lambda$ mit $d(U(\mathfrak{g})/I) = 2 \dim \mathfrak{m}$ mit $I_1^\lambda, I_2^\lambda, \ldots, I_r^\lambda$ bezeichnen, so daß $T_\lambda^{\lambda'} I_j^\lambda = I_j^{\lambda'}$ für alle $\lambda, \lambda' \in \Lambda^{++}$ gilt. Ist $I_j^\lambda = I(w \cdot \lambda)$ mit $1 \leq j \leq r$ und $w \in W_\Lambda$ für ein, also alle $\lambda \in \Lambda^{++}$, so setzen wir $p_j^\Lambda = p_w^\Lambda$; es gilt also $p_j^\Lambda(\lambda + \rho) = \operatorname{rk} U(\mathfrak{g})/I_j^\lambda$.

Es sei nun $w \in W_\Lambda$ mit $S \cap \tau_\Lambda(w^{-1}) = \emptyset$, also $w \cdot \lambda \in P_S^{++}$ für alle $\lambda \in \Lambda^{++}$. Nach 15.21(2) und 15.8 gilt nun

$$\begin{aligned} \dim \hat{L}^S(w \cdot \lambda) &= \operatorname{rk} \mathscr{L}(M_S(\lambda), M_S(\lambda)) \\ &= \sum_{w'} [M_S(w \cdot \lambda) : L(w' \cdot \lambda)]\, q_{w'}^\Lambda(\lambda + \rho), \end{aligned}$$

wobei über alle $w' \in W_\Lambda$ mit $d(L(w' \cdot \lambda)) = \dim \mathfrak{m}$ summiert wird. Die Multiplizitäten $[M_S(w \cdot \lambda) : L(w' \cdot \lambda)]$ sind hier unabhängig von λ, da nach [MHG], 2.25

(1) $$T_\lambda^{\lambda'} M_S(w \cdot \lambda) \simeq M_S(w \cdot \lambda')$$

für alle $\lambda \in \Lambda^{++}$ und $\lambda' \in \Lambda^{+}$ mit $w \cdot \lambda' \in P_S^{++}$ gilt. Für alle j ist daher die Summe m_j der $[M(w \cdot \lambda) : L(w' \cdot \lambda)]\, n_1(\Lambda, w')$ mit $I_j^\lambda = I(w' \cdot \lambda)$ unabhängig von $\lambda \in \Lambda^{++}$, und es gilt nun

(2) $$\dim \hat{L}^S(w \cdot \lambda) = \sum_{j=1}^{r} m_j p_j^\Lambda(\lambda + \rho).$$

Die m_j sind durch diese Gleichung eindeutig festgelegt, weil die p_j^Λ nach 14.12 linear unabhängig sind.

Da $M_S(w \cdot \lambda)$ nach 15.5.a homogen ist, folgt aus 8.15

(3) $$\sqrt{I_S(w \cdot \lambda)} = \bigcap_{m_j > 0} I_j^\lambda \quad \text{für alle } \lambda \in \Lambda^{++}.$$

Satz. *Für alle $\mu \in P_S^{++}$ und $w \in W$ mit $wS \subset B$ gilt*

$$\sqrt{I_S(\mu)} = \sqrt{I_{wS}(w\cdot\mu)}.$$

Beweis. Wir setzen $\Lambda = \mu + P(R)$ und $\Lambda' = w\cdot\Lambda = w\cdot\mu + P(R)$. Es gibt ein $w' \in W$ mit $w'\cdot\Lambda^+ = (\Lambda')^+$ und ein $w_1 \in W_\Lambda$ mit $\lambda' = w_1^{-1}\cdot\mu \in \Lambda^+$. Für alle $\lambda \in \Lambda^{++}$ gilt dann $w_1\cdot\lambda \in P_S^{++}$ und $(w w_1 w'^{-1})\cdot(w'\cdot\lambda) = w w_1\cdot\lambda \in P_{wS}^{++}$; außerdem folgt aus der Weylschen Dimensionsformel

$$\text{(4)} \qquad \dim \hat{L}^S(w_1\cdot\lambda) = \dim \hat{L}^{wS}(w w_1\cdot\lambda).$$

Wir übernehmen die oben eingeführten Notationen. Wegen $\mathscr{X}_\lambda = \mathscr{X}_{w'\cdot\lambda}$ können wir annehmen, daß $I_j^\lambda = I_j^{w'\cdot\lambda}$ für alle $\lambda \in \Lambda^{++}$ ist. Dann muß auch stets $p_j^\Lambda(\lambda+\rho) = p_j^{\Lambda'}(w'(\lambda+\rho))$ sein. Wir führen m_j' analog zu m_j ein, nur relativ Λ', wS und $w w_1 w'^{-1}$ statt Λ, S und w_1. Nach (2) und (4) gilt nun

$$\sum_{j=1}^{r} m_j p_j^\Lambda(\lambda+\rho) = \dim \hat{L}^S(w_1\cdot\lambda) = \dim \hat{L}^{wS}(w w_1\cdot\lambda)$$
$$= \sum_{j=1}^{r} m_j' p_j^{\Lambda'}(w'(\lambda+\rho)) = \sum_{j=1}^{r} m_j' p_j^\Lambda(\lambda+\rho)$$

für alle $\lambda \in \Lambda^{++}$. Da die p_j^Λ linear unabhängig sind, folgt $m_j = m_j'$ für alle j, also $\sqrt{I_S(w_1\cdot\lambda)} = \sqrt{I_{wS}(w w_1\cdot\lambda)}$ nach (3). Aus (1) und 5.5(3) erhalten wir nun

$$\sqrt{I_S(\mu)} = \sqrt{T_\lambda^{\lambda'}\sqrt{I_S(w_1\cdot\lambda)}} = \sqrt{T_\lambda^{\lambda'}\sqrt{I_{wS}(w w_1\cdot\lambda)}}$$
$$= \sqrt{I_{wS}(w w_1\cdot\lambda')} = \sqrt{I_{wS}(w\cdot\mu)},$$

wobei $\lambda \in \Lambda^{++}$ beliebig ist.

15.27 Corollar. *Es seien $S, S' \subset B$ und $\lambda \in S^\perp$ sowie $\lambda' \in (S')^\perp$. Gibt es ein $w \in W$ mit $S' = wS$ und $\lambda' = w\cdot\lambda$, so gilt $I_S(\lambda) = I_{S'}(\lambda')$.*

Beweis. Aus $\lambda \in S^\perp$ und $\lambda' \in (S')^\perp$ folgt $\lambda \in P_S^{++}$ und $\lambda' \in P_{S'}^{++}$ mit $\dim L^S(\lambda) = \dim L^{S'}(\lambda') = 1$. Nach 15.6 sind $I_S(\lambda)$ und $I_{S'}(\lambda')$ primitiv. Daher folgt die Behauptung aus dem Satz.

Bemerkung. Für $\mathfrak{g} = \mathfrak{sl}_n(k)$ gilt nach [Borho/Jantzen], 5.10 hier die Umkehrung: Ist $I_S(\lambda) = I_{S'}(\lambda')$, so gibt es ein $w \in W$ mit $S' = wS$ und $\lambda' = w\cdot\lambda$. Im allgemeinen ist dies nicht so.

Anhang

15A.1 Zu den ältesten Resultaten in diesem Kapitel gehört das Corollar 15.6 als Spezialfall von [Conze], 3.1. Allgemeiner wird für eine beliebige Lie-

Algebra $\mathfrak{s}$, eine Unteralgebra $\mathfrak{b}$, für einen $\mathfrak{b}$-Modul M mit Annullator J in $U(\mathfrak{b})$ und für den Annullator I in $U(\mathfrak{s})$ des induzierten Moduls $U(\mathfrak{s}) \underset{U(\mathfrak{b})}{\otimes} M$ gezeigt, daß man eine Einbettung $U(\mathfrak{s})/I \to (U(\mathfrak{b})/J) \otimes \mathbf{A}_m$ mit $m = \dim \mathfrak{s}/\mathfrak{b}$ hat ([Conze], 2.2). Sind I und J prim, so folgt leicht $\operatorname{rk} U(\mathfrak{s})/I \leqslant \operatorname{rk} U(\mathfrak{b})/J$, ist J vollprim, so ist es auch I (vgl. [Conze], 3.1/3.3).

In [Conze] wird dann $\mathscr{L}(M(\lambda), M(\mu))$ untersucht, also der Fall $S = \emptyset$ hier behandelt. Dabei findet sich Lemma 15.2 in [Conze], 6.3 und der Spezialfall von 15.2(2) in [Conze], 6.4. Weiter wird in [Conze], 10.4 gezeigt, daß für alle $\lambda \in \mathfrak{h}^*$ der Goldie-Körper von $U(\mathfrak{g})/I_\lambda^{\min}$ zu $Q(\mathbf{A}_m)$ mit $m = \# R^+$ isomorph ist, also nach 7.25 eine für $S = \emptyset$ etwas präzisere Aussage als 15.22.

Mit Hilfe der Ergebnisse von Conze wurde dann in [Borho 2] für alle $\lambda \in P_S^{++}$, und beliebiges S gezeigt, daß $d(U(\mathfrak{g})/I_S(\lambda)) = 2 \dim \mathfrak{m}_S$ ist, was nun aus 15.3(1) und 10.9 folgt.

15A.2 Für beliebige S wurden die Bimoduln $\mathscr{L}(M_S(\lambda), M_S(\mu))$ mit $\lambda, \mu \in P_S^{++}$ in [Conze-Berline/Duflo] untersucht. Dort finden sich 15.1 und 15.2(2) sowie 15.5(2) und die Äquivalenz von (i) und (ii) in Lemma 15.9. Genauer wird in [Conze-Berline/Duflo], 5.8 mit Hilfe von 15.2(2) für alle $\lambda, \mu \in P_S^{++}$ mit $\lambda - \mu \in P(R)$ und für alle $E \in \mathfrak{k}^\wedge$ gezeigt:

$$[\mathscr{L}(M_S(\lambda), M_S(\mu)) : E]_{\mathfrak{k}} \geqslant [\mathscr{D}(M_S(\mu), M_S(\lambda)) : E]_{\mathfrak{k}} .$$

Für $S = \emptyset$ fand sich eine entsprechende Aussage schon in [Conze]. Auch 15.11, 15.16 und 15.17 gehen auf [Conze-Berline/Duflo] zurück, Satz 15.23 kann man dort aus 2.12, 6.3 und 5.5 zusammensetzen, und schließlich wird dort für $\lambda \in P_S^\vee$ der Goldie-Rang von $U(\mathfrak{g})/I_S(\lambda)$ berechnet, also wegen 15.23 die Formel 15.21(2) bewiesen. In derselben Situation zeigt dann Joseph, daß der Goldie-Körper von $U(\mathfrak{g})/I_S(\lambda)$ zu $Q(\mathbf{A}_m)$ mit $m = \dim \mathfrak{g}/\mathfrak{p}_S$ isomorph ist (für algebraisch abgeschlossenes k), erhält wegen 15.23 also 15.22 für diese λ (in [Joseph 7], 4.3). In derselben Arbeit findet man auch 15.4, 15.18 und 15.21(1).

Daß $\mathscr{L}(M_S(\lambda), M_S(\lambda))$ immer prim ist (15.8), bildet ein Hauptergebnis von [Joseph 11]. Dort werden auch die noch nicht genannten Resultate in 15.9 bis 15.22 bewiesen. Der Rest von Satz 15.8 sowie 15.24/25 sind dann in [Joseph 14] enthalten.

15A.3 Wir wollen hier annehmen, daß k algebraisch abgeschlossen ist.

In der Einhüllenden einer auflösbaren Lie-Algebra $\mathfrak{s}$ erhält man alle primitiven Ideale, indem man endlich dimensionale Darstellungen einer Unteralgebra von $\mathfrak{s}$ nimmt und den Annullator des davon induzierten $\mathfrak{s}$-Moduls betrachtet. Daher lag es nahe, auch für halbeinfache Lie-Algebren derart „induzierte Ideale“ zu untersuchen. Nach [Joseph 7], 4.5 kann ein induziertes Ideal nur dann primitiv sein, wenn man von einer parabolischen Unteralgebra ausgeht.

Es wurde jedoch in [Conze/Dixmier] für $\mathfrak{g} = \mathfrak{sp}_4(\mathbf{C})$ ein nicht-induziertes primitives Ideal in $U(\mathfrak{g})$ gefunden; dies gelang dann in [Joseph 2] für alle einfachen Lie-Algebren, die zu keinem $\mathfrak{sl}_n(k)$ isomorph sind. Aber auch für $\mathfrak{g} = \mathfrak{sl}_n(k)$ mit $n \geqslant 4$ gibt es nach [Borho/Jantzen], 4.4 nicht-induzierte primitive

Ideale in $U(\mathfrak{g})$. (Der Abschnitt 4 in [Borho/Jantzen] enthält weitere Beispiele für nicht-induzierte Ideale.) Es ist aber immer noch möglich, daß alle vollprimen Ideale in $U(\mathfrak{sl}_n(k))$ induziert sind. Dies ist sicher der Fall, wenn die von Borho für $\mathfrak{sl}_n(k)$ definierte Dixmier-Abbildung surjektiv ist (vgl. 17.24); ein wichtiger Schritt zur Definition dieser Abbildung ist Corollar 15.27, das für $\mathfrak{g}=\mathfrak{sl}_n(k)$ in [Borho 4], 5.4 bewiesen wird. Es kann $I_S(\lambda)$ aber auch vollprim sein, ohne daß $\dim L^S(\lambda)=1$ gilt, wie von Borho und Joseph beobachtet wurde. Da in ihrem Beispiel $M_S(\lambda)$ einfach ist, kann nach 15.21 (1) die kanonische Abbildung $U(\mathfrak{g})/I_S(\lambda)\to\mathscr{L}(M_S(\lambda), M_S(\lambda))$ nicht surjektiv sein. Wir erhalten also ein Gegenbeispiel zum in 7A.3 erwähnten Problem von Kostant, das zuerst in [Conze-Berline/Duflo], 6.5 angegeben wurde.

15A.4 In [Joseph 7], 4.3 wird für $\lambda\in P_S^\vee$ über Satz 15.22 hinausgehend gezeigt, daß man einen maximalen kommutativen Teilkörper von $Q(\mathbf{A}_m)$ finden kann, der bei dem Isomorphismus $M_n(Q(\mathbf{A}_m))\xrightarrow{\sim}Q(U(\mathfrak{g})/I_S(\lambda))$ in einen $\operatorname{ad}(\mathfrak{g})$-stabilen Teilraum übergeht. Für die in [Joseph 2] konstruierten, nicht induzierten Ideale ist dagegen eine entsprechende Wahl nicht möglich ([Joseph 7], 5.4).

Kapitel 16. Kazhdan-Lusztig-Polynome und spezielle Darstellungen der Weylgruppe

Nach 7.13 oder 14.9 ist klar, daß die Multiplizitäten in den Verma-Moduln alle $\mathscr{X}_\lambda$ als geordnete Mengen festlegen. Für diese Multiplizitäten haben Kazhdan und Lusztig eine Vermutung angegeben: Sie konstruieren Polynome, deren Wert an der Stelle 1 die Multiplizitäten sein sollen. (Für die Polynome gibt es Iterationsformeln, doch scheint eine explizite Berechnung sehr aufwendig zu sein.) In den wichtigsten Fällen ist die Vermutung bewiesen worden. Wir beschreiben hier diese Polynome und geben einige Folgerungen aus der Vermutung sowie aus Verallgemeinerungen an.

Nach 14.13 ist $\# \mathscr{X}_\lambda$ die Summe der $\dim \sigma$ über alle irreduziblen Darstellungen σ von W_Λ aus einer bestimmten Menge $\hat{W}^s_\Lambda$. Andererseits hat Lusztig für jede Weylgruppe einige irreduzible Darstellungen als speziell ausgezeichnet. Man kann nun in allen Fällen zeigen, daß $\hat{W}^s_\Lambda$ gerade aus den speziellen Darstellungen von W_Λ besteht. In einigen Fällen benötigt man zum Beweis, daß die Vermutung von Kazhdan und Lusztig erfüllt ist. Wir geben hier die allgemeine Definition der speziellen Darstellungen an und beschreiben sie für die Weylgruppen klassischer Lie-Algebren explizit.

In beiden Fällen erfordern die bisher bekannten Beweise Hilfsmittel aus der Analysis und der algebraischen Geometrie, und zwar in einem Ausmaß, daß eine in sich abgeschlossene Darstellung der Beweise im Rahmen dieses Buches unmöglich erscheint, so daß ich mich hier auf einen Ergebnisbericht im engeren Sinne beschränke.

16.1 Es sei $\Lambda \in \mathfrak{h}^*/P(R)$; für alle $w \in W_\Lambda$ schreiben wir in den ersten Abschnitten kurz $l(w) = l_\Lambda(w)$. In 7.22 haben wir für einen kommutativen Ring A Algebren betrachtet, die als A-Moduln frei mit einer Basis $\{e_w \mid w \in W_\Lambda\}$ waren. Wir wollen nun für A den Ring $\mathbf{Q}[T, T^{-1}]$ der Laurent-Polynome über $\mathbf{Q}$ in einer Veränderlichen T nehmen und $a = T^2 - 1$ sowie $b = T^2$ in 7.22 nehmen. Die so konstruierte Algebra nennen wir *die* Hecke-Algebra von W_Λ und bezeichnen sie mit $\mathscr{H}(W_\Lambda)$.

Für ein $\alpha \in B_\Lambda$ folgt aus den Formeln in 7.22 mit $s = s_\alpha$

(1) $$e_s(T^{-2} e_s - (1 - T^{-2}) e_1) = e_1,$$

also ist e_s invertierbar. Da nach den Formeln in 7.22 jedes e_w Produkt geeigneter e_{s_α} mit $\alpha \in B_\Lambda$ ist, muß auch e_w ein Inverses in $\mathscr{H}(W_\Lambda)$ haben. Es sei $a \mapsto \bar{a}$ der Automorphismus von $\mathbf{Q}[T, T^{-1}]$ mit $\bar{T} = T^{-1}$. Nun setzen wir

(2) $$i\left(\sum_{w \in W_\Lambda} a_w e_w\right) = \sum_{w \in W_\Lambda} \bar{a}_w e_{w^{-1}}^{-1}$$

für alle $a_w \in \mathbf{Q}[T, T^{-1}]$. Man rechnet leicht nach, daß i ein involutorischer Automorphismus von $\mathscr{H}(W_\Lambda)$ ist.

Nach dem Theorem 1 in [Kazhdan/Lusztig 1] gibt es für alle $x, w \in W_\Lambda$ mit $x \geqslant w$ ein Polynom $P_{x,w} \in \mathbf{Z}[T]$, so daß die folgenden Eigenschaften erfüllt sind:

(a) *Für alle* $w \in W_\Lambda$ *gilt* $P_{w,w} = 1$.
(b) *Für* $x > w$ *ist* $\operatorname{grad} P_{x,w} \leqslant \frac{1}{2}(l(w) - l(x) - 1)$.
(c) *Für alle* $w \in W_\Lambda$ *gilt* $i(c_w) = c_w$ *mit* $c_w = T^{-l(w)} \sum_{x \geqslant w} P_{x,w}(T^2) e_x$.

Die $P_{x,w}$ heißen *Kazhdan-Lusztig-Polynome.* (Bei der Formulierung sind wir hier [Kazhdan/Lusztig 1], 1.1.c gefolgt. Man beachte nur, daß die Ordnungsrelation auf W_Λ hier zu derjenigen dort entgegengesetzt ist. Der Beweis der Existenz der $P_{x,w}$ wird auch in [Springer 3], 1.2f. skizziert.)

16.2 Wir übernehmen die Voraussetzungen und Notationen von 16.1 und behalten sie bis 16.6 bei.

Für $x, w \in W_\Lambda$ mit $x > w$ sei $\mu(x, w)$ der Koeffizient von $T^{(l(w)-l(x)-1)/2}$ in $P_{x,w}$; aus $\mu(x, w) \neq 0$ folgt also $l(w) - l(x) \equiv 1 \bmod 2$, mithin $\det(xw) = -1$. Für $x < w$ setzen wir $\mu(x, w) = \mu(w, x)$. Beim Beweis der Existenz der $P_{x,w}$ erhält man auch die folgende Iterationsformel (vgl. [Kazhdan/Lusztig 1], 2.2.c): Für alle $x, w \in W_\Lambda$ mit $x \geqslant w$ und alle $s = s_\alpha$ mit $\alpha \in B_\Lambda$ und $sw > w$ gilt:

$$(1) \qquad P_{x,w} = P_{sx,sw} + T^2 P_{x,sw} - \sum_{\substack{x \geqslant y > sw \\ sy > y}} \mu(y, sw)\, T^{l(sw)-l(y)+1} P_{x,y}$$

für $sx > x$ und

$$(1') \qquad P_{x,w} = T^2 P_{sx,sw} + P_{x,sw} - \sum_{\substack{x \geqslant y > sw \\ sy > y}} \mu(y, sw)\, T^{l(sw)-l(y)+1} P_{x,y}$$

für $sx < x$. Symmetrisch dazu gilt für $ws > w$:

$$(2) \qquad P_{x,w} = P_{xs,ws} + T^2 P_{x,ws} - \sum_{\substack{x \geqslant y > ws \\ ys > y}} \mu(y, ws)\, T^{l(ws)-l(y)+1} P_{x,y}$$

für $xs > x$ und

$$(2') \qquad P_{x,w} = T^2 P_{xs,ws} + P_{x,ws} - \sum_{\substack{x \geqslant y > ws \\ ys > y}} \mu(y, ws)\, T^{l(ws)-l(y)+1} P_{x,y}$$

für $xs < x$. Weiter zeigen Kazhdan und Lusztig (a. a. O., 2.3.g)

$$(3) \qquad P_{x,w} = P_{sx,w} \quad \textit{für } sw > w$$

und symmetrisch dazu

$$(3') \qquad P_{x,w} = P_{xs,w} \quad \textit{für } ws > w.$$

Nimmt man hier $x=w$, so folgt insbesondere

(4) $\mu(sw, w)=1$ *für* $sw>w$

und

(4′) $\mu(w, ws)=1$ *für* $ws>w$.

Schließlich gilt nach [Kazhdan/Lusztig 1], 3.2:

(5) $\mu(x, w)=\mu(w_\Lambda w, w_\Lambda x)=\mu(w w_\Lambda, x w_\Lambda)$,

wobei man für die letzte Gleichung benutzt, daß die Konjugation mit w_Λ ein Automorphismus des Coxeter-Systems $(W_\Lambda, \{s_\alpha \mid \alpha\in B_\Lambda\})$ ist, mithin

(6) $P_{x,w}=P_{w_\Lambda x w_\Lambda,\, w_\Lambda w w_\Lambda}$

für alle $x\geqslant w$ gilt.

16.3 In [Kazhdan/Lusztig 2] werden die $P_{x,w}$ als Poincaré-Polynome für die lokale Schnitt-Homologie der Schubert-Varietäten interpretiert; man vgl. dazu auch [Springer 3], 2.8.

In [Kazhdan/Lusztig 1], 1.5.b wird für alle $\lambda\in\Lambda^{++}$ und $x, w\in W_\Lambda$ mit $x\geqslant w$ vermutet:

(1) $[M(x\cdot\lambda): L(w\cdot\lambda)]=P_{x,w}(1)$.

(Genau genommen wird dort nur der Fall $\Lambda=P(R)$ und $\lambda=0$ betrachtet; dort ist die Verallgemeinerung der Vermutung offensichtlich.) In [Kazhdan/Lusztig 1], 3.1 wird bewiesen, daß (1) genau dann für alle x und w gilt, wenn stets

(2) $(L(x\cdot\lambda): M(w\cdot\lambda))=\det(wx)\, P_{w_\Lambda w,\, w_\Lambda x}(1)$

ist.

Im Fall $\lambda=0$ sind (2) und (1) von Beilinson und Bernstein sowie von Brylinski und Kashiwara bewiesen worden; man vgl. auch [Springer 3], 3.18. Nach 4.12(5) gelten (2) und (1) nun immer für $\Lambda=P(R)$; für $B_\Lambda\subset B$ folgen sie dann aus [MHG], 1.18. Für beliebige Λ scheint die Vermutung noch unbewiesen zu sein.

16.4 Wir wollen von nun an nur noch solche Λ betrachten, für die 16.3(1), (2) gelten. Die Formel 16.3(2) läßt sich dann auch so formulieren: Für alle $x, w\in W_\Lambda$ gilt

(1) $\mathbf{a}_x^\Lambda(w)=\det(wx)\, P_{w_\Lambda w,\, w_\Lambda x}(1)$.

Aus 16.2(2), (2′) und 16.2(5) folgt, weil $\det(wx)=-1$ für $\mu(x, w)\neq 0$ ist:

(2) $$s\mathbf{a}_w^\Lambda = \mathbf{a}_{ws}^\Lambda + \mathbf{a}_w^\Lambda + \sum_{ys<y<w} \mu(w,y)\,\mathbf{a}_y^\Lambda$$

für alle $s = s_\alpha$ mit $\alpha \in B_\Lambda$ und $ws > w$ und

(2′) $$\mathbf{a}_w^\Lambda s = \mathbf{a}_{sw}^\Lambda + \mathbf{a}_w^\Lambda + \sum_{sy<y<w} \mu(w,y)\,\mathbf{a}_y^\Lambda$$

für alle s wie oben mit $sw > w$. Aus 14.9(3) erhalten wir nun, daß die Präordnung $\underset{R}{\leqslant}$ erzeugt wird von:

(a) *Es gilt* $w \underset{R}{\leqslant} w$.

(b) *Ist* $\alpha \in B_\Lambda$ *mit* $w < ws_\alpha$, *so gilt* $w \underset{R}{\leqslant} ws_\alpha$.

(c) *Sind* $y \in W_\Lambda$ *und* $\alpha \in B_\Lambda$ *mit* $ys_\alpha < y < w < ws_\alpha$ *und* $\mu(w,y) \neq 0$, *so gilt* $w \underset{R}{\leqslant} y$.

Wegen 16.2(5) ist für alle $w, x \in W_\Lambda$ also klar:

(3) $$w \underset{R}{\leqslant} x \Leftrightarrow w_\Lambda x \underset{R}{\leqslant} w_\Lambda w \Leftrightarrow x w_\Lambda \underset{R}{\leqslant} w w_\Lambda .$$

Ebenso gilt

(4) $$w \underset{L}{\leqslant} x \Leftrightarrow w_\Lambda x \underset{L}{\leqslant} w_\Lambda w \Leftrightarrow x w_\Lambda \underset{L}{\leqslant} w w_\Lambda .$$

Dies bedeutet (vgl. [Joseph 20], 4.7, [Barbasch/Vogan 2], 2.24), daß es für alle $\lambda \in \Lambda^{++}$ ein Ordnungsantiautomorphismus von $\mathscr{X}_\lambda$ gibt, der jedes $I(w \cdot \lambda)$ mit $w \in W_\Lambda$ auf $I(w_\Lambda w \cdot \lambda)$ abbildet. (Dies war ein Problem in [Borho/Jantzen], 2.19.)

Man kann genauer zeigen (vgl. [Barbasch/Vogan 2], 2.25), daß man einen kanonischen Isomorphismus

(5) $$\bar{V}^L_{ww_\Lambda} \simeq (\bar{V}^L_w)^* \otimes \det$$

hat, wobei wir die Notationen von 14.15 benutzen und mit det die eindimensionale Darstellung $x \mapsto \det(x)$ von W_Λ bezeichnen. Hier ist $(\bar{V}^L_w)^*$ auf nicht kanonische Weise zu $\bar{V}^L_w$ isomorph. Entsprechende Aussagen gelten auch für $\bar{V}^R_w$ und $\bar{V}^{LR}_w$.

Aus der Beschreibung von $\underset{R}{\leqslant}$ in (a), (b), (c) folgt weiter, daß $\underset{R}{\leqslant}$ (und ebenso $\underset{L}{\leqslant}$, $\underset{LR}{\leqslant}$, $\underset{R}{\sim}$, $\underset{L}{\sim}$, $\underset{LR}{\sim}$) nur von dem Paar $(W_\Lambda, \{s_\alpha \mid \alpha \in B_\Lambda\})$ als Coxeter-System abhängt. Weiter ist danach klar: Zerlegt man B_Λ in seine Zusammenhangskomponenten $B_\Lambda = S_1 \cup S_2 \cup \ldots \cup S_r$, so ist W_Λ das Produkt der W_{S_i}, und die Relationen $\underset{R}{\leqslant}$, $\underset{L}{\leqslant}$, ... sind das Produkt der entsprechenden Relationen auf den W_{S_i}. Insbesondere kann man sich nun auf den Fall beschränken, daß $\Lambda = P(R)$ gilt und daß $R = R_\Lambda$ unzerlegbar ist.

16.5 In [MHG], 5.3 wird für jeden Verma-Modul $M(\mu)$ eine Filtrierung $M(\mu) = M(\mu)_0 \supset M(\mu)_1 \supset M(\mu)_2 \ldots$ betrachtet. Es stellt sich die Frage, ob diese

Filtrierungen mit Einbettungen von Verma-Moduln verträglich sind, das heißt, ob die Formeln in [MHG], 5.17(2) gelten. Im Fall von $\Lambda = P(R)$ hat Bernštein dafür einen Beweis angekündigt. In [Gabber/Joseph 2], 4.8, 4.9 wird gezeigt: Sind die Filtrierungen mit den Einbettungen verträglich, so sind für alle $\lambda \in \Lambda^{++}$ und $w \in W_\Lambda$ die $M_i(w \cdot \lambda) = M(w \cdot \lambda)_i / M(w \cdot \lambda)_{i+1}$ halbeinfach, und für alle $x \in W_\Lambda$ gilt:

(1) $$\sum_{j \geqslant 0} [M_j(w \cdot \lambda) : L(x \cdot \lambda)]\, T^{(l(x) - l(w) - j)/2} = P_{w,x}.$$

(Diese Formel wird auch in [Deodhar] und [Gel'fand/MacPherson] vermutet.) Offensichtlich ist 6.3(1) eine Folgerung aus (1).

Es sei $\lambda \in \Lambda^{++}$. Für alle $I \in \mathscr{X}_\lambda$ sei $r(I)$ das Minimum der i, für die $M_i(\lambda)$ einen Kompositionsfaktor mit Annullator gleich I hat. Dann können wir Untermoduln N_1, N_2 von $M(\lambda)$ mit $M(\lambda)_{r(I)} \supset N_1 \supset N_2 \supset M(\lambda)_{r(I)+1}$ wählen, so daß N_1/N_2 einfach mit $I = \operatorname{Ann} N_1/N_2$ ist und so daß $M(\lambda)/N_1$ keinen Kompositionsfaktor mit Annullator I hat. Nach 7.1 gilt $N_2 = J\,M(\lambda)$ mit $J = \operatorname{Ann} M(\lambda)/N_2$; aus $J(N_2/N_1) = 0$ folgt $J \subset I$, also $N_2 = J\,M(\lambda) \subset I\,M(\lambda)$. Für das w_I wie in 12.2 gilt $I = \operatorname{Ann} L(w_I \cdot \lambda)$ und $L(w_I \cdot \lambda) \simeq \operatorname{soc} M(\lambda)/I\,M(\lambda)$. Nach der Wahl von N_1 und N_2 gilt $[M(\lambda)/N_1 : L(w_I \cdot \lambda)] = 0$, also $N_2 = I\,M(\lambda)$ und $N_1/N_2 \simeq L(w_I \cdot \lambda)$. Insbesondere ist N_2 durch I eindeutig festgelegt. Ist $M_{r(I)}(\lambda)$ halbeinfach, so folgt nun $[M_{r(I)}(\lambda) : L(w_I \cdot \lambda)] = 1$ und $[M_{r(I)}(\lambda) : L(w \cdot \lambda)] = 0$ für alle $w \in W_\Lambda$ mit $w \neq w_I$ und $I = I(w \cdot \lambda)$. (Diese Argumente stammen aus [Joseph 20], 4.9.)

Sind also die Einbettungen mit den Filtrierungen verträglich, so legen die $P_{x,w}$ nach 16.4 die Relation $\underset{L}{\leqslant}$ fest, bestimmen also insbesondere für jedes $I \in \mathscr{X}_\lambda$ die Menge $\{w \in W_\Lambda \mid I = I(w \cdot \lambda)\}$, nach (1) also auch $r(I)$ und nach den Argumenten oben auch w_I. Unter derselben Annahme wird in [Joseph 20], 4.17 gezeigt, daß $r(I) = r(I')$ für alle $I, I' \in \mathscr{X}_\lambda$ mit $\sigma(I) = \sigma(I')$ (in der Notation von 14.16) gilt. Joseph vermutet nun, daß $\bar{V}_I$ als $k[W_\Lambda]$-Modul von der Restklasse von $\mathbf{a}^{\Lambda}_{w_I}$ erzeugt wird, und kann unter Annahme dieser und der früheren Vermutung zeigen, daß die $n_1(\Lambda, w)\, n_1(\Lambda, w^{-1})$ aus 12.7(1) durch die $P_{x,w}$ festgelegt sind (vgl. [Joseph 20], 4.15).

16.6 Es sei $G(q)$ eine Chevalley-Gruppe über dem Körper mit q Elementen, deren Wurzelsystem zu R_Λ isomorph ist. Es gibt eine Bijektion zwischen den irreduziblen Charakteren (mit Werten in $\mathbf{C}$) von W_Λ und den irreduziblen unipotenten Charakteren von $G(q)$, die in der Hauptserie von $G(q)$ vorkommen. Es gibt für jedes $\sigma \in \hat{W}_\Lambda$ ein Polynom $\tilde{P}_\sigma \in \mathbf{Q}[T]$, so daß $\tilde{P}_\sigma(q)$ für alle q die Dimension des oben σ zugeordneten Charakters von $G(q)$ ist. Die $\tilde{P}_\sigma$ sind alle bekannt. (Man vgl. hierzu [Lusztig 2], [Benson], [Benson/Curtis], [Srinivasan], S. 147). Wir bezeichnen mit $\tilde{a}(\sigma)$ die größte Zahl, für die $\tilde{P}_\sigma$ durch $T^{\tilde{a}(\sigma)}$ teilbar ist.

Wir ordnen jedem $\sigma \in \tilde{W}_\Lambda$ ein weiteres Polynom P_σ durch

(1) $$P_\sigma = \sum_{m \geqslant 0} [\mathscr{F}(W_\Lambda)^m : \sigma]\, T^m$$

zu; auch die P_σ sind in allen Fällen bekannt (vgl. [Lusztig 2], [Beynon/Lusztig]). Es sei $a(\sigma)$ die größte Zahl, für die P_σ von $T^{a(\sigma)}$ geteilt wird; es ist also $a(\sigma)$ das $m(\sigma)$ von 14.13.

Wie in [Lusztig 2] nennen wir ein $\sigma\in\hat{W}_\Lambda$ *speziell*, wenn $a(\sigma)=\tilde{a}(\sigma)$ ist. Für ein R_Λ vom Typ A_{n-1} mit $n\in\mathbf{N}$ gilt $P_\sigma=\tilde{P}_\sigma$ für alle $\sigma\in\hat{W}_\Lambda$, also sind hier alle irreduziblen Charaktere von W_Λ speziell. Für andere unzerlegbare R_Λ ist dies nicht länger richtig. Man findet explizite Tabellen der speziellen σ in [Lusztig 2]; für R_Λ vom Typ B_n, C_n oder D_n werden die Resultate auch hier in den folgenden Abschnitten zusammengestellt.

Kazhdan und Lusztig sowie Joseph haben (in den Notationen von 14.13) vermutet:

(2) *Es gilt* $\hat{W}^s_\Lambda=\{\sigma\in\hat{W}_\Lambda\,|\,\sigma$ *speziell*$\}$.

Ist R_Λ vom Typ A_{n-1} für ein $n\in\mathbf{N}$ (oder ein Produkt solcher Wurzelsysteme), so folgt diese Vermutung aus 14.17(1). Enthält R_Λ keine Komponenten vom Typ E_6, E_7, E_8, F_4 oder G_2, so wird (2) in [Barbasch/Vogan 1] bewiesen, in den übrigen Fällen in [Barbasch/Vogan 2]. Zum Teil werden ihre Ergebnisse in [Lusztig 5], ch. 5 neu bewiesen.

Zerlegen wir $B_\Lambda=S_1\cup S_2\cup\ldots\cup S_r$ in Zusammenhangskomponenten und entsprechend W_Λ in das direkte Produkt der W_S. Die irreduziblen Darstellungen von W_Λ sind Tensorprodukte irreduzibler Darstellungen der W_{S_i}, ein solches Tensorprodukt ist genau dann speziell, wenn alle Faktoren es sind (vgl. [Lusztig 2], vor 2.3). Nach den Feststellungen am Ende von 16.4 ist nun klar, daß man sich beim Beweis von (2) auf den Fall $\Lambda=P(R)$ mit unzerlegbarem R beschränken kann, sobald man die Annahme macht, daß 16.3(1), (2) gelten. (In ihrer ersten Arbeit kommen Barbasch und Vogan ohne diese Annahme aus.)

16.7 Es sei W_n die Weylgruppe vom Typ B_n oder C_n. Wir können W_n mit der Gruppe aller Permutationen von $\{1,-1,2,-2,\ldots,n,-n\}$ mit $w(-i)=-w(i)$ für alle i identifizieren. In den Notationen von [Bourbaki 3], ch. VI, §4, n° 5 gilt dann $w(\varepsilon_i)=\varepsilon_{w(i)}$, wobei wir stets $\varepsilon_{-j}=-\varepsilon_j$ setzen. Die $w\in W_n$ mit $w(i)\in\{i,-i\}$ für alle i bilden einen Normalteiler Z_n von W_n der Ordnung 2^n, die $w\in W_n$ mit $w(i)>0$ für $1\leqslant i\leqslant n$ eine Untergruppe $\tilde{S}_n$, die zur symmetrischen Gruppe S_n isomorph ist; es ist W_n das semi-direkte Produkt von Z_n und $\tilde{S}_n$.

Es sei $r\in\mathbf{N}$ mit $r\leqslant n$. Wir können $W_r\times W_{n-r}$ als Untergruppe in W_n einbetten, indem wir den ersten (bzw. zweiten) Faktor als Permutationsgruppe von $\{1,-1,2,-2,\ldots,r,-r\}$ (bzw. $\{r+1,-(r+1),\ldots,n,-n\}$) auffassen. Es seien nun π eine Partition von r und π' eine von $n-r$. Zu ihnen gehören (vgl. 14.16) irreduzible Darstellungen $\sigma(\pi)$ von $\tilde{S}_r\simeq S_r$ und $\sigma(\pi')$ von $\tilde{S}_{n-r}\simeq S_{n-r}$. Wir setzen sie zu irreduziblen Darstellungen $\sigma(\pi)$ von W_r und $\sigma'(\pi')$ von W_{n-r} fort, indem wir Z_r trivial operieren lassen und einem $w\in Z_{n-r}$ die Multiplikation mit $(-1)^{\#\{r<i\leqslant n\,|\,w(i)<0\}}$ zuordnen. Nun ist

(1) $\sigma(\pi,\pi')=\mathrm{ind}^{W_n}_{W_r\times W_{n-r}}(\sigma(\pi)\otimes\sigma'(\pi'))$

eine irreduzible Darstellung von W_n. (Man vgl. dazu [Mayer 1] oder [Kerber], 5.20).

Läßt man r die Zahlen von 0 bis n und π bzw. π' jeweils alle Partitionen von r bzw. $n-r$ durchlaufen, so erhält man alle einfachen $k[W_n]$-Moduln bis auf Isomorphie genau einmal als $\sigma(\pi, \pi')$. Es ist zum Beispiel $\sigma((n), \emptyset)$ die triviale eindimensionale Darstellung und $\sigma(\emptyset, (1^n))$ die Darstellung $w \mapsto \det(w)$.

16.8 Es sei $\tilde{W}_n$ die Weylgruppe vom Typ D_n. Wir identifizieren $\tilde{W}_n$ mit der Menge der $w \in W_n$, für die $\#\{1 \leqslant i \leqslant n \mid w(i) < 0\}$ gerade ist, also mit einem Normalteiler vom Index 2 in W_n (vgl. [Bourbaki 3], ch. VI, § 4, n° 8). Für alle (π, π') wie in 16.7 sei $\tilde{\sigma}(\pi, \pi')$ die Einschränkung von $\sigma(\pi, \pi')$ auf $\tilde{W}_n$. Für $\pi \neq \pi'$ ist $\tilde{\sigma}(\pi, \pi')$ irreduzibel, und es gilt

(1) $$\tilde{\sigma}(\pi, \pi') \simeq \tilde{\sigma}(\pi', \pi).$$

Für $\pi = \pi'$ dagegen ist $\sigma(\pi, \pi)$ direkte Summe zweier irreduzibler Darstellungen

$$\tilde{\sigma}(\pi, \pi) \simeq \tilde{\sigma}_1(\pi, \pi) \oplus \tilde{\sigma}_2(\pi, \pi).$$

Außer den oben erwähnten Isomorphismen $\tilde{\sigma}(\pi, \pi') \simeq \sigma(\pi', \pi)$ gibt es keine weiteren Isomorphismen zwischen den oben angegebenen einfachen $k[\tilde{W}_n]$-Moduln; man erhält so jede irreduzible Darstellung von $\tilde{W}_n$ bis auf Isomorphie. (Man vgl. [Mayer 2].)

16.9 Für unsere Zwecke ist eine andere Parametrisierung der irreduziblen Charaktere von W_n und $\tilde{W}_n$ nützlich. Dazu betrachten wir Paare $(X = \{x_1 < x_2 < \ldots < x_{m+1}\}, Y = \{y_1 < y_2 < \ldots < y_m\})$ von Teilmengen von $\mathbf{N}$ mit $\sum_{i=1}^{m+1} x_i + \sum_{i=1}^{m} y_i = n + m^2$ und bilden die kleinste Äquivalenzrelation, für die stets

$$(\{x_1 < x_2 < \ldots < x_{m+1}\}, \{y_1 < y_2 < \ldots < y_m\}) \sim$$
$$(\{0 < x_1 + 1 < x_2 + 1 < \ldots < x_{m+1} + 1\}, \{0 < y_1 + 1 < y_2 + 1 < \ldots < y_m + 1\})$$

gilt. Die Äquivalenzklassen solcher Paare nennen wir die *Symbole von Typ* C_n.

Einem Paar $(X = \{x_1 < x_2 < \ldots < x_{m+1}\}, Y = \{y_1 < y_2 < \ldots < y_m\})$ wie oben ordnen wir durch

$$p(X, Y) = ((x_1 \leqslant x_2 - 1 \leqslant \ldots \leqslant x_{m+1} - m), (y_1 \leqslant y_2 - 1 \leqslant \ldots \leqslant y_m - (m-1)))$$

ein Paar von Partitionen mit

$$\sum_{i=1}^{m+1} (x_i - i + 1) + \sum_{j=1}^{m} (y_j - j + 1) = n + m^2 - \frac{m(m+1)}{2} - \frac{m(m-1)}{2} = n$$

zu. Äquivalente Paare ergeben dasselbe Paar von Partitionen, da wir hier Nullen fortlassen können. Also ist jedem Symbol vom Typ C_n ein Paar von Partitionen wie in 16.6 zugeordnet worden und damit auch eine irreduzible Darstellung von W_n. Wir schreiben auch $\sigma(X, Y)$ für $\sigma(p(X, Y))$.

Man kann umgekehrt jedem Paar $(\pi=(a_1 \leqslant a_2 \leqslant \ldots \leqslant a_{m'}),\ \pi'=(b_1 \leqslant b_2 \leqslant \ldots \leqslant b_m))$ von Partitionen mit $\sum_{i=1}^{m'} a_i + \sum_{j=1}^{m} b_j = m$ ein Symbol $Sy(\pi, \pi')$ zuordnen. Wir können notfalls einige Nullen hinzufügen und daher annehmen, daß $m'=m+1$ ist. Dann sei $Sy(\pi, \pi')$ die Äquivalenzklasse von

$$(\{a_1 < a_2+1 < \ldots < a_{m+1}+m\}, \{b_1 < b_2+1 < \ldots < b_m+m-1\}).$$

Offensichtlich sind die Abbildungen Sy und p zueinander inverse Bijektionen.

Wir nennen ein Symbol vom Typ C_n *speziell*, wenn für einen (und damit für jeden) Repräsentanten (X, Y) mit $X=\{x_1 < x_2 < \ldots < x_{m+1}\}$ und $Y=\{y_1 < y_2 < \ldots < y_m\}$ dieses Symbols gilt:

$$x_1 \leqslant y_1 \leqslant x_2 \leqslant y_2 \leqslant \ldots \leqslant y_m \leqslant x_{m+1}.$$

Nach [Lusztig 2], 5.1 ist dies dazu äquivalent, daß $\sigma(X, Y)$ speziell ist.

16.10 Im Fall von $\tilde{W}_n$ betrachten wir Paare (X, Y) von Teilmengen von $\mathbf{N}$ der Gestalt $X=\{x_1 < x_2 < \ldots < x_m\}$ und $Y=\{y_1 < y_2 < \ldots < y_m\}$ mit $\sum_{i=1}^{m} (x_i + y_i) = n + m(m-1)$. Wir betrachten auf der Menge solcher Paare die kleinste Äquivalenzrelation, für die stets $(X, Y) \sim (Y, X)$ und

$$\begin{aligned} &(\{x_1 < x_2 < \ldots < x_m\}, \{y_1 < y_2 < \ldots < y_m\}) \\ &\sim (\{0 < x_1+1 < x_2+1 < \ldots < x_m+1\}, \{0 < y_1+1 < y_2+1 < \ldots < y_m+1\}) \end{aligned}$$

gilt. Die Äquivalenzklassen heißen dann die *Symbole vom Typ D_n*. Ein Symbol heißt symmetrisch, wenn es einen Repräsentanten der Form (X, X) hat.

Jedem Paar (X, Y) wie oben kann man ein Paar $p(X, Y)$ von Partitionen durch

$$p(X, Y) = ((x_1 \leqslant x_2 - 1 \leqslant \ldots \leqslant x_m - m + 1), (y_1 \leqslant y_2 - 1 \leqslant \ldots \leqslant y_m - m + 1))$$

zuordnen. Bis auf die Reihenfolge der beiden Partitionen hängt $p(X, Y)$ nur vom Symbol zu (X, Y) ab; also ist $\tilde{\sigma}(X, Y) = \tilde{\sigma}(p(X, Y))$ nach 16.8(1) durch das Symbol wohlbestimmt. Ist das Symbol symmetrisch, so ist $\tilde{\sigma}(X, Y)$ direkte Summe zweier irreduzibler Darstellungen $\tilde{\sigma}_1(X, Y)$ und $\tilde{\sigma}_2(X, Y)$; sonst ist $\tilde{\sigma}(X, Y)$ irreduzibel.

Wie in 16.9 kann man auch jedem Paar (π, π') von Partitionen ein Symbol $Sy(\pi, \pi')$ vom Typ D_n zuordnen, so daß $Sy(\pi, \pi') = Sy(\pi', \pi)$ gilt, so daß $Sy(\pi, \pi')$ genau dann symmetrisch ist, wenn $\pi = \pi'$ gilt, und so daß $\tilde{\sigma}(Sy(\pi, \pi')) = \tilde{\sigma}(\pi, \pi')$ ist.

Wir nennen ein Symbol *speziell*, wenn für einen (also jeden) Repräsentanten $(X=\{x_1<x_2<\ldots<x_m\},\quad Y=\{y_1<y_2<\ldots<y_m\})$ gilt: Es ist $x_1\leqslant y_1\leqslant x_2\leqslant y_2\leqslant\ldots\leqslant x_m\leqslant y_m$ oder

$$y_1\leqslant x_1\leqslant y_2\leqslant x_2\leqslant\ldots\leqslant y_m\leqslant x_m.$$

Offensichtlich ist jedes symmetrische Symbol speziell. Nach [Lusztig 2], 5.2 ist $\tilde{\sigma}(X, Y)$ für $X\neq Y$ genau dann speziell, wenn das Symbol zu (X, Y) es ist. Für $X=Y$ sind $\tilde{\sigma}_1(X, X)$ und $\tilde{\sigma}_2(X, X)$ beide speziell.

16.11 Wir nennen zwei Symbole vom Typ C_n bzw. D_n *ähnlich*, wenn für Repräsentanten (X, Y) und (X', Y') mit $\# X=\# X'=\# Y+1=\# Y'+1$ bzw. $\# X=\# X'=\# Y=\# Y'$ gilt:

$$X\cup Y=X'\cup Y' \quad \text{und} \quad X\cap Y=X'\cap Y'.$$

Wir schreiben dafür auch $(X, Y)\approx(X', Y')$. Im Fall D_n ist ein symmetrisches Symbol offensichtlich nur zu sich selbst ähnlich. In beiden Fällen ist jedes Symbol zu genau einem speziellen Symbol ähnlich.

In 14.15(8) haben wir eine Äquivalenzrelation $\sim$ in $\hat{W}_\Lambda$ betrachtet. Wählen wir $\mathfrak{g}$ und Λ so, daß R_Λ vom Typ C_n bzw. D_n ist, so können wir $\sim$ auf $\hat{W}_n$ bzw. $\hat{\tilde{W}}_n$ übertragen; nach der Bemerkung am Schluß von 16.4 ist das Resultat unabhängig von der speziellen Wahl von $\mathfrak{g}$ und Λ.

Nach [Barbasch/Vogan 1], Theorem 18 gilt für zwei Symbole vom Typ C_n mit Repräsentanten (X, Y) und (X', Y')

$$(1) \qquad (X, Y)\approx(X', Y') \Leftrightarrow \sigma(X, Y)\sim\sigma(X', Y').$$

Repräsentieren (X, Y) und (X', Y') Symbole vom Typ D_n, so gilt, falls beide nicht symmetrisch sind:

$$(2) \qquad (X, Y)\approx(X', Y') \Leftrightarrow \tilde{\sigma}(X, Y)\sim\tilde{\sigma}(X', Y').$$

Gilt hier dagegen $X=Y$, so bilden $\tilde{\sigma}_1(X, Y)$ und $\tilde{\sigma}_2(X, X)$ jeweils eine Äquivalenzklasse in $\tilde{W}_n$ aus einem einzigen Element.

16.12 Für alle $i\in\{1, 2, \ldots, n\}$ setzen wir $i^+=i$ und $(-i)^+=2n+1-i$. Mit den Konventionen wie zu Anfang von 16.7 ist $\varepsilon_i-\varepsilon_j$ für $i,j\in\{1, -1, 2, -2, \ldots, n, -n\}$ und $j\neq\pm i$ genau dann eine positive Wurzel, wenn $i^+<j^+$ gilt. Wir ordnen nun jedem $w\in W_n$ ein Paar $(A(w), B(w))$ von Standard-Tableaus zu, indem wir die Konstruktion von Robinson und Schensted (vgl. 5.23) auf die Folge

$$w^{-1}(1)^+, w^{-1}(2)^+, \ldots, w^{-1}(n)^+, w^{-1}(-n)^+, \ldots, w^{-1}(-2)^+, w^{-1}(-1)^+$$

anwenden. Welche Standard-Tableaus man so erhält, wird (mit etwas veränderten Konventionen) in [Barbasch/Vogan 1], Proposition 17 beschrieben. Wir wollen hier nur die möglichen Typ $A(w)$ für $w\in W_n$ angeben.

Dazu betrachten wir die Symbole vom Typ C_n und wählen für jedes einen Repräsentanten (X, Y). Ist $X=\{x_1<x_2<\ldots<x_{m+1}\}$ und $Y=\{y_1<y_2<\ldots<y_m\}$, so schreiben wir die Menge $\{2x_1, 2x_2, \ldots, 2x_{m+1}, 2y_1+1, 2y_2+1, \ldots, 2y_m+1\}$ in der natürlichen Anordnung $\{z_1<z_2<\ldots<z_{2m+1}\}$ und setzen dann $\pi(X, Y)=(z_1\leqslant z_2-1\leqslant\ldots\leqslant z_{2m+1}-2m)$. Dies ist dann eine Partition von $2n$, wie man leicht nachrechnet, und die möglichen Typ $A(w)$ mit $w\in W_n$ sind gerade die $\pi(X, Y)$. Es ist einfach einzusehen, daß $\pi(X, Y)$ das Symbol zu (X, Y) eindeutig festlegt. Daher können wir jedem $w\in W_n$ ein Symbol $Sy(w)$ zuordnen, so daß $\pi(Sy(w'))=\text{Typ}A(w)$ gilt.

Wir können jedes $w\in \tilde{W}_n$ auch als Element von W_n auffassen und haben ihm oben deshalb ein Symbol $Sy(w)$ vom Typ C_n zugeordnet. Es sei (X, Y) mit $X=\{x_1<x_2<\ldots<x_{m+1}\}$ und $Y=\{y_1<y_2<\ldots<y_m\}$ ein Repräsentant von $Sy(w)$. Wir können und wollen annehmen, daß $x_1=0$ ist. Dann ist (X', Y) mit $X'=\{x_2-1<x_3-1<\ldots<x_{m+1}-1\}$ Repräsentant eines Symbols vom Typ D_n, das wir mit $\tilde{S}y(w)$ bezeichnen.

16.13 Es sei $\Lambda\in\mathfrak{h}^*/P(R)$, so daß R_Λ vom Typ B_n oder C_n ist. Wir identifizieren W_Λ mit W_n wie in 16.7. Nach [Barbasch/Vogan 1], Theorem 18 und 30 gilt nun:

(1) *Für $w_1, w_2\in W_n$ mit $A(w_1)=A(w_2)$ ist $w_1 \underset{L}{\sim} w_2$.*

(2) *Für alle $w\in W_n$ gibt es ein $w'\in W_n$ mit $w\underset{L}{\sim} w'$, so daß $Sy(w')$ das zu $Sy(w)$ ähnliche spezielle Symbol ist.*

(3) *Für $w_1, w_2\in W_n$ ist $w_1 \underset{LR}{\sim} w_2$ zur Ähnlichkeit von $Sy(w_1)$ und $Sy(w_2)$ äquivalent.*

16.14 Es sei $\Lambda\in\mathfrak{h}^*/P(R)$, so daß R_Λ vom Typ D_n ist. Wir identifizieren W_Λ mit $\tilde{W}_n$ wie in 16.8. Nach [Barbasch/Vogan 1], Theorem 18 und 30 gilt:

(1) *Für $w_1, w_2\in \tilde{W}_n$ mit $A(w_1)=A(w_2)$ ist $w_1 \underset{L}{\sim} w_2$.*

(2) *Für alle $w\in \tilde{W}_n$ gibt es ein $w'\in \tilde{W}_n$ mit $w\underset{L}{\sim} w'$, so daß $\tilde{S}y(w')$ das zu $\tilde{S}y(w)$ ähnliche spezielle Symbol ist.*

(3) *Es seien $w_1, w_2\in \tilde{W}_n$. Ist $Sy(w_1)$ nicht symmetrisch, so ist $w_1 \underset{LR}{\sim} w_2$ zur Ähnlichkeit von $\tilde{S}y(w_1)$ und $\tilde{S}y(w_2)$ äquivalent. Ist $\tilde{S}y(w_1)$ symmetrisch, so bilden die $w\in \tilde{W}_n$ mit $\tilde{S}y(w_1)=\tilde{S}y(w)$ zwei Äquivalenzklassen für $\underset{LR}{\sim}$.*

16.15 In der Situation von 16.13 oder 16.14 seien $\lambda\in\Lambda^{++}$ und $w\in W_\Lambda$. Dann ist $\sigma(w)$ das $\sigma(Z)$ oder $\tilde{\sigma}(Z)$, wobei Z das zu $Sy(w)$ ähnliche spezielle Symbol ist. (Ist Z symmetrisch, so ist $\sigma(w)$ eines der $\tilde{\sigma}_i(Z)$ mit $i=1, 2$.) Nun kennt man die P_σ explizit, also auch die $m(\sigma(I))$ von 14.13 und somit

$\operatorname{grad} p_w^\Lambda = \# R^+ - d(w)$. Daraus erhalten wir $d(w)$ und haben damit $d(U(\mathfrak{g})/I(w \cdot \lambda))$ bestimmt.

Für $\lambda \in P(R)^{++}$ und $\mathfrak{g}$ vom Typ B_n, C_n oder D_n wollen wir noch eine andere Beschreibung von $d(U(\mathfrak{g})/I)$ für $I \in \mathscr{X}_\lambda$ angeben. Dazu wollen wir annehmen, daß k algebraisch abgeschlossen ist. Nun hat Springer jedem nilpotenten $x \in \mathfrak{g}$ eine irreduzible Darstellung $\sigma(x, 1)$ von W zugeordnet (vgl. [Springer 3], 4.9), die nur von der Bahn Gx von x unter der adjungierten Gruppe von $\mathfrak{g}$ abhängt. Alle speziellen Darstellungen von W haben die Form $\sigma(x, 1)$. Daher gibt es ein solches x mit $\sigma(x, 1) = \sigma(I)$. Nach [Barbasch/Vogan 1], Theorem 18 und 2 gilt nun

(1) $$d(U(\mathfrak{g})/I) = \dim \overline{Gx}.$$

Kapitel 17. Assoziierte Varietäten

Wir wollen annehmen, daß k algebraisch abgeschlossen ist. (Im eigentlichen Text geschieht dies erst ab 17.9.) Jedem endlich erzeugbaren $\mathfrak{g}$-Modul M wird nun eine Varietät $\mathscr{V}M$ zugeordnet. Diese ist als (Zariski-)abgeschlossener Kegel in $\mathfrak{g}^*$ eingebettet; im allgemeinen identifizieren wir jedoch $\mathfrak{g}^*$ und $\mathfrak{g}$ mit Hilfe der Killing-Form und betrachten $\mathscr{V}M$ als Teilmenge von $\mathfrak{g}$.

Nach einigen allgemeinen Aussagen über $\mathscr{V}M$ (bei denen wir $\mathfrak{g}$ noch durch eine beliebige Lie-Algebra $\mathfrak{s}$ ersetzen können) betrachten wir die assoziierte Varietät $\mathscr{V}(U(\mathfrak{g})/I)$ eines primitiven Ideals I von $U(\mathfrak{g})$. Diese ist in der Menge der nilpotenten Elemente enthalten. Ein zentrales Problem ist in diesem Zusammenhang, ob $\mathscr{V}(U(\mathfrak{g})/I)$ irreduzibel ist. Da $\mathscr{V}(U(\mathfrak{g})/I)$ stabil unter der Operation der adjungierten Gruppe G ist und da es nur endlich viele Bahnen nilpotenter Elemente unter G gibt, ist $\mathscr{V}(U(\mathfrak{g})/I)$ genau dann irreduzibel, wenn es ein nilpotentes $x \in \mathfrak{g}$ mit $\mathscr{V}(U(\mathfrak{g})/I) = \overline{Gx}$ gibt. Ist $I \in \mathscr{X}_\lambda$ mit $\lambda \in P(R)^{++}$, so sollte die Darstellung $\sigma(I)$ von W der Bahn Gx unter einer Konstruktion von Springer entsprechen. Für $\mathfrak{g} = \mathfrak{sl}_n(k)$ sind diese Vermutungen bewiesen. Bei diesem Punkt und bei verwandten Resultaten beschränken wir uns hier auf einen Ergebnisbericht im engeren Sinn. Zum Schluß diskutieren wir die Möglichkeit, den Bahnen von G in $\mathfrak{g}$ mit Hilfe einer Dixmier-Abbildung primitive Ideale in $U(\mathfrak{g})$ zuzuordnen.

17.1 Es sei $\mathfrak{s}$ eine Lie-Algebra, die in den folgenden Abschnitten festgehalten werden soll. Wir wollen Filtrierungen $M_0 \subset M_1 \subset M_2 \subset \ldots$ von $\mathfrak{s}$-Moduln M betrachten; für diese soll stets gelten:

(a) $\dim M_n < \infty$ für alle $n \in \mathbf{N}$.

(b) $\bigcup_{n \geq 0} M_n = M$,

(c) $U_r(\mathfrak{s}) M_n \subset M_{n+r}$ für alle $r, n \in \mathbf{N}$.

Wir setzen stets $M_{-n} = 0$ für alle $n > 0$. Wegen (c) ist $\operatorname{gr} M = \bigoplus_{n \geq 0} (M_n / M_{n-1})$ in natürlicher Weise ein Modul über $\operatorname{gr} U(\mathfrak{s}) \simeq S(\mathfrak{s})$.

Ist M ein endlich erzeugbarer $U(\mathfrak{s})$-Modul, so kann man einen endlich dimensionalen Teilraum V von M mit $U(\mathfrak{s}) V = M$ wählen. Setzt man nun $M_r = U_r(\mathfrak{s}) V$ für alle $r \in \mathbf{N}$, so erhält man eine Filtrierung wie oben. Wir nennen eine so konstruierte Filtrierung eine *Standard-Filtrierung* von M.

Zwei Filtrierungen $M_0 \subset M_1 \subset M_2 \subset \ldots$ und $M'_0 \subset M'_1 \subset M'_2 \subset \ldots$ desselben Moduls mögen *äquivalent* heißen, wenn es ein $r \in \mathbf{N}$ mit $M_n \subset M'_{n+r}$ und $M'_n \subset M_{n+r}$ für alle $n \in \mathbf{N}$ gibt.

Der Beweis von Lemma 8.2 zeigt (vgl. [Bernštein], Lemma 1.2):

(1) *Je zwei Standard-Filtrierungen von M sind äquivalent.*

Wir nennen eine Filtrierung von M *gut,* wenn $\operatorname{gr} M$ ein endlich erzeugbarer $S(\mathfrak{g})$-Modul ist. Offensichtlich ist jede Standard-Filtrierung gut. In 8.5 wird mit anderen Worten gezeigt:

(2) *Besitzt M eine gute Filtrierung, so ist M endlich erzeugbar über $U(\mathfrak{g})$.*

(3) *Jede gute Filtrierung von M ist zu jeder Standard-Filtrierung von M äquivalent.*

Es sei $M_0 \subset M_1 \subset M_2 \subset \ldots$ eine gute Filtrierung von M. Für jeden Untermodul M' von M gilt nun, wie der Beweis von Lemma 8.6 zeigt (vgl. [Bernštein], Prop. 1.3):

(4) *Die $M_i \cap M'$ bilden eine gute Filtrierung von M'.*

Offensichtlich dagegen ist:

(5) *Die $(M_i + M')/M'$ bilden eine gute Filtrierung von M/M'.*

Bemerkung. Man kann hier und in den folgenden Abschnitten oft $U(\mathfrak{g})$ durch eine filtrierte Algebra $A = \bigcup_{n \geqslant 0} A_n$ mit $1 \in A_0 \subset A_1 \subset A_2 \subset \ldots$ ersetzen, für die $\operatorname{gr} A$ eine kommutative, nullteilerfreie, endlich erzeugbare k-Algebra ist (vgl. [Bernštein]).

17.2 Ist $M_0 \subset M_1 \subset M_2 \subset \ldots$ eine Filtrierung eines $U(\mathfrak{g})$-Moduls M wie in 17.1, so ist $\operatorname{gr} M$ ein graduierter $S(\mathfrak{g})$-Modul, also sind $\operatorname{Ann}_{S(\mathfrak{g})} \operatorname{gr} M$ und $\sqrt{\operatorname{Ann}_{S(\mathfrak{g})} \operatorname{gr} M}$ graduierte Ideale in $S(\mathfrak{g})$. Für ein $u \in U_m(\mathfrak{g})$ gilt

(1) $u + U_{m-1}(\mathfrak{g}) \in \operatorname{Ann}_{S(\mathfrak{g})} \operatorname{gr} M \Leftrightarrow u M_n \subset M_{n+m-1}$ *für alle* $n \in \mathbf{N}$,

also auch

(2) $u + U_{m-1}(\mathfrak{g}) \in \sqrt{\operatorname{Ann}_{S(\mathfrak{g})} \operatorname{gr} M} \Leftrightarrow$ *Es gibt* $q \in \mathbf{N}$ *mit* $u^q M_n \subset M_{n+qm-1}$ *für alle* $n \in \mathbf{N}$.

Es seien nun $M_0 \subset M_1 \subset M_2 \subset \ldots$ und $M'_0 \subset M'_1 \subset M'_2 \subset \ldots$ zwei Filtrierungen desselben $U(\mathfrak{g})$-Moduls M. Die assoziierten graduierten $S(\mathfrak{g})$-Moduln mögen mit $\operatorname{gr} M$ und $\operatorname{gr}' M$ bezeichnet werden. Dann gilt:

(3) *Sind die beiden Filtrierungen von M äquivalent, so ist* $\sqrt{\operatorname{Ann}_{S(\mathfrak{g})} \operatorname{gr} M} = \sqrt{\operatorname{Ann}_{S(\mathfrak{g})} \operatorname{gr}' M}$.

Nach Voraussetzungen gibt es ein $r \in \mathbf{N}$ mit $M_n \subset M'_{n+r}$ und $M'_n \subset M_{n+r}$ für alle $n \in \mathbf{N}$. Zum Beweis von (3) reicht es homogene Elemente von $S(\mathfrak{g})$ zu betrachten, da beide Seiten graduierte Ideale sind. Es sei also $u \in U_m(\mathfrak{s})$ mit $u + U_{m-1}(\mathfrak{s}) \in \sqrt{\operatorname{Ann}_{S(\mathfrak{s})} \operatorname{gr} M}$. Nach (2) gibt es ein $q \in \mathbf{N}$ mit $u^q M_n \subset M_{n+qm-1}$ für alle $n \in \mathbf{N}$. Nun folgt

$$u^{(2r+1)q} M'_n \subset u^{(2r+1)q} M_{n+r} \subset M_{n+r+(2r+1)qm-(2r+1)}$$
$$= M_{n+(2r+1)qm-(r+1)} \subset M'_{n+(2r+1)qm-1}.$$

Aus (2) folgt nun $u + U_{m-1}(\mathfrak{s}) \in \operatorname{Ann}_{S(\mathfrak{s})} \operatorname{gr}' M$. Damit ist eine Inklusion in (3) bewiesen; da die Voraussetzungen symmetrisch in $\operatorname{gr} M$ und $\operatorname{gr}' M$ sind, erhalten wir auch die andere Inklusion.

Nach (3) ist klar, daß wir jedem endlich erzeugbaren $U(\mathfrak{s})$-Modul M durch

(4) $\qquad J(M) = \sqrt{\operatorname{Ann}_{S(\mathfrak{s})} \operatorname{gr} M}$

ein wohlbestimmtes graduiertes Ideal $J(M)$ in $S(\mathfrak{s})$ zuordnen können, wenn wir $\operatorname{gr} M$ relativ einer guten Filtrierung (zum Beispiel einer Standard-Filtrierung) von M bilden (vgl. [Bernštein], Def. 1.6.2). Wenn nicht klar ist, über welcher Lie-Algebra wir M als Modul betrachten, schreiben wir auch $J_{\mathfrak{s}}(M)$ statt $J(M)$.

17.3 Es sei M ein endlich erzeugbarer $U(\mathfrak{s})$-Modul. Ist $\mathfrak{b}$ eine Unteralgebra von $\mathfrak{s}$, so daß M für $\mathfrak{b}$ lokal endlich ist, so gilt

(1) $\qquad J(M) \supset S^+(\mathfrak{b}) = \bigoplus_{n>0} S^n(\mathfrak{b}).$

(Wir können eine Standard-Filtrierung von M wählen; es wird $\operatorname{gr} M$ dann über $S(\mathfrak{s})$ von M_0/M_{-1} erzeugt. Für alle $x \in \mathfrak{b}$ gibt es ein $n \in \mathbf{N}$ mit $x^n M_0 = 0$ in M, also $x^n M_0/M_{-1} = 0$ in $\operatorname{gr} M$ und somit $x^n \operatorname{gr} M = x^n S(\mathfrak{s})(M_0/M_{-1}) = S(\mathfrak{s}) x^n (M_0/M_{-1}) = 0$, also $x^n \in \operatorname{Ann}_{S(\mathfrak{s})} \operatorname{gr} M$ und $x \in J(M)$.)

Für ein endlich dimensionales $M \neq 0$ gilt insbesondere $J(M) = S^+(\mathfrak{s})$.

Für eine exakte Sequenz $0 \to M' \to M \to M'' \to 0$ endlich erzeugbarer $U(\mathfrak{s})$-Moduln gilt (vgl. [Bernštein], Lemma 1.5)

(2) $\qquad J(M) = J(M') \cap J(M'').$

Zum Beweis von (2) sei $M_0 \subset M_1 \subset M_2 \subset \ldots$ eine gute Filtrierung von M. Nach 17.1(4), (5) bilden die $M_i \cap M'$ bzw. die $(M_i + M')/M'$ gute Filtrierungen von M' bzw. $M/M' \simeq M''$. Ist $u \in U_m(\mathfrak{s})$ und gilt $u^q M_n \subset M_{n+qm-1}$ für alle $n \in \mathbf{N}$, so folgt $u^q(M_n \cap M') \subset M_{n+qm-1} \cap M'$ und $u^q(M_n + M')/M' \subset (M_{n+qm-q} + M')/M'$ für alle $n \in \mathbf{N}$. Dies zeigt $J(M) \subset J(M') \cap J(M'')$. Gibt es andererseits zu $u \in U_m(\mathfrak{s})$ Zahlen $q, q' \in \mathbf{N}$ mit $u^q(M_n + M')/M' \subset (M_{n+qm-1} + M')/M'$ und $u^{q'}(M_n \cap M') \subset M_{n+q'm-1} \cap M'$ für alle $n \in \mathbf{N}$, so folgt

$$u^q M_n \subset (M_{n+qm-1} + M') \cap M_{n+qm} = M_{n+qm-1} + (M_{n+qm} \cap M')$$

und damit

$$u^{q+q'} M_n \subset u^{q'} M_{n+qm-1} + u^{q'} (M_{n+qm} \cap M')$$
$$\subset M_{n+(q+q')m-1} + (M_{n+qm+q'm-1} \cap M') = M_{n+(q+q')m-1}.$$

Daraus folgt $J(M') \cap J(M'') \subset J(M)$.

17.4 Für alle endlich erzeugbaren $U(\mathfrak{s})$-Moduln M und alle endlich dimensionalen $U(\mathfrak{s})$-Moduln E gilt (vgl. [Joseph 22], 6.3.3 (iii), [Borho/Brylinski 1], 4.1):

(1) $\qquad J(M \otimes E) = J(M)$.

Ist nämlich $M_0 \subset M_1 \subset M_2 \subset \ldots$ eine gute Filtrierung von M, so ist $M_0 \otimes E \subset M_1 \otimes E \subset M_2 \otimes E \subset \ldots$ eine von $M \otimes E$ mit $\operatorname{gr}(M \otimes E) \simeq (\operatorname{gr} M) \otimes E$, wobei $S(\mathfrak{s})$ nur auf dem ersten Faktor operiert. Es ist daher $\operatorname{gr}(M \otimes E)$ zu einer direkten Summe von $\dim E$ Kopien von $\operatorname{gr} M$ isomorph, hat also denselben Annullator in $S(\mathfrak{s})$ wie $\operatorname{gr} M$.

17.5 Es seien $\mathfrak{b}$ eine Unteralgebra von $\mathfrak{s}$ und N ein endlich erzeugbarer $U(\mathfrak{b})$-Modul. Für den davon induzierten $U(\mathfrak{s})$-Modul gilt dann (vgl. [Borho/Brylinski 1], 4.2)

(1) $\qquad J_{\mathfrak{s}}(U(\mathfrak{s}) \underset{U(\mathfrak{b})}{\otimes} N) = S(\mathfrak{s}) J_{\mathfrak{b}}(N)$.

Wir setzen zur Abkürzung $M = U(\mathfrak{s}) \underset{U(\mathfrak{b})}{\otimes} N$ und wählen ein Komplement $\mathfrak{c}$ von $\mathfrak{b}$ in $\mathfrak{s}$ als Vektorraum. Wir können dann $S(\mathfrak{s})$ mit $S(\mathfrak{c}) \otimes S(\mathfrak{b})$ identifizieren, wobei $S^n(\mathfrak{s})$ in $\bigoplus_{i=0}^{n} S^{n-i}(\mathfrak{c}) \otimes S^i(\mathfrak{b})$ übergeht. Der Beweis von 8.9 zeigt, daß $\operatorname{gr} M$ zu $S(\mathfrak{c}) \otimes \operatorname{gr} N$, versehen mit der üblichen Graduierung eines Tensorprodukts, isomorph ist und daß dann die Operation von $S(\mathfrak{c}) \otimes S(\mathfrak{b})$ auf $S(\mathfrak{c}) \otimes \operatorname{gr} N$ das Tensorprodukt der üblichen Operationen ist. Daraus folgt

$$\operatorname{Ann}(\operatorname{gr} M) \simeq S(\mathfrak{c}) \otimes \operatorname{Ann}(\operatorname{gr} N),$$

also auch

(2) $\qquad J_{\mathfrak{s}}(M) \simeq S(\mathfrak{c}) \otimes J_{\mathfrak{b}}(N)$

und somit (1).

17.6 Als Linksmodul über sich selbst wird $U(\mathfrak{s})$ von 1 erzeugt. Daher können wir die $U_n(\mathfrak{s})$ auch als Standard-Filtrierung des $U(s)$-Linksmoduls $U(\mathfrak{s})$ auffassen. Für ein Linksideal I von $U(\mathfrak{s})$ bilden nach 17.1 (4), (5) die $(U_n(\mathfrak{s}) + I)/I$ bzw. $I \cap U_n(\mathfrak{s})$ eine gute Filtrierung von $U(\mathfrak{s})/I$ bzw. I. Wir wollen $\operatorname{gr} I$ immer relativ dieser Filtrierung bilden, das heißt, wir setzen stets

$$\text{(1)} \qquad \operatorname{gr} I = \bigoplus_{n \geqslant 0} (I \cap U_n(\mathfrak{s}))/(I \cap U_{n-1}(\mathfrak{s}))$$
$$\simeq \bigoplus_{n \geqslant 0} ((I \cap U_n(\mathfrak{s})) + U_{n-1}(\mathfrak{s}))/U_{n-1}(\mathfrak{s}) \subset S(\mathfrak{s})$$

und interpretieren $\operatorname{gr} I$ so als Ideal von $S(\mathfrak{s})$. Nun zeigen wir

$$\text{(2)} \qquad J(U(\mathfrak{s})/I) = \sqrt{\operatorname{gr} I}\,.$$

Für die oben betrachtete Filtrierung durch die $(U_n(\mathfrak{s})+I)/I$ ist

$$\operatorname{gr} U(\mathfrak{s})/I = \bigoplus_{n \geqslant 0} (U_n(\mathfrak{s})+I)/(U_{n-1}(\mathfrak{s})+I)\,.$$

Als Modul über $S(\mathfrak{s})$ wird $\operatorname{gr} U(\mathfrak{s})/I$ von $1+I \in U_0(\mathfrak{s})+I$ erzeugt; daraus folgt

$$\operatorname{Ann}_{S(\mathfrak{s})} \operatorname{gr} U(\mathfrak{s})/I = \operatorname{Ann}_{S(\mathfrak{s})}(1+I)\,.$$

Ein homogenes Element $u+U_{m-1}(\mathfrak{s}) \in S^m(\mathfrak{s})$ mit $u \in U_m(\mathfrak{s})$ annulliert $1+I$ genau dann, wenn $u+I$ zu $U_{m-1}(\mathfrak{s})+I$ gehört, also für

$$u \in U_m(\mathfrak{s}) \cap (U_{m-1}(\mathfrak{s})+I) = (U_m(\mathfrak{s}) \cap I) + U_{m-1}(\mathfrak{s})\,,$$

das heißt für $u+U_{m-1}(\mathfrak{s}) \in \operatorname{gr} I$. Dies zeigt

$$\operatorname{Ann}_{S(\mathfrak{s})} \operatorname{gr} U(\mathfrak{s})/I = \operatorname{gr} I\,,$$

mithin (2).

17.7 Für einen endlich erzeugbaren $U(\mathfrak{s})$-Modul M gilt offensichtlich (mit $\operatorname{Ann} = \operatorname{Ann}_{U(\mathfrak{s})}$)

$$\operatorname{gr} \operatorname{Ann} M \subset \operatorname{Ann}_{S(\mathfrak{s})} \operatorname{gr} M\,,$$

also auch

$$\text{(1)} \qquad \sqrt{\operatorname{gr} \operatorname{Ann} M} \subset J(M)\,.$$

Für eine exakte Sequenz $0 \to M' \to M \to M'' \to 0$ endlich erzeugbarer $U(\mathfrak{s})$-Moduln sieht man sofort

$$(\operatorname{Ann} M')(\operatorname{Ann} M'') \subset \operatorname{Ann} M \subset (\operatorname{Ann} M') \cap (\operatorname{Ann} M'')$$

also auch

$$(\operatorname{gr} \operatorname{Ann} M')(\operatorname{gr} \operatorname{Ann} M'') \subset \operatorname{gr} \operatorname{Ann} M \subset (\operatorname{gr} \operatorname{Ann} M') \cap (\operatorname{gr} \operatorname{Ann} M'')$$

und somit (vgl. [Joseph 22], 6.3.8 (ii)):

(2) $\sqrt{\operatorname{gr}\operatorname{Ann} M}=\sqrt{\operatorname{gr}\operatorname{Ann} M'}\cap\sqrt{\operatorname{gr}\operatorname{Ann} M''}$.

Es seien M ein endlich erzeugbarer und E ein endlich dimensionaler $U(\mathfrak{s})$-Modul. Die Operation von $U(\mathfrak{s})$ auf $M\otimes E$ ist durch den Homomorphismus von Algebren $U(\mathfrak{s})\to U(\mathfrak{s})\otimes U(\mathfrak{s})$ mit $x\mapsto x\otimes 1+1\otimes x$ für alle $x\in\mathfrak{s}$ gegeben. Daher erhält man einen injektiven Homomorphismus von Algebren

$$U(\mathfrak{s})/(\operatorname{Ann} M\otimes E)\to(U(\mathfrak{s})/\operatorname{Ann} M)\otimes(U(\mathfrak{s})/\operatorname{Ann} E);$$

dies ist auch ein Homomorphismus von Linksmoduln über $U(\mathfrak{s})$. Da $U(\mathfrak{s})/\operatorname{Ann} E$ endlich dimensional ist, folgt nun aus 17.3(2) und 17.4(1):

$$J(U(\mathfrak{s})/(\operatorname{Ann} M\otimes E))\supset J(U(\mathfrak{s})/\operatorname{Ann} M),$$

also nach 17.6(2)

$$\sqrt{\operatorname{gr}\operatorname{Ann} M\otimes E}\supset\sqrt{\operatorname{gr}\operatorname{Ann} M}.$$

Wendet man dies auch noch auf E^* an, so folgt

$$\sqrt{\operatorname{gr}\operatorname{Ann} M\otimes E\otimes E^*}\supset\sqrt{\operatorname{gr}\operatorname{Ann} M\otimes E}.$$

Nun enthält $E\otimes E^*$ den trivialen eindimensionalen $\mathfrak{s}$-Modul, also gibt es einen injektiven Homomorphismus $M\to M\otimes E\otimes E^*$ von $\mathfrak{s}$-Moduln. Aus (2) folgt

$$\sqrt{\operatorname{gr}\operatorname{Ann} M\otimes E\otimes E^*}\subset\sqrt{\operatorname{gr}\operatorname{Ann} M}.$$

Insgesamt zeigt dies (vgl. [Borho/Brylinski 1], Beweis von 4.6)

(3) $\sqrt{\operatorname{gr}\operatorname{Ann} M}=\sqrt{\operatorname{gr}\operatorname{Ann} M\otimes E}$.

17.8 Wir kehren für den Augenblick zu unser halbeinfachen Lie-Algebra $\mathfrak{g}$ zurück. Aus 17.3(2), 17.4(1) und Satz 6.11 folgt für jeden Bimodul X in $\mathscr{H}^{ee}$:

(1) $J(U(\mathfrak{g})/\operatorname{LAnn} X)=J(X)=J(U(\mathfrak{g})/\operatorname{RAnn} X)$,

nach 17.6(2) also auch (vgl. [Joseph 19], 2.2)

(2) $\sqrt{\operatorname{gr}\operatorname{LAnn} X}=\sqrt{\operatorname{gr}\operatorname{RAnn} X}$.

Wir betrachten X in (1) als $U(\mathfrak{g})$-Linksmodul; wir hätten die Theorie natürlich auch für Rechtsmoduln entwickeln können und dann (1) auch dafür aussprechen können. Außerdem gilt (1) auch, wenn wir X als $U(\mathfrak{g}\times\mathfrak{g})$-Modul auffassen.

17.9 Von nun an wollen wir annehmen, daß k algebraisch abgeschlossen ist. Wir werden algebraische Varietäten Z über k betrachten, die stets mit der

Zariski-Topologie versehen sein sollen. Die Algebra der regulären Funktionen auf Z werden wir mit $\mathscr{R}(Z)$ bezeichnen. Für eine Teilmenge A von $\mathscr{R}(Z)$ sei $V(A)\subset Z$ das Nullstellengebilde von A.

Für unsere Lie-Algebra $\mathfrak{s}$ können wir nun $S(\mathfrak{s})$ als Algebra $\mathscr{R}(\mathfrak{s}^*)$ der regulären Funktionen auf dem Dualraum $\mathfrak{s}^*$ auffassen. Jedem endlich erzeugbaren $U(\mathfrak{s})$-Modul können wir durch

(1) $\quad \mathscr{V}M=V(J(M))$

eine affine Varietät zuordnen, die *assoziierte Varietät* von M. Wir schreiben auch $\mathscr{V}_{\mathfrak{s}}M$, wenn unklar sein kann, welche Lie-Algebra wir betrachten. Da $J(M)$ ein graduiertes Ideal in $S(\mathfrak{s})$ ist, muß $\mathscr{V}M$ ein Kegel in $\mathfrak{s}^*$ sein, das heißt: invariant unter der Multiplikation mit k. Insbesondere gilt $0\in\mathscr{V}M$ für $M\neq 0$.

Die Resultate in 17.3 bis 17.6 lassen sich nun so übersetzen: Ist $0\to M'\to M\to M''\to 0$ eine exakte Sequenz endlich erzeugbarer $U(\mathfrak{s})$-Moduln, so gilt (vgl. [Bernštein], Lemma 1.5)

(2) $\quad \mathscr{V}M=\mathscr{V}M'\cup\mathscr{V}M''.$

Sind M ein endlich erzeugbarer und E ein endlich dimensionaler $U(\mathfrak{s})$-Modul, so gilt (vgl. [Joseph 22], 6.3.3(i), [Borho/Brylinski 1], 4.1)

(3) $\quad \mathscr{V}(M\otimes E)=\mathscr{V}M.$

Für ein Linksideal I von $U(\mathfrak{s})$ gilt

(4) $\quad \mathscr{V}(U(\mathfrak{s})/I)=V(\operatorname{gr} I).$

Es sei $\mathfrak{b}$ eine Unteralgebra von $\mathfrak{s}$. Für einen endlich erzeugbaren $U(\mathfrak{s})$-Modul M folgt aus 17.3(1):

(5) *Ist M lokal endlich für $\mathfrak{b}$, so ist $\mathscr{V}M\subset\mathfrak{b}^{\perp}$.*

Bezeichnen wir die kanonische Projektion $\mathfrak{s}^*\to\mathfrak{b}^*$ mit π, so gilt für jeden endlich erzeugbaren $U(\mathfrak{b})$-Modul N (vgl. [Borho/Brylinski 1], 4.2)

(6) $\quad \mathscr{V}_{\mathfrak{s}}(U(\mathfrak{s})\underset{U(\mathfrak{b})}{\otimes}N)=\pi^{-1}(\mathscr{V}_{\mathfrak{b}}N)\simeq\mathscr{V}_{\mathfrak{b}}N\times\mathfrak{b}^{\perp}.$

Dabei ist der Isomorphismus durch die Wahl eines Komplements $\mathfrak{c}$ von $\mathfrak{b}$ in $\mathfrak{s}$ als Vektorraum gegeben; danach gilt $\mathfrak{s}^*=\mathfrak{c}^{\perp}\oplus\mathfrak{b}^{\perp}$, und π induziert einen Isomorphismus von $\mathfrak{c}^{\perp}$ auf $\mathfrak{b}^*$.

17.10 Für alle endlich erzeugbaren $U(\mathfrak{s})$-Moduln M gilt (vgl. [Bernštein], Thm. 3.1):

(1) $\quad d(M)=\dim\mathscr{V}M.$

Um dies einzusehen, kann man sich nach 17.9(2) und 8.6 auf ein M von der Form $U(\mathfrak{s})/I$ für ein Linksideal I von $U(\mathfrak{s})$ beschränken. Nach Definition von $d(M)$ wird die Funktion $n \mapsto \dim U_n(\mathfrak{s})(1+I) = \dim U_n(\mathfrak{s})/(U_n(\mathfrak{s}) \cap I)$ für große n durch ein Polynom vom Grad $d(M)$ beschrieben. Nun gilt

$$\dim U_n(\mathfrak{s})/(U_n(\mathfrak{s}) \cap I) = \sum_{m=0}^{n} \dim S^m(\mathfrak{s})/(S^m(\mathfrak{s}) \cap \operatorname{gr} I).$$

Also wird $n \mapsto \dim S^n(\mathfrak{s})/(S^n(\mathfrak{s}) \cap \operatorname{gr} I)$ für große n durch ein Polynom vom Grad $d(M)-1$ beschrieben. Nach Hilbert (vgl. [Hartshorne], 7.5) ist $d(M)-1$ die Dimension des Nullstellengebildes von $\operatorname{gr} I$ im projektiven Raum zu $\mathfrak{s}^*$, also $d(M)$ die von $V(\operatorname{gr} I)$, was nach 17.9(4) zu zeigen war.

17.11 Für jeden endlich erzeugbaren $U(\mathfrak{s})$-Modul M setzen wir

(1) $\mathscr{V}\mathscr{A}(M) = V(\operatorname{gr} \operatorname{Ann} M)$.

Dies ist wieder ein abgeschlossener Kegel in $\mathfrak{s}^*$. Da $\operatorname{Ann} M$ ein zweiseitiges Ideal in $U(\mathfrak{s})$ ist, läßt die adjungierte Operation von $\mathfrak{s}$ auf $S(\mathfrak{s})$ das Ideal $\operatorname{gr} \operatorname{Ann} M$ stabil. Dies zeigt, wenn $\mathfrak{s}$ algebraisch ist:

(2) *$\mathscr{V}\mathscr{A}(M)$ ist unter der adjungierten Gruppe von $\mathfrak{s}$ stabil.*

Die Resultate von 17.7 lassen sich nun so übersetzen (vgl. [Joseph 22], 6.3.8): Für alle M gilt

(3) $\mathscr{V} M \subset \mathscr{V}\mathscr{A}(M)$.

Ist $0 \to M' \to M \to M'' \to 0$ eine exakte Sequenz endlich erzeugbarer $U(\mathfrak{s})$-Moduln, so gilt

(4) $\mathscr{V}\mathscr{A}(M) = \mathscr{V}\mathscr{A}(M') \cup \mathscr{V}\mathscr{A}(M'')$

Sind M ein endlich erzeugbarer und E ein endlich dimensionaler $U(\mathfrak{s})$-Modul, so gilt

(5) $\mathscr{V}\mathscr{A}(M) = \mathscr{V}\mathscr{A}(M \otimes E)$.

Aus 17.10 folgt dagegen für alle M wie oben

(6) $\dim \mathscr{V}\mathscr{A}(M) = d(U(\mathfrak{s})/\operatorname{Ann} M)$.

Für ein (zweiseitiges) Ideal I von $U(\mathfrak{s})$ gilt $I = \operatorname{Ann} U(\mathfrak{s})/I$, also

(7) $\mathscr{V}(U(\mathfrak{s})/I) = V(\operatorname{gr} I) = \mathscr{V}\mathscr{A}(U(\mathfrak{s})/I)$.

17.12 Wir wollen die bisher für eine beliebige Lie-Algebra $\mathfrak{s}$ entwickelten Begriffe nun auf unsere halbeinfache Lie-Algebra $\mathfrak{g}$ anwenden. In diesem Fall können wir $\mathfrak{g}$ und $\mathfrak{g}^*$ mit Hilfe der Killing-Form identifizieren; dieser Isomorphismus ist auch mit der Operation der adjungierten Gruppe G von $\mathfrak{g}$ verträglich. Wir können daher alle oben konstruierten Varietäten auch als abgeschlossene Teilmengen von $\mathfrak{g}$ interpretieren und werden dies dann tun, wenn sich die Resultate so einfacher formulieren lassen.

Wir betrachten zunächst $\mathfrak{g}$-Moduln M in der Kategorie $\mathcal{O}$. Ein solches M ist lokal endlich für die Unteralgebra $\mathfrak{h}\oplus\mathfrak{n}^+$, also ist $\mathcal{V}M$ in $(\mathfrak{h}\oplus\mathfrak{n}^+)^\perp=\mathfrak{n}^+$ enthalten:

(1) $\quad \mathcal{V}M\subset\mathfrak{n}^+.$

(Wir haben hier schon die Identifizierung von $\mathfrak{g}$ und $\mathfrak{g}^*$ benutzt, bei der ein Orthogonalraum in $\mathfrak{g}^*$ in den Orthogonalraum relativ der Killing-Form in $\mathfrak{g}$ übergeht.) Man kann (1) auch aus 17.9(2) und

(2) $\quad \mathcal{V}M(\lambda)=\mathfrak{n}^+ \quad$ *für alle* $\lambda\in\mathfrak{h}^*$

erhalten. Diese Formel ist selbst ein Spezialfall einer allgemeineren: Es seien $S\subset B$ und $\lambda\in\mathfrak{h}^*$; wir betrachten den $\mathfrak{p}_S$-Modul $\hat{L}^S(\lambda)$ und den $\mathfrak{g}_S$-Modul $L^S(\lambda')$ mit $\lambda'=\lambda|_{\mathfrak{h}_S}$ wie in 5.11 und 7.16. Da $\mathfrak{m}_S$ durch 0 und $\mathfrak{h}'_S$ durch Skalarmultiplikation auf $\hat{L}^S(\lambda)$ operiert, gilt $\mathcal{V}_{\mathfrak{p}_S}\hat{L}^S(\lambda)=\mathcal{V}_{\mathfrak{g}_S}L^S(\lambda')$, wobei wir $\mathfrak{g}_S^*$ mit $(\mathfrak{h}'_S+\mathfrak{m}_S)^\perp\subset\mathfrak{p}_S^*$ identifizieren. Relativ der Killing-Form gilt $\mathfrak{p}_S^\perp=\mathfrak{m}_S$; außerdem ist die Einschränkung der Killing-Form von $\mathfrak{g}$ auf $\mathfrak{g}_S$ zur Killing-Form von $\mathfrak{g}_S$ proportional. Für den induzierten Modul $M_S(\lambda)$ folgt nun aus 17.9(6) (vgl. [MHG], 3.9):

(3) $\quad \mathcal{V}_{\mathfrak{g}}M_S(\lambda)=\mathcal{V}_{\mathfrak{g}_S}L^S(\lambda')\times\mathfrak{m}_S.$

Ist $L^S(\lambda')$ endlich dimensional, also $\lambda\in P_S^{++}$ in den Notationen von Kapitel 15, so gilt insbesondere:

(4) $\quad \mathcal{V}M_S(\lambda)=\mathfrak{m}_S \quad$ *für alle* $\lambda\in P_S^{++}.$

Es seien $\Lambda\in\mathfrak{h}^*/P(R)$ und $\lambda\in\Lambda^{++}$ sowie $\mu\in\Lambda^+$. Aus 17.9(2), (3) und 4.12(3), 4.13(3) folgt (vgl. [MHG], 3.4):

(5) $\quad \mathcal{V}L(w\cdot\mu)=\mathcal{V}L(w\cdot\lambda) \quad$ *für alle* $w\in W_\Lambda$ *mit* $B_\mu^0\subset\tau_\Lambda(w).$

Wenden wir 17.9(2), (3) auf Corollar 7.13 an, so erhalten wir (in den Notationen von 14.15)

(6) $\quad \mathcal{V}L(w_1\cdot\lambda)\subset\mathcal{V}L(w_2\cdot\lambda) \quad$ *für* $w_1, w_2\in W_\Lambda$ *mit* $w_2\underset{R}{\leqslant}w_1,$

insbesondere

(7) $\quad \mathcal{V}L(w_1\cdot\lambda)=\mathcal{V}L(w_2\cdot\lambda) \quad$ *für* $w_1, w_2\in W_\Lambda$ *mit* $w_1\underset{R}{\sim}w_2.$

(Die Ergebnisse in [MHG], 3.5, 3.8 sind Spezialfälle von (6), (7).) Angesichts von 7.14 ist (7) auch in (8) unten enthalten: Für zwei einfache $\mathfrak{g}$-Moduln L, L' gilt:

(8) *Aus* $\mathscr{L}(L, L') \neq 0$ *folgt* $\mathscr{V}L = \mathscr{V}L'$.

Es gibt im Fall $\mathscr{L}(L, L') \neq 0$ nämlich (vgl. 6.8(3)) einen endlich dimensionalen $\mathfrak{g}$-Modul E mit Homomorphismen $L \otimes E \to L'$ und $L \to L' \otimes E^*$, beide ungleich 0.

17.13 Wir betrachten nun $(\mathfrak{g} \times \mathfrak{g})$-Moduln X in $\mathscr{H}^{ee}$. Auf ihnen operiert $\mathfrak{k}$ lokal endlich, also ist $\mathscr{V}_{\mathfrak{g}\times\mathfrak{g}} X$ in $\mathfrak{k}^{\perp} = \{(x, {}^t x) \mid x \in \mathfrak{g}\}$ enthalten. Man zeigt leicht genauer:

(1) $\mathscr{V}_{\mathfrak{g}\times\mathfrak{g}} X = \{(x, {}^t x) \mid x \in \mathscr{V}_{\mathfrak{g}} X\} \simeq \mathscr{V}_{\mathfrak{g}} X,$

wobei wir X hier als $U(\mathfrak{g})$-Linksmodul betrachten.

Aus 17.8(1) folgt für ein X wie oben

(2) $\mathscr{V}_{\mathfrak{g}} X = V(\operatorname{gr} \operatorname{LAnn} X) = V(\operatorname{gr} \operatorname{RAnn} X).$

Es seien $\Lambda \in \mathfrak{h}^*/P(R)$ und $\lambda \in \Lambda^{++}$ sowie $\mu \in \Lambda^+$. Aus (2) und 7.9 folgt (vgl. [Joseph 19], 2.3, 2.4)

(3) $V(\operatorname{gr} I(w \cdot \lambda)) = V(\operatorname{gr} I(w^{-1} \cdot \lambda))$ *für alle* $w \in W_\Lambda$

und

(4) $V(\operatorname{gr} I(w \cdot \lambda)) = V(\operatorname{gr} I(w \cdot \mu))$ *für alle* $w \in W_\Lambda$ *mit* $B_\mu^0 \subset \tau_\Lambda(w)$.

Man erhält (4) auch aus 4.12(3), 4.13(3) und 17.11(5). Die Bemerkung 1 zu 14.13 zeigt nun für alle $I, I' \in \mathscr{X}_\lambda$ (vgl. [Joseph 19], 2.5):

(5) *Aus* $\sigma(I) = \sigma(I')$ *folgt* $V(\operatorname{gr} I) = V(\operatorname{gr} I')$.

Es sei $S \subset B \cap B_\Lambda$. Wir betrachten ein $\lambda' \in W_\Lambda \cdot \lambda \cap P_S^{++}$ und ein $I \in \mathscr{X}_\lambda$ mit $I \supset I_S(\lambda')$ und $d(U(\mathfrak{g})/I) = d(U(\mathfrak{g})/I_S(\lambda'))$. Weil $M_S(\lambda)$ homogen ist (15.5.a), sind die so auftretenden I nach 8.15 und 10.9 gerade die minimalen $I_S(\lambda')$ umfassenden Primideale von $U(\mathfrak{g})$. Der Beweis von 15.7 zeigt, daß I die Form $I(w \cdot \lambda)$ mit $w \in W_\Lambda$ und $I(w^{-1} \cdot \lambda) = I(w_\Lambda w_S \cdot \lambda)$ hat. Aus (3) folgt nun (vgl. [Joseph 19], 3.5)

(6) $V(\operatorname{gr} I) = V(\operatorname{gr} I(w_S w_\Lambda \cdot \lambda)) = V(\operatorname{gr} I_S(\lambda')).$

17.14 Es sei $\mathscr{N}$ die Menge der nilpotenten Elemente von $\mathfrak{g}$. Nach Kostant (vgl. [DIX], 8.1.3) gilt

(1) $\mathscr{N} = V(S^+(\mathfrak{g})^{\mathfrak{g}}),$

wobei $S^+(\mathfrak{g})^{\mathfrak{g}} = \bigoplus_{n>0} S^n(\mathfrak{g})^{\mathfrak{g}}$ ist. Für alle $\lambda \in \mathfrak{h}^*$ gilt $\mathrm{gr}(\mathrm{Kern}\,\chi_\lambda) = S^+(\mathfrak{g})^{\mathfrak{g}}$, also $\mathrm{gr}(I_\lambda^{\min}) = \mathrm{gr}(U(\mathfrak{g})\,\mathrm{Kern}\,\chi_\lambda) = S(\mathfrak{g})\,S^+(\mathfrak{g})^{\mathfrak{g}}$. Dies zeigt (vgl. [Borho 2], 3.2)

(2) $\quad V(\mathrm{gr}\,I_\lambda^{\min}) = \mathscr{N}$ *für alle* $\lambda \in \mathfrak{h}^*$.

Für jeden $\mathfrak{g}$-Modul M, auf dem $Z(\mathfrak{g})$ durch einen Charakter operiert, gilt daher $\mathscr{V}\mathscr{A}(M) \subset \mathscr{N}$. Daraus erhalten wir wegen 17.11(4) für alle endlich erzeugbaren $U(\mathfrak{g})$-Moduln M (vgl. [Joseph 22], 6.3.8):

(3) $\quad$ *Aus* $\dim Z(\mathfrak{g})/\mathrm{Ann}_{Z(\mathfrak{g})} M < \infty$ *folgt* $\mathscr{V}\mathscr{A}(M) \subset \mathscr{N}$.

Insbesondere gilt diese Inklusion für alle $\mathfrak{g}$-Moduln endlicher Länge.

Nach 17.11(2) ist jedes $\mathscr{V}\mathscr{A}(M)$ unter der adjungierten Gruppe G von $\mathfrak{g}$ stabil, also gilt

(4) $\quad \overline{G\mathscr{V}(M)} \subset \mathscr{V}\mathscr{A}(M)$.

Nun weiß man (vgl. [DIX], 8.1.3(iii)):

(5) $\quad \mathscr{N}$ *ist Vereinigung endlich vieler Bahnen unter* G

und (vgl. [Spaltenstein]):

(6) $\quad \dim(Gx \cap \mathfrak{n}^+) = \frac{1}{2}\dim Gx$ *für alle* $x \in \mathscr{N}$.

Aus (5) und (6) folgt für alle G-stabilen Untervarietäten Z von $\mathscr{N}$:

(7) $\quad \dim(Z \cap \mathfrak{n}^+) = \frac{1}{2}\dim Z$.

Für einen $\mathfrak{g}$-Modul M in $\mathscr{O}$ gilt $\mathscr{V}(M) \subset \mathscr{V}\mathscr{A}(M) \cap \mathfrak{n}^+$ nach (4) und 17.12(1); wegen 17.10(1) und 17.11(6) erhalten wir daraus einen neuen Beweis der Formel $d(M) \leqslant \frac{1}{2}\,d(U(\mathfrak{g})/\mathrm{Ann}\,M)$ und damit der ersten Aussage von Satz 10.9. Dieser Beweis stammt von Gabber, der mit etwas mehr Aufwand dieselbe Ungleichung für alle endlich erzeugbaren $U(\mathfrak{g})$-Moduln M beweist (vgl. [Joseph 22], 6.3.13), für die es eine Borel-Unteralgebra $\mathfrak{b}$ von $\mathfrak{g}$ mit $\mathscr{V}M \cap [\mathfrak{b}, \mathfrak{b}] = 0$ gibt und für die $\dim Z(\mathfrak{g})/\mathrm{Ann}_{Z(\mathfrak{g})} M < \infty$ gilt. Zu den Moduln mit dieser Eigenschaft gehören auch (vgl. [Joseph 22], 6.3.6) die Harish-Chandra-Moduln für $\mathfrak{g}$ im Sinn von [DIX], Kapitel 9; für diese wurde die Formel $d(U(\mathfrak{g})/\mathrm{Ann}\,M) = 2d(M)$ schon in [Vogan 1], 4.7 bewiesen.

Für einen Modul M in $\mathscr{O}$ folgt, daß es ein $x \in \mathscr{N}$ mit $Gx \subset \mathscr{V}\mathscr{A}(M)$ und $\dim Gx = \dim \mathscr{V}\mathscr{A}(M)$ gibt, für das $Gx \cap \mathscr{V}M \neq \emptyset$ ist. Dann muß $Gx \subset \overline{G\mathscr{V}(M)}$ sein, also erhalten wir:

(8) $\quad \dim \overline{G\mathscr{V}(M)} = \dim \mathscr{V}\mathscr{A}(M)$ *für alle* M *in* $\mathscr{O}$.

(Dieselbe Aussage gilt natürlich auch für alle von Gabber betrachteten $\mathfrak{g}$-Moduln; vgl. [Joseph 22], 6.3.14.)

17.15 In [Borho 3], 2.9 wird für jedes primitive Ideal I von $U(\mathfrak{g})$ die Frage gestellt:

(1) *Ist* $V(\operatorname{gr} I)$ *irreduzibel?*

Ist die Antwort „Ja", so gibt es wegen 17.14(2), (5) ein Element $x \in \mathcal{N}$ mit $V(\operatorname{gr} I) = \overline{Gx}$. Es stellt sich weiter die Frage ([Borho 3], 2.9):

(2) *Gibt es für alle* $x \in \mathcal{N}$ *ein primitives Ideal* I *von* $U(\mathfrak{g})$ *mit* $V(\operatorname{gr} I) = \overline{Gx}$*?*

Für ein $x \in \mathfrak{g}$ sei $Z_G(x)$ der Stabilisator von x unter der adjungierten Operation von G; dies ist eine abgeschlossene Untergruppe von G. Es sei $Z_G(x)^0$ ihre Eins-Zusammenhangskomponente. Im Fall $x \in \mathcal{N}$ hat Springer jedem irreduziblen Charakter ϕ der endlichen Gruppe $Z_G(x)/Z_G(x)^0$ einen Charakter $\sigma(x, \phi)$ von W zugeordnet, der irreduzibel oder gleich 0 ist (vgl. [Springer 3], 4.9). Es ist $\sigma(x, 1)$ stets ungleich 0.

Es seien $\Lambda \in \mathfrak{h}^*/P(R)$ und $\lambda \in \Lambda^{++}$. Für ein $I \in \mathcal{X}_\lambda$ sei $V(\operatorname{gr} I) = \overline{Gx}$ mit $x \in \mathcal{N}$. Man fragt sich nun (vgl. [Joseph 11], 11.8):

(3) *Gilt für* $\Lambda = P(R)$ *dann* $\sigma(I) = \sigma(x, 1)$*?*

Für beliebiges Λ sollte man hier $\sigma(I)$ durch das Bild von $\sigma(I)$ unter gestutzter Induktion (14.16) von W_Λ nach W ersetzen.

Für einen $\mathfrak{g}$-Modul M in der Kategorie $\mathcal{O}$ folgt aus 17.14(4), (8) (vgl. [Joseph 22], 6.3.14):

(4) *Ist* $\mathcal{V}\mathcal{A}(M)$ *irreduzibel, so gilt* $\mathcal{V}\mathcal{A}(M) = \overline{G\mathcal{V}(M)}$.

Ist die Antwort auf (1) immer positiv, so ist die Voraussetzung in (4) für alle einfachen M in $\mathcal{O}$ erfüllt.

Es sei $S \subset B$; wir bezeichnen mit G_S die zusammenhängende abgeschlossene Untergruppe von G mit Lie-Algebra $\mathfrak{g}_S$. Wir betrachten ein $\lambda \in \mathfrak{h}^*$, für das $\mathcal{V}\mathcal{A}(L^S(\lambda')) \subset \mathfrak{g}_S$ mit $\lambda' = \lambda|_{\mathfrak{h}_S}$ und $\mathcal{V}\mathcal{A}(M_S(\lambda)) \subset \mathfrak{g}$ irreduzibel sind. Es gibt dann ein $x \in \mathcal{N}$ und ein $y \in \mathcal{N} \cap \mathfrak{g}_S$ mit

$$\mathcal{V}\mathcal{A}(M_S(\lambda)) = \overline{Gx} \quad \text{und} \quad \mathcal{V}\mathcal{A}(L^S(\lambda')) = \overline{G_S\, y}.$$

Aus (4) und 17.12(3) folgt, da $\mathfrak{m}_S$ von G_S stabilisiert wird:

(5) $$Gx = G\overline{(\overline{G_S\, y} \times \mathfrak{m}_S)} = G(\overline{G_S\, y} \times \mathfrak{m}_S).$$

(Zur letzten Gleichung vergleiche man [Borho 6], 2.2.) In der Terminologie von [Lusztig/Spaltenstein] oder [Borho 5] heißt dies, daß Gx die von $G_S\, y$ induzierte nilpotente Konjugationsklasse ist. Man kann sich fragen, ob unsere Voraussetzung von allen λ erfüllt wird, also auch:

(6) *Gilt stets* $\mathcal{V}\mathcal{A}(M_S(\lambda)) = G(\mathcal{V}\mathcal{A}(L^S(\lambda')) \times \mathfrak{m}_S)$?

Eine positive Antwort wäre nach [Lusztig/Spaltenstein], 3.5 mit (3) und Satz 14.17 verträglich.

17.16 Ein Spezialfall von 17.15(6) ist das folgende Resultat:

(1) *Für alle* $S \subset B$ *und* $\lambda \in P_S^{++}$ *gilt* $V(\operatorname{gr} I_S(\lambda)) = G\mathfrak{m}_S$.

Dies war ein Problem in [Borho 2], 3.3(2); für $\mathfrak{g} = \mathfrak{sl}_n(k)$ wurde (1) in [Joseph 19] bewiesen. Ein allgemeiner Beweis findet sich in [Borho/Brylinski 1], 4.7.

Aus (1) folgt (vgl. [Joseph 19], 3.3)

(2) *Für alle primitiven Ideale* I *von* $U(\mathfrak{sl}_n(k))$ *ist* $V(\operatorname{gr} I)$ *irreduzibel.*

(Dazu seien $\Lambda \in \mathfrak{h}^*/P(R)$ und $I \in \mathcal{X}_\lambda$ für ein $\lambda \in \Lambda^+$. Wir können $\lambda \in \Lambda^{++}$ nach 17.13(4) annehmen. Wegen $\mathcal{X}_\lambda = \mathcal{X}_{w \cdot \lambda}$ für alle $w \in W$ können wir uns auch auf den Fall $B_\Lambda \subset B$ beschränken (vgl. 15.25). Zu $I \in \mathcal{X}_\lambda$ gibt es (vgl. Bemerkung 1 zu 14.17) nun ein $S \subset B_\Lambda \subset B$ mit $\sigma(I) = \sigma(I(w_S w_\Lambda \cdot \lambda)) = \sigma(I_S(w_S w_\Lambda \cdot \lambda))$. Daher erhalten wir (2) aus (1) und 17.13(5).)

Wir haben also hier eine positive Antwort auf die Frage in 17.15(1). In diesem Fall sind auch 17.15(2) und (3) zu bejahen, weil die Bahnen von $PGL_n(k)$ in $\mathcal{N}$ durch die Partitionen von n parametrisiert werden und weil für ein $x \in \mathcal{N}$ zur Partition π der Charakter $\sigma(x, 1)$ gerade das $\sigma(\pi)$ in 14.16 ist (vgl. [Hotta/Springer]).

Für eine Teilmenge Z von $\mathfrak{g}$ sei $I(Z) = \{f \in S(\mathfrak{g}) \mid f(Z) = 0\}$, wobei wir $S(\mathfrak{g})$ mit $S(\mathfrak{g}^*) \simeq \mathcal{R}(\mathfrak{g})$ identifizieren. Für $\mathfrak{sl}_n(k)$ erhält man (1) aus der präziseren Aussage (vgl. [Borho 3], 2.6, [Borho/Brylinski 1], 5.6)

(3) *Ist* $\mathfrak{g} = \mathfrak{sl}_n(k)$, *so gilt* $\operatorname{gr} I_S(\lambda) = I(G\mathfrak{m}_S)$ *für alle* $\lambda \in S^\perp$.

(In [Joseph 19], 3.2 wird (3) nur für $\lambda \in P_S^\vee \cap S^\perp$ ausgesprochen, was zum Beweis von (1) ausreicht.) Man erhält (3) aus einem Vergleich der Multiplizitäten der einfachen $\mathfrak{g}$-Moduln in $U(\mathfrak{g})/I_S(\lambda)$ und $S(\mathfrak{g})/I(G\mathfrak{m}_S)$ bei der adjungierten Operation. Für ihre Berechnung benötigt man, daß für $\mathfrak{g} = \mathfrak{sl}_n(k)$, also $G = PGL_n(k)$, alle $Z_G(x)$ mit $x \in \mathcal{N}$ zusammenhängend und alle $\overline{Gx}$ normal sind.

Wie Duflo bemerkt hat, läßt sich (3) nicht auf beliebige halbeinfache Lie-Algebren $\mathfrak{g}$ verallgemeinern (vgl. [Borho 2], 3.3).

17.17 Wir wollen nun auf den Beweis eingehen, den Borho und Brylinski für 17.16(1) geben. Zur Abkürzung setzen wir $\mathfrak{p} = \mathfrak{p}_S$; dann gilt $[\mathfrak{p}, \mathfrak{p}] = \mathfrak{g}_S \oplus \mathfrak{m}_S$, und $\mathfrak{m}_S$ ist ein Ideal von $\mathfrak{p}_S$. Zunächst wollen wir uns überlegen: Es folgt 17.16(1) aus:

(1) $\mathcal{V}\mathcal{A}(U(\mathfrak{g}) \bigotimes_{U([\mathfrak{p}, \mathfrak{p}])} k) = G[\mathfrak{p}, \mathfrak{p}]^\perp$.

Hier bezeichnet k den trivialen, eindimensionalen $[\mathfrak{p},\mathfrak{p}]$-Modul. Eine erste Folgerung aus (1) ist, daß

$$(2) \qquad \mathscr{V}\mathscr{A}(U(\mathfrak{g}) \underset{U([\mathfrak{p},\mathfrak{p}])}{\otimes} E) = G(\mathfrak{h}'_S + \mathfrak{m}_S)$$

für alle endlich dimensionalen $[\mathfrak{p},\mathfrak{p}]$-Moduln $E \neq 0$ gilt ([Borho/Brylinski 1], 4.6). Wegen der Exaktheit des Induzierens können wir uns nach 17.14(4) auf ein einfaches E beschränken. Dann operiert $\mathfrak{m}_S$ trivial auf E, und E ist einfach für $\mathfrak{g}_S$, es hat ein höchstes Gewicht, das sich in der Form $\mu|_{\mathfrak{h}_S}$ mit $\mu \in P(R)^{++}$ schreiben läßt. Dann ist E ein direkter Summand des $\mathfrak{g}$-Moduls $L(\mu)$, also reicht es, (2) für $L(\mu)$ statt E zu beweisen. Aus

$$U(\mathfrak{g}) \underset{U([\mathfrak{p},\mathfrak{p}])}{\otimes} L(\mu) \simeq (U(\mathfrak{g}) \underset{U([\mathfrak{p},\mathfrak{p}])}{\otimes} k) \otimes L(\mu)$$

(vgl. 7.16(1)) und 17.11(5) folgt

$$\mathscr{V}\mathscr{A}(U(\mathfrak{g}) \underset{U([\mathfrak{p},\mathfrak{p}])}{\otimes} L(\mu)) = \mathscr{V}\mathscr{A}(U(\mathfrak{g}) \underset{U([\mathfrak{p},\mathfrak{p}])}{\otimes} k).$$

Wegen $[\mathfrak{p},\mathfrak{p}]^\perp = \mathfrak{h}'_S + \mathfrak{m}_S$ ist (2) nun eine unmittelbare Folgerung aus (1).

Es sei E ein endlich dimensionaler $\mathfrak{p}$-Modul. Wegen der universellen Eigenschaft des Tensorprodukts ist $U(\mathfrak{g}) \otimes_{U(\mathfrak{p})} E$ ein homomorphes Bild von $U(\mathfrak{g}) \otimes_{U([\mathfrak{p},\mathfrak{p}])} E$. Außerdem hat $U(\mathfrak{g}) \otimes_{U(\mathfrak{p})} E$ endliche Länge; dazu reicht es ein einfaches E zu nehmen, wo $U(\mathfrak{g}) \otimes_{U(\mathfrak{p})} E$ ein $M_S(\lambda)$ ist. Aus (2) und 17.11(4) sowie 17.14(3) folgt nun

$$\mathscr{V}\mathscr{A}(U(\mathfrak{g}) \underset{U(\mathfrak{p})}{\otimes} E) \subset \mathscr{N} \cap \mathscr{V}\mathscr{A}(U(\mathfrak{g}) \underset{U([\mathfrak{p},\mathfrak{p}])}{\otimes} E) = \mathscr{N} \cap G(\mathfrak{h}'_S + \mathfrak{m}_S).$$

Es gilt aber $\mathscr{N} \cap G(\mathfrak{h}'_S + \mathfrak{m}_S) = G(\mathscr{N} \cap (\mathfrak{h}'_S + \mathfrak{m}_S)) = G\mathfrak{m}_S$, weil $\mathfrak{m}_S$ die Menge aller nilpotenter Elemente in $\mathfrak{h}'_S + \mathfrak{m}_S$ ist (vgl. [Borho/Jantzen], 5.17). Damit haben wir eine Inklusion in (vgl. [Borho/Brylinski 1], 4.7)

$$(3) \qquad \mathscr{V}\mathscr{A}(U(\mathfrak{g}) \underset{U(\mathfrak{p})}{\otimes} E) = G\mathfrak{m}_S$$

gezeigt; die andere ist aber schon nach 17.14(4) und 17.9(6) klar. Offensichtlich ist 17.16(1) ein Spezialfall von (3).

17.18 Es sei Q eine abgeschlossene Untergruppe von G; wir bezeichnen die Lie-Algebra von Q mit $\mathfrak{q}$. Nun operiert Q durch $h(g,x) = (gh^{-1}, hx)$ für alle $g \in G$, $h \in Q$ und $x \in \mathfrak{q}^\perp$ auf $G \times \mathfrak{q}^\perp$; für jedes (g,x) wie oben sei $[g,x]$ die Bahn von (g,x). Wir bezeichnen die Menge solcher Bahnen mit $G \times^Q \mathfrak{q}^\perp$ und können $G \times^Q \mathfrak{q}^\perp$ so zu einer Varietät machen, daß die offensichtlich injektive Abbildung $G\times^Q\mathfrak{q}^\perp\to G/Q\times\mathfrak{g}^*$ mit $[g,x]\mapsto(gQ,gx)$ eine abgeschlossene Immersion wird (vgl. [Borho/Kraft 2], 7.9). Es gilt dann $\mathscr{R}(G\times^Q\mathfrak{q}^\perp)=\mathscr{R}(G\times\mathfrak{q}^\perp)^Q$.

Es sei $\pi\colon G\times^Q\mathfrak{q}^\perp\to\mathfrak{g}^*$ die Abbildung $[g,x]\mapsto gx$. Offensichtlich faktorisiert π über die Einbettung $G\times^Q\mathfrak{q}^\perp\to G/Q\times\mathfrak{g}^*$ sowie die Projektion auf den zweiten Faktor $G/Q\times\mathfrak{g}^*\to\mathfrak{g}^*$ und ist ein Morphismus von Varietäten mit (vgl. [Borho/Brylinski 1], 2.4)

(1) $\qquad \pi(G\times^Q\mathfrak{q}^\perp)=G\mathfrak{q}^\perp.$

Es sei nun P eine weitere abgeschlossene Untergruppe von G, die Q umfaßt und normalisiert. Dann stabilisiert P auch $\mathfrak{q}^\perp$, und daher kann die Operation von Q auf $G\times\mathfrak{q}^\perp$ durch dieselbe Formel wie oben auf ganz P fortgesetzt werden. Wir bezeichnen die Menge der Bahnen mit $G\times^P\mathfrak{q}^\perp$ und können diese Menge als abgeschlossene Untervarietät in $G/P\times\mathfrak{g}^*$ einbetten. Wir haben kanonische Surjektionen $G/Q\times\mathfrak{g}^*\to G/P\times\mathfrak{g}^*$ und $G\times^Q\mathfrak{q}^\perp\to G\times^P\mathfrak{q}^\perp$. Weiter kann man analog zu π eine Abbildung $\pi'\colon G\times^P\mathfrak{q}^\perp\to\mathfrak{g}^*$ definieren und erhält ein kommutatives Diagramm

$$\begin{array}{ccccc} G\times^Q\mathfrak{q}^\perp & \xrightarrow[\text{can}]{} & G\times^P\mathfrak{q}^\perp & \xrightarrow{\pi'} & \mathfrak{g}^* \\ \downarrow & & \downarrow & \nearrow_{\text{pr}_2} & \\ G/Q\times\mathfrak{g}^* & \xrightarrow[\text{can}]{} & G/P\times\mathfrak{g}^* & & \end{array}$$

wobei die zusammengesetzte Abbildung in der ersten Zeile gerade π ist. Weiter gilt $\mathscr{R}(G\times^P\mathfrak{q}^\perp)=\mathscr{R}(G\times\mathfrak{q}^\perp)^P=\mathscr{R}(G\times^Q\mathfrak{q}^\perp)^P$.

Der Komorphismus $\pi^*\colon\mathscr{R}(\mathfrak{g}^*)=S(\mathfrak{g})\to\mathscr{R}(G\times^Q\mathfrak{q}^\perp)$ faktorisiert also über $(\pi')^*$, das heißt:

$$\pi^*(S(\mathfrak{g}))\subset\mathscr{R}(G\times^Q\mathfrak{q}^\perp)^P.$$

Nun gilt (vgl. [Borho/Kraft 2], 7.9):

(2) *Ist P eine parabolische Untergruppe, so ist $\mathscr{R}(G\times^Q\mathfrak{q}^\perp)^P$ ein endlich erzeugbarer $S(\mathfrak{g})$-Modul.*

Da G/P in diesem Fall projektiv ist und da $G\times^P\mathfrak{q}^\perp$ mit einer abgeschlossenen Teilmenge von $G/P\times\mathfrak{g}^*$ identifiziert wird, ist π' als Einschränkung von pr_2 ein eigentlicher Morphismus. Wir haben $\mathscr{R}(G\times^Q\mathfrak{q}^\perp)^P$ mit $\mathscr{R}(G\times^P\mathfrak{q}^\perp)$ identifiziert, also folgt (2) aus [Grothendieck/Dieudonné], Théorème 3.2.1.

17.19 Wir kehren zur Situation von 17.17 zurück. Es sei P die parabolische Untergruppe von G mit Lie-Algebra $\mathfrak{p}=\mathfrak{p}_S$. Die abgeleitete Gruppe (P,P) ist dann abgeschlossen mit Lie-Algebra $[\mathfrak{p},\mathfrak{p}]$ und wird von P normalisiert. Wir wollen 17.18 auf dieses P und auf $Q=(P,P)$ anwenden.

Es sei $I=\text{Ann}(U(\mathfrak{g})\underset{U([\mathfrak{p},\mathfrak{p}])}{\otimes}k)$. Der Beweis von 17.17(1) beruht nun darauf, daß man eine Filtrierung von $U(\mathfrak{g})/I$ angeben kann, so daß der assoziierte graduierte $S(\mathfrak{g})$-Modul $\operatorname{gr}' U(\mathfrak{g})/I$ in natürlicher Weise in $\mathscr{R}(G \times {}^{Q}\mathfrak{q}^{\perp})^{P}$ eingebettet ist:

$$(1) \qquad \operatorname{gr}' U(\mathfrak{g})/I \to \mathscr{R}(G \times {}^{Q}\mathfrak{q}^{\perp})^{P}.$$

Aus 17.18(2) folgt dann, daß $\operatorname{gr}' U(\mathfrak{g})/I$ ein endlich erzeugbarer $S(\mathfrak{g})$-Modul ist, daß also die benutzte Filtrierung gut ist [Borho/Brylinski 1], 4.5). Es gilt daher

$$(2) \qquad V(\operatorname{gr} I) = \mathscr{V}(U(\mathfrak{g})/I) = V(\operatorname{Ann}_{S(\mathfrak{g})} \operatorname{gr}' U(\mathfrak{g})/I).$$

Offensichtlich folgt aus (1) in den Notationen von 17.18

$$\operatorname{Ann}_{S(\mathfrak{g})} \operatorname{gr}' U(\mathfrak{g})/I \supset \operatorname{Kern}(\pi')^* = \operatorname{Kern} \pi^*,$$

also

$$V(\operatorname{Ann}_{S(\mathfrak{g})} \operatorname{gr}' U(\mathfrak{g})/I) \subset V(\operatorname{Kern} \pi^*) = \operatorname{Bild} \pi = G\mathfrak{q}^{\perp}.$$

Wegen (2) zeigt dies (vgl. [Borho/Brylinski 1], 4.6):

$$(3) \qquad \mathscr{V}\mathscr{A}(U(\mathfrak{g}) \underset{U([\mathfrak{p},\mathfrak{p}])}{\otimes} k) = V(\operatorname{gr} I) \subset G[\mathfrak{p},\mathfrak{p}]^{\perp},$$

also eine Inklusion in 17.17(1). Die andere dort ist aber klar (nach 17.14(4) und 17.9(6)).

17.20 Jeder nicht-singulären Varietät Z ist die Algebra $D(Z)$ der globalen Differential-Operatoren auf Z zugeordnet. Diese Algebra ist durch die Teilräume $D_m(Z)$ der Differential-Operatoren vom Grad $\leqslant m$ filtriert. Die assoziierte graduierte Algebra $\operatorname{gr} D(Z)$ läßt sich in die Algebra $\mathscr{R}(T^*(Z))$ der regulären Funktionen auf dem Kotangential-Bündel von Z einbetten:

$$(1) \qquad \operatorname{gr} D(Z) \hookrightarrow \mathscr{R}(T^*(Z)).$$

Operiert G auf Z, so induziert diese Operation einen Homomorphismus

$$(2) \qquad \psi_Z \colon U(\mathfrak{g}) \to D(Z),$$

der mit den Filtrierungen verträglich ist. Daher erhalten wir auch einen Homomorphismus der graduierten Algebren, nach (1) also auch

$$(3) \qquad \operatorname{gr} \psi_Z \colon S(\mathfrak{g}) \to \mathscr{R}(T^*(Z)).$$

(Zu allem vgl. man [Borho/Brylinski 1], 1.1–1.3 und 3.1, zum Teil auch [Demazure/Gabriel], chap. II, § 4, n° 5–6).

Wir wollen nun annehmen, daß Z die Form G/Q für eine abgeschlossene Untergruppe Q von G hat und G durch Linkstranslation auf G/Q operiert. Wir können dann $T^*(Z)$ mit $\{(gQ, x) \mid g \in G, x \in \mathfrak{g}^* \text{ mit } g^{-1}x \in \mathfrak{q}^{\perp}\} \subset G/Q \times \mathfrak{g}^*$ identifizieren, in den Notationen von 17.18 also mit $G\times^{Q}\mathfrak{q}^{\perp}$ (vgl. [Borho/Brylinski 1], 2.4):

(4) $$T^*(G/Q)\simeq G\times^{Q}\mathfrak{q}^{\perp}.$$

Damit wird $\operatorname{gr}\psi_{G/Q}$ in (3) zu einem Homomorphismus von $S(\mathfrak{g})$ nach $\mathscr{R}(G\times^{Q}\mathfrak{q}^{\perp})$; man zeigt nun (vgl. [Borho/Brylinski 1], 3.2) mit π^* wie in 17.18:

(5) $$\operatorname{gr}\psi_Z=\pi^*.$$

Nun wird auf $U(\mathfrak{g})/\operatorname{Kern}\psi_Z\simeq\psi_Z\,U(\mathfrak{g})$ durch $(\psi_Z\,U(\mathfrak{g}))_m=\psi_Z\,U(\mathfrak{g})\cap D_m(Z)$ eine Filtrierung definiert. Der assoziierte graduierte $S(\mathfrak{g})$-Modul $\operatorname{gr}'U(\mathfrak{g})/\operatorname{Kern}\psi_Z$ ist nach (1) in natürlicher Weise in $\mathscr{R}(T^*(Z))$ eingebettet, hier erhält man also

(6) $$\operatorname{gr}'U(\mathfrak{g})/\operatorname{Kern}\psi_{G/Q}\hookrightarrow\mathscr{R}(G\times^{Q}\mathfrak{q}^{\perp}).$$

Es sei P eine abgeschlossene Untergruppe von G, die Q umfaßt und normalisiert. Dann operiert P durch Rechtstranslation auf G/Q und damit auch auf $G\times^{Q}\mathfrak{q}^{\perp}$ und $\mathscr{R}(G\times^{Q}\mathfrak{q}^{\perp})$. Die Operation auf $G\times^{Q}\mathfrak{g}^{\perp}$ ist offensichtlich dieselbe, die schon in 17.18 betrachtet wurde; daher hat auch $\mathscr{R}(G\times^{Q}\mathfrak{q}^{\perp})^P$ dieselbe Bedeutung wie dort. Nun kommutieren die Operationen von G (von links) und von P (von rechts) auf G/Q, daraus folgt in (2), daß $\psi_{G/Q}\,U(\mathfrak{g})$ in $D(G/Q)^P$, also $\operatorname{gr}'\psi_{G/Q}\,U(\mathfrak{g})$ in $\operatorname{gr}(D(G/Q)^P)\subset(\operatorname{gr}D(G/Q))^P\subset\mathscr{R}(G\times^{Q}\mathfrak{q}^{\perp})^P$ enthalten ist, in (6) also

(7) $$\operatorname{gr}'U(\mathfrak{g})/\operatorname{Kern}\psi_{G/Q}\hookrightarrow\mathscr{R}(G\times^{Q}\mathfrak{q}^{\perp})^P.$$

Wir erhalten also eine Filtrierung, wie wir sie in 17.19(1) brauchen, wenn wir für eine parabolische Untergruppe P von G zeigen:

(8) $$\operatorname{Ann}(U(\mathfrak{g})\bigotimes_{U([\mathfrak{p},\mathfrak{p}])}k)=\operatorname{Kern}\psi_{G/(P,P)}.$$

Dazu konstruieren Borho und Brylinski einen treuen $D(G/(P,P))$-Modul, der als $\mathfrak{g}$-Modul via $\psi_{G/(P,P)}$ zu $U(\mathfrak{g})\bigotimes_{U([\mathfrak{p},\mathfrak{p}])}k$ isomorph ist (vgl. [Borho/Brylinski 1], 3.5, 3.6, 3.11).

17.21 Neben 17.16(2) gibt es einen weiteren Fall, für den man 17.15(1)–(3) positiv beantworten kann. Dazu nennen wir $\mathfrak{g}$ klassisch, wenn es vom Typ B_n, C_n oder D_n für ein $n>0$ ist. In [Borho/Brylinski 1], 6.5 wird gezeigt:

(1) *Es sei $\mathfrak{g}$ klassisch. Für alle $\lambda\in P(R)$ und $I\in\mathscr{X}_\lambda$ ist $V(\operatorname{gr}I)$ irreduzibel.*

Wir geben nun den Beweis von Borho und Brylinski wieder. Nach 17.13(4) können wir $\lambda \in P(R)^{++}$ annehmen. Es gibt (vgl. 16.15) ein $x_I \in \mathcal{N}$ mit

(2) $\dim V(\operatorname{gr} I) = \dim G x_I$

und $\sigma(I) = \sigma(x_I, 1)$. Da $\sigma(I)$ speziell ist, gibt es nach einem Ergebnis von Spaltenstein (vgl. [Kempken], 6.6) Teilmengen $S, S' \subset B$ mit

(3) $\overline{G x_I} = G \mathfrak{m}_S \cap G \mathfrak{m}_{S'}$.

Weiter hat Kempken dafür gezeigt (a. a. O., 6.7):

(4) $\langle \operatorname{ind}_{W_S}^W \det, \sigma(I) \rangle \neq 0 \neq \langle \operatorname{ind}_{W_{S'}}^W \det, \sigma(I) \rangle$.

Nun gilt in 14.15, daß $V_1^R = \det$ ist; wendet man dies auf $\mathfrak{g}_S$ an, so folgt aus 14.17(2):

(5) $V_{w_S w_B}^R \simeq \operatorname{ind}_{W_S}^W \det$,

nach (4) also

(6) $\langle V_{w_S w_B}^R, \sigma(I) \rangle \neq 0$.

Da $V_{w_S w_B}^R$ zur direkten Summe der verschiedenen $\bar{V}_w^R$ mit $I((w_S w_B)^{-1} \cdot \lambda) \subset I(w^{-1} \cdot \lambda)$ isomorph ist, gibt es nun ein $w \in W$ mit

(7) $I((w_S w_B)^{-1} \cdot \lambda)) \subset I(w^{-1} \cdot \lambda)$ und $\langle \bar{V}_w^R, \sigma(I) \rangle \neq 0$.

Die Ungleichung rechts in (7) impliziert wegen 14.15(3′):

(8) $\sigma(I) = \sigma(w^{-1})$,

nach 17.13(3), (5) also

(9) $V(\operatorname{gr} I) = V(\operatorname{gr} I(w^{-1} \cdot \lambda)) \subset V(\operatorname{gr} I(w_S w_B \cdot \lambda))$.

Wegen $I(w_S w_B \cdot \lambda) = I_S(w_S w_B \cdot \lambda)$ folgt aus 17.16(1) jetzt

(10) $V(\operatorname{gr} I) \subset G \mathfrak{m}_S$.

Wir können überall S durch S' ersetzen und erhalten nach (3):

(11) $V(\operatorname{gr} I) \subset \overline{G x_I}$.

Da $\overline{G x_I}$ irreduzibel ist, folgt aus (2) nun

(12) $V(\operatorname{gr} I) = \overline{G x_I}$.

Damit ist (1) bewiesen, und wir haben in diesem Fall eine positive Antwort auf 17.15(3).

17.22 Wir haben uns in diesem Kapitel damit beschäftigt, einem primitiven Ideal in $U(\mathfrak{g})$ eine Varietät zuzuordnen, von der man hofft, daß sie irreduzibel ist und daher die Gestalt $\overline{Gx}$ für ein (nilpotentes) $x \in \mathfrak{g}$ hat. Ist dies richtig, so können wir jedem Ideal auch eine Bahn (Gx nämlich) von G in $\mathfrak{g}$ zuordnen.

Nun gibt es für auflösbare Lie-Algebren $\mathfrak{s}$ nach Dixmier eine Abbildung, die jeder Bahn in $\mathfrak{s}^*$ der adjungierten algebraischen Gruppe von $\mathfrak{s}$ ein primitives Ideal in $U(\mathfrak{s})$ zuordnet. Nach Duflo und Rentschler ist diese Abbildung bijektiv. Es stellt sich die Frage, ob wir auch im halbeinfachen Fall eine „vernünftige" Abbildung von dem Raum der G-Bahnen in $\mathfrak{g}^* \simeq \mathfrak{g}$ in denjenigen der primitiven Ideale finden und welche Eigenschaften wir von einer solchen Abbildung erwarten können.

Für eine beliebige Lie-Algebra $\mathfrak{s}$ und ein $f \in \mathfrak{s}^*$ nennt man eine Unteralgebra $\mathfrak{p}$ von $\mathfrak{s}$ eine *Polarisierung* von f, wenn $f([\mathfrak{p},\mathfrak{p}])=0$ und $\dim \mathfrak{p} = \frac{1}{2}(\dim \mathfrak{s} + \dim \mathfrak{s}^f)$ mit $\mathfrak{s}^f = \{x \in g \mid xf = 0\}$ gilt (vgl. [DIX], 1.12.8, [BGR], 9.1). Man setzt dann

$$\tilde{I}(\mathfrak{p},f) = \mathrm{Ann}_{U(\mathfrak{s})}\, U(\mathfrak{s}) \bigotimes_{U(\mathfrak{p})} \tilde{k}_f\,,$$

wobei $\tilde{k}_f$ der eindimensionale $\mathfrak{p}$-Modul ist, auf dem ein $x \in \mathfrak{p}$ als Multiplikation mit $f(x) + \frac{1}{2}\,\mathrm{Spur}\ \mathrm{ad}_{\mathfrak{s}/\mathfrak{p}}(x)$ operiert.

Für auflösbares $\mathfrak{s}$ besitzt jedes $f \in \mathfrak{s}^*$ eine Polarisierung ([DIX], 1.12.10, [BGR], 9.4; wir nehmen dabei nach wie vor an, daß k algebraisch abgeschlossen ist), für zwei Polarisierungen $\mathfrak{p}, \mathfrak{p}'$ von f gilt $\tilde{I}(\mathfrak{p},f) = \tilde{I}(\mathfrak{p}',f)$ ([DIX], 6.14, [BGR], 10.8), und $\tilde{I}(\mathfrak{p},f)$ ist stets primitiv ([DIX], 6.1.1, [BGR], 10.6). Durch $f \mapsto \tilde{I}(\mathfrak{p},f)$ mit einer beliebigen Polarisierung $\mathfrak{p}$ von f wird eine Abbildung von $\mathfrak{s}^*$ in das primitive Spektrum definiert (die *Dixmier-Abbildung*), die wegen $\tilde{I}(g\mathfrak{p}, gf) = \tilde{I}(\mathfrak{p},f)$ für alle g aus der adjungierten algebraischen Gruppe über den Bahnenraum in $\mathfrak{s}^*$ für diese Gruppe faktorisiert. Diese faktorisierte Abbildung ist dann bijektiv ([DIX], 6.5.12, [BGR], 15.1).

17.23 Die für auflösbare Lie-Algebren geschilderte Methode läßt sich nicht ohne weiteres auf unser halbeinfaches $\mathfrak{g}$ übertragen. Zunächst hat im allgemeinen nicht jedes $f \in \mathfrak{g}^*$ eine Polarisierung. Ist $\mathfrak{g}$ zum Beispiel einfach, so haben genau dann alle $f \in \mathfrak{g}^*$ eine Polarisierung, wenn $\mathfrak{g}$ zu einem $\mathfrak{sl}_n(k)$ isomorph ist (nach [Ozeki/Wakimoto]).

Hat ein $f \in \mathfrak{g}^*$ eine Polarisierung $\mathfrak{p}$, so ist $\mathfrak{p}$ eine parabolische Unteralgebra von $\mathfrak{g}$ ([Ozeki/Wakimoto], Tauvel nach [Dixmier 5]). Aus 15.6 folgt nun, daß $\tilde{I}(\mathfrak{p},f)$ ein *vollprimes* primitives Ideal in $U(\mathfrak{g})$ mit $d(U(\mathfrak{g})/\tilde{I}(\mathfrak{p},f)) = 2\dim \mathfrak{g}/\mathfrak{p} = \dim \mathfrak{g} - \dim \mathfrak{g}^f = \dim Gf$ ist (vgl. [Conze]). Man erhält durch dieses Verfahren also sicher nicht alle primitiven Ideale in $U(\mathfrak{g})$. Für ein einfaches $\mathfrak{g}$, das zu keinem $\mathfrak{sl}_n(k)$ isomorph ist, wird in [Joseph 2] ein vollprimes primitives Ideal I in $U(\mathfrak{g})$ konstruiert, das schon wegen des Werts von $d(U(\mathfrak{g})/I)$ kein $\tilde{I}(\mathfrak{p},f)$ sein kann. (Zur Konstruktion erweitert Joseph den Homomorphismus

$\hat{\theta}$: $U(\mathfrak{b}+\mathfrak{g}_S)\to U(\mathfrak{m}_S)_{x\bar{\alpha}}$ von 3.11 auf ganz $U(\mathfrak{g})$, so daß auf $\mathfrak{m}_S$ die Identität induziert wird.)

Schließlich kommt es (nach Borho und Rentschler) schon für $\mathfrak{g}=\mathfrak{so}_5(k)$ vor, daß ein $f\in\mathfrak{g}^*$ Polarisierungen $\mathfrak{p}$ und $\mathfrak{p}'$ mit $\tilde{I}(\mathfrak{p},f)\neq\tilde{I}(\mathfrak{p}',f)$ besitzt (vgl. [Borho 1]).

17.24 Für $\mathfrak{g}=\mathfrak{sl}_n(k)$ ist die Situation günstiger. In [Borho 4], 6.3 wird gezeigt, daß durch $f\mapsto\tilde{I}(\mathfrak{p},f)$ wie oben genau dann eine Abbildung von $\mathfrak{g}^*/G$ in das primitive Spektrum von $U(\mathfrak{g})$ wohldefiniert wird, wenn für alle $S\subset B$ und $\lambda\in S^{\perp}$ sowie $w\in W$ gilt:

(1) *Aus* $wS\subset B$ *folgt* $I_{wS}(w\cdot\lambda)=I_S(\lambda)$.

Da (1) in [Borho 4], 5.4 bewiesen wird (vgl. hier 15.27), ist für $\mathfrak{g}=\mathfrak{sl}_n(k)$ eine Dixmier-Abbildung wohldefiniert.

Ebenso wird in [Borho 4], 6.3 (vgl. [Borho/Jantzen], 5.16) gezeigt, daß diese Abbildung genau dann injektiv ist, wenn für alle $S, S'\subset B$ und $\lambda\in S^{\perp}$ sowie $\lambda'\in(S')^{\perp}$ gilt:

(2) *Ist* $I_S(\lambda)=I_{S'}(\lambda')$, *so gibt es* $w\in W$ *mit* $S'=wS$ *und* $\lambda'=w\cdot\lambda$.

Nun wird (2) in [Borho/Jantzen], 5.10 bewiesen; also ist die Dixmier-Abbildung in der Tat injektiv (vgl. [Borho/Jantzen], 5.15, [Borho 4], 6.7.1).

Wie oben schon erwähnt, besteht das Bild der Dixmier-Abbildung aus vollprimen primitiven Idealen in $U(\mathfrak{sl}_n(k))$. Es stellt sich die Frage, ob man so alle Ideale dieser Art erhält. Für $n=3$ wird diese Surjektivität in [Dixmier 6] bewiesen, für $n=4{,}5$ in [Joseph 14], 11.6.

17.25 Auch für andere Lie-Algebren muß man sich fragen, ob man $\mathfrak{g}^*/G\simeq\mathfrak{g}/G$ und das primitive Spektrum vergleichen kann. Um dies durchführen zu können, ist eine Beschreibung des Bahnenraums $\mathfrak{g}/G$ erforderlich. Dies wird in [Borho/Kraft 2] und [Borho 6] in einer Form unternommen, die unserem Problem angepaßt ist.

Ist $\mathfrak{g}$ einfach vom Typ G_2, so gibt es genau zwei vollprime primitive Ideale I von $U(\mathfrak{g})$ mit $d(U(\mathfrak{g})/I)=8$ ([Joseph 21], 4.10). Andererseits gibt es in $\mathfrak{g}$ nur eine Bahn von G der Dimension 8. Daher kann es keine Bijektion von $\mathfrak{g}/G$ auf die Menge der vollprimen primitiven Ideale von $U(\mathfrak{g})$ geben, bei der stets einer Bahn Gx ein Ideal J mit $d(U(\mathfrak{g})/J)=\dim Gx$ zugeordnet wird.

Literatur

Alvis, D., Lusztig, G.
On Springer's correspondence for simple groups of type E_n ($n=6, 7, 8$), Math. Proc. Camb. Phil. Soc. *92* (1982), 65–72

Barbasch, D., Vogan, D.
1. Primitive ideals and orbital integrals in complex classical groups, Math. Ann. *259* (1982), 153–199
2. Primitive ideals and orbital integrals in complex exceptional groups, J. Algebra *80* (1983), 350–382
3. The local structure of characters, J. Func. Anal. *37* (1980), 27–55

Beilinson, A., Bernstein, J.
Localisation de $\mathfrak{g}$-modules, C. R. Acad. Sc. Paris (A) *292* (1981), 15–18

Benson, C. T.
The generic degrees of the irreducible characters of E_8, Comm. Algebra *7* (1979), 1199–1209

Benson, C. T., Curtis, C. W.
On the degrees and rationality of certain characters of finite Chevalley groups, Trans. Amer. Math. Soc. *165* (1972), 251–273 and *202* (1975), 405–406

Bergman, G.
Gel'fand-Kirillov dimension can go up in extension modules, Comm. in Algebra *9* (1981), 1567–1570

Bernštein, I. N.
Modules over a ring of differential operators. Study of the fundamental solutions of equations with constant coefficients, Funct. Anal. Appl. *5* (1971), 89–101

Bernštein, I. N., Gel'fand, I. M., Gel'fand, S. I.
1. Structure of representations generated by vectors of highest weight, Funct. Anal. Appl. *5* (1971), 1–8
2. Differential operators on the base affine space and a study of $\mathfrak{g}$-modules, pp. 22–64 in: I. M. Gel'fand (ed.), Lie Groups and their Representations, A. Hilger, London 1975
3. Category of $\mathfrak{g}$-modules, Funct. Anal. Appl. *10* (1976), 87–92

Bernštein, J. N., Gel'fand, S. I.
Tensor products of finite and infinite dimensional representations of semisimple Lie algebras, Compositio math. *41* (1980), 245–285

Beynon, W. M., Lusztig, G.
Some numerical results on the characters of exceptional Weyl groups, Math. Proc. Camb. Phil. Soc. *84* (1978), 417–426

Björk, J.-E.
Rings of Differential Operators, North-Holland, Amsterdam-Oxford-New York 1979

Borho, W.
1. Primitive vollprime Ideale in der Einhüllenden von $\mathfrak{so}(5, \mathbf{C})$, J. Algebra *43* (1976), 619–654
2. Berechnung der Gelfand-Kirillov-Dimension bei induzierten Darstellungen, Math. Ann. *225* (1977), 177–194
3. Recent advances in enveloping algebras of semisimple Lie algebras, pp. 1–18 (exp. 489) in: Séminaire Bourbaki 1976/77, Lecture Notes in Mathematics 677, Berlin-Heidelberg-New York 1978
4. Definition einer Dixmier-Abbildung für $\mathfrak{sl}(n, \mathbf{C})$, Invent. math. *40* (1977), 143–169
5. Zum Induzieren unipotenter Klassen, Abh. Math. Sem. Hamb. *51* (1981), 1–4

6. Über Schichten halbeinfacher Lie-Algebren, Invent. math. *65* (1981), 283–317
7. On the Joseph-Small additivity principle for Goldie ranks, Compositio math. *47* (1982), 3–29
8. Invariant dimension and restricted extension of noetherian rings, pp. 51–71 in: Séminaire d'Algèbre Pierre Dubreil et Marie-Paule Malliavin. Lecture Notes in Mathematics 924, Berlin-Heidelberg-New York 1982

Borho, W., Brylinski, J.-L.
1. Differential operators on homogeneous spaces I: Irreducibility of the associated variety for annihilators of induced modules, Invent. math. *69* (1982), 437–476
2. Differential operators on homogeneous spaces II (in Vorbereitung)
3. Differential operators on homogeneous spaces III (in Vorbereitung)

Borho, W., Gabriel, P., Rentschler, R.
Primideale in Einhüllenden auflösbarer Lie-Algebren, Lecture Notes in Mathematics 357, Berlin-Heidelberg-New York 1973 (=[BGR])

Borho, W., Jantzen, J. C.
Über primitive Ideale in der Einhüllenden einer halbeinfachen Lie-Algebra, Invent. math. *39* (1977), 1–53

Borho, W., Kraft, H.
1. Über die Gelfand-Kirillov-Dimension, Math. Ann. *220* (1976), 1–24
2. Über Bahnen und deren Deformationen bei linearen Aktionen reduktiver Gruppen, Comment. Math. Helvetici *54* (1979), 61–104

Borho, W., Rentschler, R.
Oresche Teilmengen in Einhüllenden Algebren, Math. Ann. *217* (1975), 201–210

Bourbaki, N.
1. Algèbre, Hermann, Paris (ch. I: 1958, ch. II: 1962, ch. III: ²1971, ch. IV/IV: 1959, ch. V/VI: ²1964, ch. VIII: 1958, ch. IX: 1959)
2. Algèbre commutative, Hermann, Paris (ch. I/II: 1961, ch. III/IV: 1962, ch. V/VI: 1964, ch. VII: 1965)
3. Groupes et algèbres de Lie, Hermann, Paris (ch. I: 1971, ch. II/III: 1972, ch. IV–VI: 1968, ch. VII/VIII: 1975)

Brylinski, J.-L., Kashiwara, M.
1. Démonstration de la Conjecture de Kazhdan-Lusztig sur les modules de Verma, C. R. Acad. Sc. Paris (A) *291* (1980), 373–376
2. Kazhdan-Lusztig conjecture and holonomic systems, Invent. math. *64* (1981), 387–410

Brylinski, J.-L.
Filtration de Jantzen des modules de Verma et filtrations par le poids (d'après Beilinson et Bernstein), Manuskript

Conze, N.
Algèbres d'opérateurs différentiels et quotients des algèbres enveloppantes, Bull. Soc. math. France *102* (1974), 379–415

Conze, N., Dixmier, J.
Idéaux primitifs dans l'algèbre enveloppante d'une algèbre de Lie semi-simple, Bull. Sci. math. *96* (1972), 339–351

Conze-Berline, N., Duflo, M.
Sur les représentations induites des groupes semi-simples complexes, Compositio math. *34* (1977), 307–336

Delorme, P.
Extensions dans la categorie $\mathcal{O}$ de Bernstein-Gelfand-Gelfand. Applications, preprint Oct. 1978

Demazure, M., Gabriel, P.
Groupes Algébriques I, Masson/North-Holland, Paris-Amsterdam 1970

Deodhar, V. V.
On the Kazhdan-Lusztig conjecture, Proc. Kon. Nederl. Akad. Wet. (A) *85* (1982), 1–17

Dixmier, J.
1. Idéaux primitifs dans l'algèbre enveloppante d'une algèbre de Lie semi-simple complexe, C. R. Acad. Sc. Paris (A) *271* (1970), 134–136 et *272* (1971), 1628–1630

2. Idéaux maximaux dans l'algèbre enveloppante d'une algèbre de Lie semi-simple complexe, C. R. Acad. Sc. Paris (A) *274* (1972), 228–230
3. Quotients simples de l'algèbre enveloppante de $\mathfrak{sl}_2$, J. Algebra *24* (1973), 551–564
4. Algèbres Enveloppantes, Gauthier-Villars, Paris-Bruxelles-Montréal 1974 (=[DIX])
5. Polarisations dans les algèbres de Lie semi-simples complexes, Bull. Sci. math. *99* (1975), 45–63
6. Idéaux primitifs complètement premiers dans l'algèbre enveloppante de $\mathfrak{sl}(3, \mathbf{C})$, pp. 38–54 in: Non-Commutative Harmonic Analysis, Lecture Notes in Mathematics 466, Berlin-Heidelberg-New York 1975
7. Calcul de certaines multiplicités, et applications aux algèbres enveloppantes (Manuskript, unveröffentlicht)
8. Idéaux primitifs dans les algèbres enveloppantes, J. Algebra *48* (1977), 96–112

Duflo, M.
1. Construction of primitive ideals in an enveloping algebra, pp. 77–93 in: I. M. Gel'fand (ed.), Lie Groups and their Representations, A. Hilger, London 1975
2. Représentations irréductibles des groupes semi-simples complexes, pp. 26–88 in: Analyse Harmonique sur les Groupes de Lie, Lecture Notes in Mathematics 497, Berlin-Heidelberg-New York 1975
3. Sur la classification des idéaux primitifs dans l'algèbre enveloppante d'une algèbre de Lie semi-simple, Ann. of Math. *105* (1977), 107–120
4. Polynômes de Vogan pour $SL(n, \mathbf{C})$, pp. 64–76 in: Non-Commutative Harmonic Analysis, Lecture Notes in Mathematics 728, Berlin-Heidelberg-New York 1979
5. Représentations unitaires irréductibles des groupes simples complexes de rang deux, Bull. Soc. math. France *107* (1979), 55–96

Enright, T. J.
Lectures on representations of complex semisimple Lie groups, Tata Institute Lectures on Mathematics, Berlin-Heidelberg-New York 1981

Faith, C.
Algebra: Rings, Modules and Categories I, Berlin-Heidelberg-New York 1973

Gabber, O., Joseph A.
1. On the Bernstein-Gelfand-Gelfand resolution and the Duflo sum formula, Compositio math. *43* (1981), 107–131
2. Towards the Kazhdan-Lusztig conjecture, Ann. scient. Éc. Norm. Sup. (4) *14* (1981), 261–302

Gel'fand, I. M., Kirillov, A. M.
1. Fields associated with enveloping algebras of Lie algebras, Soviet Math. (Doklady) *7* (1966), 407–409
2. Sur les corps liés aux algèbres enveloppantes des algèbres de Lie, Publ. math. I.H.E.S. *31* (1966), 5–19
3. The structure of the Lie field connected with a split semisimple Lie algebra, Funct. Anal. Appl. *3* (1969), 6–21

Gel'fand, S. I., MacPherson, R.
Verma modules and Schubert cells; a dictionary, pp. 1–50 in: Séminaire d'Algèbre Pierre Dubreil et Marie-Paule Malliavan, Lecture Notes in Mathematics 924, Berlin-Heidelberg-New York 1982

Grothendieck, A., Dieudonné, J.
Eléments de géométrie algébrique III, Publ. math. I.H.E.S. *11* (1961) et *17* (1963)

Hadžiev, Dž.
Some questions in the theory of vector invariants, Math. USSR Sbornik *1* (1967), 383–396

Hartshorne, R.
Algebraic Geometry, New York-Heidelberg-Berlin 1977

Hirai, T.
Structure of induced representations and characters or irreducible representations of complex semisimple Lie groups, pp. 167–188 in: Conference on Harmonic Analysis, Lecture Notes in Mathematics 266, Berlin-Heidelberg-New York 1972

Hochschild, G., Mostow, G. D.
Unipotent groups in invariant theory, Proc. Nat. Acad. Sc. USA *70* (1973), 646–648

Hotta, R., Springer, T. A.
A specialization theorem for certain Weyl group representations and an application to the Green polynomials of unitary groups, Invent. math. *41* (1977), 113–127

Humphreys, J. E.
Introduction to Lie Algebras and Representation Theory, New York-Heidelberg-Berlin 1972

Jacobson, N.
Lie Algebras, Interscience, New York-London-Sydney 1962

Jantzen, J. C.
1. Zur Charakterformel gewisser Darstellungen halbeinfacher Gruppen und Lie-Algebren, Math. Z. *140* (1974), 127–149
2. Kontravariante Formen auf induzierten Darstellungen halbeinfacher Lie-Algebren, Math. Ann. *226* (1977), 53–65
3. Über das Dekompositionsverhalten gewisser modularer Darstellungen halbeinfacher Gruppen und ihrer Lie-Algebren, J. Algebra *49* (1977), 441–469
4. Moduln mit einem höchsten Gewicht, Lecture Notes in Mathematics 750, Berlin-Heidelberg-New York 1979 (=[MHG])

Joseph, A.
1. A generalisation of the Gelfand-Kirillov conjecture, Amer. J. Math. *99* (1977), 1151–1165
2. The minimal orbit in a simple Lie algebra and its associated maximal ideal, Ann. scient. Éc. Norm. Sup. (4) *9* (1976), 1–30
3. Second commutant theorems in enveloping algebras, Amer. J. Math. *99* (1977), 1167–1192
4. A preparation theorem for the prime spectrum of a semisimple Lie algebra, J. Algebra *48* (1977), 241–289
5. Primitive ideals in the enveloping algebras of $\mathfrak{sl}(3)$ and $\mathfrak{sp}(4)$ (preprint Januar 1976, unveröffentlicht)
6. Sur la classification des idéaux primitifs dans l'algèbre enveloppante d'une algèbre de Lie reductive, C. R. Acad. Sc. Paris (A) *284* (1977), 425–427
7. On the Gel'fand-Kirillov conjecture for induced ideals in the semisimple case, Bull. Soc. math. France *107* (1979), 139–159
8. A characteristic variety for the primitive spectrum of a semisimple Lie algebra (preprint Dezember 1976; Kurzfassung:) pp. 102–118 in: Non-Commutative Harmonic Analysis, Lecture Notes in Mathematics 587, Berlin-Heidelberg-New York 1977
9. On the annihilators of the simple subquotients of the principal series, Ann. scient. Éc. Norm. Sup. (4) *10* (1977), 419–440
10. Gelfand-Kirillov dimension for the annihilators of simple quotients of Verma modules, J. London Math. Soc. (2) *18* (1978), 50–60
11. Towards the Jantzen conjecture I, Compositio math. *40* (1980), 35–67
12. Towards the Jantzen conjecture II, Compositio math. *40* (1980), 69–78
13. Sur la classification des idéaux primitifs dans l'algèbre enveloppante de $\mathfrak{sl}(n, \mathbf{C})$, C. R. Acad. Sc. Paris (A) *287* (1978), 303–306
14. Kostant's problem, Goldie rank and the Gelfand-Kirillov conjecture, Invent. math. *56* (1980), 191–213
15. Dixmier's problem for Verma and principal series submodules, J. London Math. Soc. (2) *20* (1979), 193–204
16. W-module structure in the primitive spectrum of the enveloping algebra of a semisimple Lie algebra, pp. 116–135 in: Non-Commutative Harmonic Analysis, Lecture Notes in Mathematics 728, Berlin-Heidelberg-New York 1979
17. Goldie rank in the enveloping algebra of a semisimple Lie algebra I, J. Algebra *65* (1980), 269–283
18. Goldie rank in the enveloping algebra of a semisimple Lie algebra II, J. Algebra *65* (1980), 284–306
19. Towards the Jantzen conjecture III, Compositio math. *41* (1981), 23–30

20. Goldie rank in the enveloping algebra of a semisimple Lie algebra III, J. Algebra *73* (1981), 295–326
21. Kostant's problem and Goldie rank, pp. 249–266 in: Non-Commutative Harmonic Analysis and Lie Groups, Lecture Notes in Mathematics 880, Berlin-Heidelberg-New York 1981
22. Application de la théorie des anneaux aux algèbres enveloppantes (Vorlesungsausarbeitung, Paris 1981)
23. The Enright functor on the Bernstein-Gelfand-Gelfand category $\mathcal{O}$, Invent. math. *67* (1982), 423–445

Joseph, A., Small, L. W.
An additivity principle for Goldie rank, Israel J. Math. *31* (1978), 105–114

Kazhdan, D. A., Lusztig, G.
1. Representations of Coxeter groups and Hecke algebras, Invent. math. *53* (1979), 165–184
2. Schubert varieties and Poincaré duality, pp. 185–203 in: Geometry of the Laplace operator, Proc. Symp. Pure Math. 36, Amer. Math. Soc., Providence 1980

Kempken, G.
Induced conjugacy classes in classical Lie algebras, Abh. Math. Sem. Univ. Hamb. (demnächst)

Kerber, A.
Representations of Permutation Groups I, Lecture Notes in Mathematics 240, Berlin-Heidelberg-New York 1971

King, D.
The character polynomial of the annihilator of an irreducible Harish-Chandra module, Amer. J. Math. *103* (1981), 1195–1240

Knuth, D. E.
Permutation matrices and generalized Young tableaux, Pacific J. Math. *34* (1970), 709–727

Lepowsky, J.
A generalisation of the Bernstein-Gelfand-Gelfand resolution, J. Algebra *49* (1977), 496–511

Levasseur, T.
Sur la dimension de Krull de l'algèbre enveloppante d'une algèbre de Lie semi-simple, pp. 173–183 in: Seminaire d'Algèbre Pierre Dubreil et Marie-Paule Malliavin, Lecture Notes in Mathematics 928, Berlin-Heidelberg-New York 1982

Lusztig, G.
1. Irreducible representations of finite classical groups, Invent. math. *43* (1977), 125–175
2. A class of irreducible representations of a Weyl group, Proc. Kon. Ned. Akad. Wet. (A) *82* (1979), 323–335
3. On a theorem of Benson and Curtis, J. Algebra *71* (1981), 490–498
4. A class of irreducible representations of a Weyl group II, Proc. Kon. Ned. Akad. Wet. (A) *85* (1982), 219–226
5. Characters of reductive groups over a finite field, Ann. of Math. Studies (demnächst)

Lusztig, G., Spaltenstein, N.
Induced unipotent classes, J. London Math. Soc. (2) *19* (1979), 41–52

Macdonald, I. G.
1. Some irreducible representations of the Weyl groups, Bull. London Math. Soc. *4* (1972), 148–150
2. Symmetric Functions and Hall Polynomials, Clarendon Press, Oxford 1979

Mayer, S. J.
1. On the characters of the Weyl group of type C, J. Algebra *33* (1975), 59–67
2. On the characters of the Weyl group of type D, Math. Proc. Camb. Phil. Soc. *77* (1975), 259–264

Ozeki, H., Wakimoto, M.
On polarizations of certain homogeneous spaces, Hiroshima Math. J. *2* (1972), 445–482

Pittie, H.
Homogeneous vector bundles on homogeneous spaces, Topology *11* (1972), 199–203

Rocha-Caridi, A.
Splitting criteria for $\mathfrak{g}$-modules induced from a parabolic and the Bernstein-Gelfand-Gelfand resolution of a finite dimensional, irreducible $\mathfrak{g}$-module, Trans. Amer. Math. Soc. *262* (1980), 335–366

Schensted, C.
Longest increasing and decreasing subsequences, Canadian J. Math. *13* (1961), 179–191

Schützenberger, M. P.
Quelques remarques sur une construction de Schensted, Math. Scand. *12* (1963), 117–128

Small, L. W.
Orders in Artinian rings, J. Algebra *4* (1966), 13–41

Smith, S. P.
Krall dimension of the enveloping algebra of $\mathfrak{sl}(2, \mathbf{C})$, J. Algebra *71* (1981), 189–194

Spaltenstein, N.
On the fixed point set of a unipotent element on the family of Borel subgroups, Topology *16* (1977), 203–204

Speh, B., Vogan, D. A.
Reducibility of generalized principal series representations, Acta math. *145* (1980), 227–299

Springer, T. A.
1. Trigonometric sums, Green functions of finite groups and representations of Weyl groups, Invent. math. *36* (1976), 173–207
2. A construction of representations of Weyl groups, Invent. math. *44* (1978), 279–293
3. Quelques applications de la cohomologie d'intersection, exp. 589 in: Séminaire Bourbaki 1981/82, Astérisque 92–93 (1982)
4. Invariant Theory, Lecture Notes in Mathematics 585, Berlin-Heidelberg-New York 1977

Springer, T. A., Steinberg, R.
Conjugacy classes, pp. 167–266 in: A. Borel et al., Seminar on Algebraic Groups and Related Finite Groups, Lecture Notes in Mathematics 131, Berlin-Heidelberg-New York 1970

Srinivasan, B.
Representations of Finite Chevalley Groups, Lecture Notes in Mathematics 764, Berlin-Heidelberg-New York 1979

Steinberg, R.
1. Differential equations invariant under finite reflection groups, Trans. Amer. Math. Soc. *112* (1964), 392–400
2. On a theorem of Pittie, Topology *14* (1975), 173–177

Tauvel, P.
Sur la dimension de Gelfand-Kirillov, Comm. in Algebra *10* (1982), 939–963

Varadarajan, V. S.
Lie Groups, Lie Algebras and their Representations, Prentice-Hall, Englewood Cliffs (N.J.) 1974

Vogan, D. A.
1. Gelfand-Kirillov dimension for Harish-Chandra modules, Invent. math. *48* (1978), 75–98
2. Irreducible characters of semisimple Lie groups I, Duke Math. J. *46* (1979), 61–108
3. A generalized τ-invariant for the primitive spectrum of a semisimple Lie algebra, Math. Ann. *242* (1979), 209–224
4. Ordering of the primitive spectrum of a semisimple Lie algebra, Math. Ann. *248* (1980), 195–203
5. Irreducible characters of semisimple Lie groups II: The Kazhdan-Lusztig conjectures, Duke Math. J. *46* (1979), 805–859
6. Irreducible characters of semisimple Lie groups III: Proof of the Kazhdan-Lusztig conjecture in the integral case, Invent. math. *71* (1983), 381–417

Warner, G.
Harmonic Analysis on Semi-Simple Lie Groups I, Berlin-Heidelberg-New York 1972

Želobenko, D. P.
1. Operational calculus on a complex semisimple Lie group, Math. USSR Izvestija *3* (1969), 881–916
2. On the irreducible representations of a complex semisimple Lie group, Funct. Anal. App. *4* (1970), 163–165
3. Representations of complex semisimple Lie groups, J. of Soviet Math. *4* (1975), 656–680

Zuckerman, G.
Tensor products of finite and infinite dimensional representations of semi-simple Lie groups, Ann. of Math. *106* (1972), 295–308

Verzeichnis der Notationen

Das folgende Verzeichnis enthält im wesentlichen die Notationen, die in mehr als einem Kapitel benutzt werden. Wir geben jeweils an, in welchem Abschnitt sie eingeführt werden.

Notation	Abschnitt
ad, ad_a	1.1
Ann	1.9
$\mathbf{A}_m$	3.10
$a_\Lambda(w, w')$	4.14
$\mathbf{a}_w^\Lambda$	14.9
B	2.2
$B_\lambda, B_\Lambda, B_\lambda^0$	2.5
$\flat^+, \flat^-$	2.2
ch	4.5
$\mathscr{C}(\mathcal{O})$	4.5
$\mathscr{C}_d(\mathcal{O})$	9.3
$\mathfrak{c}_\mathfrak{g}$	3.18
$\mathscr{D}(M, N)$	6.8
$d_A(M), d_\mathfrak{s}(M)$	8.3
$d(\chi)$	9.3
$\mathscr{E}_\mathfrak{k}$	6.7
$e_A(M), e_\mathfrak{s}(M)$	8.3
$e_a(M)$	8.4
$\tilde{e}(M)$	9.9
$\mathscr{F}_h(\Lambda)$	9.4
$\mathscr{F}_h(P(R), \Lambda)$	9.5
$\mathscr{F}(W)$	9.6
$\mathscr{F}(W)_m$	9.7
$\mathscr{F}(W_\Lambda)$	14.8
$\mathfrak{g}$	2.0
$\mathfrak{g}_S$	2.2
$\flat, h_\alpha$	2.1
$\flat_S, \flat_S'$	2.2
$\mathscr{H}, \mathscr{H}^{ee}, \mathscr{H}^{em}, \mathscr{H}_\chi$	6.5
$I(\lambda), I_\lambda^{\min}$	5.1
$I^S(\lambda'), \hat{I}^S(\lambda)$	5.11
$I_S(\lambda)$	15.1
j	6.4
J	14.8
$J(M)$	17.2
$\mathfrak{k}, \mathfrak{k}^\wedge$	6.4
$\mathfrak{K}(S)$	3.16
$l_\Lambda(w)$	2.6
$\mathfrak{L}(\mathfrak{m})$	3.16
$\mathfrak{L}(I)$	13.16
$\mathfrak{l}_\mathfrak{g}$	3.18
$L(\lambda)$	4.1
$L^S(\lambda'), \hat{L}^S(\lambda)$	5.11
$\mathscr{L}(M, N)$	6.8
$\mathscr{L}_M$	6.9
$\mathscr{L}_{\mathfrak{n}^-}(M, N)$	15.1
$m(\sigma)$	14.13
$\mathfrak{m}_S$	2.2
$\mathfrak{m}_\mathfrak{k}$	3.16
$M(\lambda)$	4.1
$M_S(\lambda)$	15.3
$N_{\alpha,\beta}$	2.1
$\mathfrak{n}^+, \mathfrak{n}^-, \mathfrak{n}_S$	2.2
$N_\Lambda(w)$	2.6
$\mathcal{O}$	4.3
$\mathcal{O}_\Lambda, \mathcal{O}_\lambda$	4.4
$\mathfrak{p}_S$	2.2
$P(R)$	2.4
$P_S^{++}, P_S^\vee$	15.1
$\mathscr{P}_\lambda$	6.18
pr_λ	4.4
$pr_{(\lambda,\mu)}$	6.33
$R(\mathfrak{m}, \flat), R$	2.1
R^+, R_S	2.2
R_λ, R_Λ	2.5
$rk(A)$	11.3
$S^n(\mathfrak{g})$	1.4
s_α	2.3
$Sm(A)$	11.9
$St(\pi)$	5.23
T_λ^μ	4.12/5.4
$T_{(\lambda,\lambda')}^{(\mu,\mu')}$	6.33
$\mathscr{T}_M, \mathscr{T}_\lambda$	6.15/16
$U(\mathfrak{g})$	1.2
$U_n(\mathfrak{g}), U^n(\mathfrak{g})$	1.4
$U(\mathfrak{g})_\chi$	6.1
$\mathscr{V}_0(I)$	5.10
$\mathscr{V}_0^S(I)$	5.12
$\mathscr{V}(M)$	17.9
$V_I, \bar{V}_I$	14.11
V_w^L, V_w^R, V_w^{LR}	14.15
$\bar{V}_w^L, \bar{V}_w^R, \bar{V}_w^{LR}$	14.15
$W = W(\mathfrak{g}, \flat)$	2.3
$W_\lambda, W_\lambda^0, W_\Lambda$	2.5
w_Λ	2.6
W_S, w_S	2.7
$W_\Lambda^S, {}^S W_\Lambda, {}^{S'} W_\Lambda^S$	2.7
W^Λ	2.8
$\hat{W}_\Lambda, \hat{W}_\Lambda^s$	14.13
$\mathscr{R}_\lambda$	5.1
$\mathscr{R}_\lambda$	5.4
$\mathscr{R}_\lambda^\sigma$	14.13
x_α	2.1
$Z(\mathfrak{g})$	1.6
$\tilde{\alpha}$	3.11
$\tilde{\alpha}_K$	3.16
ρ	2.3
$\tau_\Lambda(w)$	2.6
χ_λ	3.4
χ_w	4.14
ω_α	2.4
$(\ : M(\lambda))$	4.5
$[\ : L(\lambda)]$	4.2/4.5
$[\ : \mathbf{a}_w^\Lambda]$	14.9
$\leqslant$ (auf $\flat^*$)	2.3
$\leqslant$ (auf W_Λ)	2.8
$\cdot$	2.3
$\underset{L}{\sim}, \underset{R}{\sim}$	5.22/14.15
$\underset{L}{\leqslant}, \underset{R}{\leqslant}, \underset{LR}{\leqslant}, \underset{LR}{\sim}$	14.15

Exponenten

Notation	Abschnitt
$V^\mathfrak{g}$	1.6
M^l, M^r	6.2
${}^s X$	6.3
${}^t y$	2.1
$M^{(t)}, X^{(t)}$	2.1/6.2
${}^t M$	4.10
M^λ	2.1
M^*	2.1
$\alpha^\vee$	2.3
Λ^+, Λ^{++}	2.3

Indices

Notation	Abschnitt
$\langle X \rangle_\mathfrak{a}$	14.9
X_E	6.5
M_λ, M_Λ	4.4

Sachregister